Comme un feu éternel

Elizabeth Nell Dubus

Comme un feu éternel

Roman

Traduit de l'américain
par Éric CHÉDAILLE

Presses de la Renaissance
37, rue du Four
75006 Paris

Si vous souhaitez recevoir notre catalogue et être tenu régulièrement au courant de nos publications, envoyez vos nom et adresse en citant ce livre aux

Presses de la Renaissance
37, rue du Four 75006 Paris

et pour le Canada à

Edipresse
5198, rue Saint-Hubert
Montréal H2J 2Y3

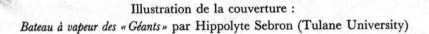

Illustration de la couverture :
Bateau à vapeur des « Géants » par Hippolyte Sebron (Tulane University)

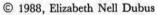

ISBN 2-85616-483-8   H 60-3528-1

Je dédie ce livre à E. Ramòn Arango et J. Taylor Rooks, dont mes filles et moi-même apprécions les nombreuses gentillesses, non seulement pour la générosité qui les inspire, mais aussi pour la spontanéité avec laquelle elles se manifestent.

Je remercie Robert H. Lister et Fred G. Benton, Jr. de m'avoir prêté des ouvrages historiques qui m'ont été une précieuse source de documentation.

Le vrai amour est un feu vivace, dans l'âme brûlant à jamais,
Ni la maladie, ni l'âge, ni la mort ne l'atteignent,
Et jamais il ne se renie.

Sir Walter RALEIGH,
As you came from the holy land (vers 1599).

1

Une étendue d'eau où se mirait le ciel doré réfléchit l'image de la cavalière et de sa monture passant au petit galop. La chevelure auburn de la jeune fille et la queue rousse de la jument flottaient comme une même flamme. Le ruban argenté d'un ruisseau serpentait devant elles, leur barrant le passage. La fille enserra plus fortement les flancs de la bête, donna du talon et se pencha sur l'encolure. Elle se sentit emportée dans les airs et, pendant une seconde, éprouva une sensation de légèreté et d'allégresse, le sentiment d'une harmonie parfaite avec cette belle journée, avec l'animal qu'elle chevauchait et l'univers qui était le sien. Sur l'autre berge, Gabrielle Cannon fit volter la jument pour sauter une nouvelle fois le ruisseau. La bête s'enleva, et la jeune fille éprouva à nouveau ce sentiment de posséder tout ce qui l'entourait, et d'en être possédée. Les champs environnants, verdis par la canne à sucre nouvelle. Et à une vingtaine de mètres derrière elle, le bayou Teche, qui serpentait en direction du sud, et dont les eaux frissonnaient de vigueur printanière.

Un autre cavalier apparut au loin, haute et sombre silhouette se profilant sur le gris-vert des cultures. Des formes humaines se mouvaient entre les rangées de cannes. Gabrielle apercevait le reflet des houes, les taches de couleur que faisaient les vêtements des femmes. Elle entendait dans le lointain le chant dont les esclaves se servaient pour travailler en rythme. La mélopée flottait dans la douceur de l'air, les voix graves des hommes épaulant celles, plus hautes, de leurs compagnes. Gabrielle demeura un instant immobile sur le dos large de Brandy. Puis elle frappa la croupe de la bête, tira les rênes pour la faire pivoter et lui fit prendre le galop en direction du bayou, refranchissant le ruisseau d'un bond fluide et ne ralentissant l'allure que sur la rive du Teche.

Là, elle se laissa glisser à terre. La jument se mit aussitôt à paître l'herbe drue de la berge. Gabrielle suivit le sentier qui menait à l'embarcadère. Elle s'appuya un instant contre une perche, le regard perdu à la surface des eaux, puis elle se mit à plat ventre, menton posé sur ses mains croisées, pour se mirer dans l'eau. .

De grands roseaux encadraient son visage et son étincelante chevelure, approfondissaient le vert de ses yeux, ondoyaient sur sa peau laiteuse. Un tourbillon de bulles vint crever la surface, captant le soleil printanier pour lancer de brefs arcs-en-ciel sur les eaux. Gabrielle se releva aussitôt pour suivre le cheminement de l'écume jusqu'à une série de trous boueux, creusés au bord de l'eau. Ayant saisi une perche prolongée d'un filet, elle parcourut en courant la longueur de l'appontement et regagna la berge. Puis elle emprisonna sa jupe et son jupon dans sa ceinture, roula son pantalon jusqu'à mi-cuisse et entra lentement dans l'eau, tenant prêt son filet.

Une ombre menue évoluait sous l'eau. Le filet se glissa dessous et remonta une écrevisse. Gabrielle la fit prestement tomber dans un seau accroché à un clou sur un pieu de l'appontement. Dix minutes plus tard, plus d'une douzaine de crustacés grouillaient au fond du seau. Encouragée par une telle réussite, la jeune fille s'éloigna de la rive, si absorbée par sa pêche qu'elle ne remarqua pas la couleur plus sombre d'une eau plus profonde.

Elle fit encore un pas, tenant le filet à bout de bras, mais elle glissa et partit à la renverse, rattrapant son filet de justesse avant qu'il ne fût hors de portée. Luttant pour reprendre pied sur le fond trop meuble, elle parvint à ficher sa perche dans la vase et s'en servit comme appui. Alors qu'elle sortait de l'eau, le vêtement plaqué au corps, le cheveu raide, elle entendit un bref coup de corne et se retourna pour voir un vapeur déboucher du méandre. Le clapot levé par l'étrave du bateau vint battre sur la berge. Un moment interdite, Gabrielle se hâta d'arracher sa perche à la vase et de gagner la terre ferme.

Tout en se hissant sur le talus, elle se retourna pour regarder passer le navire, s'attendant à voir la physionomie familière du capitaine Fournet dont le vapeur passait deux fois par semaine devant le débarcadère de Felicity. Mais l'homme qui se tenait sur la dunette n'était pas le capitaine Fournet. De haute taille, avec des cheveux blonds que nimbait le soleil, il semblait du même âge que Tom, le frère de la jeune fille, et les yeux bleus dont il la fixait à travers les grandes fenêtres de la passerelle étaient empreints d'une expression semblable à celle qu'aurait eue Tom en voyant sa sœur dans cet état.

Celle-ci porta la main à son visage pour effleurer la boue qui commençait de sécher sur ses joues, pour rejeter en arrière ses cheveux trempés. De l'autre, elle décolla le corsage qui se plaquait contre son corps et s'efforça de ramener ses jupes sur ses jambes nues et ses pieds maculés de vase. L'instant d'après, le vapeur avait disparu derrière la grande courbe du bayou Teche, qui marquait au sud les limites de la plantation.

Il y eut un dernier coup de corne, puis le silence revint, uniquement troublé par les appels des oiseaux dans les arbres du bord de l'eau. Gabrielle resta un moment à contempler le bayou, comme si le navire et son capitaine y étaient toujours en vue, puis, après un bref hochement de tête, elle alla déposer le filet sur l'estacade, prit le seau plein d'écrevisses et remonta le sentier. Brandy la salua d'un petit hennissement. Le seau dansant au bout de son bras, Gabrielle courut vers la jument alezane.

« Ce coup-ci, Brandy, je vais me faire attraper. Il va falloir que tu files comme le vent, que mes habits et mes cheveux puissent sécher. »

Elle prit les souliers, la paire de bas et le chapeau qu'elle avait laissés en travers de l'encolure de l'animal, et, assise sur une souche, enfila les bas sur ses jambes tachées de vase, puis se chaussa. S'étant peignée avec les doigts, elle se coiffa du bonnet de toile dont elle laça les rubans sous son menton.

Puis, l'anse du seau passée à son avant-bras, elle sauta en selle et, du talon, élança la jument. La bête prit le trot, puis le petit galop dans le chemin menant du bayou à la première prairie, allant sans heurts sur une terre ameublie par la pluie. Après avoir longé

11

un moment le pâturage, Gabrielle poussa un cri soudain et tira les rênes vers la droite. La jument obliqua ; la barrière à trois étages se dressait devant elles, et la jeune fille se prépara pour le saut.

D'une belle détente, Brandy quitta le sol et franchit facilement l'obstacle. Les champs de canne, rangées vertes et régulières que striaient les corps noirs occupés à sarcler les mauvaises herbes, passèrent comme une vision fugitive et brouillée ; Gabrielle entrevit la face du contremaître, qui eut juste le temps d'écarquiller les yeux et de lever son chapeau. La jument reprit son galop fluide, laissant derrière le visage éberlué de M. Adams.

Les hautes herbes, encore humides d'une averse récente, laissaient des taches vertes sur le pantalon de la jeune fille, et des fruits de bardane se prenaient dans la dentelle dont il était bordé. La haute chênaie fut bientôt en vue. Une grande maison blanche s'y dressait sur ses six colonnes ioniques, chatoyant comme un mirage au soleil de mai. Toutefois, Gabrielle s'en détourna.

Elle dirigea le pas de Brandy vers le parc à chevaux, ouvrit la barrière et y fit entrer la jument. Un grand Noir leva les yeux de la bête qu'il était en train de panser, pour considérer les jupes tachées de Gabrielle, son visage maculé de vase. Ce regard imperturbable rappela à la jeune fille cet autre regard, bleu celui-là, qui l'avait si tranquillement détaillée depuis la passerelle du vapeur ; elle baissa légèrement la tête, lâcha les rênes et se laissa glisser à terre.

« Je... je suis tombée dans le bayou. J'étais en train de pêcher. » Elle fit un signe de tête vers le seau qui pendait toujours à son bras.

« Vot' tante vous cherche partout, dit le Noir. L'a envoyé Lucie ici voir si vous n'y étiez pas.

— Samson, j'espère que tu ne lui as pas dit où j'étais ? »

Samson se pencha pour passer doucement la brosse sur la jambe du cheval, ne répondant que lorsqu'il eut terminé. « Je lui ai dit que je ne savais pas où vous étiez passée. Mais la Lucie, elle a pas les yeux dans sa poche. M'étonnerait pas qu'elle ait vu que je mentais.

— Je suis désolée, Samson. Je ne voudrais pas que tu aies des ennuis avec tante Mathilde. » Gabrielle promenait le bout de son soulier dans la poussière ; elle regrettait de s'être laissé enivrer par l'appel du printemps, de n'avoir pas fait travailler Brandy dans le paddock plutôt que de sauter par-dessus les barrières pour traverser la prairie au grand galop et gagner le bayou, aussi sourde aux appels de Samson que l'eût été une gamine de dix ans, elle qui en avait dix-huit.

«Fermer les yeux quand il s'agit de vous et de M. Tom, c'est une chose, miss Gabrielle. Mais quand vous partez toute seule...» Samson secoua la tête. «C'est que, s'il l'apprend, M. Tom se fait du tracas, lui aussi. » Il fit le tour du cheval et se mit à en brosser l'autre flanc sans cesser de regarder Gabrielle par-dessus la croupe de l'animal. «Vous feriez mieux d'y aller à présent. Lucie a parlé d'une robe qui est prête pour les essayages...

— Mon costume pour le tournoi de l'anneau! » La jeune fille considéra ses jupes, ses mains pleines de vase. «Si jamais tante Mathilde me voit dans cet état, jamais elle ne me laissera y aller...» Elle sentit le souffle de Brandy sur sa nuque. Elle se retourna pour passer les bras autour de l'encolure de sa jument. «Brandy, il faut que tu me promettes que la prochaine fois tu seras raisonnable pour deux. »

Samson vint prendre les rênes de la jument. «Je vais lui passer un bon coup d'étrille, miss Gabrielle. Et la laisser se refroidir avant de lui donner à boire. »

Gabrielle prit deux morceaux de sucre dans une boîte clouée au mur de l'écurie et les remit à Samson. «Tu en donneras un à Jupiter, dit-elle. Le pauvre, Tom ne lui en donne jamais.

— M. Tom est pas pour gâter Jupiter », dit le grand Noir, prenant toutefois le sucre, qu'il glissa dans la poche de sa chemise. Puis il prit l'étrille et commença de la passer sur la robe alezane pour en ôter la boue séchée.

Après une dernière caresse à sa jument, Gabrielle repassa la porte du paddock pour traverser rapidement la pâture et gagner l'abri des chênes. Derrière l'écran des troncs énormes et des basses branches, elle partit vers la pelouse entourant la maison, s'immobilisant bientôt derrière un arbre afin de choisir prudemment le meilleur itinéraire. Elle aperçut une silhouette féminine qui se tenait sur la petite galerie joignant, sur l'arrière de la maison, les deux ailes, plus basses, de l'édifice. Elle se mit à couvert et, progressant rapidement d'arbre en arbre, arriva bientôt à hauteur du jardin à la française qui s'étendait à droite de la maison. De là, en suivant une course oblique, elle resterait invisible de la maison et atteindrait le belvédère qui se dressait au bout du jardin ; ensuite, il ne lui resterait plus qu'à traverser ce dernier puis à gravir l'escalier menant de la bibliothèque de son père au premier étage de la maison.

A l'inconfort de ses vêtements humides et de la vase durcie sur ses bras et ses jambes, s'ajoutait un autre malaise ; elle n'arrivait pas à oublier ces trois paires d'yeux étonnés et désapprobateurs. Il y avait eu le regard bleu de l'inconnu, la détaillant comme si elle eût été quelque créature tirée du bayou à seule fin d'être soumise à son inspection. Puis ç'avait été Adams, s'efforçant à dissimuler sa surprise lorsqu'il avait vu la fille de son employeur chevauchant comme un vrai garçon manqué, cela devant un plein champ d'esclaves. Et jusqu'à Samson, qui avait pourtant été maintes fois le complice passif de parties de chasse ou de pêche qu'elle et son frère Tom improvisaient autrefois alors que leur tante les croyait en train de jouer paisiblement sous les yeux de leur nurse.

Elle était à ce point plongée dans ses pensées qu'elle ne réalisa qu'au tout dernier instant qu'il y avait quelqu'un à l'intérieur du belvédère. Elle se jeta aussitôt derrière un gros buisson d'azalées et tendit l'oreille afin d'identifier l'homme et la femme qu'elle discernait vaguement à travers la glycine qui foisonnait autour de l'édifice.

Elle ne put tout d'abord, même à si faible distance, reconnaître aucun visage ni aucune voix. C'est alors que la femme prit la parole, à voix basse mais distincte. « Tu ne peux pas savoir, tu ne peux pas imaginer ce que c'est. Tom, dis-moi que tu vas empêcher cela !

— Tu sais que je vais le faire, dit l'homme. Je ne supporte pas de te voir dans cette situation... » La voix lui manqua presque, et Gabrielle le vit saisir la femme par le bras.

Accroupie derrière le buisson, chatouillée par un petit insecte qui lui descendait le long du dos, elle priait le Ciel que son frère ne découvrît pas sa présence. Elle n'avait aucune idée de ce dont Véronique et lui étaient en train de parler. Quoi que ce fût, ce devait être quelque chose de grave pour qu'ils aillent ainsi s'enfermer dans le belvédère, au mépris des règles qui régissaient la conduite de Tom à l'égard des jeunes esclaves de sexe féminin.

Elle voyait bouger à travers le feuillage le vert pâle de la robe de Véronique, elle discernait la silhouette haute et mince de Tom, toute proche maintenant de la jeune esclave, penchée sur elle comme pour la protéger.

Quelque chose dans cette attitude troubla Gabrielle, qui s'enfonça un peu plus derrière les fourrés. Il lui semblait voir son frère et Véronique sous un jour nouveau. Qu'y avait-il, cependant, d'anormal dans leur conduite présente ? Tom n'avait-il pas toujours été le protecteur de Véronique, tout comme il l'avait été de sa sœur ? Jamais, dans leurs jeunes années, il n'avait fait de différence entre elle et la petite octaronne* qui avait grandi avec eux ; n'était-il pas naturel que celle-ci vînt, comme naguère, lui faire ses doléances ?

Gabrielle secoua la tête comme pour chasser les pensées qui l'assaillaient. Elle leva à nouveau les yeux vers les occupants du belvédère et ressentit la même sensation que lorsqu'elle avait entr'aperçu le regard bleu de l'inconnu, puis le visage familier et sourdement réprobateur d'Adams, et lorsque à son tour Samson l'avait considérée en cachant mal sa consternation. Ni l'un ni l'autre nous ne respectons les usages, aujourd'hui, se dit-elle. C'est alors qu'elle éternua, une fois, deux fois, et une fois encore. Tom sursauta, regarda autour de lui et demanda : « Qui est là ?

— C'est moi, Gabrielle, fit la jeune fille en sortant du buisson d'azalées pour venir se montrer de l'autre côté du treillage.

— Gabrielle ! Mais qu'est-ce que tu fais là, à espionner les gens ?

— Je n'espionne pas, Tom. Je voulais gagner ma chambre sans que tante Mathilde me voie... »

Tom s'approcha du treillis de bois pour considérer les cheveux emmêlés de sa sœur, l'état pitoyable de ses vêtements. « Mais qu'est-ce qui t'est arrivé ? On dirait une pauvresse.

— Je suis tombée dans le bayou. » Le regard implorant de Gabrielle semblait demander la permission d'entrer. Tom fit la grimace, puis acquiesça d'un signe de tête et alla s'asseoir sur le banc scellé dans le mur du belvédère. Contournant l'édifice par l'arrière, Gabrielle se fraya un chemin jusqu'à la porte et se précipita à l'intérieur.

« Tiens, dit Véronique en enlevant le châle qu'elle portait sur les épaules pour le disposer de sorte à recouvrir presque entièrement la robe de Gabrielle. Cela va cacher une bonne partie

* Octaron : terme employé dans le sud des États-Unis pour désigner une personne dont un arrière-grand-parent était un Noir, c'est-à-dire possédant un huitième de sang noir (NdT).

15

des dégâts. Tes cheveux sont presque secs. Je pense que tu peux rentrer sans risque.

— Je n'ai pas pu ne pas entendre, dit Gabrielle en prenant la main de la métisse. Véronique, tu as des ennuis ? »

Véronique regarda dans la direction de Tom, mais ne dit rien.

« Tom, de quoi s'agit-il ? Je peux peut-être vous aider ! »

Ses lèvres, pincées, ôtaient toute douceur à son visage.

Il posa sur sa sœur le regard glacé de ses yeux gris. « Qu'as-tu entendu au juste ? demanda-t-il.

— Pas grand-chose, en fait. Véronique te demandant d'empêcher quelque chose... » Une possible réponse s'imposa à son esprit, et, presque incapable de parler tant sa gorge ne nouait, elle dit : « Tu ne vas pas être vendue ?

— Vendue ! » Le teint ivoire de Véronique se fit plus pâle encore. Elle se laissa tomber sur le banc à côté de Tom.

« Où es-tu allée chercher une idée pareille ? fit celui-ci.

— Euh... cela m'est venu comme ça...

— Pour l'amour du Ciel, réfléchis un peu avant de parler », lâcha Tom, durement. Il bouillait de colère, et cette colère lançait comme de petits dards enflammés qui se seraient fichés en Gabrielle. Il vit combien elle était bouleversée et recouvra son calme. « Excuse-moi, Gabe. » L'emploi de ce diminutif le calma encore, et il la prit par la main. « Cela ne t'apporterait rien de bon de savoir en quoi consiste le problème. Rien de bon, crois-moi.

— Je voulais juste vous aider », balbutia Gabrielle.

Tom se posa un doigt sur les lèvres. « La meilleure façon de nous aider, c'est de n'en parler à personne. Et de monter te changer avant que tante Mathilde ne te voie dans cet état.

— Elle me cherche, dit Gabrielle en jetant un coup d'œil en direction de la maison. Elle veut que j'essaie la robe que je porterai pour le tournoi de l'anneau.

— En ce cas, elle doit me chercher moi aussi ! fit Véronique. Qu'est-ce que je vais dire quand elle me demandera où j'étais passée ? » Elle se départit soudain du calme qu'elle avait affiché depuis l'apparition de Gabrielle, et se prit la tête entre les mains, oscillant légèrement d'un côté et de l'autre, faisant entendre une plainte sourde et continue.

« Je vais lui dire que tu étais avec moi, dit Gabrielle. Je vais dire que j'ai tenu à ce que tu viennes avec moi déterrer ces lis

16

sauvages que je veux repiquer dans le jardin, et que je suis tombée dans un ruisseau... »

Tom et Véronique échangèrent un regard. Gabrielle en perçut l'extraordinaire intensité et se sentit exclue. Mais lorsque Tom prit la parole, son visage s'était détendu, et ses yeux gris contenaient toute l'affection que sa sœur s'attendait toujours à y trouver. « Merci, Gabe. Cela devrait marcher — il alla jusqu'à la porte du belvédère —, la voie est libre. Ne perdez pas de temps.

— Oui, allons-y », fit Gabrielle. Elle avait hâte de regagner le refuge de sa chambre si fraîche. Elle partit vers la porte, jetant un regard en arrière pour voir que son frère était retourné se placer près de Véronique. Même s'ils étaient séparés de plusieurs centimètres, elle pensa en les voyant aux deux effigies d'une pièce de monnaie, qui regardent dans des directions opposées mais appartiennent l'une et l'autre au même corps de métal.

Tom, grand et mince, avec sa tignasse de beaux cheveux noirs ramenés sur un front haut. Des yeux gris qui brûlaient comme deux foyers au centre d'un visage très fin, une bouche qui exprimait tantôt la tendresse tantôt la joie... la jeune fille sentit monter en elle une bouffée d'amour pour son frère. Ces solides épaules avaient supporté maints chagrins d'enfant, ces lèvres avaient su celer maints secrets d'adolescent. Quoi qu'il puisse me demander, je le ferai, se dit Gabrielle.

Et Véronique, teint éburnéen empreint d'un voile d'or, profonds yeux dorés dans lesquels brillait une émotion sur laquelle Gabrielle ne voulait pas mettre de nom. Véronique ne portait pas le fichu de madras dont se coiffaient les autres esclaves ; ses cheveux noirs, ramenés en un chignon bas, étaient d'une grande finesse, et la lumière qui y jouait en allumait les doux reflets. De constitution gracile, elle arrivait à peine à hauteur du menton de Tom, mais elle se mouvait avec une grâce qui la faisait paraître plus grande, et même la forme grossière de sa robe de coton ne parvenait pas à cacher les délicates proportions d'un corps fait au moule.

Gabrielle laissa échapper un long soupir, et ce bruit si léger vint rider leur quiétude ; ils se retournèrent vers elle, comme surpris de la voir encore là.

« Il faut que nous partions, dit Gabrielle.

— Tu as raison », répondit Véronique.

Elles s'éloignèrent ensemble, foulant à grands pas l'allée menant à la maison.

17

« Tu prends le petit escalier, dit Véronique en ouvrant la petite porte pratiquée à côté d'une grande cheminée dont le conduit traversait les trois niveaux de la maison. Moi, je vais prendre l'escalier de service et voir si je peux détourner l'attention de Mme LeGrange.

— Véronique, je te garantis que lorsque je porterai cette magnifique robe que tu me fais pour le tournoi de l'anneau, je me conduirai comme la dame la plus accomplie qui fût jamais. »

Véronique répondit d'un sourire, puis disparut par la porte menant au vestibule. Gabrielle resta un moment à cligner les yeux dans la pénombre de la bibliothèque de son père. Un escalier à vis, étroit et abrupt, occupait un coin de la pièce ; il permettait à Olivier Cannon d'accéder à sa bibliothèque sans devoir emprunter l'escalier principal.

« Papa, quel dommage que tu sois à cette convention, là-bas à Charleston, murmura la jeune fille. Nous avons un problème et nous aurions besoin que tu sois ici pour le régler. » Elle s'engagea lentement dans l'escalier, passant devant les étagements de livres dont les titres lui évoquaient si fortement son père qu'elle s'attendait presque à l'entendre parler.

Si papa avait été ici, se demanda-t-elle, est-ce que Véronique serait allée le trouver ? Non, elle ne le pensait pas. Véronique semblait éviter Olivier Cannon ; les tâches qu'elle assumait ne la mettaient pas en contact avec lui, et ils ne devaient se rencontrer que dans les occasions où tous les esclaves domestiques étaient rassemblés. Et encore y avait-il des exceptions. Depuis que les talents de couturière de Véronique étaient connus au-delà des portes de Felicity, d'autres familles recouraient à ses services, et il lui arrivait de partir pour plusieurs semaines, ne revenant brièvement qu'afin de faire quelques travaux de couture pour tante Mathilde et Gabrielle avant d'être envoyée ailleurs.

Si papa ne gagnait pas d'argent sur son travail, je pourrais presque penser qu'il l'éloigne délibérément. Gabrielle entrouvrit la porte du premier étage pour inspecter le couloir. Elle le savait, son père pensait que ç'avait été une erreur que d'élever Véronique avec son fils et sa fille. Elle l'avait entendu le confier à tante Mathilde quelques semaines plus tôt, juste avant qu'il s'absente.

« C'est notre cœur plus que notre tête qui nous a guidés, avait-il dit. Mais il faut dire que lorsque tu l'as amenée ici, elle était si petite, si frêle... »

Gabrielle avait alors repensé à Véronique telle qu'elle était à l'époque, fillette gracile au teint hâlé, avec de grands yeux pleins de gravité que la bonne humeur et la patience de Tom, les jeux espiègles de Gabrielle avaient fini par égayer.

«C'est aussi ma faute, Olivier, avait dit tante Mathilde. J'aurais pu faire en sorte qu'elle aille vivre avec les autres, plutôt qu'ici avec Abigail...

— Bah, ce qui est fait est fait», avait dit le père de Gabrielle. La jeune fille n'aurait pas dû écouter cette conversation, mais ç'avait été plus fort qu'elle. «Elle travaille bien et a une excellente présentation. J'espère que le fait d'avoir reçu une meilleure éducation que certaines des dames pour lesquelles elle fait de la couture ne lui pose pas trop de problèmes...»

Les aiguilles à tricoter de tante Mathilde cliquetaient, staccato sec et précis qui teintait de colère ses paroles, pourtant proférées d'un ton égal. «Cela, Olivier, c'est de ton seul fait. Qu'on ne vienne pas me le reprocher. De même que je n'y suis pour rien si tu as farci la tête de Gabrielle avec tout ce latin et ce grec, et si tu l'as élevée comme un deuxième fils.

— Là, Mathilde, je n'ai commis aucune erreur, avait répondu Olivier Cannon. Elle est la plus ravissante fille qu'un père puisse espérer avoir. Et, Dieu merci, elle est suffisamment robuste pour ne pas se laisser emporter par la première maladie venue...»

Il n'avait rien ajouté, mais Gabrielle se doutait de ce qu'il allait ensuite faire. Quittant son fauteuil, il irait se poster devant le portrait de sa femme, accroché sur le manteau de la cheminée du grand salon, afin de le contempler longuement, comme si la violence de son chagrin pouvait la lui ramener. Sa mort, quand Gabrielle avait à peine deux ans, avait modifié le cours de l'existence de la seule fille d'Olivier Cannon ; il s'était promis qu'elle ne serait pas élevée comme une plante de serre, mais qu'elle chevaucherait, chasserait et pêcherait au côté de son frère, jusqu'à ce que, contrairement à sa pauvre mère, elle eût la force de résister à toutes les maladies.

Dans une maisonnée aussi peu conventionnelle, se dit Gabrielle, il ne nous paraissait pas du tout singulier que Véronique fût élevée avec nous. Elle vit cette dernière arriver en haut des escaliers, aller doucement frapper à la porte de tante Mathilde et disparaître à l'intérieur de la pièce. Profitant de l'occasion ainsi offerte, Gabrielle parcourut le couloir à toutes jambes, s'engouf-

19

fra dans sa propre chambre et s'adossa tout essoufflée contre la porte.

Elle entendit des pas, des voix, et se précipita dans l'alcôve où se trouvait son cabinet de toilette, refermant à la hâte le rideau de séparation. Sa porte s'ouvrit et elle entendit la voix de sa tante. «Gabrielle, tu es ici?»

La jeune fille passa la tête à l'extérieur. «Je suis en train de me changer, tante Mathilde. Je suis tombée dans le ruisseau.»

Durant un long moment, les yeux gris de la tante fixèrent les yeux verts de la nièce. «Oui, c'est ce que m'a dit Véronique.» Ébauchant une grimace, tante Mathilde sortit sa montre et l'ouvrit. «Dépêche-toi. Je veux voir à quoi ressemble ta robe et il me reste une foule de choses à faire.

— Entendu, tante Mathilde. J'arrive tout de suite.

— J'espère bien», fit la tante en refermant la porte.

Intriguée par le comportement de sa tante, Gabrielle ôta ses vêtements et entreprit de se laver le visage et les bras. Pourquoi avait-elle pris la chose aussi calmement? Avait-elle cru Véronique? Les joues de la jeune fille se mirent à rosir. Mais bien sûr que tante Mathilde avait cru Véronique. Jamais son propre code moral ne lui eût permis d'être de connivence avec un esclave pour s'éviter des ennuis, et jamais elle n'eût imaginé que sa nièce pût faire cela.

C'est parce que je n'aime pas penser que Véronique est une esclave, dit-elle à son reflet dans le miroir. Je la vois comme une amie, quelqu'un qui fait alliance avec moi contre les règles stupides qui se mettent en travers de notre chemin.

C'est alors qu'elle entendit la voix de son père, l'entendit avec une telle impression de réalité qu'elle écarta le rideau, sachant toutefois ne trouver que la chambre déserte.

«C'est là une erreur, Gabrielle, lui avait-il dit. Tu ne peux pas traiter Véronique comme une amie. Tu peux lui manifester de la gentillesse — tu dois lui manifester de la gentillesse —, mais la regarder comme ton égale, faire comme si sa vie avait quelque chose de commun avec la tienne... cela, ce n'est pas de l'amitié, Gabrielle, c'est se duper soi-même.

— Elle pourrait être mon amie si elle était libre! avait lancé Gabrielle.

— Libre? Est-ce que tu déraisonnes?

— Pourquoi est-ce que je déraisonnerais, papa? Elle possède

20

un métier qui rapporte de l'argent. Cet argent vous revient, mais si elle était libre, elle pourrait le garder pour elle. Je suis certaine qu'elle s'en sortirait très bien !

— Où es-tu allée chercher ce genre d'idée, Gabrielle ? avait demandé son père, le regard tout à coup soupçonneux.

— Mais nulle part, papa. C'est une idée qui m'est venue comme ça. Moi, je la trouve excellente. Véronique pourrait aller à La Nouvelle-Orléans ; une bonne modiste y trouve facilement à s'employer, et nous y connaissons tant de monde. Nous pourrions lui faire de la réclame... » Elle se souvenait combien elle se sentait alors le cœur léger. Mais bien sûr, tout était si simple ! Elle avait saisi les mains de son père, certaine de sa réponse. « Oh, papa, comme elle serait heureuse !

— Gabrielle, je ne veux pas que tu parles de cette idée à Véronique, tu m'as bien compris ? »

Elle n'avait pas voulu entendre le caractère définitif du ton de son père, elle avait prié et supplié jusqu'à ce qu'il fût aussi près de la colère qu'il l'eût jamais été avec elle. « Gabrielle, je ne veux plus en entendre parler. Ni aujourd'hui ni jamais. Ce que tu proposes est tout à fait hors de question, et cela pour une foule de raisons dont je n'ai pas envie de discuter avec toi. »

Debout dans l'alcôve, en pantalon et jupon propres, la jeune fille fut secouée du même frisson que celui qui l'avait saisie en voyant le regard de son père. Un regard qui n'était ni glacial ni agacé, mais plutôt inquiet et malheureux. Incapable de supporter l'idée qu'elle lui avait fait de la peine, Gabrielle s'était jetée en sanglotant dans ses bras. « Ma chère enfant, avait-il dit d'une voix plus sereine, le souci que tu as du sort de Véronique est tout à ton honneur, mais tu devrais te borner avec elle au rôle d'une maîtresse aussi bonne que possible. Quant au reste... je ne peux rien te promettre, si ce n'est de réfléchir à son sort. »

Puis il était parti pour Charleston, où les démocrates se réunissaient pour choisir celui qu'ils soutiendraient lors de la campagne présidentielle. Véronique, elle, était allée faire de la couture chez les Fleming, de l'autre côté de St. Martinville, et n'était rentrée que deux jours plus tôt pour aussitôt s'enfermer dans la salle de couture et travailler à la robe de Gabrielle.

La pensée de la splendide robe à rayures roses et vertes qu'elle allait porter dans une semaine à l'occasion du tournoi de l'anneau de New Iberia chassa de son esprit toute autre considération.

21

Ayant rapidement achevé sa toilette, elle courut presque jusqu'à la salle de couture.

Elle s'immobilisa sur le seuil, dissimulée par la porte entrebâillée. Elle pouvait voir Véronique assise sur une chaise basse, une masse de soie rose et vert étalée sur les genoux. Tante Mathilde tournait le dos à la porte, les bras croisés, le dos bien droit.

« Je ne dis pas que je crois Mme Fleming, disait-elle. Cependant, Véronique... les accusations qu'elle porte dans ce billet sont assez graves.

— S'il y avait là-dedans la plus petite once de vérité, répondit Véronique, vous n'en auriez jamais entendu parler. » Elle se leva, tenant la soie contre son corps à la façon d'un drapeau. « Mme LeGrange, je n'ai pas un regard pour les hommes dans les maisons où je travaille. Et si eux me regardent, ma foi, je n'y peux pas grand-chose.

— Ne sois pas insolente ! » lança tante Mathilde. Elle tapotait la paume de sa main à l'aide d'un billet plié, dont Gabrielle se demanda quelles horreurs il pouvait bien contenir.

Cela devait avoir à faire avec cet affreux Michaël Fleming. Sans doute aura-t-il poursuivi Véronique de ses assiduités et sans doute l'aura-t-elle éconduit. Oh, quel dommage qu'elle ne puisse le gifler !

« Il est vrai que je ne t'ai jamais vue commettre la moindre inconvenance », dit encore tante Mathilde, radoucie, comme pour s'excuser. Gabrielle ne sut pas si sa tante voulait se faire pardonner d'avoir pu un instant penser que Véronique avait délibérément provoqué Michaël Fleming, ou d'être à l'origine des malheureuses circonstances qui avaient rendu possible une telle situation. Elle frôla la poignée de la porte.

« Gabrielle ? fit sa tante en se retournant.

— Me voici », fit la jeune fille en veillant à ce que sa physionomie ne réfléchît rien de ce qu'elle venait d'entendre. Elle entra à grands pas dans la pièce, prit des mains de Véronique la robe à demi terminée et se la plaqua sur le corps avec un cri de ravissement.

« Elle est exactement comme je l'imaginais. Elle va être magnifique !

— Je ne suis pas certaine de la façon dont tombe l'encolure, dit Véronique. Il faudrait faire un essayage...

— Tout de suite », dit Gabrielle. Véronique lui déboutonna sa robe et la lui ôta en la lui faisant passer par-dessus la tête. Ses doigts frais et légers opéraient rapidement et de façon impersonnelle, comme si Gabrielle n'eût été qu'un mannequin. Lorsque la nouvelle robe fut enfilée, elle prit une pelote à épingles, s'en glissa quelques-unes entre les lèvres et entreprit de fixer le corsage.

« La coupe est bien trop basse, dit tante Mathilde. Mais enfin, Véronique, c'est à peine si elle est couverte !

— Je sais, dit Véronique. Mais si je ramène ce drapé ici, et si j'ajoute une fronce là... » Elle remonta un pan de soie, effleurant du bout des doigts la poitrine de Gabrielle. Celle-ci se contemplait dans le miroir, rougissant violemment à la vue de cette étendue de chair blanche que ceignait le décolleté très échancré.

Véronique se tenait à côté d'elle, et la grande psyché les encadrait. Gabrielle était plus grande, avec des formes plus pleines, mais elle avait la taille aussi fine que la jeune esclave. Chair laiteuse et cheveux blond vénitien, peau ivoire et cheveux noirs — elle n'a pas du tout l'air d'une Noire, se dit Gabrielle. Si elle portait une robe comme la mienne au tournoi de l'anneau, bien malin celui qui...

Elle essaya d'accrocher le regard de Véronique en quête d'une lueur d'affection. Elle se gardait bien de dire quelque chose comme : « Oh, ce que j'aimerais que tu y participes, toi aussi ! » Cela faisait des années qu'elle n'avait fait ce genre de gaffe ; la seule et unique fois remontait à un été déjà lointain, un jour qu'elle et Tom se préparaient à partir pour un pique-nique, Véronique restant, elle, à la maison. Je te vois telle que tu es, pensa-t-elle, espérant que Véronique saurait lire sa pensée. Pour moi, tu es une personne, non une esclave. Une lueur de compréhension passa dans le regard de la métisse, aussitôt suivie d'un étincellement de colère, vite réprimé, lorsqu'elle s'adressa à tante Mathilde.

« Est-ce que cela va comme cela, Mme LeGrange ?

— Oui, cela semble bien. Tourne-toi par ici, Gabrielle. Oui, c'est beaucoup mieux ainsi. » Tante Mathilde consulta sa montre. « J'ai encore une foule de choses à faire. Maintenant que le décolleté est au point, je te laisse terminer l'essayage, Véronique.

— Entendu, Mme LeGrange.

— Et le chapeau ? Est-ce qu'il est en train, lui aussi ?

— Non, mais je sais comment je vais le faire. » Véronique prit une forme à chapeau et y accola un bouquet de minuscules roses

roses. «J'ai pensé à des roses, ici. Le chapeau sera fait de la même soie, avec un voile vert pâle.

— Ravissant, approuva tante Mathilde. Tu vois, Gabrielle, tu peux cesser de te faire du souci pour ce tournoi de l'anneau. Avec une telle robe, il y aura bien au moins un jeune homme pour demander à porter tes couleurs.

— Pourvu que ce ne soit pas Harold LeBœuf!» Pour la première fois depuis qu'elle était arrivée dans la pièce, Gabrielle vit Véronique sourire.

«Si Harold LeBœuf est le premier à solliciter cette faveur, il te faudra bien accepter, dit tante Mathilde. Ce tournoi de l'anneau cause bien de l'agitation, et j'avoue que je ne serai pas fâchée lorsque tout cela sera terminé.

— Pas moi, dit Gabrielle. Je n'en peux plus d'attendre. Mais je sais qu'une fois qu'il aura débuté, je vais trouver que les minutes passent bien trop vite, et regretter que cela ne dure pas indéfiniment.

— On ne peut arrêter le temps, observa tante Mathilde. C'est pourquoi je ferais mieux d'aller retrouver Letha. Gabrielle, dès que tu en auras terminé ici, tu iras te mettre au piano. Il faut que tu étudies ce nouveau morceau que ton père t'a envoyé, sinon il ne sera jamais prêt pour son retour.»

Gabrielle tourna la tête vers Véronique, prête à échanger un regard signifiant : as-tu jamais rencontré quelqu'un qui eût autant d'énergie ? Mais Véronique, penchée au-dessus d'un coupon de soie, taillait méticuleusement les empiècements qui formeraient les bords du chapeau.

«Oui, ma tante», dit Gabrielle.

La porte se referma sur tante Mathilde, et la jeune fille s'absorba dans la contemplation de Véronique. On n'entendait que le bruissement de la soie découpée aux ciseaux, le cliquetis du métal sur le bois de la table. Elle porta ensuite le regard vers son reflet dans le miroir. Comme je semble calme et composée ! Et cependant, à l'intérieur, il y a ce sentiment d'avoir oublié quelque chose ou d'avoir laissé quelque chose en arrière.

«Véronique ?»

Véronique leva la tête. Le contre-jour rendait ses yeux plus sombres, plus fixes.

«Je n'ai pas pu m'empêcher d'écouter ce que ma tante a dit au sujet de Mme Fleming...» L'expression de Véronique fit rougir

24

à nouveau Gabrielle ; elle se mit à parler plus vite. Le bord non ourlé de la soie lui picotait la peau. «On dirait que j'écoute beaucoup de conversations qui ne me regardent pas, aujourd'hui. Ce n'est pas que je cherche à espionner. Si elles n'étaient pas à ton sujet, je n'écouterais pas... Dis-moi, Véronique, est-ce que cet affreux Michaël Fleming t'a importunée ?

— Il a dit à sa mère que je lui faisais des avances. » Véronique baissait la tête en sorte que Gabrielle ne pouvait lui voir le visage, mais le ton de sa voix avait renseigné celle-ci sur ce qu'elle voulait savoir.

«Comment peut-on mentir aussi effrontément ? C'est trop injuste, Véronique. Il ne faut plus que tu retournes là-bas !

— Sauf si on m'y envoie », dit Véronique. Gabrielle perçut l'accent particulier qu'elle avait mis sur ce dernier mot. Elle s'approcha de son amie, lui prit le menton et l'obligea à la regarder.

«Cela n'arrivera pas. Je t'en fais la promesse. Est-ce de cela que vous parliez, Tom et toi ? »

Véronique ferma les paupières, faisant un masque de son visage. «Non, souffla-t-elle.

— Il y a donc un autre problème... Véronique, mais que nous arrive-t-il ? » Gabrielle s'assit sur un tabouret bas près de la chaise de la métisse, dont le visage lui paraissait maintenant lointain, presque étranger. «Tout semble aller à vau-l'eau. Jamais Tom ne se comporterait avec toi comme l'a fait Michaël Fleming. Ce Fleming a reçu une éducation de gentleman. Comment a-t-il pu agir ainsi ?

— Si tu n'écoutais pas aux portes, tu ne serais même pas au courant », dit Véronique. Elle caressa doucement la joue de Gabrielle. «Tout cela appartient au passé. Il ne faut plus y penser.

— Comment veux-tu que je n'y pense pas quand je te vois aussi malheureuse ? » Gabrielle se leva, ôta la robe et la tendit à Véronique. «Je ne suis pas sotte au point de ne penser qu'à des tournois de l'anneau et à de nouvelles toilettes...

— Bien sûr que non, dit Véronique en l'aidant à se rhabiller. Seulement il n'y a rien que tu puisses faire au sujet de mes problèmes, aussi pourquoi faudrait-il que tu t'en inquiètes ?

— Cela ne te dérange pas que Tom s'y intéresse. Tu as confiance en lui. Ne peux-tu pas me faire confiance, à moi aussi ? »

Au fond des yeux de Véronique, un petit pétillement évoqua

leur complicité de naguère ; il fut aussitôt remplacé par une lueur de colère, vite réprimée. « Si je me suis adressée à Tom, c'est qu'en l'absence de M. Cannon il est le maître ici. Que je sache, tu n'as aucun pouvoir. A quoi bon s'adresser à toi ? »

Ces paroles mettaient à rude épreuve l'amour-propre de Gabrielle. « Non, bien sûr. Aucun pouvoir. » Elle se passa la main sur les yeux, mais pas assez vite pour cacher ses larmes.

« Excuse-moi, dit Véronique. Je... je me laisse emporter, et j'oublie que tu as toujours été mon amie.

— Et je serai toujours ton amie ! Je sais bien, Véronique, que je n'ai pas vraiment de pouvoir ici. Mais il y a d'autres façons de faire les choses qu'en distribuant des ordres. Et je ne suis pas sans expérience dans ce domaine.

— Oui, bien sûr, dit Véronique. Eh bien, j'ai de la chance d'avoir une amie à la cour. »

Elle me parle comme le fait tante Mathilde, se dit Gabrielle en quittant la pièce. Comme si j'étais une enfant qui ne comprend rien à rien, qui se bâtit des contes de fées avec lesquels elle espère anéantir les vrais dragons de ce monde. Elle descendit l'escalier d'un pas vif, comme stimulé par ses réflexions. Pas question qu'on me considère comme une enfant. Pas question qu'on m'envoie dans ma chambre chaque fois que se produit quelque chose de déplaisant. Et, dès qu'il rentrera, je reparlerai à papa de l'affranchissement de Véronique.

Elle se rendit au salon et chercha dans ses partitions la dernière composition de Louis Gottschalk, que son père lui avait envoyée de La Nouvelle-Orléans, en route pour Charleston. Elle en étudia les premiers accords avant de se mettre à jouer. Il faut que papa comprenne bien ce qui se passe ici... la tristesse de Véronique va nous gagner, tout comme elle a déjà gagné Tom. Il a toujours été assez fort pour supporter ses propres chagrins ; ce sont ceux des autres qui lui sont si difficiles à endurer.

Avec quelle vaillance il l'a pourtant toujours fait, se dit-elle en se rappelant les nombreuses fois où la compassion de son frère lui avait fait paraître plus légers, moins durables, un chagrin ou une déception.

Elle le revoyait tel qu'elle l'avait vu une heure plus tôt, debout tout contre Véronique. Et elle en ressentit le même malaise. Cela doit venir de ce que nous sommes plus âgés à présent, de ce que nous avons quitté l'enfance, où les règles peuvent être suspendues et les jeux joués comme bon vous semble. Mais nous ne sommes pas non plus des adultes, capables de choisir leur propre voie...

Une autre image s'imposa à elle, celle de sa gorge blanche, vite recouverte de soie moirée. Puis une autre encore, qu'elle n'avait jamais vue, seulement imaginée fugitivement, celle de jeunes esclaves accroupies à demi nues sur une estrade, le marteau du commissaire-priseur tombant pour la dernière fois. Elle repensa encore une fois au regard bleu acier de l'étranger sur le bateau, à l'expression étonnée d'Adams... Elle se mit à jouer lentement, se concentrant sur la mélodie fluide et fraîche, la laissant apaiser le feu qui brûlait dans son âme.

Et cette musique, la quiétude de la pièce où elle se trouvait, achevèrent de la calmer. Cette cage de verre la retranchait de la laideur et du désordre du monde. Nul n'oserait s'y introduire, nul n'oserait venir lui faire du mal. Du dehors, des filles comme Véronique, des créatures sans défense la contemplaient dans son univers paisible et sûr. Ses doigts cessèrent de courir sur le clavier, elle se leva et referma le couvercle du piano. Toutes ces règles, ces règles auxquelles se conformait tante Mathilde, ces règles que Gabrielle n'avait jamais comprises étaient comme des barreaux qui consolidaient sa cage et la protégeaient des dangers. Elle en était là de ces considérations lorsqu'un bruit de sabots dans l'allée la rappela à la réalité.

Elle alla se poster à l'une des hautes fenêtres donnant sur la véranda qui courait sur toute la façade de la maison. Deux cavaliers remontaient l'allée au petit trot, deux jeunes hommes, l'un blond, l'autre brun, grands tous les deux, un buste bien découplé qui parlait de santé et de vigueur, et une expression enjouée qui témoignait de leur confiance en ce monde et en la place qu'ils y occupaient. Gabrielle se pencha en avant : il semblait y avoir entre eux une autre ressemblance, plus subtile celle-là, le profil du menton, le dessin de la bouche ; s'ils n'étaient pas frères, du moins devaient-ils être proches parents. L'un brun, l'autre blond, chacun était comme l'image inversée de l'autre.

A présent, toute leur attention se portait sur la maison dont ils approchaient. C'est alors que Tom fit irruption dans le champ de vision de Gabrielle. Il passa en courant la porte d'entrée pour s'arrêter en haut des marches du perron. Il étendit les bras et cria un nom, nom que Gabrielle n'était plus là pour entendre. En effet, même si elle était certaine de n'avoir jamais vu le jeune homme brun, les yeux bleus de son compagnon ne lui étaient que trop connus. Les mains plaquées sur les joues, elle avait fui le salon pour gagner sa chambre. Elle allait atteindre le palier où les deux escaliers se rejoignaient en forme de fer à cheval, lorsque la voix de son frère la fit s'arrêter.

« Gabrielle ! Gabrielle ! Regarde qui est là ! Alex Saint-Cyr, mon vieux camarade d'université ! Il a fait toute la route depuis La Nouvelle-Orléans pour voir comment nous vivons ici à la campagne. Et il est venu avec son cousin... »

Gabrielle se retourna à contrecœur pour regarder les trois jeunes gens arrêtés au bas des marches. Tom tenait par l'épaule le jeune homme brun au regard si intense. Il devait donc s'agir d'Alex Saint-Cyr. Lentement, une main posée sur la rampe, elle redescendit l'escalier, s'efforçant d'ignorer la lueur qui venait de s'allumer sur le visage de l'autre garçon. Il écarquilla légèrement les paupières, eut cette expression d'étonnement qu'elle lui avait déjà vue, le même air d'appréciation furtive, puis les parois de la cage se refermèrent autour de la jeune fille. Elle vit qu'il se reprenait et recomposait son attitude.

Les présentations eurent lieu comme dans un songe. Alex Saint-Cyr se pencha vers sa main en murmurant quelque chose qu'elle n'entendit même pas. Et l'autre, Jordan Scott, cousin du premier, lui prit la main pour la lui serrer à l'américaine, ne laissant plus transparaître au fond de son regard bleu qu'une infime lueur d'étonnement.

« Imagine un peu, dit Tom. Leur bateau a accosté à New Iberia il n'y a pas deux heures, et les voilà déjà ! » Se tournant vers Alex : « Vous auriez dû apporter vos bagages, il n'est pas question que vous alliez à l'hôtel. Je vais les faire prendre...

— Nous ne voudrions surtout pas causer du dérangement, dit Alex. » Il appliqua une tape sur l'épaule de son cousin. « Jordan, tu vas avoir l'occasion de voir comment fonctionne le système des plantations. Tu ne pourrais trouver de meilleur exemple que Felicity.

— Seriez-vous économiste ? s'enquit Tom.

— Je suis dans l'armement maritime, dit Jordan Scott. Comme l'ensemble de ma famille. Venant de Nouvelle-Angleterre, je suis naturellement désireux de tout voir et de tout observer.

— Sachez avant tout, dit Tom, que nous n'avons rien à voir

avec ces épouvantables esclavagistes que dépeint la propagande nordiste.

— Je n'en doute pas une seule seconde », répondit Jordan. Il eut un sourire, et Tom se détendit.

« Désolé. Je ne devrais pas préjuger de vos opinions avant de vous avoir laissé la possibilité de les exprimer...

— Ce qu'il finira bien par faire, intervint Alex, mais pas, je l'espère, en ma présence. Parlons d'autre chose, Jordan, sinon miss Cannon va trouver ses nouveaux hôtes diablement ennuyeux. »

Il était sans cesse en mouvement et fouettait de sa cravache le haut de sa botte de cuir lustré. On eût dit que, par sa présence, le vestibule se chargeait d'énergie, que le moindre de ses mouvements envoyait des ondes électriques à travers la pièce et que ces vibrations se transmettaient aux vases et aux pendeloques de cristal du lustre. Gabrielle porta son attention sur Jordan Scott. Il était, lui, immobile, et une légère trace de transpiration faisait luire son front pâle. Il paraissait solide, presque enraciné, comme si, une fois installé à un endroit, il eût été difficile de l'en déloger.

Gabrielle frissonna, comme si ce qui se dégageait d'Alex, ces vibrations, l'affectait également. Il y avait quelque chose qui les reliait, une ligne de force... « Je vais avertir tante Mathilde, dit-elle, et faire préparer les chambres de la garçonnière. » Elle tourna les talons et repartit dans l'escalier. Leur regard la suivait, elle le sentait. Mais cela n'avait pas d'importance : elle avait réinté-gré la sécurité de sa cage de verre et, derrière cet écran transpa-rent, elle pouvait elle aussi les observer.

2

Le transfert des bagages depuis l'hôtel de New Iberia jusqu'à Felicity fut l'affaire de quelques heures, et tante Mathilde requit l'aide de Gabrielle pour mettre la touche finale aux chambres des deux invités.

« Je ne doute pas qu'Alex Saint-Cyr ait l'habitude d'un certain confort, dit tante Mathilde en considérant d'un œil critique un bouquet de roses qu'elle venait de poser sur la table, pour ensuite le déplacer de quelques centimètres. Et s'il marche sur les traces de son père, il apprécie également le luxe et la beauté.

— Ah, vous connaissez la famille de M. Saint-Cyr ? » s'étonna Gabrielle. Elle était heureuse de pouvoir s'occuper les mains à ces petites tâches, car elle se sentait fébrile comme si la nervosité d'Alex Saint-Cyr l'eût gagnée de façon définitive, et elle était certaine que sa tante imputait déjà cette agitation à la présence des deux jeunes gens.

« Je connais Hector Saint-Cyr depuis des lustres, répondit tante Mathilde. Il a toujours fait figure de bon vivant, et je doute que le mariage l'ait beaucoup changé. » Elle se mit à rire, un rire juvénile et limpide qui lui transformait le visage et rendait ses traits moins ingrats. « Hector avait pour habitude de se mettre dans des situations impossibles. Et même si, du fait de son charme, les dames lui accordaient souvent leur pardon, je crois bien que son comportement finissait par indisposer les hommes. » Elle vit

30

l'expression de Gabrielle et ajouta : «Oh, rien de très sérieux. Juste des folies, mais qui faisaient que des gentlemen plus sérieux que lui finissaient par douter de son sens des réalités.

— Cela, c'est le père de M. Saint-Cyr...

— Oui. Assez bizarrement, il se trouve que sa mère est une Yankee. Quelle ne fut pas la surprise générale lorsque Julia Scott accepta de l'épouser ! Elle était si collet monté que cette union paraissait invraisemblable.

— Une Yankee ?

— Julia est native de La Nouvelle-Orléans, mais son père était originaire de Boston. Il s'est établi à La Nouvelle-Orléans au lendemain de l'Achat*, en 1803. Il était issu d'une famille qui, dans l'Est, s'occupe d'armement maritime depuis des décennies. Je suppose que Jordan Scott fait partie de cette branche de la famille.

— Vous connaissez donc Mme Saint-Cyr ?

— Il m'est arrivé de la rencontrer. Une personne d'assez belle figure, mais selon moi plutôt distante. Quelqu'un d'inclassable, en somme. Il paraît qu'elle se passionne pour les affaires et passe une bonne partie de ses journées aux bureaux de la compagnie.

— C'est un choix étrange de la part d'un bon vivant, vous ne trouvez pas, ma tante ?» Gabrielle gardait les yeux baissés sur le plateau de fromages, de biscottes et de vin qu'elle venait de poser sur un guéridon, avec l'espoir que le plaisir que sa tante prenait à évoquer un sujet aussi intéressant lui ferait oublier que pareilles évocations n'étaient pas toujours de mise en présence d'une jeune demoiselle.

«Oh, ça, fit tante Mathilde d'une voix pleine d'indulgence. Hector a toujours su comment se ménager son propre bonheur... et puis il est assez facile de voir l'attrait que chacun a pu trouver à l'autre. La famille d'Hector est arrivée à La Nouvelle-Orléans peu après sa fondation par Bienville. Les Saint-Cyr sont mêlés de près à tout ce qui s'y passe, et cela a dû paraître très alléchant à la nouvelle arrivante. Et même si l'on ne parle pas de ces choses, il est indéniable que la maison des Saint-Cyr avait grand besoin d'être réparée et restaurée à l'époque où Hector et Julia se sont mariés. Je n'ai jamais visité leur plantation. Elle est située au nord de Saint-Francisville, et ils ne l'utilisent comme villé-

* Occupée par les Français en 1682, colonisée dès 1702, la Louisiane fut cédée par Bonaparte aux États-Unis en 1803 (NdT).

giature que pour quitter La Nouvelle-Orléans à la saison des fièvres, et pour les parties de chasse d'Hector. Mais il n'est pas douteux qu'Olympia soit un endroit aussi luxueux que leur maison en ville. » Tante Mathilde se tut brusquement pour prendre sa montre et l'ouvrir d'un geste qui ne variait jamais. « Et voilà que je me laisse vivre alors qu'il me reste encore une foule de choses à faire d'ici l'heure du dîner. Allez, viens, Gabrielle. Samson ne va pas tarder à rentrer avec leurs bagages et il ne faut pas que tu sois là lorsqu'ils vont venir s'installer. »

Gabrielle parcourut en silence la faible distance séparant la garçonnière de la maison. Elle repensait à tout ce qu'elle venait d'apprendre. A présent qu'elle savait quelques petites choses sur la famille d'Alex Saint-Cyr, elle imaginait sa haute et mince silhouette dansant une polka rapide ou conduisant sa cavalière dans une valse gracieuse. Elle voyait ses yeux sombres et profonds se poser sur les jeunes dames, ses lèvres trousser des compliments avec ce sourire paresseux qu'elle lui avait remarqué. Comme il devait être à son aise au milieu des intrigues de la saison du carnaval de La Nouvelle-Orléans, lorsque chacun s'enveloppait de mystère derrière son masque et, grâce à de fantastiques déguisements, pouvait changer d'identité.

« Papa a des amis au comité du carnaval de La Nouvelle-Orléans, n'est-ce pas, tante Mathilde ?

— Oui, en effet. Mais qu'est-ce qui te fait penser à cela ? » Tante Mathilde jeta un regard à sa nièce, puis un autre en arrière vers la garçonnière. « Ah, mais oui, bien sûr. Nos hôtes de La Nouvelle-Orléans. Certes, Gabrielle, je t'accorde que ces jeunes gens ont de la prestance, et puis M. Saint-Cyr est le meilleur ami de Tom. Mais il y aura beaucoup de jeunes gentlemen cet hiver à La Nouvelle-Orléans, lorsque tu feras tes débuts, dont quelques-uns appartenant à des familles avec lesquelles nous sommes particulièrement liés. »

Ce que nous ne sommes pas avec les Saint-Cyr, semblait impliquer les paroles de tante Mathilde. Gabrielle se garda de répondre. L'autre découverte, celle qu'elle était sur le point de faire avant que l'arrivée des deux jeunes gens ne la lui fasse oublier, venait de s'imposer à elle. La cage de verre qui la protégeait ici, à Felicity, serait toujours de mise à La Nouvelle-Orléans et là séparerait des aspects les plus grossiers de la grande ville. Mais elle réalisait maintenant que cet état de choses avait un autre effet.

Non seulement les choses et personnes indésirables étaient tenues à distance, mais elle-même était bel et bien prisonnière.

C'est Alex qui dirigea la conversation pendant le dîner. Il commença par parler de gens que Tom et lui avaient connus à l'université de Virginie, puis il posa des questions sur Felicity et la vie qu'on y menait, cela avec un intérêt si manifeste que Tom prit bientôt la parole.

« Ne va pas imaginer que nous n'avons pas de distractions sophistiquées, dit-il. La semaine prochaine, un tournoi de l'anneau va avoir lieu à New Iberia, et je te garantis que tu vas y voir des gens chevaucher comme on n'en voit pas même à La Nouvelle-Orléans.

— Un tournoi de l'anneau, vraiment ? » fit Alex. Il s'adressa à Gabrielle, assise en face de lui. « Et vous, miss Cannon, serez une des gentes dames dont on portera les couleurs ?

— Elle y pense depuis des semaines, dit Tom. Ne dis pas le contraire, Gabrielle. Je t'ai vue jouer avec l'anneau que j'ai installé, comme si, tout compte fait, tu préférais être chevalier !

— Miss Cannon se ferait injure si elle était autre chose que la plus belle dame de l'occasion », déclara Alex. Il inclina légèrement la tête, fixant la jeune fille jusqu'à ce qu'elle incline à son tour la tête. « Les chevaux que nous avons loués aux écuries sont parfaits pour la promenade, Tom, mais ne conviennent pas pour participer à un tournoi. Est-ce que tu pourrais nous en fournir de meilleurs ?

— Vous pouvez prendre n'importe quel cheval dans les écuries de Felicity, en dehors de mon Jupiter évidemment. Et de Brandy, bien sûr, à moins que Gabrielle ne vous la propose.

— Je préfère penser que ma victoire est fruit de mon talent plutôt que de l'expérience supérieure du cheval de ma dame », dit Alex. Il posait un regard amusé sur Gabrielle. Elle détourna les yeux. Comment Tom a-t-il pu révéler qu'il m'avait vue en train de jouter ! C'est parce que je ne me comporte pas comme une dame. Chaque fois qu'il lève les yeux vers moi, je suis en train de me comporter en garçon manqué. Elle se redressa sur sa chaise et but une gorgée de vin, fixant son attention sur ce qu'Alex disait à sa tante.

« Bon, il va nous falloir des costumes. Madame LeGrange, vous avez sûrement une vieille malle remplie de toutes sortes de vieilleries que nous pourrons changer en habits de chevalier. J'ai toujours considéré qu'une telle malle est indispensable dans toute maison de campagne bien tenue. Je vous en supplie, ne me décevez pas.

— Vous êtes à l'image de votre père, monsieur Saint-Cyr, dit tante Mathilde. Hector était toujours en avance sur les autres dès qu'il s'agissait de badiner et de s'amuser. »

Une ombre fugace assombrit le regard d'Alex. Mais il éclata aussitôt de rire et leva son verre de vin comme pour porter un toast. « En ce cas il me faut lui rendre grâces. S'il ne m'avait pas aussi bien élevé, je passerais peut-être mon existence à quelque occupation aussi utile que fastidieuse. Les choses étant ce qu'elles sont, je vais m'appliquer à remporter l'honneur de couronner la reine de beauté du tournoi.

— Je trouve plutôt dur de ta part, Saint-Cyr, de chercher à te couvrir de gloire sur le territoire d'un camarade. » Tom s'adressa à Jordan Scott. « S'il me faut me mesurer à vous deux, il va falloir que je redouble d'ardeur pour seulement me faire remarquer.

— Merci, mais je n'ai nulle intention d'y participer », dit Jordan Scott. Cette intervention, qui mettait un terme à une longue période de mutisme, surprit tout le monde.

« Allons donc, Jordan, ne te fais pas prier, dit Alex en se tournant vers son cousin. Bien sûr que tu vas participer.

— Non, il n'en est pas question », répondit Jordan Scott.

Les deux cousins échangèrent un regard qui n'échappa pas à Gabrielle, assise en face d'eux. Elle ne put l'interpréter précisément ; ce n'était ni de la colère, ni même de l'hostilité, mais peut-être une sorte de défi.

Ce fut Alex qui le premier détourna le regard. Il se mit à rire et, d'un ton qui rappela à Gabrielle l'expression qu'avait eue son regard une seconde plus tôt, laissa tomber : « Comme tu voudras. Mais moi, je compte bien y participer. » Il leva une nouvelle fois son verre et, s'adressant à tous les convives : « Tom, je propose que nous portions un toast à ta sœur. » Il attendit que Jordan, Tom et tante Mathilde eussent levé leur verre, puis, regardant Gabrielle : « A miss Gabrielle Cannon, qui sera la reine de beauté du tournoi de l'anneau et qui règne déjà sur Felicity. »

La lumière du chandelier venait jouer sur les verres, se fragmentant sur le cristal taillé en morceaux d'arc-en-ciel. Un rayon de lumière, réfléchi par une des facettes de son verre, vint éblouir Gabrielle. Son cœur se serra, comme si un élément plus solide que la lumière venait de la frapper. Elle cherchait ses mots, mais Alex vint à son secours. Il inclina la tête en direction de tante Mathilde. «Et à Mme LeGrange, dont l'hospitalité est à la hauteur des promesses de cette maison.

— Je me réjouis que vous soyez satisfait, monsieur Saint-Cyr, répondit tante Mathilde. Il y a longtemps que je n'ai séjourné à La Nouvelle-Orléans, mais j'espère ne pas avoir tout à fait oublié les bonnes manières. »

Alex promena le regard à travers la pièce et secoua la tête. «Madame LeGrange, il est peu de maisons à La Nouvelle-Orléans et dans le reste de la Louisiane qui soient les égales de Felicity pour ce qui est de la beauté et du style. Avant le dîner, Tom nous a fait faire le tour du propriétaire, et je n'ai pas cessé de lui reprocher de m'avoir fait croire, lorsque nous étions ensemble à l'université, qu'il venait d'une simple ferme.

— Ça, fit tante Mathilde, Tom ne pourra jamais être taxé d'exagération. »

La manière dont elle avait insisté sur le nom de son neveu assombrit quelque peu le visage d'Alex. «J'en suis convaincu, dit-il après un silence. Il a bien voulu admettre que vous, miss Cannon, "pianotiez". Compte tenu de sa tendance à toujours minimiser les choses, je m'attends à une prestation de virtuose. »

Pourquoi ma tante se montre-t-elle aussi agressive avec M. Saint-Cyr? Il est l'ami de Tom, et elle connaît sa famille...

«Eh bien, miss Cannon? Nous jouerez-vous quelque chose? insista Alex.

— Ce que vous allez entendre ne sera pas d'une virtuose, répondit Gabrielle. Néanmoins, je serai heureuse de vous jouer quelque chose si cela vous fait plaisir.

— Splendide! Je trouve la musique bien plus apaisante que n'importe quelle conversation, si pondérée soit-elle. Quoique Jordan me dise que les dames de Boston consacrent souvent leurs soirées à de si sérieuses occupations.

— La bonne conversation est un bienfait qu'il faut chérir, monsieur Saint-Cyr, dit tante Mathilde, d'autant qu'elle est une denrée rare. » Elle donna le signal de se lever, et Jordan alla lui tenir sa chaise. Alex fit le tour de la table pour en faire autant auprès de Gabrielle. Tout en l'aidant à se lever, il se pencha pour lui dire : «Je vais tourner les pages pour vous, miss Cannon. Je ne joue d'aucun instrument, mais j'ai tenu à apprendre à déchiffrer suffisamment pour pouvoir assister les jolies musiciennes.

— Et celles qui ne sont pas si jolies, monsieur Saint-Cyr? demanda tante Mathilde.

— Ah, madame LeGrange, ces musiciennes-là jouent généralement si bien qu'elles exigent un assistant beaucoup plus qualifié que moi.

— Tu es incorrigible, Saint-Cyr, dit Tom. Pour un type aussi collet monté que moi, c'est un de tes principaux charmes.

— Collet monté? répéta Alex. Je parlerais plutôt à ton sujet de gentillesse et d'intelligence.» Il appliqua une claque sur l'épaule de Tom, et Gabrielle perçut dans sa voix un accent d'authentique émotion lorsqu'il ajouta : «Tu es le meilleur ami que j'aie jamais eu. Quelle chance de t'avoir rencontré !

— Oui, nous faisons une bonne paire d'amis, dit Tom. Je suis heureux que tu sois ici, Saint-Cyr.» Il se retourna, se rappelant soudain la présence de son autre invité. «Même chose pour vous, Scott. Je compte bien apprendre à vous connaître. Et il se trouve que vous n'auriez pu venir à un meilleur moment. Nous ne plantons ni ne moissonnons, et j'ai donc un peu plus de temps libre que d'ordinaire. Quoique, père se trouvant à Charleston, je sois encore assez occupé.

— Vous êtes très aimable, dit Jordan. Mais nous sommes ici pour affaires, et même si je ne veux pas paraître discourtois, j'ai bien peur de devoir passer le plus clair de mon temps à travailler.

— Pas ce soir, toutefois, intervint Alex. Allez, Jordan, on nous a promis un récital. Tu apprécies la musique, au moins ?

— Beaucoup», dit Jordan. Il lança un regard à Gabrielle qui se sentit un élan de sympathie pour lui. Son cousin peut se montrer un peu écrasant, se dit-elle. Il n'est que de voir comment il vient de décider de ce que va être cette soirée.

Mais lorsqu'ils furent passés au salon et que Gabrielle se fut installée pour jouer, Alex se montra si agréable, l'accompagnant de la voix, entraînant les autres à l'imiter, qu'elle finit par voir dans le silence de Jordan Scott comme un affront, et eut du mal, tout d'abord, à détacher son attention de ce garçon qui, assis à l'écart, semblait ignorer tout le monde.

36

Puis la joie de jouer, le plaisir d'avoir à son côté un homme aussi séduisant qu'Alex Saint-Cyr, si frivole fût-il, qui la regardait tout en tournant les pages de la partition, lui fit bientôt oublier Jordan Scott, tout oublier jusqu'à ce que sa tante se lève et consulte sa montre.

« Il se fait tard ! Gabrielle, il est l'heure pour toi de te retirer.

— Ne pourrions-nous pas entendre un dernier morceau ? dit Alex en montrant une partition jaunie par les ans. Il s'agit d'un de mes préférés ; j'aimerais tant l'entendre.

— Qu'est-ce que c'est ? » demanda Gabrielle. Elle prit la feuille et l'ouvrit, puis son regard se posa sur le portrait d'une jeune femme accroché à l'autre bout de la pièce sur le manteau de la cheminée. « C'est aussi le morceau préféré de mon père. Notre mère le jouait souvent et il chantait pour l'accompagner.

— Je suis désolé, dit Alex. Je ne vous aurais pas demandé de le jouer si...

— Cela me ferait plaisir de le jouer, dit Gabrielle. J'ai peu de souvenirs de ma mère, mais tous sont très doux. Cela ne me dérange pas de penser à elle.

— Vous avez de la chance », dit Alex. Elle leva les yeux vers lui, surprise par la tristesse de sa voix. Avant qu'elle ait pu saisir autre chose qu'une douleur fugace dans son regard, il eut un sourire et dit : « Allez-y, miss Cannon, jouez-nous ce morceau. »

Ses mains cherchèrent l'accord d'ouverture. Lorsqu'elle eut égrené les premières notes, elle commença de chanter : « *Crois-m'en, si ces charmes jeunes et tendres, Qu'aujourd'hui je contemple si amoureusement, Devaient changer demain et s'évanouir entre mes bras, Comme fleurs se dessèchent, Mon cœur resterait près de toi. S'il le faut, ta joliesse peut bien se faner...* »

Alex reprit le couplet, et leurs voix se mêlèrent, soutenues par le piano. Le contact lisse et frais des touches d'ivoire sous les doigts de Gabrielle. Les senteurs d'olive et de rose que la brise printanière apportait dans la pièce. La musique s'élevait pour se glisser hors de la maison et aller troubler la quiétude des jardins endormis et des arbres silencieux. Un moment de grande tranquillité succéda au dernier accord, comme si l'assistance l'entendait encore vibrer dans l'espace.

Ce fut Jordan Scott qui brisa le silence. Il se leva pour s'approcher de Gabrielle. « Vous jouez merveilleusement, miss Cannon. Et votre voix possède cette douceur naturelle qu'un exercice formel aurait du mal à améliorer. Merci, vous nous avez offert la plus délicieuse des soirées.

— Eh bien voilà, Jordan, fit Alex, je savais bien que tu avais de jolis discours serrés quelque part dans ton coffre de marin. Miss Cannon, ne me regardez pas avec cet air sévère. Jordan a besoin d'encouragements; son sérieux intimide les belles créoles.

— Il ne fallait pas entendre mes paroles comme un joli discours, dit Jordan, mais comme un compliment sincère. » Il se tenait bien droit, comme prêt pour un second assaut, et Gabrielle éprouva à son endroit un nouvel élan de sympathie.

« C'est exactement ainsi que je l'ai entendu, monsieur Scott », dit-elle. Elle évitait le regard d'Alex, mais le sentait se calmer tandis qu'elle parlait. « Mon père dit qu'il faut souvent chercher la sincérité dans les paroles volubiles, mais que la vérité abonde dans le discours peu abondant de certains.

— J'aimerais beaucoup faire la connaissance de votre père, miss Cannon, dit Jordan. D'après tout ce que j'ai entendu à son sujet, il est un homme sage, et nous avons grand besoin d'hommes de cette sorte.

— Je crois voir se dessiner une discussion politique », dit Alex. Il se leva et s'inclina. « Madame LeGrange, puisque vous et miss Cannon allez vous retirer, puis-je vous souhaiter une bonne nuit ? » Puis s'adressant à Tom : « Si tu n'y vois pas d'inconvénient, je vais aller faire un tour dans le jardin.

— Bien sûr, fit Tom. Jordan ?

— Je suis assez fatigué. Je vais me retirer.

— Je vous accompagne jusqu'à la garçonnière. »

Les dames prirent congé en premier. Montant les escaliers en compagnie de sa tante, Gabrielle put entendre Tom et Jordan converser tout en suivant le vestibule jusqu'à la porte de derrière, qui donnait directement sur le sentier menant à la garçonnière. Le départ des dames et peut-être l'absence de son cousin, Alex ayant emprunté une porte-fenêtre pour sortir directement sur la pelouse, semblaient lui avoir délié la langue. Gabrielle entendit sa voix à l'accent de Nouvelle-Angleterre couper Tom au milieu d'une phrase pour affirmer énergiquement un point de vue.

Juste avant de se mettre au lit, elle sortit sur la galerie et en gagna l'extrémité qui donnait sur le jardin. Elle aperçut une flamme vive, un lambeau de fumée se dissolvant dans la brume nocturne, puis identifia Alex Saint-Cyr, silhouette ombreuse assise sur un banc de marbre.

Comme cette journée a été fertile en surprises, se dit-elle, cachée dans l'ombre d'une colonne. Ce matin, j'ouvre les yeux sur un monde morne et mesquin, et voilà qu'il s'entrouvre pour laisser entrer ces deux gentlemen. Une pensée heureuse la fit sourire. Ses inquiétudes quant au tournoi de l'anneau étaient terminées. Son chevalier venait de solliciter l'honneur de porter ses couleurs ; Dieu merci, elle n'avait plus à redouter l'empressement de Harold LeBœuf.

«C'est d'ici qu'on a la meilleure vue», dit Tom comme Alex et Gabrielle le rejoignaient au sommet du tertre.

Des fleurs sauvages poussaient entre les coquilles de palourdes qui tapissaient les flancs de ce tumulus indien haut d'une dizaine de mètres. Les chevaux broutaient au pied du monticule, et une douce brise arrivait du bayou Teche, agitant les cheveux de Gabrielle autour de son bonnet.

«Ce sont les Indiens qui ont donné son nom au bayou, expliquait Tom. Dans leur langue, *teche* signifie serpent. Ils pensaient qu'un grand serpent vivait dans ses eaux ; nombre de leurs rituels devaient être destinés à l'apaiser.

— La superstition est une force puissante, observa Alex. Je ne sais pas si vos esclaves y croient, mais à La Nouvelle-Orléans le vaudou est intimement lié à leur vie quotidienne. »

Tom ramassa une coquille et la lança vers le bayou, la regardant faire des ricochets sur l'eau avant d'y sombrer. «Ils sont habités d'un étrange mélange de foi chrétienne et de vaudou, dit-il. Il y a sur la plantation des Robin une femme qui soigne ses frères de race ; pour autant que je sache, sa médecine repose sur la foi de ses patients. Mais les esclaves ne viennent pas par ici ; il s'agit d'un tumulus funéraire, et ils ne veulent rien avoir à faire avec quelque chose qui est lié aux défunts d'une autre race que la leur.

— Tom et moi venions souvent jouer ici lorsque nous étions enfants, dit Gabrielle. Nous nous faisions peur avec des histoires de fantômes qui allaient venir nous scalper pour nous empêcher de déterrer leurs trésors.

— Est-ce qu'il y aurait des trésors là-dessous ? s'enquit Alex.

39

— Il y a sûrement des poteries et des parures, expliqua Tom, les possessions personnelles qui accompagnent le mort dans l'autre monde. Il est intéressant de constater les similarités qui existent entre de nombreux rites indiens et égyptiens, même s'il y a un immense écart entre les deux civilisations.

— Dès que Tom prend ce que j'appelle son air professoral, dit Alex, je sais que je vais avoir droit à un exposé dans les règles. Vous savez que j'ai cru un moment qu'il allait céder aux pressions de ses professeurs et passer sa vie dans les jardins d'Akadêmos — comment, miss Cannon, il ne vous l'a pas dit ? Ils voyaient en lui de la graine d'érudit, ils songeaient fortement à l'envoyer poursuivre ses études à l'étranger pour qu'il vienne ensuite se joindre à leur faculté.

— C'est vrai, Tom ? Et tu ne m'en as jamais rien dit ! »

Tom ramassa une autre coquille et la lança vers le bayou, profitant du mouvement pour éviter le regard de sa sœur. Interprétant aussitôt la réaction de son ami, Alex lui toucha le bras. « Désolé, mon vieux, je ne voulais pas dévoiler un secret.

— Tu parles d'un secret », dit Tom. Le coquillage alla sombrer dans le bayou, et le jeune homme tourna vers ses compagnons un visage souriant et détendu. « Si cela avait eu quelque importance pour moi, j'y aurais longuement réfléchi, tu ne penses pas ?

— Bien sûr, dit Alex. Qui irait s'enfermer dans une université poussiéreuse quand un univers aussi délicieux l'attend chez lui ?

— Moi, dit Gabrielle. Au moins pour quelques années. Je ne saurais vous dire combien j'ai pu envier Tom lorsqu'il est parti pour la Virginie...

— Vraiment, miss Cannon ? Peut-être auriez-vous été comme votre frère, peut-être auriez-vous moissonné autant de lauriers que lui. A part quelques passages d'Homère qui me traînent dans la tête, j'ai bien peur de n'avoir pas retenu grand-chose de tout ce temps que j'ai passé là-bas.

— Gabrielle connaît sans doute aussi bien Homère que toi, dit Tom. En fait, je parie qu'elle est capable de réciter n'importe quel passage de l'*Iliade* que tu pourrais lui indiquer.

— Vraiment ? » fit Alex. Un intérêt nouveau empreignit le regard qu'il posait sur Gabrielle. Puis il se tourna vers le bayou et, comme si les vers s'inscrivaient sur les eaux limoneuses, il se mit à déclamer : «Quand le soleil se coucha et que les ténèbres survinrent, les Achéens s'étendirent près des amarres du vaisseau ; et quand parut, fille de la brume, l'aurore aux doigts de rose, ils gagnèrent la haute mer pour rejoindre le vaste camp achéen... »

Gabrielle identifia aussitôt ce passage et prit la relève, consciente de l'instant où Alex, en entendant sa voix, tourna la tête, et consciente de son regard, maintenant fixé sur son visage. «Apollon protecteur leur envoya une brise favorable. Ils dressèrent les mâts et déployèrent les voiles blanches, dont le vent gonfla le centre. Tout autour, les flots empourprés bruissaient sous l'étrave du navire en marche ; lui courait sur les flots, poursuivant sa route.

— Bravo, miss Cannon ! s'extasia Alex. Tom me dit que vous avez été élevée bien différemment des autres jeunes personnes ; j'ajouterai que cela a porté ses fruits.

— Oui, en grande partie, dit Gabrielle, rougissant soudain au souvenir de la façon dont elle s'était donnée en spectacle, la veille, non loin de là.

— Je vais faire votre éloge auprès de mon cousin Jordan, dit Alex. Il a une piètre idée de la société du Sud, et son opinion sur les dames créoles qu'il a rencontrées est loin d'être flatteuse.

— Il faut dire, intervint Tom, que ta mère est si cultivée. Et je suppose que la mère et les sœurs de Jordan sont faites sur le même modèle.

— Tu veux parler de leur culture ? Je ne sais pas, en dehors de Jordan, je n'ai jamais rencontré aucun de mes parents de Boston. Mais tu as raison pour ce qui est de ma mère. Elle est intelligente et cultivée, mais son éducation a élevé dans son esprit des cloisons imperméables derrière lesquelles il semble que bien peu de chose se passe. » Son regard allait de l'un à l'autre de ses compagnons. Un rictus d'autodérision tordit légèrement ses lèvres. «Vous êtes trop bien élevés pour me demander comment mon père réagit face à une telle... rigidité. Voyez-vous, l'inflexibilité de ma mère ne dérange pas mon père, parce que rien ne dérange mon père. Comme tu le sais, Tom, toi qui l'as rencontré, mon père est un personnage avec qui il est très agréable de dîner ou de goûter du vin. Il est capable de te donner le nom du meilleur tailleur de La Nouvelle-Orléans, de te citer le meilleur cheval dans telle ou telle course à l'hippodrome de la Métairie... C'est Jacques qui gère ses affaires ; ce métis est un personnage très compétent, et la formation qu'il a reçue à Paris fait de lui l'homme idéal pour ce genre d'emploi. Cela laisse mon père libre de mener une existence de bon vivant à La Nouvelle-Orléans et de jouer au propriétaire terrien lorsqu'il monte à Olympia, tout comme, j'imagine, Marie-Antoinette jouait à la bergère à Versailles, mais pas, je l'espère de tout cœur, avec une issue aussi funeste. »

La sortie d'Alex les avait pris de court. Si les deux garçons se connaissaient assez bien pour que ce discours ne surprît pas Tom outre mesure, la présence de Gabrielle changeait toutefois les données de la situation. Cherchant désespérément à relancer la conversation sur un autre sujet, Tom tira parti du vapeur qui venait d'apparaître au détour d'un méandre du bayou. Il porta sa main en visière au-dessus de ses yeux. « Regarde, Alex. Est-ce un des vôtres ? »

Alex regarda dans la direction indiquée et haussa les épaules. « Je crois bien. Jordan s'occupant avec une telle compétence de notre itinéraire, j'ai à peine besoin de me soucier de ces choses. » Il fit entendre un rire bref et se détourna du navire, faisant jouer sa cravache dans les herbes hautes. « Lui, il est en train de plancher dans notre bureau de New Iberia, et moi, je suis ici, en bonne compagnie et par une merveilleuse journée. Qui serais-je pour prétendre changer une aussi heureuse distribution des rôles ?

— Nous avons le temps d'ici le déjeuner de nous entraîner pour le tournoi, dit Tom. J'ai dressé des perches dans le paddock, avec un des cerceaux de broderie de Gabrielle en guise d'anneau. Allons faire deux ou trois passages, d'accord ?

— Vous joindrez-vous à nous, miss Cannon ? demanda Alex. J'avoue toutefois qu'il me serait fort désagréable de découvrir que votre habileté à la joute ne le cède en rien à votre connaissance de la poésie d'Homère…

— Je ne vais pas prétendre ne pas m'y être essayée, puisque Tom vous a déjà tout raconté. Mais j'apprécierais que vous ne me taquiniez pas à ce sujet. Je supporte mal qu'on me taquine… Désolée, je suis ainsi faite.

— Pardonnez-moi, miss Cannon ! Je crains que l'atmosphère détendue de cette belle campagne… ma grande affection pour Tom… je suis navré. Je me suis laissé aller et je vous ai offensée.

— Pas le moins du monde, dit Gabrielle. Lorsque de jeunes demoiselles oublient l'éducation qu'elles ont reçue, elles ne doivent pas s'étonner qu'on les taquine. Je vous demande seulement de l'oublier, s'il vous plaît.

— Vous m'avez mal compris, miss Cannon. Je trouve si rafraîchissant de rencontrer une jeune personne qui ne se soucie pas en permanence de ce que pensent les gens, que j'ai exprimé une admiration spontanément ressentie. Je vous le promets, je vais laisser la merveilleuse image que j'ai de vous chevauchant lance au poing s'estomper au profit d'autres visions plus charmantes encore.

— Et voilà, Gabrielle, intervint Tom, tu t'es laissé tourner la tête par un des praticiens les plus expérimentés de La Nouvelle-Orléans. Tout beau, Saint-Cyr, c'est à ma sœur que tu parles. Elle n'a pas encore fait ses débuts en société, aussi ménage-lui donc un peu tes belles paroles.

— Soit », fit Alex. Il s'écarta un peu de ses compagnons et se mit à contempler l'étendue des champs, sa cravache battant le haut de sa botte avec la même nervosité que la veille.

« Quelle est la superficie de Felicity ? demanda-t-il.

— A peu près deux mille hectares », répondit Tom. L'altération de sa voix témoignait de l'agacement avec lequel il s'était adressé à Alex. Il alla toutefois se placer à côté de lui, le regard tourné vers la verte campagne.

« Tant que cela ! fit Alex. La plantation de mon père n'en fait pas le quart !

— Mais Olympia n'est pas une exploitation agricole. Ton père l'utilise pour son agrément, tandis qu'ici nous mettons jusqu'au dernier arpent en culture. »

Tom, épaules détendues, voix tranquille, avait retrouvé son calme, et Gabrielle alla se placer à côté de lui, heureuse que la conversation portât sur un sujet aussi impersonnel.

« Pas étonnant que tu n'aies pas embrassé la carrière professorale, dit Alex. Avec de telles responsabilités... » Il désignait un champ dans le lointain, où se profilaient des esclaves au travail. « Non seulement la terre, mais tout le personnel qu'il faut pour l'exploiter.

— Nous avons deux cent trente esclaves, dit Tom. Et ils représentent, c'est vrai, une énorme responsabilité. » Il eut un soupir, et Gabrielle lui prit la main et la serra tendrement. Il pense à Véronique, se dit-elle. Je me demande s'il a jamais parlé d'elle à M. Saint-Cyr.

Quelque chose dans le ton d'Alex la tira de ses pensées ; il paraissait agacé, en colère presque. « Jordan va te prendre à partie

43

pour chacun d'eux, disait-il à Tom. Comme tout bon Bostonien, il est un abolitionniste convaincu, position qu'embrasse aussi ma mère.

— Pourtant, il y a des esclaves dans ta famille…, objecta Tom.

— Ils appartiennent à mon père. Et il les traite comme des enfants gâtés et irresponsables. Les domestiques de ma mère sont des hommes libres. Une telle situation constitue une maisonnée qui sort de l'ordinaire, je peux te l'assurer.

— En miniature, le dilemme dans lequel se trouve la nation.

— Et sans grand espoir d'en sortir.

— Quoi ? N'as-tu donc aucun espoir que les délégués à la convention démocrate trouvent une solution à nos problèmes ? Je peux te dire que mon père est parti pour Charleston bien décidé à appuyer les modérés afin que leur position prévale.

— C'est l'issue souhaitable. S'ils ne l'emportent pas, l'alternative n'est guère rassurante.

— Tu ne parais pas très optimiste, Alex.

— Comment le serais-je quand Moore, notre propre gouverneur, n'a cessé de dire depuis son entrée en fonction en janvier dernier qu'il ne voyait guère d'espoir pour que l'Union demeure intacte.

— Tes père et mère arrivent à s'arranger, dit Tom avec un petit sourire. La nation peut suivre leur exemple.

— Oui, bien sûr. » Alex s'adressa à Gabrielle. « Je vous aide à redescendre, miss Cannon. L'herbe est encore humide et le terrain est inégal. » Il lui offrit son bras et ils descendirent du tertre en silence. Lorsqu'ils furent près de Brandy, Alex fit la courte échelle à Gabrielle pour l'aider à monter en selle. « Et vous, miss Cannon, que pensez-vous de tout cela ? Selon vous, est-ce que les abolitionnistes et les tenants de l'esclavage parviendront à trouver un arrangement qui nous permettra de continuer à mener la vie qui est la nôtre ?

— Comment cela se pourrait-il, monsieur Saint-Cyr ? Si les abolitionnistes l'emportent, tous les esclaves seront libres, et mon père dit qu'ils ne sont pas encore prêts pour cela, que de les libérer tous d'un coup serait la pire chose à faire.

— J'ai bien peur que les abolitionnistes ne désirent rien de moins. Du moins, lorsqu'on entend parler Jordan.

— Mon père est quelqu'un qui sait convaincre, dit Gabrielle. Et il n'est pas seul de son avis. J'ai bon espoir qu'il ressorte quelque chose de positif de Charleston, entre autres raisons parce que c'est là une nécessité.

— Je ne partage pas vos espoirs, miss Cannon, mais cela est dû à mon inclination, une sorte de cynisme qui affecte ma vision des choses. »

Elle le regarda monter en selle et prendre la tête. Tom vint chevaucher à côté d'elle, ralentissant Jupiter pour qu'il reste à hauteur de Brandy.

« Un personnage complexe, ce Saint-Cyr, observa-t-il. A l'université, on l'appelait Mercure.

— Mercure ? Le messager des dieux ? s'enquit Gabrielle en regardant son frère passer la première clôture.

— Non, l'élément. Tu sais, le vif-argent. » Il lui lança un regard entendu. « Brillant et très beau, mais presque impossible à garder dans la main. »

Gabrielle avait encore les paroles de son frère en tête lorsqu'elle se rendit au salon pour travailler ses gammes. Les syllabes du surnom d'Alex épousaient le rythme des notes : vif-ar-gent, vif-ar-gent. Elle conclut la dernière gamme en plaquant un accord dissonant, puis ouvrit avec soulagement la partition de Gottschalk.

Elle fut bientôt si absorbée par la musique qu'elle ne s'aperçut pas que Jordan Scott était entré. Il demeura immobile sur le seuil jusqu'à la fin du morceau. Gabrielle se retourna vivement lorsqu'elle entendit de légers applaudissements.

« Monsieur Scott ! » Elle se leva et ferma le couvercle du piano. « Je croyais que vos affaires devaient vous prendre toute la journée. » Comme il semble fatigué, se dit-elle en traversant la pièce. Cela n'a rien d'étonnant : tandis que nous nous promenions, lui travaillait.

« C'est aussi ce que je croyais, dit-il. Mais il semble qu'un de nos vapeurs ait eu une avarie. Il n'arrivera que demain, aussi n'ai-je pu avoir comme prévu une entrevue avec son capitaine.

— En ce cas peut-être voudrez-vous aller retrouver Tom et votre cousin. Ils sont dans le paddock en train de s'entraîner pour le tournoi. Il se pourrait que vous trouviez cela plaisant et changiez d'avis.

— Merci, non, dit Jordan Scott. J'ai assisté à un de ces tournois à La Nouvelle-Orléans. Se déguiser en chevalier pour attraper un anneau avec la pointe d'une lance me paraît une perte de temps. Quant à celui qui remporte l'épreuve, cela signifie seulement qu'il possède un bon cheval et sait le mener.

— Quelle autre signification voudriez-vous que cela ait, monsieur Scott ? Cela n'a d'autre but que l'amusement...

— Je crains alors que m'amuser ne soit pas mon fort.

— Vous êtes trop intelligent pour être quelqu'un d'ennuyeux. Ce n'est pas parce que vos distractions sont différentes de celles de votre cousin...

— Que savez-vous des distractions d'Alex, miss Cannon ? interrogea Jordan en fixant la jeune fille d'un œil bleu qui donna à celle-ci l'envie de détourner le regard.

— Rien, évidemment. Seulement ce que je sais de La Nouvelle-Orléans et des divertissements qu'on y trouve... » Elle se tut en entendant des bruits de voix et de pas venant du vestibule. « Cela doit être Tom et M. Saint-Cyr qui reviennent de leur entraînement et se proposent de passer à table. Ils vont être heureux de vous voir ; vous nous avez manqué pendant notre visite de la propriété.

— En ce cas, peut-être puis-je espérer la faire à mon tour, si vous n'avez pas déjà trop chevauché aujourd'hui, bien sûr ?

— Je suis certaine que Tom se fera un plaisir...

— Je préférerais que ce soit vous, miss Cannon. »

Elle entendait les voix se rapprocher. Dans un instant Tom et Alex allaient passer la porte... « Eh bien, soit, monsieur Scott. Mais nous allons devoir attendre que la température redescende. Ma tante ne me laisse pas sortir au plus chaud de la journée.

— Tiens, Jordan, fit Alex en entrant dans la pièce. Je me disais bien que les affaires perdraient de leur charme, comparées à l'agrément que l'on trouve ici.

— Tu n'y es pas du tout, Alex. Un bateau a eu des problèmes de machine, ce qui m'a forcé à remettre à demain ce que je comptais faire aujourd'hui.

— Comme c'est dommage, fit Alex. Je sais combien il te répugne de perdre ton temps.

— Je ne vais pas le perdre, dit Jordan en souriant à Gabrielle. Miss Cannon a gentiment accepté de me faire faire le tour du propriétaire. Comme tu sais, je m'intéresse beaucoup au système des plantations, et sans doute ne pourrais-je trouver meilleur guide.

— J'en conviens», dit Alex en s'inclinant à l'adresse de Gabrielle, puis il se tourna vers Tom. «Cela me revient à l'instant : j'ai promis à ma mère de porter un message à une amie à elle, qui vit en ville. Le mieux serait que je me mette immédiatement en chemin. Non, ne t'inquiète pas pour le déjeuner, je prendrai un repas à l'hôtel. Bon, à plus tard.» Il s'inclina, tourna les talons et sortit.

Gabrielle le suivit des yeux en se demandant d'où lui venait cette impression que les lauriers de la victoire venaient de lui tomber des mains.

«Jordan, tout à l'heure, quand vous irez faire le tour de nos terres, je vous accompagnerai un bout de chemin, dit Tom. Je voudrais vous montrer les fossés d'irrigation dont nous parlions...» Il donna le bras à sa sœur. «Tu vois, Gabrielle, ce que je te disais tout à l'heure : on ne peut jamais savoir d'une minute sur l'autre ce que va faire Alex. La seule certitude, c'est que dès que l'on est sûr d'une chose avec lui, il va faire autre chose.»

Mais alors, il se pourrait qu'il se ravise pour le tournoi ! se dit-elle avec effroi. Oh, ce serait horrible. Il me faudrait alors accepter ce petit benêt de Harold LeBœuf. Comme lisant dans ses pensées, Jordan dit : «Oui, c'est exact. Alex est très changeant. Mais je dois dire que lorsqu'il a donné sa parole, il la tient.

— Ça oui. Dans tout ce qu'il considère important, il n'y a pas plus scrupuleux que lui.» Tom se mit à rire, et Gabrielle comprit que l'affection que son frère éprouvait pour Alex le remplissait d'indulgence à son égard. «Évidemment, le problème est que ce que la plupart des gens s'accordent à trouver important ne l'est presque jamais pour Saint-Cyr.»

3

« C'est impressionnant, dit Jordan en ramenant son cheval au pas pour contempler l'étendue des champs environnants. Autant de terres !

— Felicity est une des plus grandes plantations de Louisiane », dit Tom. Il avait fini par accompagner Jordan et Gabrielle sur l'ensemble de la visite. En entendant ses explications animées, la jeune fille aurait pu croire qu'il avait réellement souhaité parcourir exactement le même chemin que le matin même, n'eût été le regard qu'il lui avait lancé lorsque au bout d'une demi-heure elle lui avait dit : « Tu peux rebrousser chemin à présent, Tom. Je pense être capable de répondre aux questions de M. Scott. » Ce regard disait : pas question que je te laisse sans chaperon. Cela avait eu pour effet de la mettre mal à l'aise ; elle gardait le silence et réagissait à peine lorsque son frère lui laissait le soin de répondre à une question. Finalement, avec un nouveau regard, d'exaspération celui-là, il avait entièrement assumé le rôle d'hôte et de guide.

« Combien de... bras faut-il pour cultiver une telle superficie ? » demanda Jordan. Des nuages de pluie s'amoncelaient vers l'ouest, poussés par une belle brise qui soulevait les boucles blondes du jeune homme et les rejetait en arrière, le faisant tout à coup paraître beaucoup plus ouvert, bien moins distant et guindé. La brise jouait aussi dans les cheveux de Gabrielle et gonflait doucement

48

ses jupes. Comme si le vent dispersait aussi un reliquat de mauvaise humeur, elle couvrit la courte distance la séparant des deux garçons et arrêta Brandy à côté de Jupiter.

« Nous avons deux cent trente esclaves, disait Tom. Plusieurs, cependant, sont employés à la maison et quelques autres ont des affectations spéciales. Samson, par exemple, est responsable des écuries. Nous avons sans doute, en moyenne, dans les cent quatre-vingts esclaves aux champs. » Il interpréta le regard de Jordan. « Il y en a toujours un pourcentage de malades. Parfois ils sont vraiment souffrants, parfois ils n'ont simplement pas envie de travailler ce jour-là. Pour cela, nous nous en remettons surtout à ce que dit Samantha. On ne peut pas envoyer aux champs quelqu'un de vraiment malade, simplement sous prétexte que, la moitié du temps, c'est une bonne excuse pour rester au lit.

— Samantha est l'infirmière, expliqua Gabrielle. Elle ne l'est pas vraiment — je veux dire qu'elle n'a jamais travaillé dans un hôpital ou quelque chose comme cela. Mais elle connaît tous les remèdes de bonne femme, les herbes, les simples, et puis, bien sûr, tante Mathilde lui a appris beaucoup de choses.

— Et il n'y a qu'un seul contremaître pour tous ces gens ? s'étonna Jordan. C'est surprenant. On imaginerait que... Bon, autant dire le fond de ma pensée : on imaginerait qu'ils saisiraient la première occasion de le neutraliser et de s'enfuir. » Son visage s'était empourpré ; Gabrielle vit combien il était gêné de l'incongruité de sa question. Elle détourna la tête et laissa son regard errer sur l'horizon. Ils avaient traversé la route qui passait devant la maison, pour s'engager dans les champs qui, à partir de là, s'étendaient sur plus de mille cinq cents hectares. Les questions de Jordan avaient tout de suite été fort différentes de celles qu'avait posées Alex Saint-Cyr. Celui-ci n'en avait en fait posé que fort peu ; même si Felicity était une des plus grandes plantations de l'État, le système selon lequel elle fonctionnait ne différait pas de celui des exploitations plus modestes. Alex s'était avant tout intéressé aux aspects géographiques des terres — ou plutôt, pour être tout à fait honnête, se dit Gabrielle, c'est surtout à nous qu'il s'est intéressé.

« Eh bien, voyez-vous, Scott, disait Tom, aussi loin dans le Sud, il n'est pas si facile pour un esclave de s'enfuir. C'est la raison pour laquelle la meilleure façon de tenir ses esclaves plus au nord est de les menacer de les vendre dans le Sud.

49

— Excusez-moi, dit Jordan. J'ai bien peur que mon souci d'obtenir des renseignements de première main ne prenne le pas sur mes bonnes manières...

— Mais pas du tout, répondit Tom. Vous êtes dans la situation où je serais, j'imagine, si on me donnait la possibilité d'étudier les conditions de vie des matelots à bord d'un de vos navires long-courriers, ou de voir comment, en Nouvelle-Angleterre, les ouvriers d'usine arrivent à vivre avec le peu qu'on les paie.

— Tom ! protesta Gabrielle.

— Ce n'est rien, miss Cannon, dit Jordan. Aucun d'entre nous — et certainement pas les Scott — n'est innocent de la misère de ceux sur le dos desquels nous bâtissons notre fortune. Et je serais un hypocrite de la pire espèce si je prétendais ignorer que la fortune des miens s'est en grande partie faite dans le négoce des esclaves. »

Les traits de Tom se détendirent, et la tension qui lui avait empreint le visage s'évanouit comme emportée par la brise. « Je vois que vous êtes un honnête homme ! dit-il en tendant la main à Jordan.

— Et vous de même », fit Jordan en souriant. Il serra la main de Tom. « Je suis heureux que nous puissions parler ouvertement ; vous n'avez pas idée du nombre de fois où j'ai dû me mordre la langue depuis que je suis ici.

— Oui, quand vous pénétrez dans un salon de La Nouvelle-Orléans, vous portez la responsabilité des actions de toute une région, dit Tom. Vos hôtes ne voient pas un jeune gentleman bien élevé mais un Yankee rapace, disposé à priver le Sud de l'ossature de sa sécurité économique...

— Et je crains d'y avoir ma part de responsabilité, dit Jordan. En effet, dès que je me trouve en présence de gens qui possèdent des esclaves, c'est plus fort que moi, je me sens complètement... isolé. Comme s'ils avaient franchi quelque pont qui, à moi, reste invisible.

— Nous n'avons franchi aucun pont, dit Tom. C'est au moins vrai pour Gabrielle et pour moi. Du fait de l'éducation éclairée que notre père nous a donnée, elle comme moi avons du mal à admettre l'esclavage dans l'absolu. » Il tendit la main à sa sœur. « Gabrielle peut vous dire combien d'heures nous avons passées à parler de ce dilemme.

— Mais quel est votre dilemme ? demanda Jordan. Si l'esclavage vous répugne, pourquoi posséder des esclaves ?

— Autrement dit, pourquoi posséder quelque chose que j'ai trouvé en venant au monde ? Avant de me jeter la pierre, Scott, pensez à ce que vous venez de dire à propos de votre propre fortune. Je doute que vous approuviez les conditions de vie à bord des navires ou dans les usines, et cependant vous ne vous retirez pas d'affaires dont les profits sont directement liés à ces conditions de vie.

— J'ai bien sûr l'intention de changer tout cela. Je viens juste de faire mon entrée dans les affaires — un an aux bureaux de Boston, et maintenant à La Nouvelle-Orléans —, et je n'ai encore aucun pouvoir de décision. Mais je m'y emploierai, Cannon, je m'y emploierai.

— Et moi de même. Mais ces changements ne se feront pas en un jour. Si tout compromis est rejeté et si l'Union se défait, le chaos qui en résultera rendra presque impossible un programme ordonné de réformes.

— Pensez-vous la guerre possible ? demanda Jordan.

— C'est la pire éventualité. Mais, au mieux, les États-Unis continueraient-ils de commercer avec les États ayant fait sécession ? J'en doute fort. Et quoique nous pourrions renforcer nos liens déjà étroits avec la France et l'Angleterre, nous ne pourrons que difficilement survivre si nous n'échangeons pas nos matières premières contre des produits finis.

— Voilà une des analyses de la situation les plus claires que j'aie entendues jusqu'à présent, dit Jordan. S'agit-il également de la façon de voir de votre père ?

— Certainement. Et il espère qu'elle va s'imposer à la convention démocrate. »

Un nuage de poussière s'élevait à quelque distance de là. On entendait des voix dans le lointain. Tom jeta un coup d'œil en direction de la route. « Voici venir quelques-uns de nos gens, Jordan. Leur journée est terminée, ils rentrent à la maison.

— Terminée ? s'étonna Jordan en regardant le ciel. Cependant la loi vous autorise à les faire travailler tant qu'il fait jour... »

Tom adressa à son compagnon un regard soutenu. « Vous êtes bien informé, Scott.

— Je... je m'y efforce.

— En ce cas vous savez ce qu'est le système ''à la tâche'' ? C'est celui que nous utilisons ici.

— Non, je ne connais pas.

— Ensemble, mon père et son contremaître déterminent quelle quantité de travail chaque individu peut abattre par jour. Ainsi, lorsqu'ils se sont acquittés de leur tâche journalière, ils peuvent regagner leurs quartiers et faire ce qu'ils veulent.

— Ainsi, les deux parties sont bénéficiaires, dit Jordan. Vous, parce qu'ils travaillent de façon plus soutenue, et eux, parce qu'ils y gagnent du temps pour... leurs loisirs.

— Autre avantage, nous avons la satisfaction de ne pas éreinter nos gens», ajouta Tom. Sans être le moins du monde vexé, il semblait toutefois répondre maintenant par contrainte aux questions de Jordan. Il regardait au loin, là où, sous le nuage de poussière, une vingtaine d'esclaves approchaient.

Ni l'un ni l'autre ne souhaite les regarder passer, pensa Gabrielle.

«Allons-y, monsieur Scott, dit-elle. Si vous voulez voir la raffinerie, il ne faut pas tarder. Il nous reste juste assez de temps avant la nuit pour y aller et revenir.

— Je pense avoir suffisamment abusé de votre gentillesse, dit Jordan. La raffinerie ne fonctionne pas en ce moment, bien sûr. Peut-être renouvellerez-vous votre proposition à l'automne, à la saison du broyage ?

— Comme il vous plaira», dit Gabrielle. Elle détourna son regard de ces yeux bleus qui semblaient lui demander d'excuser sa gêne. C'est à cause de ces esclaves, se dit-elle. Sans doute n'en a-t-il jamais approché un si grand nombre ; il prend sur lui, il ne sait quelle attitude adopter.

Et de fait, lorsque le premier rang passa à côté d'eux, elle le vit se raidir et détourner la tête. Puis, avec un effort de volonté presque tangible, il se déplaça sur sa selle et regarda les Noirs passer devant lui comme pour un défilé de parade. C'étaient des hommes et des femmes dont la peau allait de l'ébène au café au lait, certains de haute taille avec une ossature épaisse, d'autres trapus, la face camuse. Leurs pieds nus levaient une poussière brune qui imprégnait leurs vêtements de coutil grossier.

Au passage, ils faisaient des signes de tête, et certaines femmes ébauchaient une révérence empruntée. Gabrielle se sentait toute raide, et son sourire lui semblait avoir été collé sur son visage, tant il lui étirait la peau. Chaque fois qu'un esclave inclinait la tête ou exécutait une révérence, elle répondait d'un petit signe, échangeant parfois un mot avec tel ou tel.

« Comment va ton bébé, Margaret ? demanda-t-elle à une jeune femme.

— Très bien », fit celle-ci. Elle sortit des rangs pour s'arrêter auprès de Gabrielle. « M'ame LeGrange a passé presque toute la nuit auprès de lui, la semaine passée, quand il a eu si fort la colique. Maintenant, il est remis.

— Je suis heureuse de l'apprendre. Il faudra que tu me l'amènes, que je le voie.

— Oui, mademoiselle. Je vous l'amènerai. »

Les derniers esclaves s'éloignaient déjà, et la jeune femme courut pour les rattraper. La brise faiblissait, retombant au sol comme un animal qui se met à couvert. Une lumière voilée filtrait à travers les nuages sombres. Un calme étrange régnait sur la campagne. Puis ce furent les premières gouttes, de grosses gouttes qui faisaient des cratères dans la poussière.

« Dépêchons-nous ! » lança Tom en faisant volter Jupiter. Il fit signe à sa sœur de prendre la tête. Les trois chevaux se mirent à marteler le chemin, fuyant au galop la pluie battante. Ils rattrapèrent les esclaves, et Gabrielle les vit s'égailler vers les fossés dans un tumulte de bras, de jambes et d'yeux écarquillés, pour ensuite regarder en silence les cavaliers passer dans un voile de pluie.

Ils étaient complètement trempés lorsqu'ils arrivèrent devant la maison ; l'eau leur ruisselait sur la peau et jusque dans les bottes.

« Je m'occupe des chevaux, lança Tom. Toi, tu rentres, Gabrielle. Vous aussi, Jordan.

— Je suis déjà trempé, fit celui-ci. Une petite rallonge ne peut pas me faire de mal.

— Alors, suivez-moi. Je vais mener Brandy. »

De la galerie, à peine abritée de la pluie oblique, Gabrielle les regarda s'éloigner. Lorsqu'ils eurent disparu au coin de la maison, elle entra. On n'avait pas encore allumé ; l'intérieur lui parut froid et rébarbatif, comme vidé de toute vie. Te voilà vannée et trempée jusqu'aux os, se dit-elle en pénétrant dans le vestibule. Les deux bras courbes de l'escalier se dressaient devant elle, nimbes blanchâtres dans la pénombre. Elle eut le sentiment que lorsqu'elle s'y engagerait ce serait pour entrer dans l'inconnu, quelque lieu étrange bien éloigné du décor familier.

Ton esprit crée des fantômes pour s'assortir à ton inconfort matériel. Quelles sornettes t'autorises-tu à penser ! Elle franchit

53

rapidement les quelques mètres de plancher, gravit presque en courant les premières marches.

C'est alors qu'une silhouette apparut sur le palier, une femme tenant une lampe. « Miss Gabrielle ? Miss Gabrielle, non mais regardez-vous !

— Oh, Lucie ! Eh oui, la pluie nous a surpris... J'ai bien peur d'avoir trempé le tapis...

— Venez d'abord vous sécher », dit Lucie. Tenant haut la lampe, elle s'engagea dans le couloir du premier. « Que va-t-on faire de vos pauvres cheveux ? » se lamentait-elle.

Gabrielle commençait de se sentir rassérénée. Les rites familiers ne tarderaient pas à l'envelopper. Tandis qu'elle se frictionnerait avec une épaisse serviette, Lucie emporterait ses vêtements mouillés. Ensuite elle s'assiérait devant sa coiffeuse après avoir enfilé son nouveau peignoir de soie, tandis que Lucie s'affairerait autour de ses cheveux. Puis ce serait l'heure de passer à table, une nouvelle soirée en compagnie de Jordan Scott et d'Alex Saint-Cyr...

La pluie tombait régulièrement, assombrissant les arbres qui se profilaient au-delà de la balustrade de la galerie. La chambre de Gabrielle, à peine éclairée, parfumée par un bouquet de roses, était tiède et rassurante. La jeune fille était en émoi à la perspective des heures à venir. Une pensée, cependant, gâchait son plaisir. Il y a loin des écuries à la maison, se disait-elle. Ils doivent encore être dehors sous cette pluie battante.

Apparemment soucieux, Alex ne participait guère à la conversation. Ce n'est que lorsque arriva le plat de résistance qu'il parut reprendre pied dans la réalité. Il se pencha vers tante Mathilde, assise au bout de la table. « Pardonnez-moi, madame LeGrange, si je n'ai pas accordé à cet excellent dîner et à cette délicieuse compagnie l'attention qu'ils méritent, mais j'ai passé un fort désagréable après-midi et j'en ressens encore les effets.

— Je suis désolée de l'apprendre, monsieur Saint-Cyr, dit tante Mathilde. L'amie de votre mère serait-elle souffrante ?

— Pas du tout. Elle m'a paru en parfaite santé et de fort bonne humeur. Seulement, lorsque ma visite a pris fin, sa malheureuse fille était, par sa faute, au bord des larmes, et je me trouvais dans un état de gêne et de tristesse profondes.

— Que voulez-vous dire ? Cela semble une étrange façon de se comporter envers son enfant et son visiteur !

— Je pense que son instinct maternel a pris le pas sur toute autre considération. Il semble qu'on me tient pour un bon parti ; la fille de la maison et moi-même avons en conséquence dû souffrir quantité de commentaires bien intentionnés destinés à me faire comprendre que si j'étais en quête d'une épouse, je n'avais pas à chercher plus loin. » Alex prit son verre et but une gorgée, puis il se tourna vers Tom. « Merveilleux, ce bordeaux. La cave de ton père doit être aussi bien fournie que la nôtre. Ne me regarde pas comme cela, mon vieux. Tu me connais assez pour savoir que j'ai été la gentillesse même envers cette pauvre fille. Seulement, je ne voulais pas lui donner espoir, ce qui rendait ma marge de manœuvre fort étroite !

— Et pensez-vous qu'elle partage l'opinion de sa mère, monsieur Saint-Cyr, selon laquelle vous seriez un bon parti ? interrogea tante Mathilde.

— J'imagine, madame LeGrange, que quiconque la soustrairait à l'autorité de sa mère serait un bon parti, dès lors qu'il la respecterait en tant qu'individu...

— Seulement, vous ne pensez pas que cette jeune demoiselle soit pour vous un parti convenable ? » Tante Mathilde parlait à Alex mais regardait Gabrielle. Vois comme ce garçon s'exprime librement, disait son regard. Et sois prévenue.

« Comment pourrais-je le savoir ? Elle n'a pas eu la possibilité de se présenter telle qu'elle est. Les qualités dont sa mère l'a parée en font une maîtresse de maison idéale, une hôtesse compétente et talentueuse, et je la crois assez accomplie en certains des beaux-arts pour savoir créer une ambiance esthétique. Quant à l'épouse qu'elle pourrait faire, je n'en ai aucune idée. Et jamais je n'essaierai de le savoir, car même les injonctions les plus pressantes de ma mère ne me feront pas remettre les pieds dans cette maison.

— Ce n'est sans doute pas la première fois que tu affrontes pareille... sollicitude maternelle », dit Tom. Il adressa un sourire à Jordan, l'invitant à apaiser la tension suscitée par le discours véhément d'Alex. « Je suppose, Scott, qu'il n'en va pas différemment à Boston ? Un garçon acceptable vient en visite dans une maison où il y a une fille en âge de se marier, et d'après tout ce qu'il peut voir et entendre, c'est là que se trouve la perle rare.

— Je ne sors guère, dit Jordan. J'aime les occupations plus

tranquilles et me suis toujours borné au cercle de parents au centre duquel j'ai grandi. Je connais donc toutes les filles aussi bien qu'elles me connaissent. Il serait par conséquent inutile d'essayer de s'y faire passer pour ce qu'on n'est pas.

— Il ne s'agit pas de cela, reprit Alex, mais de cette façon de mettre une personne à l'encan, d'en faire l'objet d'enchères, et de l'abandonner pour la vie entière à celui qui a fait l'offre la plus acceptable.

— Est-ce là votre idée du mariage, monsieur Saint-Cyr ? demanda tante Mathilde. Vous êtes encore plus cynique que votre père, car à votre âge lui au moins avait quelque sentiment.

— Je pense qu'Alex a du sentiment, tante Mathilde, dit Tom, sinon il ne ressentirait pas les choses aussi vivement. Et il est vrai que certaines mères font moins mystère que d'autres des objectifs qu'elles ont en tête. Cela est très gênant, et pour la jeune personne et pour le gentleman concerné. »

Gabrielle, qui n'avait pas bronché depuis qu'Alex avait lancé cette conversation, changea de position sur sa chaise. Le léger mouvement qu'elle fit en avant la fit entrer dans le cercle de lumière du lustre. La lueur des chandelles éveilla le fauve profond de sa chevelure et para de reflets d'or les mèches folles qui nimbaient son visage. « Ce que vous décrivez est si affreux, monsieur Saint-Cyr, que je pense être à jamais prévenue contre toute situation approchante. Je me demande même si je désire toujours assister au tournoi de l'anneau, vêtue en dame du Moyen Age pour jouer un jeu aussi compliqué.

— Voyons, miss Cannon, pareille conversation ne porte jamais sur la compagnie présente. Vous n'allez tout de même pas imaginer que mon propos puisse jamais s'appliquer à vous...

— Et pourquoi pas, monsieur Saint-Cyr ? » Elle n'y pouvait rien, ses joues trahissaient la violence de son émotion, une flamme verte dansait dans ses yeux. Le regard profond de son interlocuteur l'effrayait presque ; elle avait l'impression de se trouver non pas à la table du dîner, mais en un lieu étrange et dangereux. Puis elle redressa les épaules et s'efforça de poser sa voix. « Pourquoi votre propos ne s'appliquerait-il pas à moi aussi bien qu'à n'importe quelle ''malheureuse jeune personne'' de mon âge ?

— Mais parce que vous n'êtes pas comme les autres demoiselles de votre âge. De votre propre aveu comme par votre comportement, vous affichez une opinion bien différente sur ce que la vie doit être. Quant au tournoi de l'anneau, il s'agit, comme vous dites, d'un jeu compliqué. Nous y serons tous en représentation, et, croyez-moi, ceux d'entre nous qui jouteront courront bien plus de risques que celles qui, dans leurs plus beaux atours, seront assises dans les tribunes.

— En tout cas, monsieur Saint-Cyr, intervint tante Mathilde après avoir fait signe aux domestiques de débarrasser la table, votre opinion sur la façon dont notre société fait se rencontrer les jeunes gens est la vôtre, et je doute que beaucoup la partagent. »

Alex inclina la tête avant d'accompagner sa réponse d'un léger sourire. « Vous avez sûrement raison, madame LeGrange. Il est si fréquent qu'on ne partage pas mes opinions que je vais très bientôt en arriver au point où, soit je me garderai de les exprimer, soit je n'en aurai plus du tout. »

Il se mura à nouveau dans un silence distant, dont même les tentatives de Tom ne purent le faire sortir. Lorsque arriva l'heure de laisser les gentlemen à leurs digestifs et leurs cigares, c'est avec soulagement que Gabrielle suivit sa tante au salon. La plaisante soirée de la veille semblait bien loin à présent, le naturel avec lequel elle et Alex Saint-Cyr avaient chanté paraissait un improbable accident qui jamais ne se répéterait. Lorsque les jeunes gens les rejoignirent au salon, elle refusa de se mettre au piano. Ces heures passées à cheval l'avaient fatiguée. S'ils le voulaient bien, elle allait se retirer.

Il pleuvait toujours. Une douce pluie qui aurait dû la bercer. Ce ne fut pas le cas. Je me suis trompée au sujet de M. Saint-Cyr, se disait-elle. Au début, il m'a semblé que c'était M. Scott l'observateur, avec ce regard bleu perçant qui va au cœur de toute chose, tandis que celui de M. Saint-Cyr paraissait n'en effleurer que la surface pour se porter aussitôt ailleurs au gré de son humeur versatile. Je comprends maintenant que ses yeux sont comme deux gouffres sombres où tout ce qu'il voit disparaît pour être remodelé, transformé selon sa propre idée des choses.

Ses belles phrases, sa nonchalance sont un masque qui lui permet d'évoluer au milieu de nous et de nous examiner d'un œil critique, cela sans se départir de son sourire ! Elle aurait voulu maintenant qu'Alex Saint-Cyr, méritant son surnom de Mercure, se ravisât quant à sa participation au tournoi de l'anneau et que, le jour venu, il fût loin. Harold LeBœuf est plus jeune que moi, se disait-elle en retournant son oreiller dans l'espoir de trouver un peu de fraîcheur, cherchant vainement le sommeil. Et il se conduit souvent comme un écervelé. Mais il faut lui reconnaître une chose : Harold n'est rien d'autre que ce qu'on voit de lui, rien d'autre que ce qu'il dit. Et je pense en ce moment que c'est sans doute là une très bonne chose.

Au matin, le monde était comme neuf. La pluie avait balayé toute poussière, rafraîchi chaque feuille et chaque pétale. Gabrielle emporta son café sur la galerie pour le siroter tout en humant la fragrance des roses dont croulait la balustrade. Son attention fut attirée par un bruit de roues dans l'allée. Samson amenait devant la maison une voiture rutilante, attelée de deux chevaux qui caracolaient dans l'air limpide.

Le mariage chez les Jumonville ! Comment avait-elle pu l'oublier ? Elle aurait dû être déjà occupée à sa toilette. Lorsqu'elle réintégra la chambre, sa bonne avait apporté le plateau du petit déjeuner et attendait que Gabrielle lui dise quelle robe elle voulait porter.

« Mon Dieu, Lucie, ce mariage m'était complètement sorti de la tête », dit-elle en s'asseyant pour manger. Le froncement de sourcils de Lucie la rappela à l'ordre, et elle se signa d'un geste rapide.

« Abigail dit que m'ame LeGrange veut partir à dix heures. Faut que nous nous dépêchions de vous préparer.

— Je pensais à l'ivoire... non, je ne peux pas mettre quelque chose qui soit si proche du blanc. Peut-être ma robe lavande... ou la bleue...

— Abigail dit que vot' tante veut que ce soit la bleue. » Lucie fit entendre un rire, qui barra son visage d'un rectangle de solides dents blanches. « Vot' tante ne veut pas que vous éclipsiez la mariée.

— Quelle barbe ! » lança Gabrielle. Elle répandait du sirop de figue sur son dernier biscuit. « Si nous y allons, c'est uniquement parce que M. Jumonville et papa travaillent ensemble. Je ne pense pas avoir passé en tout plus de six heures en compagnie de miss Jumonville.

— Il va y avoir une foule de gens, dit Lucie. Allez, miss Gabrielle, il faut vous habiller. » Elle attendit que la jeune fille ait fait une toilette rapide, puis lui tendit des sous-vêtements propres. « Jonas, il dit que monsieur Tom emmène avec lui les deux jeunes messieurs. Alors vous avez toutes les raisons de vous faire jolie, miss Gabrielle, même si ce n'est pas vous la mariée.

— Si cela doit se passer comme pour miss Jumonville, je préfère ne jamais l'être. » Devant l'étonnement de Lucie, Gabrielle adopta un ton de voix plus serein. « Oh, Lucie, tu dois être au courant, toi qui sais toujours tout bien avant moi, et avec beaucoup plus de détails, encore.

— J'ai entendu dire que miss Jumonville épousait un homme qui vient de très loin, dit Lucie. Asseyez-vous, miss Gabrielle, que je vous brosse les cheveux.

— Oui, un homme qui est d'au moins vingt ans son aîné, et qui a déjà plusieurs enfants !

— L'homme, il y peut rien si sa femme, elle meurt, dit l'esclave, passant la brosse à dos d'argent dans les cheveux dénoués de la jeune fille. Vot' maman aussi, elle est morte.

— Seulement papa n'est pas allé se remarier avec quelqu'un de deux fois plus jeune !

— Il avait sa sœur auprès de lui. Mais si le mari de vot' tante il était pas mort, vot' papa aurait été obligé de se chercher quelqu'un.

— Je m'en moque, dit Gabrielle. Je ne comprends pas comment miss Jumonville peut épouser quelqu'un d'aussi âgé et aller servir de mère à des enfants qu'elle ne connaît même pas ! L'aîné ne doit pas être beaucoup plus jeune qu'elle... »

Les coups de brosse se firent plus énergiques, et Gabrielle comprit que Lucie jugeait qu'elle était allée trop loin.

« Il faut voir les choses en face, miss Gabrielle. Les Jumonville, ils n'ont pas autant d'argent que vot' papa. Et les filles de la famille, Abigail dit qu'elles sont intelligentes, seulement, miss Gabrielle, un jeune homme recherche d'abord la beauté. Plus tard peut-être, il appréciera que sa femme soit intelligente...

— Eh bien, c'est écœurant, Lucie. Au lieu de rester fille, de devenir une vieille fille honorable, miss Jumonville va... elle va se vendre... »

Lucie eut un grand éclat de rire, qui parut aller se fracasser contre le miroir de la coiffeuse. « Ça, miss Gabrielle, vous pouvez en penser ce que vous voulez. Mais moi, je vais vous dire une bonne chose : si elle se vend, elle peut être fière du prix qu'on la paie.

— Tu as raison, Lucie. Je ne devrais pas me laisser aller à ce genre de considérations, ou au moins je devrais les garder pour moi. »

Lucie enroula autour de son doigt une mèche de Gabrielle. « Il faut dire qu'avec l'argent de vot' papa, et jolie comme vous l'êtes, quand on va se mettre à vous faire la cour, ça ne sera pas du tout la même chose. »

Leurs regards se rencontrèrent dans la glace ; Gabrielle ouvrait de grands yeux interrogateurs. Lucie eut un hochement de tête à peine perceptible, puis retrouva son sourire. « Comme on dit, miss Gabrielle, vous tenez le monde dans une bouteille et le bouchon dans l'autre main. »

L'humeur de la jeune fille s'accorda soudain à la matinée. L'atmosphère de la veille la quitta, chassée par son lumineux reflet dans le miroir. « Lucie, j'ai bien peur que la robe bleue n'ait une horrible tache d'herbe. Je ne l'avais pas remarqué la dernière fois que je l'ai portée, mais je ne peux pas la mettre aujourd'hui.

— Miss Gabrielle, cette robe n'a pas la moindre tache... » Lucie baissa les yeux vers la robe. « Ah si, je la vois. Il va falloir en choisir une autre. A laquelle pensez-vous ?

— A la lavande, dit Gabrielle. Le châle de dentelle crème que papa m'a rapporté de Bruxelles en couvrira le décolleté jusqu'à ce qu'il fasse nuit.

— La pauvre mariée, personne ne va la regarder, fit Lucie en faisant passer la robe lavande par-dessus la tête de Gabrielle.

— Oh, elle ne s'en formalisera pas », dit celle-ci. Elle se regardait dans la psyché avec un petit sourire qu'elle ne s'était jamais vu. Elle fit un demi-tour pour regarder par-dessus son épaule la façon dont tombait la ruche de mousseline. « Elle se marie aujourd'hui... son mari n'aura d'yeux que pour elle, c'est tout ce dont elle devrait se soucier. »

Lorsqu'elle descendit, Gabrielle trouva Tom au pied de l'escalier en compagnie d'Alex et de Jordan. Tom et Jordan étaient en grande conversation, Alex contemplait un portrait accroché au mur. Il fut le premier à tourner la tête et le gouffre sombre de son regard absorba l'image de la jeune fille. Puis ce fut au tour de Jordan de la voir ; il se mit à sourire et avança jusqu'au bas des marches.

« Grâce à vous, miss Cannon, on ne regrette pas de chômer une journée pour se rendre à un mariage, la mariée elle-même ne peut être plus ravissante. »

Alex fit un pas. Il ne disait toujours rien. Repensant à tout ce que celui-ci avait dit la veille, Gabrielle eut un petit rire et toucha de son éventail le poignet de Jordan. «Je ne pense pas que cela ait de l'importance, monsieur Jordan. Pour ce que j'en sais, on ne demande pas en l'occurrence à la mariée d'être jolie. On ne lui demande que de la compréhension.

— Vous voulez dire que ce mariage a été arrangé? fit Alex.

— C'est ce que m'a dit Lucie, ma femme de chambre. Et si les esclaves en font de telles gorges chaudes, la cour faite à cette pauvre miss Jumonville n'a pas dû bénéficier de beaucoup d'intimité.

— En ce cas mes observations sur le triste état où sont tombées les relations entre les hommes et les femmes avaient quand même quelque pertinence.»

Debout entre Alex et Jordan, flanquée de son frère, Gabrielle sentit monter en elle un sentiment qu'elle ne sut identifier, un sentiment apparenté à ce qu'elle éprouvait lorsqu'elle et Brandy sautaient des clôtures et parcouraient au grand galop des kilomètres de prairie et de route...

«Je ne suis pas certaine, dit-elle, que le mariage de miss Jumonville illustre vos dires. Je crois qu'elle estime avoir fait une bonne affaire. Et nous sommes mal placés pour prétendre le contraire.

— Mais vous, miss Cannon, vous ne vous prêteriez jamais à un marchandage de ce genre?» demanda Jordan.

Tom s'approcha pour offrir son bras à sa sœur. «C'est là, Scott, une question à laquelle ma sœur n'aura jamais à répondre. Et quand bien même en serait-elle tentée, mon père et moi sommes là pour veiller à ce qu'elle n'en fasse rien.

— Je suis surpris, Jordan, dit Alex à son cousin tout en suivant Gabrielle et Tom vers la sortie. Tu sais sûrement qu'un marchandage met en présence deux personnes ayant quelque chose à échanger. Un tel concept n'est pas de mise lorsque ce qui est en jeu est un... prix.»

«Venez, allons faire un tour, dit Dorothea Robin à Gabrielle. Il me semble qu'il y a une éternité que nous ne nous sommes vues, alors que cela ne fait que, quoi? un mois?

— C'était la fois où vous êtes venue en visite chez vos cousins», répondit Gabrielle. Elles gagnèrent l'ombrage d'une tonnelle et se mirent à regarder sans les voir les invités éparpillés sur la pelouse des Jumonville. « Aviez-vous eu un agréable séjour ?

— Très agréable, dit Dorothea. J'étais triste quand il a fallu repartir. J'ai eu l'occasion de faire la connaissance de gens charmants. Mais parlez-moi plutôt de vos invités ! Ils sont magnifiques ! Si charmants, et d'un commerce si agréable.

— Il n'y a pas grand-chose à en dire. M. Saint-Cyr est un vieil ami de Tom ; ils étaient à l'université ensemble. M. Scott est le cousin germain de M. Saint-Cyr ; il arrive de Boston pour travailler dans les bureaux de sa famille à La Nouvelle-Orléans.

— Ce que vous semblez placide, Gabrielle ! Comme si le fait d'avoir de tels hôtes ne suffisait pas à vous faire chavirer la tête !

— Chavirez autant que vous voulez, dit Gabrielle. Quant à moi, j'ai la tête sur les épaules.

— Je suis moi aussi, actuellement, peu sensible au charme des jeunes gens. Dès que nous aurons un moment, je vous parlerai d'un certain gentleman dont j'ai fait la connaissance. Mais, regardez, voici les nouveaux mariés. Je pense qu'ils ne vont pas tarder à partir.

— Encore heureux que vous n'ayez pas dit ''les heureux mariés'', fit Gabrielle. Je me demande comment miss Jumonville a pu s'y résoudre. Elle ne l'aime tout de même pas ? Qu'est-ce que vous en pensez ?

— Comment elle a pu s'y résoudre ? Mais très facilement. M. Forbes possède plus de huit cents hectares plantés en coton, ainsi que plusieurs grandes maisons. Sa femme va vivre dans le luxe, et puis il semble très brave.

— Si encore elle avait une trentaine d'années ! Mais ce n'est pas le cas ! Oh, Dorothea, mais comment peut-elle renoncer à…

— A l'amour ? Vous lisez décidément trop de romans de Tennyson et de Walter Scott. Ce n'est pas l'amour qui se serait chargé de vêtir ou de nourrir miss Jumonville.

— Son père a assez d'aisance pour subvenir à ses besoins…

— Quoi ? Vivre chez son père quand elle peut diriger la maison d'un Forbes ? » Dorothea haussa les épaules et sourit d'un air quelque peu condescendant ; elle était de deux ans l'aînée de Gabrielle. « Il n'en va pas de même pour vous, Gabrielle. Votre père est un des hommes les plus riches du Sud, et vous êtes sa seule fille. Papa, lui, a quatre filles à doter ; et naturellement, mes sœurs et moi n'entrons pas sur les rangs avec les mêmes avantages.

— On croirait entendre M. Saint-Cyr! Vous professez le même cynisme, Dorothea! Allez-vous aussi me dire que vous ne croyez pas à l'amour? »

Le sourire de Dorothea en fut altéré, et Gabrielle se dit qu'elle devait penser au gentleman auquel elle avait fait allusion un peu plus tôt. «Je crois à l'amour, Gabrielle. J'espère le connaître. » Elle haussa à nouveau les épaules. « Mais si je ne l'ai pas en entrant dans le mariage, je suis certaine qu'il apparaîtra avec le temps. »

Une grande voiture, avec cocher et postillon en livrée, décrivit un demi-cercle et s'immobilisa dans l'allée. «Venez, approchons-nous, dit Dorothea. Ils sont sur le point de partir. »

Gabrielle regardait M. Forbes et sa jeune épouse. Dans sa robe de voyage, la nouvelle Mme Forbes semblait plus menue, rapetissée depuis qu'elle avait ôté sa robe de mariée. Elle était au milieu des siens et tenait sa sœur par la main.

«Et Mme Forbes? Connaîtra-t-elle l'amour? »

Dorothea suivit le regard de Gabrielle. «Tout le monde ne partage pas vos idées, Gabrielle. Tout le monde ne peut pas se le permettre. Je suis certaine que Mme Forbes a appris très tôt qu'il lui faudrait mériter un bon mariage en montrant du talent et de la compétence dans la direction des affaires domestiques. M. Forbes va de nouveau vivre dans une maison bien tenue. Il lui témoignera sa gratitude en la traitant avec gentillesse et générosité, ainsi qu'il sied à tout gentleman. Son existence à venir peut vous paraître bien limitée. Mais je ne crois pas qu'elle serait de votre avis, si déchirants que soient ses adieux à ses parents.

— J'ai laissé tomber mon éventail quelque part dans l'herbe, dit Gabrielle. Partez devant, je vous rejoins. » Elle tourna les talons avant que Dorothea ait pu répondre, affectant de regarder le sol, comme si elle eût vraiment cherché son éventail. Dorothea doit être dans le vrai, se dit-elle. Mais si le genre d'amour auquel je pense est si rare, pourquoi les poètes le prennent-ils pour sujet, et pourquoi les auteurs comme Walter Scott en font-ils le centre de leurs romans?

Un bruit de sanglots lui fit relever la tête. Debout près d'une palissade se tenaient plusieurs Noirs, un homme, une femme, plusieurs petits enfants et une fille d'une quinzaine d'années, qui pleurait sur l'épaule de sa mère.

Mais que se passe-t-il? se demanda Gabrielle en faisant un pas dans leur direction. C'est alors qu'une voix s'éleva dans son dos. « Ellen ! Ellen, mais où as-tu bien pu passer ? »

La jeune Noire redressa la tête. En voyant son expression et celle de ses parents, Gabrielle comprit ce qui se passait : cadeau de M. Jumonville à sa fille, Ellen allait suivre les Forbes.

« Ah, la voilà ! » fit M. Jumonville. Il passa près de Gabrielle, la saluant d'un petit signe de la tête.

Tu sais pourtant qu'ainsi vont les choses, se dit-elle. Oui, je le sais, pensa-t-elle en pivotant lentement pour rejoindre les autres. Je l'ai toujours su dans ma tête, mais je crois qu'aujourd'hui c'est mon cœur qui est en train de l'apprendre.

4

Une sonnerie de trompettes retentit sur le champ de courses de New Iberia. Une légère brise agitait les oriflammes de couleurs vives hissées en haut des mâts. Ses jupes bouffant autour d'elle, Gabrielle avait du mal à rester en place car un nouveau chevalier venait d'apparaître à l'autre extrémité de la piste ovale ; elle se pencha en avant, se levant presque de sa chaise dans son désir de voir qui il pouvait être.

« Oh, tante Mathilde, c'est comme si tout l'univers de Walter Scott nous apparaissait tout à coup ! »

Le regard de tante Mathilde passa du visage coloré, des yeux pétillants de la jeune fille aux chevaliers sur leurs montures piaffantes. « Surtout ne prends pas ceci plus au sérieux que tes romans, Gabrielle. Si tu es couronnée reine, grand bien te fasse. Mais si tu ne l'es pas, cela aura quand même été un plaisant après-midi.

— Je ne prends pas cela au sérieux. Ce n'est qu'un jeu, un merveilleux divertissement. Oh, regardez, voici Tom ! » Elle se souleva de sa chaise pour agiter la main à l'adresse d'un chevalier qui paradait le long des tribunes. « N'est-il pas magnifique, tout en gris et argent !

— Il n'est pas mal », concéda tante Mathilde, cachant mal sa satisfaction. Elle se recula sur sa chaise et sortit de son réticule un éventail qu'elle se mit à agiter vivement devant son visage. De derrière cet écran, elle put commencer d'échanger des commentaires avec son excellente amie et proche voisine, Mme Walter Robin, qui, avec ses quatre filles, occupait la loge voisine.

La présentation des chevaliers se poursuivait, tableau changeant de heaumes emplumés et de lances enrubannées, qui faisait monter encore l'excitation de la foule. Une excitation toute particulière avait cours dans les loges où se trouvait une demoiselle d'un âge approprié. Quoique la plupart des chevaliers eussent déjà choisi leur dame, une délicieuse tension gagnait l'atmosphère en ces derniers instants de la parade. Cœurs et esprits pouvaient changer d'inclination... il se pouvait qu'un chevalier, empêché, n'apparût pas, ou qu'un autre, sorti de nulle part, vînt solliciter une faveur déjà promise ailleurs.

Jaime Robin passait devant les tribunes. Il inclina la tête à l'adresse de sa mère et de ses sœurs, puis salua tante Mathilde et Gabrielle. Il fut suivi d'autres chevaliers, certains qu'elles reconnaissaient, d'autres sur lesquels elles n'arrivaient pas à mettre un nom. Puis ce fut à nouveau Tom. Tom ? Mais cela signifiait que tous les chevaliers avaient défilé, tous sauf Alex Saint-Cyr.

Un mouvement dans la loge voisine attira l'attention de Gabrielle. Un chevalier était incliné devant Dorothea ; elle ôta le foulard qu'elle portait au cou pour le lui nouer autour du bras. Un chevalier s'immobilisa devant une autre loge, et un autre encore devant la loge suivante. « Mais où est M. Saint-Cyr ? dit la jeune fille, ne réalisant qu'elle avait parlé à voix haute que lorsque sa tante tourna la tête de son côté.

— Peut-être ses affaires l'ont-elles retenu plus longtemps qu'il ne le pensait, fit tante Mathilde. Il devait aller retrouver M. Scott au bureau de la compagnie de navigation, il me semble ?

— Oui, mais il ne pensait pas que l'entrevue durerait plus d'une demi-heure... » Vif-argent... Vif-argent... Ce surnom lui tournait dans la tête. « Enfin, comme nous venons de dire, tout ceci n'est qu'un jeu. Si M. Saint-Cyr est empêché, je me contenterai de regarder jouter les autres chevaliers. »

Mais voilà que l'un de ceux-ci se détachait du groupe des concurrents pour venir dans leur direction. Malgré la splendeur de ses vêtements, tout de vert et d'écarlate, Gabrielle reconnut Harold LeBœuf. Il n'a tout de même pas l'intention de me demander s'il peut concourir pour moi. Elle pivota vers sa tante, tournant délibérément le dos au cavalier.

C'est alors que le souffle lui manqua et que les mots qu'elle préparait s'éteignirent avant d'avoir franchi sa gorge. Un nouveau chevalier venait d'apparaître. Tandis que le héraut consultait la liste des inscrits, il attendait la permission d'entrer sur la piste, superbement monté sur un cheval noir de jais, vêtu d'une tunique de même couleur, rayée d'or. Lorsque le héraut lui fit signe d'entrer, le cavalier se pencha pour lui dire quelques mots. L'autre se retourna vers le champ de courses et pointa le bras vers les tribunes. La tête du chevalier, heaume d'or surmonté d'un panache noir, se tourna dans la direction indiquée. Il hocha la tête et partit au pas vers la loge des Cannon.

« Mais ce n'est pas M. Saint-Cyr ? fit tante Mathilde.

— Non... M. Saint-Cyr est vêtu de bleu et d'argent. Oh, regardez, le voilà là-bas ! »

Montant un cheval gris pâle, rubans argentés luisant sur le bleu foncé de sa tunique, Alex était entré sur la piste presque sur les talons de l'énigmatique chevalier. Voici qu'après un regard au cavalier noir se dirigeant au pas vers les tribunes, il piqua des deux et, dépassant l'autre au galop, arriva devant Gabrielle trois bonnes secondes avant lui.

Il ôta son heaume et s'inclina très bas sur l'encolure de son cheval. « Miss Cannon, voulez-vous m'accorder l'honneur de porter vos couleurs afin que ma fidélité et mon respect soient connus de tous ? »

Elle leva les yeux vers lui, s'attendant à lire sur son visage ce sourire cynique qui lui était habituel. Mais il avait une expression sérieuse et grave, comme si les ballades anglaises jouées par les musiciens eussent aboli les siècles, comme si le champ de courses eût vraiment été le champ clos de la Camelot du roi Arthur. Ce rôle semble fait pour lui, se dit Gabrielle en portant les mains à son chapeau pour ôter la longue épingle avec laquelle Véronique y avait fixé le voile. Elle lui tendit la pièce de mousseline rose. Il se la passa au bras et y fit un double nœud. La brise s'en saisit, la faisant flotter dans son dos. En la suivant des yeux, Gabrielle rencontra le regard bleu de Jordan Scott.

« Monsieur Scott ! Je croyais que vous ne deviez pas participer au tournoi...

— Eh bien... j'ai changé d'avis. Puis-je également porter vos couleurs ? »

Alex se mit de biais sur sa selle, léger mouvement qui fit miroiter sa tunique et luire son heaume. « Ne refusez pas, miss Cannon, dit-il. Vous allez ainsi doubler vos chances d'être reine, et mon cousin et moi allons avoir toutes les raisons de nous bien comporter.

— Eh bien, soit », dit Gabrielle. Elle tira de sa manche un mouchoir de dentelle brodé à son monogramme et le déposa sur la main tendue de Jordan.

Elle le vit imperceptiblement se détendre et comprit qu'il s'était attendu à un refus. « Je ne suis pas le cavalier le plus adroit, dit-il en fixant le mouchoir à sa manche, mais je doute qu'aucun des chevaliers ici présents soit animé d'un plus grand désir de l'emporter. » Puis il fit pivoter son cheval pour rejoindre les autres concurrents, qui tous portaient au bras la faveur de leur dame.

Harold LeBœuf fermait la parade. Il avait noué sur sa manche écarlate le foulard jaune de la cadette des sœurs Robin. En passant devant Gabrielle, il cabra son cheval et exécuta ce qui se voulait une élégante révérence. La jeune fille lui rendit son salut, lui décochant un tel sourire que ses joues prirent une teinte cramoisie et qu'il traversa le pré au galop pour s'immobiliser au bout de la piste dans une grande gerbe de terre et d'herbe.

Je suis trop dure avec lui, se dit-elle. Il est jeune et manque donc d'un certain vernis. Mais si des gentlemen comme MM. Scott et Saint-Cyr peuvent me traiter comme si j'étais déjà une dame accomplie, je peux bien me montrer un peu plus aimable avec lui et ne pas lui rendre les choses plus difficiles.

Une musique s'éleva, comme une musique militaire, avec force sonneries de trompettes et roulements de tambours. Les chevaliers se rassemblaient au bout de la lice, prêts à débuter le tournoi. Le reflet des lances, le martèlement des sabots, le cliquetis des boucliers et des armures, on eût dit quelque illustration de livre d'Histoire soudainement animée, et Gabrielle demeurait comme pétrifiée, pleine de ce sentiment qui l'habitait autrefois lorsqu'elle et Tom jouaient aux chevaliers de la Table ronde, s'exerçant sur des cibles que leur installait Samson.

Les trois notes brèves sorties de la trompette du héraut l'arrachèrent à sa torpeur. Comme tous les spectateurs, elle tourna la tête vers la ligne de départ, où venait de se présenter le premier concurrent.

« Sire Gauvin », annonça le héraut, et tous les regards se fixèrent sur le cavalier et son cheval chamarré.

« C'est un fils Fournet, dit tante Mathilde. Ce qu'il monte bien !

— Il y a intérêt s'il veut saisir l'anneau», dit Mme Robin.

Gabrielle regarda vers l'autre bout de la lice où se balançait un petit cercle doré, suspendu à une traverse au bout d'un cordon. Elle repensa aux efforts qu'elle avait déployés dans le paddock de Felicity. Tom avait dressé deux poteaux, les avait reliés par une perche horizontale. Il y avait noué une ficelle au bout de laquelle il avait pendu un des cerceaux à broder de sa sœur. Se servant d'un manche à balai prolongé d'un clou, que Tom avait bricolé en attendant que le forgeron lui fasse une lance, Gabrielle avait mesuré combien un cercle d'une quinzaine de centimètres paraissait petit lorsque, à cent mètres de là, on s'élançait au galop.

Sire Gauvin était à la hauteur du défi. Il s'élança vers les perches au grand galop et passa sa lance à travers le petit anneau d'or. Puis il décrivit une grande courbe pour venir se replacer à l'autre extrémité de la lice. La foule l'acclamait, et certains garçons, trop jeunes pour participer mais farouches partisans de tel ou tel chevalier, lançaient leur chapeau en l'air et laissaient éclater leur joie en exécutant des roues et des pirouettes qui les amenaient dangereusement près des sabots des chevaux.

Quatre fois encore sire Gauvin s'élança et quatre fois il saisit l'anneau, mais, au cinquième passage, sa lance ne rencontra que du vide.

La foule acclama sa sortie puis porta son attention sur le chevalier suivant.

Mme Robin appela tante Mathilde. Celle-ci se pencha vers la loge voisine pour entendre ce que son amie lui murmurait derrière son éventail, puis elle se redressa pour s'adresser à sa nièce.

«Tu ne sais pas, Gabrielle? Mme Robin me dit que M. Scott a loué son costume et son cheval à Étienne Levert. Il l'a tout bonnement abordé alors que celui-ci était en route pour venir ici!

— Et M. Levert a accepté? Je me demandais aussi comment M. Scott avait pu se préparer aussi rapidement... mais de là à imaginer qu'il emprunterait l'équipement de M. Levert!...

— Oh, je suis sûre qu'Étienne lui en aura demandé un bon prix, dit tante Mathilde. Quand même, c'est étrange... Je ne vois pas ce qui a pu... L'impulsivité yankee, probablement.

— Ou l'ingénuité yankee, intervint Mme Robin. Quant à Étienne, il doit ne rien trouver d'étrange au fait de laisser quelqu'un d'autre mener son cheval de concours et parader dans un costume qu'il a acheté pour son propre usage. » Elle porta son regard vers Gabrielle. « Sans doute M. Scott avait-il très envie d'entrer en lice... je me demande pourquoi il ne s'est pas décidé plus tôt.

— Il travaille beaucoup, expliqua Gabrielle. Il n'a que fort peu de temps libre. Je suppose que quelque rendez-vous d'affaires a été repoussé et qu'il s'est aperçu qu'il avait tout le temps de venir participer au tournoi.

— Je ne lui aurais pas prêté autant de hardiesse, dit tante Mathilde. Mais je suis heureuse d'être détrompée. Certes, il ne me déplaît pas qu'un garçon ait de la suite dans les idées. Mais un brin de frivolité en guise de levain ne peut pas nuire. »

Le héraut annonça le chevalier suivant, qui s'élança avec fougue mais manqua l'anneau. Plusieurs suivirent en une rapide succession ; quelques-uns réussirent une ou deux fois, un seul décrochant l'anneau à quatre reprises avant d'échouer.

Lorsque vint le tour de Tom, la foule, maintenant en appétit, se mit à scander son nom, et la même bande d'adolescents, pour l'encourager, essaya de courir après lui lorsqu'il s'élança. Tandis que Jupiter fonçait de plus en plus vite vers les perches, Gabrielle serra si fortement son éventail que les nervures de l'objet imprimèrent leur marque dans la paume de sa main. Mais l'entraînement de Tom lui fut fort utile, et il emporta l'anneau par huit fois avant que Jupiter eût un écart, faisant passer la lance juste au-dessous de sa cible.

Deux autres chevaliers s'essayèrent à ce jeu, aucun n'approchant le score de Tom. Puis vint le tour de Harold LeBœuf, qui compensa par l'enthousiasme et la fougue ce qu'il lui manquait de style, et saisit l'anneau à six reprises avant d'échouer. Ne restaient à présent que Jordan Scott et Alex Saint-Cyr. La nouvelle s'était répandue qu'ils portaient l'un comme l'autre la faveur de Gabrielle Cannon, et la tribune fut saisie d'un frisson d'émoi tandis que les deux chevaliers attendaient d'être annoncés.

Chacun voulut laisser à l'autre l'honneur de partir le premier, et l'on crut bien que la décision en reviendrait au héraut. Mais Alex finit par saluer son cousin et s'avança, faisant signe au héraut qu'il était prêt.

« Sire Lancelot ! » annonça celui-ci avant de souffler dans sa trompette.

Lancelot, chevalier servant de la blonde Guenièvre, celle

qu'entre toutes les dames de la cour du roi Arthur Gabrielle préférait. Se pouvait-il qu'Alex l'ait su ? Elle regarda en direction de son frère, loin à l'autre bout du champ de courses. Aucune importance... Alex joutait pour elle à présent. Silhouette bleu et argent, montant un cheval gris pâle, il fonçait vers l'anneau d'or, lance d'argent haut pointée.

Elle n'eut pas à compter combien de fois messire Lancelot emportait l'anneau. La rumeur de la foule le faisait pour elle. Lorsqu'il égala le record de Tom, puis réussit une nouvelle fois, un grand silence descendit sur le public. Il enleva encore l'anneau à quatre reprises et n'échoua qu'à la quatorzième tentative. Alors, ce fut un tonnerre d'applaudissements dans les tribunes, et Dorothea dit à Gabrielle : « Vous voilà assurée d'être couronnée reine. Personne ne peut battre M. Saint-Cyr, si ce n'est son cousin, qui porte également vos couleurs. »

L'enthousiasme du public semblait retombé lorsque Jordan entra en lice. La reine de beauté serait Gabrielle Cannon, et nul ne se souciait de savoir qui déposerait la couronne sur sa tête. Mais lorsque le héraut annonça « Sire Tristan ! », Gabrielle se pencha en avant comme s'il eût été le champion sur lequel tout reposait encore. Elle le regarda lancer son cheval, tenant sa lance dorée dans sa main gantée. Il approcha l'anneau avec un mélange de détermination et de mesure bien différent du style impétueux d'Alex. Cela s'avéra tout aussi efficace car il réussit douze fois d'affilée, chevauchant comme si cette tâche lui avait été assignée par quelque sévère maître d'école, et ne s'arrêtant que lorsque le douzième anneau glissa le long de sa lance.

« Encore une fois et ils seront à égalité ! dit Dorothea. Les choses prennent un tour surprenant ! »

Gabrielle était incapable de répondre. M. Scott avait donné ses raisons pour ne pas participer au tournoi, raisons qui avaient été acceptées. Avec cette apparition de dernière minute, il venait de faire sensation, et les gens regardaient Gabrielle en échangeant des commentaires à son propos et au sujet de cet étranger si peu au fait des us locaux qu'il avait acheté son costume et loué son cheval à Étienne Levert.

M. Scott, se disait-elle, n'a pas compris que si cet événement n'est pas assez important pour qu'on s'y prépare, il ne l'est certes pas suffisamment pour qu'on s'y inscrive au tout dernier moment. Son comportement attire inopportunément l'attention sur lui et sur moi. J'espère qu'il va perdre car son cousin, même s'il est imprévisible, comprend au moins nos usages.

Elle se carra sur sa chaise, bien décidée à ne pas avoir l'air de s'intéresser au sort de Jordan Scott. Mais celui-ci n'avait nul besoin de son attention ; ou du moins n'en montrait-il rien. Ce n'est qu'en passant à hauteur de la loge de Gabrielle lors de la tentative suivante, qu'il eut un regard de côté. Il croisa celui de la jeune fille et le soutint une fraction de seconde, ignorant l'anneau qui se balançait lentement sur fond de ciel bleu.

Lance pointée, il continua sa course. Mais cet instant de distraction lui fit rater son approche. Son cheval n'était plus en ligne et la pointe de la lance passa à droite de la cible. Sire Tristan tourna vivement la tête pour regarder l'anneau qui oscillait toujours au bout de son cordon. Il n'arrêta pas son cheval et ne semblait pas désireux de le faire tourner à l'approche de la lice marquant les limites du terrain. Ce n'est qu'au tout dernier instant, alors que la collision avec la barrière paraissait inévitable, qu'il tira violemment sur les rênes pour faire volter sa monture.

Il remonta le pré au petit trot et rejoignit sire Lancelot en se frayant un passage au milieu d'une foule enthousiaste. Le héraut plaça la couronne entre eux. Sire Lancelot la tint de la main droite, sire Tristan de la gauche, et ils s'avancèrent ensemble vers Gabrielle. Du fait de sa troisième place, Tom leur emboîta le pas, suivi de l'ensemble des autres participants formant un cortège multicolore.

Sire Lancelot et sire Tristan mirent pied à terre, le premier tenant seul la couronne pendant l'opération, puis laissant l'autre y reposer la main. M. Scott a l'air d'un petit garçon qu'on emmène pour la première fois au cirque, se dit Gabrielle, et elle lui pardonna presque les gorges chaudes qu'il avait suscitées, se souvenant qu'il n'avait aucune expérience de ce genre de divertissement et s'était remarquablement bien comporté pendant l'épreuve.

Quant à M. Saint-Cyr — elle reporta son attention sur l'autre chevalier —, on dirait qu'il passe son temps à ce genre de divertissement, comme si rien ne lui convenait tant qu'un jeu de cette sorte.

«Gabrielle, ton chapeau», murmura tante Mathilde. Bien décidée à goûter chaque instant de ce qui allait suivre, la jeune fille chassa de son esprit toute considération abstraite. Elle ôta son chapeau et, sans détacher le regard des deux chevaliers, le remit à sa tante.

Les deux mains tenant la couronne avancèrent lentement, et Gabrielle sentit le cercle garni de fleurs et de rubans se poser sur sa tête. Elle sentit sur sa joue la caresse de la main d'Alex qui disposait les rubans afin qu'ils se répandissent sur son épaule, un effleurement infime, la caresse d'ailes de papillon. Puis les deux jeunes gens lui tendirent le bras pour l'aider à se lever et l'escorter jusqu'à la grande tente gaiement décorée que l'on avait dressée à l'autre bout de la lice.

Les autres chevaliers étaient allés chercher leurs gentes dames pour les présenter à la reine du jour. Tandis que les spectateurs allaient de-ci de-là, bavardant entre amis ou se désaltérant sous une autre tente, Gabrielle et les dames de sa cour assignaient quelque quête à leurs chevaliers ou les suppliaient de les divertir par le récit de leurs hauts faits.

« Surtout ne me décevez pas, messire Tristan, dit Gabrielle. Tous les autres chevaliers ont évoqué leurs prouesses ; je ne doute pas que vous ayez vous aussi quelque chose à nous conter.

— Je n'aurais pas cette audace en pareille compagnie, répondit Jordan. Mais si je peux emprunter une mandoline, je vais vous chanter quelque chose. »

Quelqu'un lui tendit un instrument, un autre fit faire de la place afin qu'il pût s'asseoir sur l'herbe, et, après une succession d'accords très doux, Jordan se mit à chanter une vieille ballade anglaise. « ... Il tomba amoureux d'une jolie fille, Son nom était Barb'ry Ellen... » Sa voix, claire et puissante, domina peu à peu le brouhaha des conversations et il fut bientôt entouré d'un cercle d'auditeurs silencieux qui, à la fin de la ballade, le supplièrent de chanter autre chose.

« Vous chantez si bien ! dit Gabrielle. Quand je pense que vous ne m'avez jamais accompagnée, à la veillée, quand je me mets au piano...

— C'est le costume, dit Jordan. Grâce à lui, je suis tenté d'accomplir des choses dans lesquelles, en temps normal, je n'aurais pas le courage de me lancer.

— En ce cas, voici autre chose. Et cela vous intéresse aussi, messire Lancelot. En écoutant messire Tristan, je me suis souvenue que vous chantez fort bien, vous aussi, et je me suis dit qu'il serait bien agréable de vous entendre faire un duo. »

73

Un petit pétillement passa dans les yeux de Jordan, l'ombre d'un sourire vint aux lèvres d'Alex. « Comme il vous plaira, ma dame, dit celui-ci.

— Messire Tristan ?

— Mais bien sûr. »

Jordan gratta quelques accords sur la mandoline. Puis, s'adressant à son cousin : « Est-ce que tu connais *Greensleeves* ? »

Alex hocha la tête, et ils commencèrent, leurs voix portant jusqu'à l'extérieur de la tente. Les ombres s'allongeaient, et le ciel avait pris une teinte mordorée qui éclairait d'une douce lueur le visage des jeunes gens assemblés sous la tente.

Je vis un moment parfait, pensa Gabrielle, un de ces moments qui restent toujours gravés dans la mémoire. Un de ces gages que la vie offre parfois pour prouver que l'incertitude et la peur sont éphémères et que seuls l'amour et la beauté sont réels.

Il pleuvait lorsque Gabrielle s'éveilla. Des torrents d'eau couraient sur le toit, s'engouffraient dans les gouttières pour se déverser en bouillonnant dans les deux grandes citernes placées sur l'arrière de la maison. Trop pâle pour éclairer la chambre, une lumière laiteuse filtrait entre les lames des persiennes. Gabrielle se sentait heureuse. Elle ne s'en rappela pas tout d'abord la raison. Puis ses yeux se posèrent sur la robe de la veille, que Lucie avait laissée aérer avant de la ranger. Avec ses pétales maintenant défraîchis, la couronne était posée sur la coiffeuse ; par terre, les pantoufles de soie verte luisaient faiblement. Les souvenirs affluaient maintenant, les accents hauts et clairs de la trompette, le martèlement des sabots sur la terre meuble, le miroitement d'une lance transperçant un anneau brillant. La jeune fille se mit sur son séant, laissant le drap tomber de ses épaules nues, et tendit la main pour sonner sa femme de chambre.

Elle se vêtit rapidement, tenant à peine en place tandis que Lucie la coiffait, puis dévala le grand escalier comme si le maître d'hôtel allait débarrasser la table du petit déjeuner sitôt l'heure passée. Elle se força toutefois au calme avant d'entrer dans la pièce, où Alex et Tom étaient assis devant des assiettes de bacon, des œufs, une corbeille en argent pleine de biscuits, des fruits au sirop et de la confiture. Les deux garçons se levèrent à son entrée. Alex vint lui tenir sa chaise, et elle s'y glissa avec le délicieux sentiment que, quelle que soit au-dehors la violence des précipitations, à l'intérieur, la journée serait belle et lumineuse.

«Vous vous imaginez là-dessous?» fit Alex en montrant la pluie. Cette pièce, située entre l'office et la salle à manger, donnait sur le jardin d'agrément. Suivant le regard du jeune homme, Gabrielle vit des statues ruisselantes, une fontaine dont le bassin débordait.

«Dieu merci, il n'en est rien, dit-elle. Et loué soit le Ciel que nous ayons des invités, sans cela, par une journée comme celle-ci, ma tante me ferait repriser tous mes gants ou rester des heures au piano pour travailler un morceau très long et très difficile.

— J'espère qu'un seul hôte aura droit à autant d'attention que deux, miss Cannon, dit Alex tandis qu'elle le resservait en café. Mû par un singulier mélange de sens du devoir et d'amour du travail, mon cousin Jordan Scott est parti pour New Iberia afin de s'y embarquer sur un de nos vapeurs et pousser jusqu'à l'endroit où le Teche se jette dans Six Miles Lake.» Il eut un soupir et considéra Gabrielle par-dessus le rebord de sa tasse. «Je dis singulier parce que je n'arrive pas à concevoir qu'un homme jeune ayant toute sa tête puisse quitter Felicity, maintenant sous l'autorité de notre reine de beauté.

— Mais il faut bien que quelqu'un s'occupe de vos affaires, monsieur Saint-Cyr. Si ce n'est pas vous, il faut bien que ce soit lui.

— Ah, ma chère, ne me faites pas de reproches. Ce n'est que lorsque j'ai l'impression de faire partie d'un attelage que je rechigne au travail. Seul, j'en abats volontiers ma part.

— En ce cas, monsieur Saint-Cyr, pourquoi faire équipe?» dit Gabrielle. Elle versait lait chaud et café noir dans la tasse de son frère, observant avec attention les deux jets se mélanger pour devenir du café au lait. «Une telle association ne satisfait personne, ni vous ni votre partenaire.

— Certaines associations sont plus plaisantes que d'autres», disait Alex, quand, tout à coup, leur arriva de l'extrémité du vestibule donnant sur la galerie arrière un hurlement suraigu suivi de cris et de pas précipités. Il y eut un nouveau hurlement. Tom bondit de sa chaise et sortit en courant, suivi de près par Alex. Gabrielle demeura un moment à fixer le seuil désert, puis, renversant sa chaise dans sa hâte d'aller aux nouvelles, sortit à son tour.

Ils s'immobilisèrent sur le seuil de la galerie pour découvrir deux femmes en train de se battre, l'une le visage sombre déformé comme un masque d'ébène, l'autre dont la figure plus claire était marquée par la peur et le dégoût.

«Mon Dieu, mais c'est Véronique!» cria Tom en s'élançant pour les séparer. A cet instant, un objet métallique luisit dans le poing de la femme la plus sombre. Voyant arriver le coup de couteau, Véronique tira de la poche de son tablier une paire de longs ciseaux et en érafla le visage de son adversaire.

«Diablesse!» hurla l'autre en plongeant sa lame dans la poitrine de Véronique.

«Ne regardez pas, miss Cannon!» dit Alex en cherchant à faire écran de son corps.

Mais Gabrielle se faufila sur la galerie en criant «Véronique!» Tom saisit l'autre femme au poignet; sous la violence de la prise, elle laissa bientôt tomber le couteau.

«Colette, Dieu ait pitié de toi si tu l'as tuée», dit-il à la femme, maintenant prostrée à ses pieds. A l'aide de son mouchoir, il confectionna une compresse, fit signe à une des esclaves accourues de la presser sur la blessure de Colette, puis alla s'agenouiller auprès de Véronique.

Elle gisait sur le sol. Sa peau d'ivoire avait pris une teinte grise et ses yeux dorés étaient pleins de peur et d'angoisse. Gabrielle lui enveloppait son châle autour de la poitrine, le serrant le plus possible afin d'endiguer l'hémorragie. «Il faut que tu restes sur le dos, Véronique, pour que le sang arrête de couler.»

Véronique releva la tête pour parler, mais Gabrielle lui posa doucement la main sur la bouche. «Chhh, fit-elle, ne dis rien. Tom va s'occuper de tout. Reste allongée et repose-toi.»

Immobiles, comme ensorcelés, deux esclaves se tenaient sur le seuil de la galerie. Lorsque Tom se dirigea vers eux pour les interroger, ils tressaillirent, et Alex perçut la terrible tension dont ils étaient habités.

«Comment va-t-elle, Letha? demanda Tom à la femme, mince et élancée, qui tenait la compresse contre la joue de Colette. Letha leva la tête avec une expression de soulagement. Ses hautes pommettes et son nez aquilin se dessinaient en contre-jour sur le ciel gris pâle.

«Elle ne saigne presque plus», dit-elle.

Le pied de Tom rencontra les ciseaux que Véronique avait laissés tomber ; il se pencha pour les ramasser, en considéra les pointes poissées de sang, puis regarda Véronique et enfin les deux Noirs qui se tenaient sous le porche d'entrée.

«Bon, que s'est-il passé, Samson ?

— C'est toujours la même chose, monsieur Tom. Colette, elle est furieuse parce que Zeke, il veut Véronique au lieu d'elle. »

Gabrielle baissa les yeux vers Véronique. Les yeux de la jeune Noire, hermétiquement fermés, faisaient deux traits minces d'où s'échappait un ruisselet de larmes ; un faible gémissement passait ses lèvres.

D'un geste vif et précis, Tom attrapa Colette par l'épaule et, l'arrachant aux soins de Letha, la tourna vers lui afin de la regarder droit dans les yeux. «Maudite, est-ce ainsi que tu nous sais gré de nos bontés ? »

Colette s'était relevée et se tenait devant lui. Le sang avait séché sur sa joue, et seules quelques gouttes coulaient encore de la longue balafre qui la barrait. Son attitude avait changé ; elle arborait maintenant comme un air de défi qui émanait de chaque fibre de son corps.

«J'oublie point vos bontés, dit-elle. Je veux être forte et saine pour travailler pour vous, ça sera comme ça si je vis avec Zeke.

— Nous aurions dû te revendre, fit Tom. Tu n'as pas cessé d'être cause d'ennuis depuis le jour de ton arrivée ici.

— Des ennuis ! C'est elle qui fait des ennuis. Elle a jeté un sort sur Zeke pour qu'il la marie. Sinon pourquoi qu'il voudrait de cette jaunasse ? »

Gabrielle se plaqua en frissonnant contre le mur de la galerie. Elle aurait voulu être sourde aux paroles haineuses de Colette ; il lui semblait que de tels propos maculaient de taches sombres la surface nette de leur vie.

Colette se pencha pour mettre son visage tout près de celui de Véronique. «Elle est pas capable de faire de beaux bébés. Elle n'est bonne qu'à leur coudre des habits...

— Si je te faisais châtier comme je le devrais, tu ne serais plus bonne à rien pendant des semaines, gronda Tom. Mais tu sais que je ne te ferai pas fouetter, tu comptes là-dessus. »

Colette releva légèrement la tête et se mit la main à la hanche. Elle serra les lèvres et ne dit tout d'abord rien. Puis elle eut une ombre de sourire, un rictus arrogant. «Je me moque que vous

77

me fassiez fouetter, monsieur Tom, pourvu que vous me laissiez vivre avec Zeke.

— M. Adams et moi déciderons de ta punition. A présent, retourne dans ta case et n'en sors plus. Est-ce que tu m'as compris ?

— J'ai compris. » Le regard de l'esclave passa de Tom à Véronique, puis revint sur Tom, décrivant une longue courbe qui fit peur à Gabrielle.

« Letha, tu vas conduire Véronique dans le bureau et l'allonger sur la banquette. Tu me diras s'il faut faire venir le médecin. Quant à toi, Zeke, reste ici, j'ai à te parler. »

Letha souleva précautionneusement Véronique et l'aida à se tenir debout. Lentement, elles longèrent la galerie et entrèrent dans le bureau de la plantation.

De son énorme main, Samson prit Colette par le coude, la soulevant presque de terre. « Je vais veiller à ce qu'elle regagne sa case, monsieur Tom. Vous voulez peut-être que je la fasse surveiller ?

— Non. Si elle fait seulement deux pas en direction de cette maison, je l'abats sur place. »

Tom tourna les talons. A lui voir la face aussi blême, Gabrielle comprit qu'il contenait à grand-peine sa colère. « Il faut que je trouve Adams, dit-il. Triste affaire... désolé, Saint-Cyr. Ça n'est guère agréable pour un invité.

— Est-ce que je peux faire quelque chose ? » s'enquit Alex.

Tom regarda son ami, et ses traits se détendirent un peu. Il lui prit la main et la serra, puis secoua lentement la tête. « Ramener à ça ce qui peut être la plus grande source de joie, c'est vraiment se conduire comme une bête, tu ne trouves pas ? »

Il se retourna pour regarder Samson entraîner tant bien que mal Colette sous l'épais rideau de pluie, leurs pieds nus s'enfonçant dans la boue. « Gabrielle, si elle apprenait que je t'ai laissée assister à ça, tante Mathilde m'en voudrait à mort. » Tom avait l'air épuisé, et Gabrielle revit toute la scène du belvédère ; le rapport avec ce à quoi elle venait d'assister n'aurait pu être plus flagrant.

« Elle t'a demandé d'empêcher cela, dit-elle. L'autre jour, dans le belvédère, elle t'a demandé de faire en sorte qu'elle n'ait pas à épouser Zeke.

— Il faut que tu oublies cela aussi, Gabrielle. Maintenant plus que jamais...

78

— Tu es certain que je ne peux pas t'aider? demanda Alex. Je ne voudrais pas me mêler de ce qui ne me regarde pas, mais tu me parais avoir de sérieux problèmes...

— Il faut que je les résolve par moi-même, dit Tom. Pour ce qui est de ton aide... crois-moi, s'il y avait quelque chose que tu puisses faire, je te le dirais.

— J'espère bien, dit Alex. Autre chose : si j'ai bien compris, Mme LeGrange ne doit pas apprendre que miss Cannon a été témoin de...

— C'est exact. Je répugne à te demander de prendre part à un mensonge...

— Cela paraît nécessaire», dit Alex. Il regarda Gabrielle; le sourire qu'affichaient ses lèvres ne s'était pas encore transmis à ses yeux. «J'ai bien peur qu'il ne vous faille jouer à un autre jeu, miss Cannon, un jeu moins plaisant que celui d'être reine.

— S'il s'agit de feindre d'ignorer ce qui est arrivé à la pauvre Véronique, je ne sais pas si je vais en être capable. C'est si horrible, si injuste...

— Il le faut, Gabe, dit Tom. Je n'ai nulle envie de redouter à chaque instant que tu te trahisses et sois finalement obligée de tout raconter à tante Mathilde...

— Bien sûr qu'elle y arrivera, dit Alex en offrant son bras à la jeune fille. Miss Cannon, je propose que nous allions terminer notre repas. Dans le cas où vous n'auriez plus faim, vous allez pouvoir satisfaire un autre de mes appétits. » Il la guidait lentement vers la porte, évitant les taches de sang qui luisaient sur le carrelage. «Je nourris une insatiable curiosité en ce qui concerne la famille des autres, et je voudrais que vous me disiez tout de la vôtre, y compris au sujet de ces ancêtres de si mauvaise réputation que vous prétendez n'être pas leurs descendants. »

Tout en suivant le couloir, elle se laissait caresser par la voix d'Alex, douce et égale. Il lui adressait un feu roulant de questions, ignorait ses silences et l'amenait peu à peu à parler. Lorsqu'ils eurent regagné la table du petit déjeuner, le pouls de Gabrielle était redevenu normal, ses joues ne la cuisaient plus. Elle se prit à considérer Alex qui, en face d'elle, sirotait son café avec un petit sourire indolent. Comme son surnom lui va bien, se dit-elle. C'est un vrai vif-argent; il y a un instant il prenait sincèrement part aux problèmes de Tom, et le voici maintenant en train de badiner avec moi. Mais, à cet instant précis, le jeune homme changea de position ; il s'assombrit et son visage se rembrunit. Non, se dit-elle, je faisais erreur. Son humeur n'a pas changé. Il est toujours soucieux au sujet de Tom, et il le prouve en prenant soin de moi.

5

Il faut que je donne le change, même si je n'ai guère le cœur à faire la conversation, pensa Gabrielle. Son regard erra à travers la pièce comme à la recherche d'un sujet de conversation et se posa sur une peinture accrochée au mur, derrière Alex.

« Vous connaissez certainement l'œuvre d'Adrian Persac, dit-elle. Vous avez derrière vous sa vision de notre maison. »

Alex se retourna pour examiner le tableau. « Nous avons une de ses œuvres à Olympia ; sur la nôtre aussi, il a usé de cette technique qui consiste à découper les personnages dans des magazines pour les coller sur la toile. Un jour, je lui ai demandé pourquoi il ne choisissait pas de faire des tableaux sans personnages ou bien de les y peindre lui-même, mais il m'a répondu que cette méthode lui convenait et que ses clients n'y voyaient pas d'inconvénients.

— Les gens objectent rarement à ce qui les flatte, dit Gabrielle. Non que Persac peigne les maisons plus belles qu'elles ne le sont... je pensais plutôt à un certain portraitiste qui donne une vision idéalisée de son modèle.

— Dans votre cas, miss Cannon, il lui faudrait vous peindre telle que vous apparaissez à chaque instant. Il n'est pas possible d'idéaliser la perfection. Elle est ou n'est pas.

— S'il vous plaît, ne parlez pas comme cela, dit Gabrielle. Je... je n'ai pas la force... je ne me sens pas capable de le supporter...

— Pardonnez-moi, miss Cannon ! Je ne voulais pas...

— Non, vous ne vouliez pas, interrompit Gabrielle. Vous vouliez seulement dire quelque chose d'agréable, c'est là ce qu'on attend d'un gentleman. Et il est vrai que je devrais vous écouter et m'entraîner à entendre les compliments d'un bon ami de mon frère. Il y a que je suis toujours préoccupée, monsieur Saint-Cyr... je n'arrive pas à me détacher de ce qui est arrivé à Véronique. Je la revois encore... cette affreuse blessure... toute l'horreur qui s'est peinte sur son visage...

— Oui, c'est une chose horrible.

— Tom l'a dit, c'est se conduire comme des bêtes.

— Cependant, n'est-ce pas la condition même des esclaves ? C'est bien pour cela que tant de gens sont contre l'esclavage.

— Ça, oui, dit Gabrielle. Ils sont contre le principe, du moins le disent-ils. Mais ils continuent de posséder des esclaves... » Elle avisa l'expression d'Alex et hocha la tête. « Oui, je sais. Mon père possède deux cents esclaves. Mais il projette de les affranchir progressivement.

— Cela ne sera pas chose facile, miss Cannon, surtout si les autres planteurs de la région ne partagent pas ses idées. Ils craindront que leurs propres esclaves ne se révoltent afin d'obtenir eux aussi la liberté, et peut-être se coaliseront-ils contre M. Cannon afin de le faire changer d'avis.

— Vous ne connaissez pas mon père, monsieur Saint-Cyr. Lorsque sa décision est prise, il est rare qu'il fasse machine arrière. A moins, bien sûr, qu'un surcroît d'information ne l'en persuade.

— C'est quelqu'un de sensé. J'en ai toujours eu la conviction, d'après ce que vous écriviez à Tom.

— Ce que j'écrivais à Tom ?

— Lorsque nous étions en Virginie, dit Alex, qui avait légèrement rougi et fixait son assiette. Il me lisait certains passages de vos lettres.

— Là, vous me surprenez, monsieur Saint-Cyr ! En quoi mes lettres pouvaient-elles vous intéresser ? Ce n'étaient que nouvelles du pays et de la famille...

— Justement, miss Cannon. Je n'avais pas de sœur, personne avec qui m'entretenir par écrit de petits événements tels que... une naissance chez les voisins ou l'arrivée d'une nouvelle robe de Paris. »

Il avait rougi un peu plus, comme s'il confessait quelque péché mortel, et Gabrielle eut tout à coup pitié de lui.

« Eh bien, je suis heureuse que mes lettres vous aient été agréables, monsieur Saint-Cyr. Quoique, si j'avais su que Tom vous les lisait, sans doute eussé-je été trop intimidée pour les écrire.

— Il faut que je vous avoue quelque chose, miss Cannon, quelque chose que même Tom ignore.

— Je n'ai aucun secret pour mon frère, dit Gabrielle. De même qu'il n'en a aucun pour moi. » Aussitôt, elle repensa à Tom et Véronique, le jour où elle les avait trouvés dans le belvédère. Mais ce n'est pas un secret, se dit-elle. Du moins n'en est-ce plus un...

« Libre à vous de le lui dire si vous le souhaitez, disait Alex. Mais c'est à vous que je veux le confier. » Il laissa son regard errer vers l'extérieur et la pluie qui tombait toujours. « Je... voilà, je lisais vos lettres, toutes vos lettres. Lorsqu'il était absent de la chambre. Je sais que c'est méprisable, mais les passages qu'il me lisait étaient comme le début d'une histoire et je... il fallait que j'en sache la fin.

— Mais enfin, monsieur Saint-Cyr, pourquoi risquer son... son honneur, simplement pour lire du courrier qui ne vous est pas adressé ?

— Son honneur, en effet, dit-il en regardant Gabrielle dans les yeux. J'étais mû par quelque chose de plus fort que l'honneur, miss Cannon. Je ne saurais mieux m'expliquer. C'était un peu comme si toute cette douceur, cet amour et cette confiance qui étaient destinés à votre frère apaisaient mon âme.

— Je suis désolée que vous n'ayez pas eu de sœur, monsieur Saint-Cyr, dit doucement Gabrielle. Elle eût certainement été fière d'avoir un frère tel que vous, et vous aurait sans doute écrit chaque jour.

— Si j'avais eu une sœur, miss Cannon, j'ai bien peur qu'elle n'eût pris notre mère pour modèle, et je n'eusse alors pas reçu la moindre lettre. » Alex parut se reprendre. Il se tut, la bouche tordue par ce sourire cynique que Gabrielle lui connaissait. « Mais j'abuse de votre gentillesse, miss Cannon, et je vous assomme de choses sans importance. Il y a quelques livres qu'il faut que je parcoure. Si vous voulez bien m'excuser, je vais aller me mettre au travail.

— Et moi, j'ai toute une pile de lettres auxquelles il me faut répondre, dit Gabrielle. Ce que j'envisage maintenant avec un peu plus de confiance en moi, puisque vous avez eu la bonté de me laisser entendre que mes lettres sont plaisantes à lire. »

83

Alex fit le tour de la table pour lui prendre la main et la tenir, ainsi que Tom avait coutume de le faire, comme s'il s'agissait d'une petite chose fragile qu'il fallait protéger. « Vous venez de me donner un aperçu de votre générosité, dit-il. Vous fermez les yeux sur l'infamie de mon acte et, mieux encore, vous m'en remerciez.

— Si lire mes lettres à Tom est le pire forfait dont vous vous soyez jamais rendu coupable, alors vous êtes toujours digne d'être chevalier. » Elle fut heureuse de le voir sourire. Il paraissait avoir presque recouvré sa façon d'être habituelle, lorsqu'il s'inclina au-dessus de sa main et prit congé après qu'ils furent convenus de se voir plus tard dans la journée.

Elle se mit à sa correspondance et sépara le courrier en plusieurs piles distinctes. Ici, les invitations à accepter, là celles à décliner. Un petit tas était fait des lettres auxquelles il fallait répondre en donnant des nouvelles de la maisonnée. Elle jeta un coup d'œil au calendrier accroché près de son secrétaire. Je vais tout d'abord m'occuper des invitations auxquelles nous allons nous rendre, se dit-elle en pensant à tout un été ponctué de fêtes et de réceptions dans les stations bordant l'estuaire du Mississippi.

Ensuite viendra ma saison à La Nouvelle-Orléans... Elle posa sa plume, ses pensées se portant automatiquement vers Alex Saint-Cyr. Elle se demanda sur quels livres il travaillait, repensant à ce qu'il avait dit de son goût pour le travail solitaire. Peut-être suis-je injuste avec lui. Ce n'est pas parce qu'il ne se comporte pas comme son cousin qu'il ne fait pas sa part de travail.

On dirait qu'il fait semblant d'être plus frivole qu'il ne l'est en réalité. Autre chose lui revint en tête, un commentaire amer qu'il avait émis en réponse à une question, le premier jour, lors de la visite de la plantation.

« Comment voyez-vous l'esclavage, monsieur Saint-Cyr ? lui avait-elle demandé. Êtes-vous comme votre père, qui possède des esclaves mais les traite comme des animaux de compagnie ? Ou bien partagez-vous les idées de votre mère ? »

Elle entendait encore le rire bref, sans joie, qui avait accompagné sa réponse. « Je suis sans opinion, avait-il dit. Avec un tel fonds d'opinions entre mes deux parents, ma prétention à en avoir une serait de trop. »

Cette réponse avait sur le moment contrarié Gabrielle, mais à présent elle lui inspirait de la pitié. Être ainsi tiraillé entre son père et sa mère, craindre qu'en adoptant les vues de l'un on perde l'estime de l'autre. Qu'y a-t-il d'étonnant à ce qu'il se cache derrière des commentaires désinvoltes et des sourires faciles? En se comportant comme s'il ne prenait rien au sérieux, il court le risque de n'être lui-même jamais pris au sérieux.

Il ne faut pas que je pense trop à lui, se dit Gabrielle en reprenant sa plume. Tante Mathilde a raison : cet hiver, à La Nouvelle-Orléans il y aura quantité de jeunes gentlemen, dont nous connaissons la famille, et qui n'offrent pas une image aussi énigmatique. Ni aussi attirante, ajouta-t-elle dans un accès d'honnêteté envers soi.

Elle eut tôt fait de répondre aux invitations, et se tourna vers les lettres, répondant d'abord à une cousine qui habitait maintenant Savannah. Je vais tout lui raconter au sujet du tournoi de l'anneau, se dit-elle. Elle en a vu beaucoup là-bas, et sera heureuse de mon succès. Cependant, tandis que sa plume courait sur le papier pour décrire les scènes hautes en couleur, les preux chevaliers, une autre pensée s'imposa à son esprit.

Et que penserait donc ma cousine si je lui parlais de Colette et de Véronique? Une rixe horrible, une femme avilie... Mais nos lettres n'évoquent jamais ce genre de chose; nous évitons d'en parler, comme si par ce fait même elles cessaient d'exister.

Il lui était maintenant plus difficile d'écrire sa lettre, comme si les mots qu'elle couchait sur le papier participaient d'un mensonge. La robe splendide qu'elle venait de décrire, sortie d'entre les mains habiles de Véronique... Relisant sa phrase, elle se dit que sa cousine ne verrait pas, par-delà cette robe, sa créatrice. Et pourquoi le devrait-elle? Arrive-t-il jamais que l'un d'entre nous, dans le confort et le luxe, pense en dégustant un mets à celui qui l'a préparé, ou en se versant un broc d'eau chaude à celui qui le lui a monté à l'étage?

Elle prit une nouvelle feuille de papier et continua sa lettre. «Comme tu vois, j'ai passé hier une merveilleuse journée. Dommage qu'un incident lamentable soit venu gâcher ma joie : ce matin, une des esclaves aux champs a agressé de façon tout à fait injustifiée Véronique, celle qui a confectionné ma belle robe. J'en suis vraiment attristée... » Et je suis censée n'être pas au courant. Lentement, elle chiffonna la feuille de papier pour la jeter à la corbeille.

La porte de la chambre s'ouvrit. Gabrielle se retourna, s'attendant à voir apparaître sa tante. Tom fit irruption dans la pièce. «Père est rentré! A la convention, les délégués du Sud ont fait scission. Père arrive à l'instant!

— Papa! s'écria Gabrielle en s'élançant joyeusement vers son frère. Oh, Tom! Quelle merveilleuse surprise!

— Il est allé se changer, dit Tom. Mais il va déjeuner avec nous...

— Il faut que j'aille voir Letha. Avec tante Mathilde qui passe la journée chez Mme Robin, nous avions prévu un repas tout simple...

— Père est fatigué, Gabe. Il ne mangera guère.

— N'empêche, Letha serait très fâchée si je ne la prévenais pas qu'il est rentré. Tu sais comme elle aime lui faire plaisir.

— Alors, dépêche-toi. »

Ils arrivaient dans le vestibule lorsque le bruit de la porte d'entrée leur fit tourner la tête. Pantalon maculé de boue, chapeau dégoulinant d'eau, Jordan Scott passa à grands pas devant l'esclave qui venait de lui ouvrir. Son air contrarié rappela à Gabrielle ce que sa joie de savoir son père à la maison lui avait fait oublier.

Les délégués du Sud avaient fait scission, c'était ce qu'avait dit Tom. Elle se mit à fixer Jordan Scott en repensant à ce que leur avait dit leur père à la veille de son départ. «Priez pour que l'aile sudiste du parti l'emporte. Il faut qu'esclavage et sécession soient les questions centrales de la campagne présidentielle, et si le Parti démocrate ne parvient pas à s'accorder sur un candidat, alors il est presque certain que l'Union éclatera. »

«Vous savez la nouvelle, Scott? fit Tom en s'avançant pour accueillir le jeune Nordiste.

— La scission des démocrates? Oui, je suis au courant.

— Cela vous affecte...

— Comment pourrait-il en être autrement?

— Peut-être n'est-ce pas si désespéré. A table, père va tout nous raconter.

— Vous préféreriez peut-être que je déjeune seul...

— Seul? Ne soyez pas idiot! Il n'en est pas question, n'est-ce pas, Gabrielle?

— Bien sûr que non. » Gabrielle s'approcha de Jordan avec un chaleureux sourire destiné à le mettre à l'aise. «L'Union est encore une réalité, monsieur Scott. Nous sommes toujours sous le même drapeau. Mais si nous ne pouvons pas déjeuner ensemble à cause de la politique, il n'y a plus guère d'espoir que la nation ne se divise pas. »

Abandonnant les deux garçons dans l'entrée, elle s'en fut avertir Letha que son maître était rentré. Je ne vois pas comment nous sortirons de cette ornière, se dit-elle. Parler de couper le pays en deux, comme si la ligne Mason-Dixon était un couteau, pour mettre d'un côté ceux qui réprouvent l'esclavage et de l'autre ceux qui le mettent en œuvre… alors que même dans notre coin d'État, les planteurs sont en désaccord sur la question. Il y a ceux qui, comme papa, entendent libérer progressivement tous les esclaves pour les prendre comme employés, et il y a ceux qui ne font pas de différence entre les bêtes de leur étable et les êtres humains qui cultivent leurs champs.

La nature inhumaine de l'esclavage, c'étaient les termes mêmes de M. Saint-Cyr. Il ne faut pas que ce soit plus longtemps le sort de Véronique… il faut que j'en reparle à papa, résolut Gabrielle. Et cette fois, je ne le laisserai pas refuser.

Elle se redressa un peu, adoptant inconsciemment un port de reine. En la voyant entrer dans l'office, Letha eut un sursaut et se signa. « Seigneur Jésus, miss Gabrielle, vous m'avez fait peur. Vous ressemblez tant à vot' maman que j'ai cru voir son fantôme. »

Même l'évident plaisir qu'avait Olivier Cannon à retrouver les siens ne put dissiper l'air grave qu'il arborait en prenant place à table. C'est avec inquiétude que Gabrielle s'assit à sa droite, certaine que tous les convives attendaient avec le même sentiment de crainte que son père prît la parole.

Il leur fit signe d'incliner la tête et prononça le bénédicité : « Bénis-nous, Seigneur, et bénis ces présents que nous allons recevoir de par Ta générosité et celle de Notre-Seigneur Jésus-Christ. » Puis il ajouta quelques mots qu'il laissa tomber comme s'ils eussent été scandés par le battant d'une cloche. « S'il Te plaît, guide-nous dans les mois à venir afin que nous agissions avec charité, avec sagesse et, surtout, dans Ta grâce. Amen. »

Gabrielle entendit, comme en écho du sien, le soupir de ceux qui avaient retenu leur souffle. Levant les yeux, elle vit une même anxiété sur le visage de son frère et celui de leurs invités. « Cela saute aux yeux, père, vous redoutez le pire.

« — J'aimerais qu'il en soit autrement, Tom. Ceux qui se sont rendus à la convention bien décidés à en arriver là jubilent. Et ceux d'entre nous qui avaient espoir que la raison l'emporterait ne voient aucune raison de se réjouir. En quittant la salle, à Charleston, les démocrates sudistes ont, de fait, exprimé que leur loyauté — notre loyauté — envers la cause du Sud est plus solide que notre loyauté envers l'Union. Notre initiative est peut-être le début de la fin d'un beau rêve. »

Olivier Cannon fit du regard le tour de la table et sut lire la question que lui posaient quatre paires d'yeux.

« Tous, vous vous demandez pourquoi je me suis joint aux scissionnistes si je ne partageais pas tout à fait leur façon de voir.

— Il semble en effet, père, que si vous étiez restés siéger, vous et ceux qui pensent comme vous, la raison aurait peut-être pu malgré tout l'emporter.

— Cela aurait pu être envisageable, Tom, si les participants ne s'étaient pas présentés déjà résolus à camper sur leurs propres positions. En effet, les délégués nordistes, tout comme nous, sont arrivés avec leur propre ordre du jour. Il est assez vite apparu que les deux ordres du jour avaient peu de chose en commun et qu'un rapprochement était improbable, quelles que fussent la durée et la passion des débats.

— Et donc, dit Alex, cela s'est terminé avec les abolitionnistes d'un côté et les esclavagistes de l'autre ? C'est là un clivage familier, auquel je suis, chez moi, chaque jour confronté. »

Olivier Cannon examina Alex par-dessus la monture de ses lunettes et but une gorgée de vin avant de parler. « Saint-Cyr, vous êtes trop intelligent pour croire le problème aussi simple. Le débat sur l'esclavage est le débat passionnel, celui qui amène des partisans et fait grossir les rangs de chaque camp.

— Oui, reprit Alex, le spectacle d'un fouet écorchant un dos noir peut faire plus de convertis que des heures de discussion. » Il leva la main avant que son hôte ne réponde. « Je sais que votre contremaître évite de recourir au fouet et préfère des méthodes moins brutales et moins cruelles. Comme Tom l'a fort justement dit à mon cousin le jour de notre arrivée, Felicity ne correspond en rien aux caricatures anti-esclavagistes du Nord.

— Si l'autre débat n'était pas aussi important, monsieur Saint-Cyr, le débat passionnel pourrait être facilement résolu. Les lois réunies sous l'appellation de Compromis de 1850, proposées par

88

Henry Clay et soutenues par des Nordistes comme Daniel Webster, furent votées par le Congrès ; elles auraient dû régler le problème, mais cela n'a bien sûr pas été le cas ! Et c'est pourquoi l'autre débat, celui qui porte sur la sécession, est si important. Ce problème est à régler le plus rapidement possible. » Olivier Cannon fit signe au maître d'hôtel de lui verser du vin. « La question est de savoir si un État qui a librement rejoint l'Union est libre de la quitter. C'est là un point crucial.

— Cependant, monsieur, dit Jordan, vous avez parlé d'un beau rêve. J'ai cru que vous pensiez à cette nation, à cette expérience de gouvernement démocratique...

— Vous appelez cela une démocratie, monsieur ? Quand le Nord, plus peuplé, nous régente au Congrès et nous siffle l'air sur lequel nous devons danser ? Je ne pense pas que ceux qui fondèrent la nation l'appelleraient une démocratie. Vos abolitionnistes en prennent à leur aise avec notre propre constitution.

— Pourtant, papa, intervint Gabrielle, vous pensez que les esclaves doivent être affranchis. Combien de fois vous l'ai-je entendu dire...

— C'est ce que je pense en effet. Affranchis graduellement, progressivement insérés dans la société des hommes libres. D'ici la fin du siècle, tous les esclaves devraient avoir été libérés ; ils seraient payés pour leur travail en ville comme aux champs.

— D'ici à la fin du siècle ! s'exclama Jordan. Mais cela fait une quarantaine d'années ! » Il arborait la même expression enfiévrée que la veille, au tournoi de l'anneau. Mais au lieu de ressembler à un petit garçon qui va pour la première fois au cirque, il avait cette fois, selon Gabrielle, l'air d'un homme bien décidé à dire ce qu'il a sur le cœur. « Excusez-moi, monsieur Cannon, je ne suis pas chez vous depuis bien longtemps et je sais que mes origines yankees devraient me porter à la discrétion...

— Bien sûr que non, dit Olivier Cannon. Ici, chacun est invité à exprimer ses opinions, tant que cela se fait civilement et dans le respect d'autrui.

— Je ne suis à Felicity que depuis très peu de temps, monsieur. J'ai néanmoins pu m'apercevoir qu'aucun d'entre vous n'est ignorant des maux de l'esclavage... » Jordan se tut, interceptant un regard d'Alex à Tom. « Excusez-moi, aurais-je dit quelque chose qu'il ne fallait pas dire ?

— Non, non. Continuez », fit Tom. Il ne put s'empêcher de

lancer un regard à sa sœur. Et Gabrielle sut qu'en cet instant trois personnes autour de la table avaient en tête les maux particuliers qui avaient frappé Véronique.

« Oui, donc, vous êtes de braves gens, reprit Jordan, vous vous souciez du sort de vos esclaves et vous parlez de les affranchir un jour. Mais ce que je ne saisis pas c'est... pourquoi ne pas les affranchir maintenant ?

— Sur-le-champ ? dit Tom.

— Pourquoi pas ?

— Il y a d'abord le fait, dit Alex, que la loi de Louisiane interdit depuis quelques années d'affranchir les esclaves. Il y a certes un moyen de la tourner : pour qu'un esclave « gagne » sa liberté, il suffit simplement que son maître mette de côté l'argent qu'il rapporte jusqu'à ce que cela corresponde à son prix de vente.

— Tom, vous m'avez dit utiliser ici le système des tâches, dit Jordan. Vous devez par conséquent connaître la valeur du travail de chaque esclave. Pourquoi ne pourraient-ils pas en travaillant racheter leur liberté ?

— Réfléchissez un peu, Scott ! Libérer tous les esclaves de la plantation ? Avez-vous idée du genre de chaos que cela créerait ?

— Mais pourquoi serait-ce le chaos ? Je ne cherche pas querelle, mais, vraiment, je ne vois pas pourquoi il en serait ainsi.

— Si vous étiez ici depuis plus longtemps, dit Gabrielle, vous seriez plus à même de comprendre. Si nous libérions nos esclaves, imaginez un peu ce qu'il se passerait sur les autres plantations. Au pire, il y aurait des révoltes ; au mieux, le travail serait fort ralenti.

— Mais cela vous met dans une position intenable, miss Cannon. D'un côté, vous déplorez cet état de choses et ce qu'il fait subir à ceux qui le vivent, et de l'autre, vous n'êtes pas disposés à agir énergiquement pour y mettre un terme. »

Les paroles de Jordan Scott firent ressurgir en Gabrielle les terribles émotions de la matinée, que sa joie de revoir son père avait fait passer au second plan. Elle devait lui répondre, mais savait que dès qu'elle ouvrirait la bouche, sa maîtrise de soi volerait en éclats. Le silence se prolongeait ; il devenait intenable lorsque Alex, qui avait écouté les autres sans rien dire, se pencha en avant.

« Ne sois pas désobligeant, Jordan. Tu vois parfaitement bien quel dilemme tu es en train de poser. Je t'ai entendu t'élever contre les conditions de vie des matelots sur les navires de l'armement Scott, mais j'attends encore de te voir faire quelque chose pour les faire sortir de leurs cales sordides.

— Nos matelots sont des hommes libres, Alex. Les esclaves du Sud ne le sont pas.

— Libres ? » Alex rit en renversant la tête, de ce rire sans joie que Gabrielle lui avait déjà remarqué. « Oh, je t'accorde que légalement ils le sont. Nul ne peut à proprement parler les vendre, mais ils se font acheter, Jordan, encore et toujours. Acheter pour des salaires de misère et des logements misérables, cela non seulement à bord des navires, mais aussi dans les usines et les fabriques du Nord. »

Quoique Jordan fût le voisin de table de Tom, il paraissait fort éloigné de ses commensaux, comme si, finalement, ses opinions l'en avaient séparé. Lorsqu'il répondit, son enthousiasme habituel avait disparu, et ce fut d'une voix froide et distante :

« En effet, Alex, cette question me soucie également. Et tu m'as déjà entendu dire que j'ai l'intention d'œuvrer inlassablement à la disparition de cet état de choses.

— Il me semble, Jordan, dit Alex d'un ton où Gabrielle entendit un mépris à peine adouci d'un voile de courtoisie, que notre hôte et les siens nourrissent les mêmes bonnes intentions et commenceraient de les mettre en pratique, n'étaient les interférences inopportunes de ceux qui, ayant depuis longtemps empoché les profits que leur a rapportés le commerce des esclaves, sont maintenant libres de nous critiquer.

— Je vois que, bien qu'ayant quitté la convention, je ne vais pas être sevré de controverses, dit Olivier Cannon. Oui, en fait vous soulevez là une question maintes fois débattue, celle de savoir si l'esclavage économique des ouvriers du Nord est aussi abominable que l'esclavage légal du Sud, ou de savoir s'il peut se justifier du fait que ces ouvriers sont... ''libres''. » Il se leva et tendit la main à sa fille. « Ma chérie, accompagne-moi jusqu'à ma chambre. Ce voyage m'a fatigué, je vais prendre un peu de repos. » Le père et la fille quittèrent la salle à manger, et l'on entendit leurs voix décroître dans le couloir.

« Papa, j'ai travaillé la nouvelle composition de Gottschalk, disait Gabrielle. Je vous la jouerai lorsque vous redescendrez. C'est un très bel air et je pense à vous chaque fois que je le joue.

— Il me tarde de l'entendre, répondit Olivier Cannon. Et aussi que tu me parles du tournoi. Tom m'a dit que lui et ta tante ont été très fiers de toi. »

Puis les convives n'entendirent plus. Ce fut Alex qui parla le premier, s'adressant avec un sourire à Tom. « Mon vieux, on peut dire que tu es un homme heureux. Mais tu dois déjà le savoir ?

— A cause de mon père, tu veux dire ? Oui, il est pour moi un exemple vivant. »

Alex eut un autre sourire et hocha la tête, mais Tom vit passer une lueur particulière dans ses yeux. Il ne pensait pas à mon père, se dit-il, mais à Gabrielle. Tu m'envies ma sœur, fut-il sur le point de dire. Mais il se ravisa en raison de la présence de Jordan, n'ayant nul désir d'engager devant lui une conversation trop personnelle.

« Si vous voulez bien m'excuser, dit-il, j'ai quelque chose à voir avec Adams.

— Quant à moi, je dois retourner à New Iberia », dit Jordan. Il parut hésiter, puis alla se poster face à Tom. « Nous ne nous connaissons pas depuis très longtemps, dit-il, mais je pense que nous pouvons avoir confiance l'un dans l'autre.

— J'en suis d'accord, dit Tom.

— Aussi, prenez cette proposition comme elle vient : si votre famille se sent plus à l'aise en mon absence, je descends à l'hôtel aujourd'hui même.

— Dieu du ciel, Jordan, croyez-vous que mon père n'a jamais été contredit ? Ou contesté dans sa propre maison, à sa propre table ? Vous êtes quelqu'un de courtois, vous respectez les autres. Non, vous ne partez pas, et nous ne voulons pas entendre parler d'une chose pareille.

— Moi, je pars, intervint Alex. A moins que vous ne me promettiez tous les deux que nous n'allons pas parler que politique. J'ai entendu s'exprimer toutes les opinions possibles sur ces questions, que ce soit l'esclavage ou la sécession, et j'en ai eu mon content.

— Cependant, même les plus anciens désaccords apparaissent maintenant sous un nouveau jour, dit Jordan. Le tour pris par les événements de Charleston nous rapproche du précipice. Alex, est-ce que tu réalises que l'année prochaine à la même époque, l'Union n'existera peut-être plus ? »

Toujours à table, renversé sur sa chaise, Alex sirotait le vin que venait de lui verser le maître d'hôtel. « Tom, il faut que je pense à entreprendre ton père au sujet de sa cave. Chaque vin que je goûte est meilleur que le précédent. » Il regarda son cousin avec l'air d'évaluer le degré de sa colère. «Jordan, je te confesse que je ne suis pas tant que ça attaché à l'Union. La perspective de sa dissolution ne me remplit pas de chagrin.

— Tu te moques du sort de l'Union! As-tu perdu la tête?» Les deux cousins avaient oublié la présence de Tom; les étincelles qui volaient entre eux venaient d'un feu ancien, qui habituellement couvait, mais lançait des flammes chaque fois que l'un d'eux y déversait du combustible.

«Il n'y a pas si longtemps que la Louisiane en fait partie, dit Alex. Cela ne fait pas cinquante ans, c'est peu à l'échelle de l'Histoire.

— Je sais bien que La Nouvelle-Orléans, la Louisiane sont très différentes de, disons, Boston, ou de mon État natal, répondit Jordan. Mais cette différence ne devrait pas influer sur une décision aussi importante que celle de quitter l'Union !

— La révolution qui a donné naissance à cette nation a éclaté dans le Massachusetts, dit Alex. Cependant la Louisiane était encore sous l'autorité de l'Espagne. Et lorsque les Anglais se sont fait battre ici, cela a été par un général espagnol commandant des troupes espagnoles, avec quelques Acadiens pour compléter les rangs, et fort peu d'Américains. Non, Jordan, tu le sais bien, les familles françaises de La Nouvelle-Orléans ne se sont pas précipitées pour accueillir les Américains.

— On ne me fera pas croire que, simplement parce que la société de La Nouvelle-Orléans est très attachée à ses racines françaises et espagnoles, elle décidera de quitter l'Union aussi facilement que ses membres déclinent une invitation à dîner...

— Il est des cas, mon cher cousin, où ils quitteraient l'Union encore plus promptement. Les invitations lancées par certaines familles exigent une acceptation immédiate, car elles jouissent d'un pouvoir qui à Charleston semble avoir fait défaut aux démocrates.

— Tu ne seras jamais sérieux, Alex, quand bien même ta vie en dépendrait !

— Et toi, Jordan, tu ne seras jamais frivole, même si ton bonheur l'exige. »

Les deux cousins se dévisagèrent un instant, puis Jordan s'inclina et quitta la pièce.

«Désolé de t'avoir imposé cette petite scène, Tom, dit Alex.

Nous nous aimons bien, Jordan et moi, mais nous ne voyons pas toujours les choses de la même façon.

— Tu as avancé un argument intéressant, à propos de la Louisiane ne faisant pas partie de l'Union dès les premiers temps. Je le savais, bien sûr, mais je n'avais pas réfléchi aux conséquences qui peuvent en découler.

— J'y attache peut-être plus d'importance que cela n'en a, dit Alex. Mais nous avons eu beaucoup de drapeaux. Un de plus n'aurait rien de si inhabituel.

— A la différence des États qui sont nés des colonies originelles et sont parsemés de monuments aux morts pour la liberté.

— J'espère que l'époque de tels monuments est révolue. De toutes les méthodes employées pour résoudre les difficultés, la guerre est la plus néfaste. » Alex quitta sa chaise. « Et le problème de ce matin, est-il réglé ?

— Pour l'instant, dit Tom. Je vais en parler avec père. Il faut qu'il comprenne que quelque chose de permanent doit être fait.

— Je peux te décharger d'elle, si cela peut rendre service », proposa Alex. Il vit le visage de Tom se décomposer, et lui prit la main. « Qu'est-ce que j'ai dit ? Tom, que...

— Tu veux dire que tu... l'achèterais ?

— Eh, mais bien sûr ! Je l'emmène à La Nouvelle-Orléans, et elle fait partie des chouchous de mon père. A moins que tu aies quelque chose de mieux à proposer, Tom. Ne me regarde pas comme cela, mon vieux ! Je cherche seulement à t'aider !

— Il est hors de question de... vendre Véronique, dit Tom. N'en parle plus, je te prie... si mon père t'entendait, il se pourrait qu'il trouve l'idée excellente. »

Le regard d'Alex changea de nature. Il s'approcha de Tom. « Est-ce qu'il y a quelque chose que je devrais savoir ?

— Non... rien du tout. »

Alex laissa échapper un soupir, sortit un cigare de sa poche et en fit glisser la bague. « Allons fumer dehors, dit-il. Cela va t'éclaircir les idées.

— Pour ça, j'ai bien peur qu'il ne me faille autre chose qu'un cigare », dit Tom. Il suivit néanmoins Alex jusque sur la galerie, où ils se mirent à fumer en regardant la pluie.

Gabrielle dormit peu et s'éveilla habitée d'une forte sensation de malaise. Environnée d'une pluie drue et constante, la maison semblait coupée des habituels repères dans le temps et l'espace. La jeune fille se leva et se vêtit en hâte, puis elle quitta sa chambre et s'engagea dans le couloir silencieux à la recherche de compagnons humains.

Le rez-de-chaussée présentait le même aspect lugubre que les chambres de l'étage. La porte du bureau d'Olivier Cannon était fermée, et Gabrielle n'osa pas aller le déranger. Nulle trace d'Alex ou de Tom. Je vais aller voir Véronique, se dit-elle, et de se diriger vers les arrières de la maison, progressant à pas de loup afin qu'aucun bruit ne la trahisse.

Une bouffée d'air chaud et humide l'attendait sur le seuil. Elle demeura un moment immobile, regardant la pluie dévaler une gouttière vers la grande citerne du coin de la maison, écoutant le murmure régulier de l'eau sur les aisseaux en cyprès du toit. Puis elle suivit la galerie jusqu'à la porte du bureau, allant vers la femme qui y reposait, comme si elle eût subi la traction d'une corde invisible. Comme elle approchait de la porte entrebâillée, une femme s'encadra tout à coup sur le seuil, bloquant le passage.

«Abigail! Tu m'as fait peur! fit Gabrielle, désagréablement surprise par la présence de la femme de chambre de sa tante. Je venais voir si Véronique avait besoin de quelque chose... Il reste de cette excellente soupe que Letha a faite hier...

— Je veille sur elle, miss Gabrielle.

— Je voudrais la voir», dit Gabrielle en avançant d'un pas. Mais Abigail ne changea pas d'expression, pas plus qu'elle ne s'effaça.

«Vaut mieux la laisser se reposer, dit-elle. Vot' tante, elle va m'attraper si je vous laisse entrer.

— Abigail...» Mais Gabrielle renonça. Il lui semblait voir les yeux sévères de sa tante braqués sur elle, appuyant chaque mot d'Abigail. «Bon, d'accord, dit-elle. Je ne vais pas la déranger. Mais tiens-moi au courant s'il y a du changement.

— Entendu, miss.» La bouche d'Abigail affichait maintenant un petit sourire, qui étirait la longue cicatrice de sa joue droite. Gabrielle repensa à l'explication que tante Mathilde avait toujours donnée de cette balafre.

«Une attaque des Indiens dans les premiers temps où Louis et moi étions dans l'Ouest, disait-elle invariablement. Pauvre Abigail, cela ne faisait pas une semaine que nous étions au Texas, et j'étais persuadée qu'elle ne tiendrait jamais le coup. » Tout en regagnant l'intérieur de la maison, Gabrielle se demanda si Abigail n'avait pas plutôt été ainsi marquée au visage lors d'une vulgaire bagarre, semblable à celle qui avait eu lieu dans la matinée. Cette pensée la déprima un peu plus, et lorsque Alex se détacha sur la pénombre du vestibule, elle l'accueillit avec soulagement.

« Je ne crois pas que cette pluie arrêtera jamais de tomber. Si nous ne pouvons sortir, je crains que vous ne fassiez un séjour très morne parmi nous.

— Je suis accoutumé aux inconvénients de notre climat, dit-il. Et loin de détester la pluie, je lui sais gré de m'être l'occasion de passer l'après-midi en agréable compagnie.

— Voilà qui est très gentil. Mais je ne me sens pas de plaisante humeur. Je suis mal en train, énervée...

— Eh bien, permettez-moi de vous divertir. Tom s'est enfermé avec votre père, et je suis entièrement à votre service.

— Me divertir de la réalité, monsieur Saint-Cyr ? Une vraie gageure, même pour vous, considérant le genre de réalité auquel nous avons été confrontés aujourd'hui.

— Il semble qu'avec vous je ne trouve jamais le mot qui convient. » Ils avaient lentement parcouru la longueur de l'entrée et se trouvaient maintenant près de la double porte donnant sur le salon. Alex laissa errer son regard sur les draperies de velours crème, les tapis d'Aubusson qui illuminaient le plancher lustré, sur le mobilier de qualité, sur le bois brun des chaises et des sofas, qui faisait ressortir la pâleur des soies et des brocarts dont ils étaient recouverts.

« C'est très étrange, dit-il en reportant son attention sur la jeune fille. Cette maison, cette pièce sont pourtant semblables aux demeures, aux salons que je fréquente à La Nouvelle-Orléans. Mais les propos qui sont appropriés là-bas ne m'apportent ici que des difficultés... » Il fit quelques pas dans le salon pour s'arrêter devant le portrait de la mère de Gabrielle accroché sur le parement de la cheminée.

« Elle est morte lorsque vous étiez très jeune, dit-il.

— J'avais trois ans.

— Une perte terrible. Vous avez dû avoir beaucoup de chagrin.

— Elle me manque toujours, dit Gabrielle. Non pas en tant que personne — je me souviens à peine d'elle. Mais pour l'amour que nous aurions pu partager... le temps que nous aurions pu passer ensemble...

— Je sais ce que vous ressentez, dit-il en se retournant pour lui faire face. C'est un sentiment que j'éprouve moi aussi.

— Mais votre mère est vivante ! objecta Gabrielle.

— C'est vrai. Et pourtant, quand j'entends les autres parler de leur maison, de leurs parents, je ressens une tristesse voisine de la vôtre, miss Cannon.

— Tous les parents ne se ressemblent pas, et ce ne serait d'ailleurs pas souhaitable.

— Toutefois, dit Alex, je me demande s'il en est beaucoup d'aussi dissemblables que les miens. » S'approchant de la cheminée pour contempler de nouveau le visage de Mme Cannon, il dit d'une voix si sourde que, n'eût été son intensité, Gabrielle n'aurait rien entendu : « En grandissant, miss Cannon, je suis devenu une sorte de caméléon. Pour complaire à ma mère, il faudrait que je me consacre presque entièrement aux affaires, quoiqu'on m'ait laissé entendre qu'après avoir contracté le mariage qui convient, je pourrais bien évidemment consacrer une petite partie de mon temps aux choses de la maison. Mon père pense, lui, que les affaires sont peut-être le passe-temps le plus inutile qu'un gentleman puisse embrasser, et bien sûr celui qui fait le plus déroger. Quant au mariage, même s'il ne le dit pas, il est évident que le sien ne lui convient que pour une seule raison. L'argent de ma mère, produit par ces affaires qu'il méprise tant, a permis aux Saint-Cyr de conserver leur train de vie. »

Gabrielle avait agrippé comme pour s'y soutenir le dossier d'une chaise. « Monsieur Saint-Cyr... tout cela ne me regarde pas... »

Alex se retourna. La jeune fille fut étonnée par l'expression de son regard ; elle s'était attendue à de la colère ou peut-être de la gêne, mais n'était pas préparée au chagrin qu'exprimaient les yeux noirs du jeune homme. Avec l'impression d'être tout à coup submergée par des choses qu'elle ne comprenait pas, des émotions qu'elle ne connaissait pas, elle bredouilla un mot d'excuse et sortit presque en courant.

Gabrielle n'eut qu'en fin d'après-midi la possibilité de s'entretenir avec son père. Elle était demeurée en haut des escaliers jusqu'à ce qu'elle entende Alex Saint-Cyr quitter la maison, puis elle était descendue se mettre au piano et avait joué doucement, terminant par le nouveau morceau, que son père n'avait pas encore entendu.

C'est à ce moment qu'il était venu la rejoindre. Il s'était assis non loin du piano et lui avait fait signe de rejouer le morceau. Ensuite, ils allèrent s'installer pour leur premier tête-à-tête depuis son retour, dans l'alcôve qui donnait sur le jardin.

« C'est bon d'être de retour, dit Olivier Cannon. Et d'entendre sur ma fille des choses aussi flatteuses que celles qu'on m'a dites aujourd'hui. » Il prit Gabrielle par la taille et l'attira à lui. « Je voudrais, ma chérie, que ton univers soit toujours parsemé de tournois de l'anneau et de bals. Mon plus grand regret est de ne pouvoir rien faire contre les jours sombres qui nous attendent.

— Croyez-vous vraiment que cela va se terminer par une guerre ?

— J'en ai bien peur. » Gabrielle sentit la main de son père se crisper, elle vit ses yeux s'assombrir. « La guerre est la pire façon de résoudre un différend. Malheureusement, c'est là une leçon que doit réapprendre chaque génération.

— Mais cette guerre aura sûrement lieu loin de chez nous, dit Gabrielle.

— Qu'est-ce qui te fait penser cela, Gabe ? »

Elle regarda les pelouses de Felicity, le contraste entre la teinte sombre des massifs d'arbustes et le vert cru de l'herbe nouvelle. Elle connaissait chaque pouce de terrain, chaque parterre de fleurs, chaque sentier, chaque statue et chaque banc. Son imagination l'emporta au-delà des pelouses et des jardins, vers le paddock et les écuries, les granges et les dépendances, jusqu'au quartier des esclaves. Puis elle vit les champs, la grande étendue de terre, de cette terre fertile, hérissée de jeunes pousses de canne à sucre. « Parce que si la guerre venait jusqu'à Felicity, je ne pourrais pas le supporter. Non, je ne le pourrais pas.

— Écoute, dit son père, la voix radoucie pour masquer son inquiétude, il reste encore beaucoup de choses à faire, et je n'ai pas encore complètement abandonné l'espoir que nous arrivions à une solution. Les démocrates du Sud vont se réunir à Baltimore à la fin du mois pour désigner leur candidat... le reste du parti y sera également pour y désigner le sien. Et qui sait ? D'ici là, trois semaines vont s'écouler, et peut-être un nombre suffisant de délégués auront-ils réfléchi à la gravité de la scission, peut-être seront-ils disposés à trouver un compromis.

— Vous le pensez vraiment ?

— Je l'espère. »

Ce n'est pas du tout la même chose, se dit Gabrielle, mais ne parlons plus de cela. Il faut que je me dépêche de lui parler de Véronique avant que quelqu'un n'entre ou que le courage me manque...

« Papa, je suis sûre que Tom vous aura dit ce qu'il s'est passé ce matin, je veux parler de l'agression de Colette sur Véronique. »

Olivier Cannon alla faire face à la fenêtre, ne présentant au regard de sa fille que son large dos. « Je suis plus que je ne pourrais le dire contrarié que tu aies assisté à une telle scène, Gabrielle. Ton frère a été sérieusement réprimandé ; il te protégera mieux dans l'avenir, je te le promets.

— Il me protégera ! » Elle courut se planter devant lui pour le regarder droit dans les yeux. « Je n'ai pas besoin de protection, papa... c'est Véronique qui en a besoin. Et je vous en supplie, envoyez-la à La Nouvelle-Orléans. Installez-la dans un commerce ou un atelier. Je vous en prie, papa, faites cela pour moi et je ne vous demanderai plus jamais rien.

— Mais tu es dans tous tes états, observa Olivier Cannon. » Il lui tapota la main. « Ma chère enfant, de quoi me parles-tu ? N'avons-nous pas déjà parlé de cela, et n'as-tu pas reconnu que c'était impossible ?

— Je n'ai rien reconnu, dit Gabrielle. J'avais seulement... cessé d'en parler. Parce que j'avais la conviction que vous étiez mieux placé que moi pour décider de ces choses, et aussi parce que j'ignorais l'horreur de la situation de Véronique.

— Je ne souhaite pas en discuter, Gabrielle.

— Moi, si. » Elle se tourna vers le portrait de sa mère comme pour y puiser la force nécessaire. Lorsqu'elle reporta les yeux sur le visage de son père, elle crut y voir une infime lueur de sympathie et, encouragée, elle se mit à plaider. « Je pense depuis fort longtemps, et je l'ai dit à Tom, que nous ne rendons pas service à Véronique en la traitant si différemment des autres esclaves de la plantation. Ne le voyez-vous pas, papa ? Elle ne peut pas trouver sa place parmi eux. Comment pouvez-vous envisager de le lui demander ?

— Tu te rappelles le jour où elle est arrivée à Felicity ? dit Olivier Cannon.

— Bien sûr. L'oncle Louis venait de mourir, au Texas, et tante Mathilde est venue vivre ici avec quelques-uns de ses gens.

— Oui. Il y avait Abigail, deux hommes et une petite fille, d'un an ton aînée et à la peau si claire que je n'ai tout d'abord pas voulu croire qu'elle n'était pas... blanche. » Olivier Cannon se tut pour regarder à son tour le visage de sa femme. Puis, comme si chaque mot lui coûtait un effort, il reprit : « Ta tante nous a expliqué que Véronique était la fille d'une quarteronne qui avait disparu du ranch sans laisser de traces. Le père, bien sûr, ne s'était pas manifesté, mais Mathilde est certaine qu'il s'agissait d'un Blanc. Comme la petite n'était pas en âge de se débrouiller, et bien que Mathilde et moi émettions de sérieuses réserves, j'ai accepté qu'elle soit élevée chez nous.

— Quelles réserves ? Je ne saisis pas. Véronique est intelligente, vive, et elle a pendant longtemps été pour moi une compagne de jeux pleine d'imagination et de gentillesse, qui me manque encore aujourd'hui.

— Je vois qu'il va me falloir parler plus carrément que je n'en avais l'intention, dit Olivier Cannon. Véronique est aussi très belle, Gabrielle. Et du fait de la teinte claire de sa peau, elle se crée des problèmes.

— Elle se crée des problèmes ! Soyez juste, papa ! Ce sont les hommes qui lui créent des problèmes, et si vous ne la libérez pas de cet horrible asservissement, cela signifiera que vous ne valez pas mieux que ceux qui, sans honte aucune, profitent de sa situation. »

Pendant un instant, elle crut être allée trop loin. Puis l'émotion qu'elle lisait sur les traits de son père, se transforma ; la lueur de colère disparut de ses yeux, remplacée par des larmes. Il s'avança pour prendre sa fille dans ses bras.

« Comme tu ressembles à ta mère, dit-il. Et comme tu as raison de me dire mon fait. Je libérerai Véronique, je te le promets.

— Oh, papa ! Merci ! dit-elle en pressant ses lèvres sur la joue mouillée de son père.

— Mais ce n'est pas fait, reprit-il. Et ne va pas croire que ce sera chose facile. La loi m'interdit de l'affranchir, mais je pense pouvoir assez facilement la tourner. Seulement, il reste un obstacle de taille. Je t'accorde que Véronique ferait une modiste très capable, et je ne doute pas qu'elle n'aurait aucun mal à gagner sa vie. Cependant, elle a été élevée à la campagne. La Nouvelle-

Orléans est une grande ville pleine de dangers. Nous allons devoir procéder lentement et nous assurer que lorsque nous laisserons notre oiselle sortir de sa cage, ce ne sera pas pour la précipiter dans la gueule d'un tigre à l'affût.

— Je ferai tout ce qui me sera possible. Et je sais que Tom fera de même. Il aime beaucoup Véronique... »

A ces mots, Olivier Cannon se rembrunit. « Du fait de mes absences répétées, Tom a largement de quoi s'occuper sur la plantation. Nous le laisserons en dehors de tout ceci, Gabrielle. Je me charge personnellement de tout. »

Des bruits de voix dans le hall d'entrée leur apprirent l'arrivée de Tom et de leurs invités. Olivier Cannon alla les accueillir sur le seuil, tandis que Gabrielle actionnait la sonnette pour signaler à Jonas de servir le madère préféré de son père, qu'elle avait déjà mis à décanter dans une carafe et disposé sur un plateau.

Je n'ai plus à m'inquiéter pour Véronique, se dit-elle. Lorsqu'il a fait une promesse, papa remuerait ciel et terre pour la tenir.

Elle alla rejoindre les autres avec le sentiment d'avoir vécu en quelques heures le contenu de toute une semaine. Il faut que je sois plus circonspecte lorsque j'évoque Véronique, se dit-elle. Papa a eu une expression si étrange quand j'ai dit que Tom l'aimait beaucoup, et cependant il m'a félicitée pour la sollicitude que je lui témoigne. Pourtant, pendant toutes ces années où nous jouions ensemble, partageant nos jouets et nos jeux, jamais papa ou tante Mathilde n'ont paru se formaliser de ce que Tom se comporte comme notre frère à toutes deux. Hommes et femmes ne peuvent-ils cultiver cette forme d'amitié à laquelle aspirait ce philosophe grec que papa apprécie ? Une forme d'amitié toute spirituelle, idéale... Elle vit le regard d'Alex Saint-Cyr posé sur elle et s'empressa de détourner la tête.

Il fallait qu'il en soit ainsi, elle ferait en sorte qu'il en soit ainsi. Elle fréquenterait Jordan Scott et Alex Saint-Cyr en amis, et sans aucune arrière-pensée. Sinon, comment pourrait-elle faire la connaissance d'aucun homme ? Oui, il est par trop absurde de penser qu'il n'existe qu'une seule forme d'amour. Lorsque j'aurai appris à mieux me connaître, lorsque je saurai faire la différence entre le plaisir d'être admirée et complimentée, et cette émotion plus profonde, plus altruiste, alors je pourrai envisager d'aimer un homme, de l'aimer d'amour.

Cependant, ce n'est pas ce que redoute papa quand il pense

101

à Véronique. Ses yeux l'ont trahi. Il ne conçoit pas que Tom puisse être amoureux d'elle et désireux d'amener cet amour à une heureuse conclusion. Non, il craint que Tom ne succombe à autre chose... à cette pulsion qui a poussé Michaël Fleming à lui manquer de respect, à cette... concupiscence qui anime Zeke.

Elle s'efforça de chasser cet éclair de clairvoyance et y parvint en partie. Cependant, quand Alex vint à elle et qu'elle perçut derrière sa nonchalance ce fond de tristesse qu'il portait en lui, elle se demanda s'il était lui aussi capable de lire en elle et d'y discerner des choses qu'elle avait toujours tenues secrètes.

6

La présence d'Olivier Cannon accélérait le rythme de vie de la maisonnée. Ainsi, le lendemain de son arrivée, il se leva de bonne heure et, avant même de prendre son petit déjeuner, envoya Jonas chez les propriétaires et planteurs des environs afin de les convier à une réunion dont l'objet serait de déterminer la position de la région quant à la façon dont la Louisiane devrait réagir aux tout derniers événements.

Il parut préoccupé pendant tout le petit déjeuner, concentrant son attention sur ses aliments, même si, comme le remarqua Gabrielle, il ne mangea que très peu. «Je me ressens encore de mon voyage», dit-il lorsqu'elle l'interrogea sur son manque d'appétit. Il vida sa tasse de café et fit signe à Tom de le suivre au bureau pour une matinée de travail. Alex et Jordan s'en furent également sitôt le repas achevé, le premier pour se rendre au confluent du Teche et de l'Atchafalaya, le second pour s'embarquer sur un vapeur remontant le bayou.

«Pour vous dire le fond de ma pensée, il me paraît ridicule de mettre en place une nouvelle ligne en ce moment, dit Alex lorsqu'il fut quelques instants seul avec Gabrielle. Cela revient à offrir un sacrifice aux dieux de la guerre, et ce n'est vraiment pas dans mon tempérament.

— Papa dit que New Iberia est un port fluvial d'une grande importance.

— Oui, ce qui en fera une cible de choix si la guerre éclate. »
Alex vit s'assombrir le visage de Gabrielle et s'en voulut aussitôt. « Je suis un idiot, dit-il. Veuillez me pardonner, miss Cannon. Vous avez déjà été suffisamment bouleversée, inutile de vous inquiéter au sujet d'une guerre par ailleurs fort éloignée.

— Papa estime que, si elle a lieu, elle ne sera pas si éloignée que cela. Voyant combien l'idée de la guerre me fait peur, il a fait comme si elle était très improbable. Mais je sais qu'il y pense déjà et s'y prépare autant que possible.

— Il s'y prépare », répéta pensivement Alex. Il partit lentement vers le bout de la galerie, les yeux tournés vers la roseraie et le belvédère, qui scintillait au soleil matinal. Gabrielle marchait à côté de lui, remplie de la beauté des roses en pleine floraison.

« Il y a une façon efficace de s'y préparer, dit-il. C'est de quitter le pays avant qu'elle n'éclate.

— Quitter le pays ? Je ne saisis pas...

— Tout vendre et aller vivre à l'étranger. Accepter le fait que cette expérience de démocratie n'a pas tenu une centaine d'années, et se transporter dans une autre société, plus ancienne, dont les membres ont appris que les règles de la survie sont l'adaptabilité et le compromis.

— Vous ne le pensez pas, monsieur Saint-Cyr.

— Et pourquoi pas ? Votre père est un homme riche, miss Cannon. Je ne veux pas présumer, mais Tom m'en a appris suffisamment et j'ai assez observé pour savoir qu'entre sa plantation et ses biens à La Nouvelle-Orléans, sa fortune serait suffisante pour faire vivre les vôtres sur le plus grand pied à Londres ou à Paris.

— Vendre Felicity ? Abandonner nos racines ? Papa ne fera jamais cela, quand bien même la troupe camperait à nos portes !

— Non, bien sûr qu'il ne le fera pas. Je continue de faire des suggestions inopportunes. Je me demande, miss Cannon, si je cesserai jamais de m'enferrer.

— Et moi je continue de réagir à votre conversation comme si je n'avais jamais été confrontée à une idée neuve. » Gabrielle se rappela sa résolution de voir en Alex Saint-Cyr un ami. « Cela vient de ce que vous êtes tellement mieux informé que moi, de votre expérience du monde... Je me sens très enfant à côté de vous, monsieur Saint-Cyr, et pas qu'un peu sotte. Évidemment, c'est un sentiment qui ne me plaît pas. C'est pourquoi j'ai tendance à me dresser sur mes ergots.

— Vous vous sentez sotte, miss Cannon ! Et moi donc ! Depuis que je suis ici, je n'ai cessé de me sentir le plus sot des hommes, lorsque Tom me rabroue parce que je vous trousse un compliment, lorsque vous me fixez de ces grands yeux verts, comme si j'étais quelque étrange insecte qu'il vaudrait mieux épingler sur du liège... » Son éclat de rire se répercuta dans le jardin, un rire si naturel, si heureux que Gabrielle sut qu'elle avait dit exactement ce qu'il fallait.

« Voulez-vous que nous soyons amis, monsieur Saint-Cyr ? Tout comme Tom et vous êtes amis.

— Peut-être pas le même genre d'amis. Je ne peux me défaire de mes vieilles habitudes : je me réserve le droit de vous faire çà et là un compliment, faveur que je ne solliciterais pas de Tom.

— Mais j'y tiens, dit Gabrielle. Je manque de pratique, vous savez. D'ici mon début en société à La Nouvelle-Orléans, vous allez me munir de la cuirasse qui me protégera des flatteurs et autres séducteurs.

— Je m'y engage. Miss Cannon, je dois vous dire que je me sens infiniment mieux à présent. C'est très gentil d'avoir éclairci les choses entre nous.

— Jamais elles n'ont manqué de transparence. Peut-être seulement de définition.

— C'est exactement cela », dit Alex. Il lui prit la main et la serra, en souriant de bonheur. « Cependant, miss Cannon, je dois être loin de posséder votre expérience. Peut-être, oui, pour ce qui est de la durée et de la fréquence avec lesquelles j'ai pu être confronté aux relations entre les hommes et les femmes, mais certainement pas en ce qui concerne la connaissance instinctive de ce qui est bien. »

Le pas d'un cheval dans la cour leur fit regagner le devant de la maison. Jordan était déjà en selle, prêt à partir. Alex enfourcha son cheval et prit les rênes que lui tendait le garçon d'écurie. « Il me tarde déjà d'être à ce soir, miss Cannon, dit-il. Ma première soirée en compagnie de ma nouvelle amie. »

Gabrielle vit le regard bleu de Jordan se poser sur Alex, puis sur elle. « J'ai décidé de loger à New Iberia au moins pendant les prochains jours, déclara-t-il, attirant immédiatement l'attention à lui. Je sais votre hospitalité des plus sincères et solides, quel que puisse être le climat politique. Néanmoins, j'ai besoin de faire le point sur les événements de Charleston, et cela me sera plus facile dans la solitude.

— Tu n'es pas démocrate, dit Alex. J'aurais imaginé que tu te réjouirais de la scission de ce parti ; cela devrait faciliter la tâche des républicains.

— Il ne s'agit pas de cela, dit Jordan, mais de l'irresponsabilité de factions qui mettent en péril la nation entière. Voilà ce que je n'arrive pas à admettre.

— Vous pensez à mon père, monsieur ? s'enquit aussitôt Gabrielle. Si tel est le cas, dites-le !

— Un individu ne fait pas une faction.

— Mais il en fait partie !

— Comme j'ai dit, miss Cannon, il me faut réfléchir à tout ceci, seul.

— Je ne vois pas qu'il y ait matière à réflexion, dit Gabrielle. Vous qualifiez d'irresponsable la conduite de ceux qui ont fait capoter la convention, mais irresponsable envers qui, monsieur Scott ? Ils pensent — mon père pense — avoir obéi à leur devoir, celui de défendre les gens qu'ils représentent !

— Est-ce qu'ils représentent aussi les esclaves ? Autrement que techniquement, j'entends. Je sais qu'un esclave compte pour trois cinquièmes d'un individu lors du découpage électoral, mais les délégués du Sud à cette convention se sont-ils le moins du monde souciés d'eux ?

— Vous avez entendu mon père : à ce stade, les droits des États sont la question prioritaire ; dès qu'elle sera résolue, lui et les autres modérés continueront de travailler sur celle qui vous préoccupe. » Elle vit du coin de l'œil Alex faire un mouvement et lever la tête comme pour parler. « Mais je vous empêche de partir, monsieur Scott. Vous allez prendre du retard. »

Elle inclina la tête puis tourna les talons. Le silence la renseigna : ils ne bougeaient pas. Une pensée lui traversa l'esprit ; elle se retourna. « Monsieur Scott, il y a une chose que vous pourriez faire en vous rendant à New Iberia, ce matin. Considérez donc le paysage du haut de votre cheval, regardez bien ces champs et songez à la somme de travail que représente leur mise en culture. Ensuite, mettez donc au point une méthode rapide et efficace pour libérer tous les esclaves qui les cultivent. Lorsque ce sera fait, venez, je vous prie, nous la présenter. »

La tranquillité acquise au contact d'Alex s'était évanouie ; toutefois, elle n'en blâmait pas Jordan Scott. Il est malgré tout honnête, et prêt à assumer les conséquences de ses convictions, ce qui, comme papa le dit toujours, est la marque de l'homme d'honneur. Cependant, il est terrible de voir avec quelle promptitude le désarroi s'est installé au sein de notre petit groupe. Je sais qu'il n'y a rien là de très grave ; néanmoins, cela augure mal de l'avenir.

«Est-ce qu'il en ira ainsi, désormais ? » demanda Gabrielle à sa tante. Elles se trouvaient dans la pièce à couture, occupées à sortir d'une malle des vêtements d'été. Au milieu de ces voiles légers, de ces volants bordés de dentelle, il était difficile d'imaginer qu'un événement survenu à Charleston pût venir perturber les plaisirs de la belle saison ; cependant, s'il fallait voir dans l'attitude de Jordan Scott une indication sur les réactions de la population, Gabrielle n'envisageait pas l'avenir avec sérénité. «Les gens vont-ils laisser la politique interférer avec leurs amitiés, leur dicter les invitations à lancer et celles qu'il faut accepter ou décliner ?

— Écoute, Gabrielle, dit tante Mathilde en levant une robe de voile lavande pour en défroisser la jupe, M. Scott est plutôt un cas extrême, ne penses-tu pas ? Il est né et a été élevé à Boston, il est abolitionniste, républicain… parmi nos connaissances, il fait quand même figure d'exception !

— Cependant, nous connaissons de nombreuses familles qui ont des rapports avec le Nord, des gens qui y ont fait leurs études ou qui y ont des parents.

— Tu sais, Gabrielle, certaines personnes sont plus portées que d'autres vers la politique. Ceux qui vont vers les extrêmes, qui sont excessifs dans leur façon d'exprimer leurs opinions, ceux-là n'ont de toute manière pas leur place au sein d'une réunion courtoise. Quant à M. Scott, il n'a rien d'un extrémiste et se conduit parfaitement bien. J'apprécie pour ma part sa délicatesse. Après tout, ton père est une des personnalités les plus marquantes de cet État ; eh bien, grâce à son tact, M. Scott n'est-il pas parvenu à épargner à Olivier la gêne que sa présence aurait pu engendrer ?

— Tout cela est vraiment trop déplaisant, tante Mathilde. Cela

107

me hérisse rien que d'y penser. Le plus infime signe de division, et voilà que déjà notre hospitalité se plie à des règles que nous n'avons pas édictées !

— La situation présente n'a rien d'agréable, Gabrielle, et cela n'a rien de nouveau. » Tante Mathilde soupira, les deux mains posées sur un châle. «Au Texas, Louis et moi ne possédions pas d'esclaves, même si nous l'aurions pu. Pas d'esclaves, à l'exception d'Abigail. Je voudrais être toujours là-bas, Gabrielle. J'aurais dû rester et réaliser notre rêve, plutôt que de revenir me réfugier ici.

— Que serions-nous devenus sans vous, ma tante ? Oh, je dois vous paraître bien égoïste ! Bien sûr, s'il vous était possible d'être plus heureuse là-bas, alors je regrette que vous n'y soyez pas restée... Cependant, sans oncle Louis, et loin de tous ceux qui vous aiment...

— Non, sans doute n'y aurais-je pas été heureuse. De toute façon, ce genre de spéculation est inutile, puisque je n'y suis pas restée. » Tante Mathilde déposa un baiser léger sur le front de Gabrielle, puis se leva et consulta sa montre. «Et puis j'ai connu le bonheur ici, Gabrielle, le bonheur et l'amour.

— J'en suis heureuse, ma tante. Après la mort de maman, que serait devenue Felicity sans vous ?

— Que va devenir Felicity si je ne descends pas immédiatement ? C'est aujourd'hui que Zeke et Colette déclarent leurs intentions. Ils doivent attendre un mois avant de se marier, comme ton père l'exige toujours. Et, en dépit des antécédents d'indiscipline de Colette, Olivier et moi avons décidé de marquer l'événement par une petite fête. »

Penchée au-dessus d'une robe, Gabrielle se demanda ce que sa tante savait exactement. C'est toujours la même chose, se dit-elle lorsqu'elle fut seule. On me renseigne de cette manière oblique, en sorte que si des rumeurs me parviennent, j'en sais assez pour n'avoir pas à chercher plus loin. Mais en l'occurrence, aucun bruit ne m'est arrivé, et je ne vais rien savoir de plus que ce qu'on juge opportun que je sache.

Alex Saint-Cyr ne me traiterait pas de la sorte, se dit-elle. Ni non plus M. Scott. Il faut que je profite de la présence à la maison de M. Saint-Cyr, que j'apprenne de lui tout ce qu'il me sera possible d'apprendre. Quant à M. Scott, il faut espérer qu'il me pardonnera ma brusquerie. Non, il y verra plutôt de la franchise ;

étant lui-même un exemple vivant de la façon dont se conduisent les gens affectés de cette... qualité, il ne m'en fera pas le reproche.

Au fil de la matinée, cependant, Gabrielle connut un problème de conscience. Elle en vint en effet à se demander si la harangue qu'elle avait adressée à Jordan Scott n'avait pas eu aussi pour origine le désir de faire impression sur Alex Saint-Cyr, et lorsqu'elle eut achevé son travail dans la pièce à couture, elle écrivit à M. Scott un billet que Jonas emporterait à New Iberia avec le reste du courrier.

« Je vous demande d'excuser l'impétuosité de mon propos, écrivit-elle. Tout ce que j'ai dit, je le pensais, bien sûr, mais cela aurait pu être formulé en termes plus amènes, et sans vous mettre en accusation. Mon précepteur me mettait souvent en garde contre un tempérament qu'il jugeait impétueux ; s'il était encore ici, il serait aussi navré que je le suis de constater que le temps ne m'a pas corrigée. J'aimerais parler avec vous de toutes ces choses. Vos opinions ne sont pas celles de mon père, mais cela ne veut pas dire qu'elles ne sont pas dignes d'intérêt. Venez s'il vous plaît dîner à la maison, et soyez de nouveau notre invité si tel est votre désir. Quant à résoudre ce dilemme de l'esclavage, il ne l'a pas été au cours des quelque deux cents ans qui se sont écoulés depuis l'arrivée des premiers esclaves, et je sais que ni vous ni aucun d'entre nous ne va le résoudre en l'espace d'une journée, ainsi que je vous ai si grossièrement mis au défi de le faire. Mais si ceux d'entre nous qui ne sont pas encore entrés en possession de leurs biens et du pouvoir qui s'y rattache réfléchissent aux solutions possibles, peut-être tout espoir n'est-il pas perdu, pour les esclaves comme pour les maîtres. »

Ainsi rassérénée, elle descendit déjeuner. Tom vint à table, mais non leur père. « Il est toujours fatigué, expliqua le jeune homme. Il se repose dans sa chambre. On va lui monter un plateau.

— Papa travaille beaucoup trop, dit Gabrielle. Comme si la gestion de Felicity et de nos biens à La Nouvelle-Orléans ne suffisait pas amplement, il va repartir pour un voyage long et exténuant, au bout duquel l'attendent des heures d'interminables discussions.

— Nous allons le dorloter tant qu'il est à la maison, dit tante Mathilde. Nous allons lui préparer un bon dîner pour demain soir. Gabrielle, je compte sur toi pour m'aider à le mettre au point. »

Mais le lendemain soir, plus personne ne se souciait des mets préférés d'Olivier Cannon. Au risque de crever Jupiter, Tom galopa à bride abattue jusqu'à New Iberia pour aller chercher le médecin, cependant que son père reposait dans un état de demi-conscience, veillé en permanence par tante Mathilde et Gabrielle.

Fièvre jaune. Ces deux mots, prononcés par le docteur Delahaye après qu'il eut examiné Olivier Cannon, précipitèrent Gabrielle dans les bras de son frère.

« Mais... est-il possible qu'il s'en relève, docteur ? interrogea-t-elle en fixant le médecin avec de grands yeux apeurés.

— Certaines personnes guérissent de la fièvre jaune, dit le docteur Delahaye. Leur propre résistance s'unit à nos efforts...

— Olivier est déjà fatigué, observa tante Mathilde d'un air soucieux. A Charleston, il s'est épuisé à débattre face à des gens aussi têtus que lui, et cela en vain. » Sa voix se fit plus aiguë, se chargeant d'angoisse et de colère. « A quoi bon se sacrifier sur l'autel du droit et de la justice ? Le résultat est toujours le même. Les honnêtes gens souffrent et les méchants triomphent, car ils ne dépensent leur énergie que pour leur bénéfice et ne se soucient aucunement du sort d'autrui. »

Le docteur prit tante Mathilde par le menton et lui fit tourner la tête afin de la regarder droit dans les yeux. « Voyons, madame LeGrange, dit-il, est-ce cela qui va guérir votre frère ? »

Elle fixa un moment le médecin, le regard toujours fulminant. Puis elle tressaillit, comme affrontant elle aussi un adversaire entêté et irréductible. Lorsqu'elle parla à nouveau, sa voix était celle qui avait marqué les jeunes années de Gabrielle, la voix avec laquelle elle avait toujours accueilli les joies comme les peines. « Oui, bien sûr, vous avez raison, docteur Delahaye. Maintenant, dites-moi ce qu'il faut que je fasse.

— La première chose sera de faire monter Samantha pour qu'elle le soigne », commença le médecin.

A ces mots, la sœur du malade se redressa avec les signes de la plus ferme résolution. « C'est moi qui soignerai Olivier, dit-elle. Tenter de m'en dissuader serait une perte de temps. »

Le regard du médecin se porta sur Tom et sur Gabrielle, puis revint à leur tante. La jeune fille y lut toutes les craintes du praticien : tante Mathilde allait courir le risque d'être elle aussi victime de la maladie ; si jamais ils y succombaient l'un et l'autre, les deux jeunes gens se retrouveraient seuls.

C'est alors que Gabrielle fut submergée par la peur, une peur telle qu'elle n'en avait encore jamais éprouvé. Comme s'il lisait dans ses pensées, remarquant peut-être son raidissement soudain, Tom l'attira plus près de lui. « Ne perds pas courage, Gabe, lui souffla-t-il. Père a besoin de notre force, non de nos faiblesses.

— Je vais me rendre utile, dit-elle en s'écartant un peu. Je ne parle pas des soins ; ça, je sais que je ne pourrais pas. » Elle avait les lèvres qui tremblaient et luttait pour faire bonne contenance, prenant exemple sur sa tante tout en se demandant comment celle-ci faisait pour ne pas s'effondrer. « Mais je peux assumer beaucoup des autres tâches de tante Mathilde...

— Vous pouvez vous reposer sur nous, tante Mathilde, dit Tom. Pour tout ce qu'il y aura à faire.

— J'en suis certaine », répondit sa tante d'un ton paisible. Et l'affirmation contenue dans cette voix les soutint pendant cette heure pénible et durant les heures harassantes qui suivirent.

La réorganisation de la maison en hôpital s'effectua promptement, la seule difficulté notable étant le refus d'Alex de gagner la sécurité de la ville.

« Je ne suis pas fataliste, madame LeGrange, dit-il. Mais je crois fermement que si j'étais prédisposé à la fièvre jaune, il y a longtemps que je l'aurais contractée à La Nouvelle-Orléans. J'avoue qu'il m'arrive de manquer lorsque je le peux à mon devoir, mais jamais encore je n'ai laissé tomber un ami dans la peine, et je ne vais pas abandonner Tom.

— Monsieur Saint-Cyr, je ne gaspillerai pas mon énergie à argumenter avec vous. » Tante Mathilde partit vers la porte, puis tourna la tête. « Ce ne sera pas une mauvaise chose que de vous avoir ici. Tom et Gabrielle vont avoir besoin qu'on leur remonte le moral, je vous charge de cette tâche.

— Je ferai plus que cela. Nos bateaux font une rotation tri-hebdomadaire avec La Nouvelle-Orléans ; si vous avez besoin de quoi que ce soit, faites-en la liste et je veillerai à ce que les marchandises soient déchargées sur votre quai.

— En cas de besoin, je m'adresserai à vous. A présent, je dois monter m'occuper de mon frère. »

Tante Mathilde sortit à grands pas de la pièce. Sur sa manière habituellement énergique de se mouvoir s'était greffée une fébrilité qui, plus encore que les paroles du médecin, effrayait Gabrielle. «Jamais je n'ai vu tante Mathilde à ce point agitée, dit-elle. Je sais que la fièvre jaune est une grave maladie, mais papa est robuste et il va être si bien soigné qu'il sera bientôt rétabli!»

Elle leva les yeux pour voir que son frère la regardait. Elle eut un choc en voyant la profonde anxiété dont était empreint le regard de Tom, et elle comprit alors qu'il avait la certitude que leur père allait mourir. La peur, qu'elle avait jusqu'à présent tant bien que mal repoussée, l'assaillit d'un coup, et elle se sentit glisser vers le sol. Tom la rattrapa dans ses bras, et c'est dans son lit qu'elle reprit connaissance.

Une silhouette sombre se tenait près de la fenêtre aux volets clos. Gabrielle s'assit dans son lit et scruta la pénombre. Elle reconnut Véronique et se rallongea. Elle ne l'avait vue ni ne lui avait parlé depuis le jour où Colette l'avait agressée; Abigail avait en effet emmené la jeune métisse dans le bungalow qu'elles partageaient non loin de la maison, et l'y avait gardée jusqu'à complète guérison de sa blessure. Je vais lui annoncer ce qu'a promis papa, se dit Gabrielle. Cela va lui faire plaisir.

C'est alors qu'elle se rappela la maladie de son père et se rassit en demandant : «Véronique, est-ce que mon père va mieux?» instantanément consciente de ne pas vouloir entendre la réponse.

«Son état est stationnaire», dit Véronique. Elle quitta sa chaise pour s'approcher du lit. L'épais bandage qui lui ceignait le torse la faisait se mouvoir avec raideur, et elle marchait le bras tendu en avant, comme pour repousser la douleur. Elle alluma la lampe de chevet et se pencha pour regarder le visage de Gabrielle. «Comment te sens-tu?

— Bien. J'ai si honte d'avoir causé autant d'émoi. Jamais je ne m'évanouis!

— Tu parles d'émoi, dit Véronique. As-tu idée de ce que je ressens? De la honte que...

— Rien de tout cela n'était ta faute, Véronique. Nous savons tous que tu n'as rien fait pour provoquer cette horrible agression.

— Non, rien», dit la jeune métisse. Elle restait tête baissée, mais Gabrielle n'avait pas besoin de lui voir le visage pour savoir à quoi elle devait ressembler. Ses grands yeux dorés devaient avoir perdu de leur lumière sous l'effet de l'humiliation et de la peur.

«Il est prévu que... qu'ils se marient, dit Gabrielle. Zeke et Colette. Dès que le délai d'un mois sera écoulé...

— Je leur souhaite bien du plaisir! lança Véronique.

— Ton amertume est compréhensible. J'ai une bonne nouvelle à t'annoncer. J'ai parlé de toi à papa, la veille du jour où il est tombé malade. Il a l'intention de t'aider, il a promis de...

— M'aider? répéta Véronique.

— Je lui ai demandé de t'affranchir, dit Gabrielle. Je pense qu'il va le faire.»

Elle pouvait maintenant discerner les traits de Véronique, mais ne put déchiffrer son expression. Alors même que celle-ci la remerciait et paraissait moins tendue, quelque chose semblait assombrir son regard. «Qu'est-ce qu'il y a?» se demanda Gabrielle, réalisant qu'elle venait de parler à voix haute.

«Excuse-moi, dit-elle, mais tu parais si... on dirait que tu ne me crois pas.

— Je te fais confiance. Et je fais confiance à ton père. Toi, pour intercéder en ma faveur; lui, pour faire ce qu'il estime préférable.

— Qu'est-ce qui te chagrine dans ce cas? Papa va se rétablir, et tu seras bientôt libre!

— Je ne devrais pas être aussi rebelle, dit Véronique. Mais j'ai cet étrange désir de... de prendre mes propres décisions. Ne pas toujours avoir quelqu'un qui décide pour moi de ma vie, de mon avenir...

— C'est cela la liberté, Véronique. C'est cela que papa va t'offrir.

— Mais ce n'est pas lui qui m'en a privée, je crois. Est-ce bien lui qui a le pouvoir de m'affranchir?

— Il le pense, dit Gabrielle. Et cela me suffit. Je ne comprends pas tes réserves, Véronique. Papa a des hommes de loi, tu sais, et ils sauront comment procéder.

— Bien sûr, tu ne peux comprendre. Comment le pourrais-tu? J'y vois à peine clair moi-même.» Véronique prit une brosse à cheveux et se mit à peigner Gabrielle. «Tu penses que ce qui m'interdit d'être libre est un bout de papier qui fait de moi une esclave. Tel est peut-être le cas. Si ton père fait ce qu'il a dit... enfin, nous verrons bien.»

Leurs regards se rencontrèrent dans le miroir. Les yeux de Véronique avaient perdu toute expression, s'étaient couverts de ce voile dont les esclaves usaient pour dissimuler leurs pensées

113

et leurs humeurs à des maîtres et maîtresses qui préféraient ne leur en prêter aucune.

«Ne me regarde pas ainsi, Véronique! J'ai horreur de cela, c'est comme si tu étais partie très loin, dans un lieu où je serais incapable de te suivre...

— Ne m'en veuille pas. Je réfléchissais... et tu vois, j'avais fini par oublier que ta tante m'a demandé de te dire quelque chose. Elle réunit les domestiques à cinq heures dans le petit salon afin de dire un rosaire pour ton père. Elle aimerait que tu descendes, si tu t'en sens la force.

— Bien sûr. Dépêchons-nous, je ne voudrais pas la faire attendre. »

Agenouillée au côté de sa tante dont les doigts égrenaient une à une les perles du chapelet, écoutant le marmonnement familier des prières, Gabrielle s'efforçait de chasser une pensée qui semblait ne pas devoir la quitter : cette réunion paraissait le prélude à des funérailles, ces prières évoquaient atrocement la prière des morts.

Un billet arriva le lendemain matin, par lequel Jordan Scott sollicitait la permission de venir en visite. Gabrielle lui répondit immédiatement et, à l'heure convenue, alla l'accueillir dans l'entrée. «Si vous voulez bien, dit-elle, nous allons nous rendre au belvédère. Nous essayons de garder la maison aussi silencieuse que possible. Papa est très malade, vous n'êtes pas sans le savoir.

— Oui, Alex me l'a appris. Je suis peiné au-delà de toute mesure, miss Cannon. Quand je repense à mon outrecuidance du soir où j'ai fait sa connaissance... La fièvre avait sans doute déjà commencé son travail. Je m'en veux d'avoir ajouté à ses épreuves.

— Vous déraisonnez, dit Gabrielle en descendant les marches du perron. Papa apprécie la conversation animée. Et jamais je ne l'ai vu se détourner de quelqu'un pour une simple divergence d'opinion.

— Est-ce qu'il va mieux ? » demanda Jordan. Ils atteignaient le sentier qui traversait la roseraie en direction du belvédère.

«Non», répondit Gabrielle. Elle eut l'impression que cette syllabe unique avait épuisé tout son souffle, et elle ne put rien ajouter.

« C'est très aimable à vous d'avoir accepté ma visite, miss Cannon. Cependant je crains que vous ne vous fatiguiez à l'excès... votre anxiété est telle que...

— Je vous en prie, ne repartez pas ! Tom travaille comme un damné, bien décidé à ne négliger aucune des tâches que papa pourrait juger nécessaires. M. Saint-Cyr est allé commander des fournitures que tante Mathilde lui a demandées. Quant à cette dernière, elle est auprès de mon père. Non, ne me laissez pas toute seule, monsieur Scott !

— Il n'en est pas question, dit Jordan. Tenez, allons nous asseoir sous le belvédère et parlez-moi des statues qui parsèment ce jardin. Vous avez là de très jolies pièces. Italiennes, il me semble ?

— C'est juste. Papa et maman les ont choisies lors d'un voyage en Europe, l'hiver qui a précédé la mort de maman. C'est elle qui a dessiné ce jardin, et quand on remplace un rosier, c'est toujours par un spécimen de la même variété que celui qu'elle avait choisi.

— Je dois vous avouer que j'ai été surpris par ce que j'ai trouvé ici, à Felicity, dit Jordan. Je m'étais attendu à trouver culture et sophistication à La Nouvelle-Orléans, mais ici à la campagne je pensais rencontrer des ruraux sans raffinement, des gens de peu d'éducation.

— Nous sommes habitués à ce que ceux qui ne nous connaissent pas nous imaginent arriérés, dit Gabrielle. » Elle retrouva un peu de son sourire espiègle. « C'est une chance pour vous que vous soyez de Boston. Si vous arriviez d'un coin moins renommé de Nouvelle-Angleterre, j'aurais pu m'attendre à découvrir en vous un Natty Bumppo ou quelque autre des personnages de Fenimore Cooper.

— Si j'étais un de ceux-là, peut-être m'en sortirais-je mieux. S'ils avaient la bravoure de combattre les Indiens, sans doute eussent-ils également été capables d'affronter dans la foulée les salons créoles.

— Monsieur Scott ! feignit de se désoler Gabrielle. Si telle est votre opinion, jamais vous ne serez adopté par La Nouvelle-Orléans ! Cette idée qu'il faut rassembler son courage pour écouter de charmantes créatures vous faire la conversation, cela doit être une idée que vous avez apportée du Nord.

— Cela exige une dose de bravoure. Pas pour vous, bien sûr.

115

Alex me dit que vous serez la reine de beauté cet hiver, et je n'en doute pas. Quant à lui, il navigue au milieu des rapports mondains les plus sophistiqués avec autant de facilité que j'en éprouve à apurer nos livres de comptes.

— Oui, mais M. Saint-Cyr a grandi là-dedans. Vous avez des manières, monsieur Scott, je suis bien certaine que jamais vous n'offensez personne.

— Oh, pour ça, non », fit Jordan. Il s'adossa au treillis de bois. C'était la première fois que Gabrielle le voyait complètement détendu. « Seulement, je ne cesse d'attribuer à tort telle personne à telle branche de la famille, ou d'évoquer tel parent dont, pour quelque raison, on ne veut plus entendre parler. J'arrive à l'heure dite à un dîner, cela au grand désespoir de l'hôtesse, qui espérait que ses invités auraient une demi-heure de retard. Et enfin, gaffe suprême, j'ose interroger de jeunes personnes sur leurs lectures, initiative dont on peut être assuré qu'elle jette un froid. »

Tandis que Jordan parlait ainsi, l'humeur de Gabrielle avait achevé de se transformer. Elle imaginait ce jeune Yankee, si pondéré, au beau milieu d'un raout créole, s'efforçant de suivre le babillage de ces dames et se laissant désespérément égarer.

« Ne jamais aborder aucun sujet sérieux dans une telle soirée, dit-elle. Il convient de parler du dernier spectacle, ou de se vanter de son nouveau pur-sang.

— Voilà que vous me taquinez, miss Cannon. Mais peu m'importe puisque je vous fais sourire. » Jordan resta un instant silencieux, avec l'air d'hésiter devant une idée. « Miss Cannon, reprit-il enfin, j'aimerais conclure un marché avec vous, marché qui, j'en ai peur, me sera plus profitable qu'à vous.

— Je vous écoute, monsieur Scott.

— Vous me demandez dans votre lettre si je serais disposé à vous instruire en fait de politique ; si tel est toujours votre désir, je m'y emploierai volontiers. Mais en retour, je veux que vous m'appreniez à devenir un dandy.

— Un dandy, monsieur Scott ? Que voilà une singulière requête !

— Vous m'en croyez incapable ? Incapable de dire un compliment, de retrouver avec élégance le mouchoir ou l'éventail d'une dame ?

— Vous en êtes assurément capable, dit Gabrielle. Mais pour quelle raison voudriez-vous apprendre cela ? Voilà ce que je ne saisis pas. »

116

Jordan regarda au loin, et elle pensa que c'était en direction de la garçonnière, où logeait toujours Alex. « Disons que cela participe de mon éducation louisianaise. J'ignore combien de temps je vais séjourner à La Nouvelle-Orléans, mais tant que j'y suis, autant bien faire les choses. »

Elle remarqua son allusion à la situation incertaine qui devait être désormais celle de tout Nordiste se trouvant dans le Sud, mais elle ne releva pas. Il était bien préférable de profiter de cette heure de sursis, de deviser agréablement et de donner à Jordan Scott sa première leçon de badinage.

« Nous allons commencer par les présentations, dit-elle. Supposons que vous et moi nous rencontrons pour la première fois... »

Jordan montra au cours de sa leçon des dons d'esprit qui, lui assura Gabrielle, se révéleraient fort utiles.

« Un joli tour de langage... un mot spirituel... voilà ce dont il vous faut parsemer votre conversation, ce qui fera de vous le bienvenu en tous lieux.

— Vos propres exigences ne portent pas là-dessus, dit Jordan. Pourquoi toutes les demoiselles ne sont-elles pas comme vous ?

— Ah, mais je n'ai pas encore débuté, dit Gabrielle. C'est là toute la différence. Lorsque nous nous verrons cet hiver à La Nouvelle-Orléans, je m'attendrai à rencontrer un vrai dandy. Mais pour lors, monsieur Scott, ce dont j'ai vraiment besoin, c'est d'un ami. »

Son aplomb ne résista pas à l'expression de grave sollicitude apparue d'un coup dans les yeux de Jordan. Derrière elle, la maison silencieuse évoquait par trop une tombe, et l'inquiétude que lui inspirait l'état de son père balaya toute inclination à la légèreté. « J'ai peur, monsieur Scott. Terriblement peur.

— Je viendrai vous voir chaque jour, si cela peut vous aider. Si seulement je pouvais faire quelque chose ! »

Avec toute la bonne volonté du monde, Jordan Scott ne put rien faire de plus que les autres au cours des quelques jours qui suivirent. Tantôt brûlant de fièvre, tantôt grelottant de froid, Olivier Cannon gisait dans son lit, tandis que les siens attendaient anxieusement quelque signe de rémission. Le quatrième jour, il sombra dans un coma en lequel le docteur Delahaye et tante Mathilde virent avec une quasi-certitude le prélude de la fin.

Même alors, Gabrielle refusa de croire que son père n'allait pas se rétablir. Elle alla cueillir quantité de roses, coupant sans pitié les boutons les plus serrés, et fit un grand bouquet qu'elle demanda à Samantha de placer au chevet du malade. Elle se mit à glisser sous sa porte de petits billets pleins d'amour et d'encouragements. Afin de la préparer, Tom l'emmena un soir se promener dans le jardin et lui parla gravement de la condition de leur père.

Mais il n'est pas de préparation à une telle perte. Lorsque la mort survint, Gabrielle la combattit, repoussant les consolations de sa tante et l'affection de son frère. Elle s'échappa de leurs bras, dévala les escaliers pour gagner les écuries, où elle se jeta sur le dos de Brandy. Elle jaillit de la porte cochère, sauta par-dessus la palissade du paddock et s'élança au triple galop vers les champs comme si, filant comme le vent, elle allait attirer la mort sur elle et néanmoins la distancer.

Le joli mai était de son côté : dans un monde empli de fleurs épanouies et de prairies verdoyantes, de chants d'oiseaux et d'écureuils affairés, comment la mort aurait-elle pu avoir le dernier mot ? Il était impossible que son père fût mort. Elle n'écouterait pas ceux qui le prétendaient. Elle était pleine d'espoir ; lorsqu'il viendrait, le médecin les détromperait tous, il leur expliquerait que sous le coma, derrière le masque cireux d'Olivier Cannon, battait un pouls de plus en plus fort et que la guérison était là, qui attendait son heure.

Elle finit par arrêter Brandy, se laissa glisser le long de son flanc mouillé de sueur et lâcha enfin sa longue crinière d'alezane. Ici, en haut du tumulus indien, soufflait une brise plus fraîche qui, se glissant entre sa nuque et ses cheveux, peu à peu la rafraîchit. Bientôt, le sang cessa de battre à ses tempes et le feu de ses joues commença de s'apaiser.

Ici, dans un silence si parfait qu'elle eût pu se croire seule au monde, elle trouvait plus difficile de nier l'empire de la mort. Son regard erra vers le bois de chênes, dont les branches puissantes et les frondaisons faisaient au loin des taches vert foncé sur le fond du ciel. La maison était tapie derrière ces arbres, et pourtant elle paraissait toute proche. Comme si son esprit avait quitté son enveloppe corporelle, comme s'il était devenu insensible à la brise et sourd au chant du geai bleu qui s'égosillait derrière elle, elle sentit la profonde quiétude de la chambre de son père se refermer autour d'elle. La pénombre, volets hermétiquement fermés, le lit entouré d'une moustiquaire, et sur ce lit la forme de son père, immobile et silencieuse.

Elle ignorait d'où pouvait lui venir cette image, elle n'avait aucun souvenir conscient de la mort de sa mère, du jour où, petite enfant se raccrochant à sa nourrice, elle avait vu la maison s'emplir d'inconnus affluant de kilomètres à la ronde. Mais elle savait maintenant avec une froide certitude que son père n'était plus. Pendant encore un instant son cœur se raccrocha à cet espoir auquel l'esprit venait de renoncer. Puis l'idée de la mort s'imposa complètement. Gabrielle fut parcourue d'un tressaillement, perdit l'équilibre et roula à terre. Elle se pelotonna sur le sol, à même les coquilles aiguës, le visage dans les bras, et finit par s'abandonner à son chagrin.

C'est là que Tom la retrouva. Elle pleurait toujours. Il vint s'asseoir près d'elle et la tint contre lui jusqu'à ce qu'elle eût étanché ses larmes. Puis il l'aida à redescendre la petite pente, à se mettre en selle, et, chevauchant au pas, la raccompagna jusqu'à la maison. Nul ne parlait ; ils n'avaient pas besoin de mots pour se comprendre, et chacun savait qu'il faudrait en proférer beaucoup dans les jours à venir. Bientôt on viendrait de toute la région pour pleurer Olivier Cannon ; il leur faudrait alors rasséréner tous ces gens et les convaincre que sa disparition ne les laissait pas nécessairement démunis face à une conjoncture troublée, et qu'elle pouvait, bien au contraire, leur servir de point de ralliement.

Ce n'est que lorsqu'ils arrivèrent aux écuries que Tom parla. Il prit sa sœur par la main et, le regard sombre et résolu, lui dit : «A présent, Gabrielle, c'est à nous qu'il revient de mener Felicity comme elle l'a toujours été, de tenir bon la barre et d'assurer la pérennité de ces principes d'honneur et de décence que père nous a légués.

— Oui, Tom», dit Gabrielle. Elle sentit monter en elle une force nouvelle. Voici qu'elle avait un défi à relever, quelque chose de beau et de bon qui la soutiendrait durant les heures, les jours pénibles à venir. Elle n'allait pas se projeter au-delà de ce proche avenir ; la mort avait ses rituels, et d'ici à ce qu'ils eussent été observés, une voie se serait dessinée, et les impératifs quotidiens auraient repris le dessus. Celle qui s'était jetée à terre pour pleurer toutes les larmes de son corps n'était en définitive qu'une très petite partie d'elle-même. Il y avait une autre fille en elle, celle

119

qui avait suivi Tom sans peur, où qu'il la menât. Et cette fille-là porterait son fardeau, elle ne faillirait pas. Et si jamais l'autre, celle qui se croyait incapable de survivre à ce coup, essayait de saper sa résolution, elle ne l'écouterait pas.

Pendant de nombreuses années, Gabrielle s'était efforcée de montrer à son père qu'elle honorait dans chacune de ses pensées et de ses actions la mémoire de sa mère. Une tâche plus vaste et plus dure s'offrait maintenant à elle, celle de prouver au monde qui le pleurait qu'une part d'Olivier Cannon vivait toujours, non seulement en son fils, mais aussi en sa fille.

Ceux qui avaient été appelés à venir à la réunion organisée par Olivier Cannon, vinrent comme prévu, mais pour assister à ses funérailles. Voitures, cabriolets et simples cavaliers affluaient de toute la région. Quoique Gabrielle eût toujours entendu les gens parler de la position et l'influence de son père, ce ne fut que lorsque, debout dans le salon entre son frère et sa tante, elle écouta les éloges qu'en faisaient les visiteurs, qu'elle réalisa l'aura et la grandeur de son nom.

Ce n'étaient qu'évocations de secours qu'il avait prodigués, de sages décisions qu'il avait prises. Et toujours ces mêmes paroles, répétées encore et encore : « En plus de tout cela, il comptait parmi mes amis les plus chers. »

Vint le moment où elle crut flancher, incapable de souffrir plus longtemps qu'on lui rappelle constamment l'ampleur de ce qu'elle venait de perdre. Mais Alex, qui n'avait guère quitté Tom depuis la mort d'Olivier Cannon, l'emmena dehors pour lui faire respirer une bouffée d'air frais. Arpentant avec elle la longueur de la galerie, gardant le silence, il la laissa reprendre le contrôle de ses émotions.

Puis, comme ils allaient regagner l'intérieur, il s'arrêta avec l'air de choisir soigneusement ses mots.

« Écoutez, dit-il, ce que je vais dire ne va peut-être vous être que d'un maigre réconfort... Les mots que l'on utilise normalement en pareilles circonstances me paraissent bien faibles.

— Vous êtes très gentil, dit-elle. Tout le monde est... » Sa voix mourut, et elle laissa errer son regard en direction du bois de chênes, à ce point refermée sur son chagrin qu'elle entendait à peine ce qu'il disait.

120

« Miss Cannon, fit-il en lui prenant la main. Je vous en prie, écoutez-moi. »

Alors elle le regarda, levant vers lui des yeux que la douleur rendait mornes, que les larmes avaient rougis. Elle semblait si vulnérable, si démunie qu'Alex manqua perdre courage, craignant d'aviver encore sa peine.

« Je vous écoute, monsieur Saint-Cyr.

— Je voulais seulement dire... mon Dieu, miss Cannon, j'ai moins l'habitude de cela que des formules toutes faites et des clichés obligés... »

Un pâle sourire vint aux lèvres de Gabrielle et illumina brièvement son regard. « Vous vous employez à me distraire, monsieur Saint-Cyr, et vous y parvenez presque. Mais, je vous en prie, qu'essayez-vous de me dire ? »

Il lui tenait toujours la main. Il lui prit l'autre et, la tenant ainsi, se pencha vers elle. « Seulement que, quelque terrible que puisse être la perte que vous venez de subir, il faut que vous imaginiez combien il eût été pire encore pour vous de n'avoir pas eu un père tel que le vôtre. »

Elle sentit son cœur se serrer et se pencha pour embrasser Alex sur la joue. « Merci, dit-elle. Oui, bien sûr. C'est une idée à laquelle se raccrocher. » Elle accepta le mouchoir que lui tendait Alex et essuya ses larmes. C'est vrai, se dit-elle en passant le seuil, je n'ai pas vraiment perdu papa. Nous avons été trop proches, nous avons eu trop d'amour l'un pour l'autre, pour que je renonce à croire qu'il m'accompagnera toujours.

Puis, lorsque Alex la raccompagna auprès de la bière de son père, une autre pensée lui causa quelque douleur. Mais cette douleur naissait de sa sympathie pour le jeune homme. Se rappelant tout ce qui lui avait été dit d'Hector Saint-Cyr, et le comparant à cet éloge de son père, elle sut que si elle avait à choisir entre sa douleur présente et celle qu'Alex portait en lui, son choix se porterait sur la mort de son père, survenant après toute une vie d'amour et d'attentions.

Plus tard, lorsqu'ils revinrent du cimetière de la plantation et, tous très las, se rassemblèrent pour prendre le repas préparé par Letha, Jordan Scott s'approcha de Gabrielle. « Il est peut-être présomptueux de ma part de dire quoi que ce soit au sujet de cet homme que j'ai à peine connu. Mais je dois vous dire, miss Cannon, que je ne me souviens pas avoir jamais entendu

121

louanges si nombreuses et si sincères. Quel souvenir il laisse !

— Oui, dit-elle. Et jamais nous ne saurons s'il aurait pu empêcher la guerre. » Elle secoua la tête, tenant son mouchoir contre ses yeux. « Cela devrait m'affecter, le fait que notre région, notre État aient perdu un tel homme... mais il n'en est rien, monsieur Scott, il n'en est rien !

— Nous n'allons pas tarder à vous quitter, Alex et moi. Mais je veux que vous me promettiez que si jamais vous avez besoin d'un ami, vous me ferez signe, sachant que je viendrai à vous aussi vite que possible.

— Je suis désolée de ne pas vous voir cet hiver, dit Gabrielle en essayant de sourire. Nul doute qu'avec vos talents tout neufs vous allez moissonner les succès à La Nouvelle-Orléans. Il faudra que vous m'écriviez pour me raconter tout.

— Vous n'y serez pas ? Bien sûr que non, je suis idiot. Alors ce sera à moi de venir. Votre frère m'a invité à une partie de chasse, et puis il y a aussi cette visite de la raffinerie, que vous m'avez promise. »

Elle avait conscience qu'il s'efforçait de la distraire, de lui faire penser à la routine de la vie quotidienne. Cependant, en dépit de son chagrin, elle avait remarqué l'hésitation avec laquelle certains amis et voisins avaient salué le jeune homme, la hâte avec laquelle, sitôt les présentations faites, ils s'étaient tournés vers quelque autre personne de connaissance. Tous n'avaient pas, bien sûr, agi de la sorte. Certains, en entendant son accent de Boston, faisaient quelque observation aimable avant d'orienter la conversation sur l'événement qui les amenait ici. Il en irait bien différemment à La Nouvelle-Orléans, où le nom de Saint-Cyr ouvrirait de nombreuses portes même à un parent portant un autre patronyme. Toutefois, se dit Gabrielle lorsque, cette longue journée enfin arrivée à son terme, elle put aller se réfugier dans sa chambre, il serait faux de penser qu'une amitié avec M. Scott peut s'épanouir aussi facilement que si nous vivions tous les deux du même côté de la ligne Mason-Dixon.

« Je sais parfaitement que ce que nous vous demandons n'est pas simple et présente de sérieuses difficultés », dit M. Robin à Tom Cannon. Il regarda les autres hommes assemblés dans le bureau d'Olivier Cannon au lendemain des funérailles. « Mais nous en avons parlé entre nous et nous sommes tombés d'accord. Il faut que vous remplaciez votre père à la convention de Baltimore. Nul autre que vous ne peut combler le vide qu'il laisse derrière lui.

— Je vous remercie, mais je ne saurais accepter», dit Tom. Sans s'en rendre compte, il adopta une posture familière de son père, s'accotant au vaste bureau, jambes croisées, et se passant la main dans les cheveux. «Il doit y avoir dans la région une bonne douzaine d'hommes capables de s'acquitter de cette fonction mieux que je ne saurais le faire.»

Une nouvelle fois, M. Robin parcourut la pièce du regard, comme pour solliciter l'approbation de ses pairs. «Là n'est pas la question, Tom. Le nom de Cannon est connu et respecté. Nous pensons que la présence dans nos rangs du fils d'Olivier Cannon peut beaucoup pour renforcer la cause modérée.

— Évidemment, en voyant les choses comme cela, je ne peux qu'accepter.» Tom se passa la main dans le cou et se massa la nuque comme pour dissiper la fatigue de ces derniers jours. «Seulement, si je veux arriver à temps à Baltimore, il faut que je me mette immédiatement en route...

— Est-ce que cela vous est possible? demanda M. Robin. Je sais que nous vous demandons beaucoup...»

Tom eut un sourire. «Il semble que je n'aie pas le choix.» Déjà, il réfléchissait à toute allure. Il allait en discuter avec Adams; le contremaître de Felicity était un des plus compétents de la région. Cette période, entre le repiquage et la moisson, était probablement celle pendant laquelle son absence serait la moins gênante. On n'avait pas encore pris connaissance du testament de son père, mais cela pouvait se faire rapidement. Ne resterait à Gabrielle et tante Mathilde qu'à répondre à l'abondant courrier que l'on avait reçu, et à recevoir les visiteurs qui n'avaient pu arriver à temps pour les funérailles.

«C'est avec plaisir que je me rendrai à Baltimore, dit-il en s'avançant pour serrer la main de M. Robin. Et je vous promets de tout faire pour ne pas décevoir votre attente, même si je ne me fais guère d'illusions quant à ma capacité à remplacer totalement mon père.

— Bien parlé, fit M. Robin. Nous allons vous laisser car votre famille a besoin de vous. Cependant, j'aimerais vous voir plus tard dans la journée pour discuter avec vous les différentes questions à traiter.

— Je passerai chez vous vers les quatre heures, dit Tom. D'ici là, je me serai organisé pour le voyage. »

Il raccompagna ses visiteurs, puis se mit en quête de tante Mathilde. « Le mieux serait sans doute de demander à Delahoussaye de venir nous lire le testament ce soir, lui dit-il lorsqu'il l'eut trouvée. Je suppose qu'il sera de pure forme, mais je serai plus tranquille si tout est réglé avant mon départ. »

Tante Mathilde eut un soupir, ce qui ne laissa pas d'étonner son neveu. Il ne se souvenait pas d'avoir jamais vu sa tante soupirer ; une énergie sans faille la soutenait dans ses activités incessantes, et aucun signe de lassitude ne venait jamais les ponctuer. « Vous êtes épuisée, dit-il. Et moi qui me propose de vous laisser la charge de la maisonnée... Je ne pars plus, tante Mathilde. Je vais dire à Robin que cela m'est impossible...

— Absurde ! Quelques bonnes nuits de sommeil, et je serai fraîche comme une rose. » Elle marqua une pause, regardant par la fenêtre comme si, de l'endroit où elle se trouvait, elle pouvait apercevoir la tombe de son frère. « Dormir ne va pas atténuer ma douleur, mais j'y trouverai la force de l'endurer. » Elle posa la main sur l'épaule de son neveu. « Tu peux partir tranquille, Tom. Au cours de ces derniers jours, Gabrielle a montré une étonnante maturité ; je vais pouvoir me reposer sur elle pour bien des choses, ce que je n'aurais pas envisagé il y a encore quelque temps.

— Je pense qu'il me faut y aller, dit Tom. Même si c'est à contrecœur.

— Oui, il le faut. Ton père aurait été le dernier à te retenir ici si le Sud t'appelle ailleurs.

— Le devoir passe avant tout », conclut le jeune homme en pensant au sacrifice que son père avait fait de sa vie.

M. Delahoussaye, notaire d'Olivier Cannon, donna lecture du testament ce soir-là après dîner. Les termes du document n'eussent pu être plus simples, ni les affaires du défunt mieux ordonnées. « Un testament particulièrement bien fait, commenta Delahoussaye en fixant Tom et Gabrielle par-dessus son pince-nez. Tout à fait typique de votre père. J'aimerais que mes autres clients suivent son exemple. » Puis il résuma la teneur du document en procédant lentement afin d'être certain que tout était bien compris.

Tous les biens d'Olivier Cannon, tant Felicity que ses propriétés de La Nouvelle-Orléans, devaient être gérés conjointement par ses deux enfants ; ceux-ci s'en partageant les revenus à parts égales, avec obligation de subvenir aux besoins de leur tante. « La maison ira au premier de vous qui se mariera, dit Delahoussaye. L'autre recevra alors, en espèces ou en nature, l'équivalent de la valeur de cette maison. Mais je suppose que ce n'est pas encore pour tout de suite ? »

Satisfait de voir, à leur expression, que ni l'un ni l'autre des légataires ne dissimulait un engagement dans ce sens, le notaire reprit le testament pour l'étudier dans le détail. « Voici une liste de vos propriétés à La Nouvelle-Orléans ; je vous la laisse afin que vous puissiez en prendre tranquillement connaissance. Tom, votre père avait entière confiance en votre connaissance des affaires de la plantation et en vos capacités à les mener. Je propose que nous nous rencontrions dès que possible avec votre contremaître — Adams, je crois — afin de faire l'inventaire des biens meubles et du bétail. Ah, mais j'oubliais : vous partez demain pour Baltimore. Aucune importance, cela peut attendre votre retour.

— Je peux m'en charger », dit Gabrielle.

Le notaire remonta ses verres sur son nez pour regarder la jeune fille. « Je m'en voudrais de vous déranger, miss Cannon. Vous allez être suffisamment occupée comme cela par l'inventaire du contenu de la maison, dont les bijoux, l'argenterie et le reste.

— Apprenez, M. Delahoussaye, intervint tante Mathilde, que le contenu de cette maison, tant biens personnels qu'ameublement, est inventorié tous les ans, et que la liste en est vérifiée chaque trimestre.

— Je vais donc avoir tout le temps de travailler avec vous et M. Adams », reprit Gabrielle.

Le notaire cessa de ranger ses papiers. La feuille qu'il tenait donna contre le bureau avec un petit bruit sec. « Vraiment, cela peut attendre le retour de votre frère, dit-il en s'autorisant un ton très légèrement agacé.

— Toutefois, ce n'est pas une nécessité, dit Gabrielle.

— Oui, qu'elle voie cela avec vous, Delahoussaye, dit Tom. Gabrielle en sait déjà beaucoup sur Felicity, et cela ne lui fera pas de mal d'en apprendre un peu plus.

— C'est comme il vous plaira, bien sûr, fit le notaire. Et maintenant, si vous n'avez pas de questions...

— Et les esclaves ? s'enquit Gabrielle. Mon père n'en dit-il rien ?

— Ils font partie des biens meubles, miss Cannon...

— Avec les charrues et les mules.

— Miss Cannon...

— Est-ce qu'il... en affranchit ?

— A l'origine il en avait l'intention, en effet.

— Et à présent ?

— Il s'est ravisé dans un codicille rédigé au début d'avril de cette année. Je vous le lis. »

Gabrielle ferma les yeux, essayant d'entendre la voix de son père derrière les intonations mesurées du notaire.

« "Ce codicille est justifié par l'agitation et l'incertitude que connaît notre région. Affranchir actuellement les susnommés esclaves serait pure folie, car ce serait les lâcher dans un monde qui est peut-être à la veille de formidables bouleversements. En conséquence, ma volonté est qu'aucun esclave ne soit affranchi pour l'instant. Lorsque les circonstances auront changé — et je sais dans quel genre de monde ils pourront vivre —, je rédigerai un nouveau codicille, affranchissant ceux qui seront capables de supporter le fardeau de la liberté." »

— Mais enfin... Papa aurait-il donc senti la mort venir ? demanda Gabrielle.

— Ma chère Gabrielle, expliqua M. Delahoussaye. Tout testament est fait en connaissance que son auteur mourra un jour ; bien peu le sont dans l'attente d'une mort prochaine. Il se trouve simplement que votre père était un homme très sage et responsable. Il modifiait fréquemment son testament afin de l'ajuster à ce qu'il jugeait être les besoins de sa famille ; et aussi, bien sûr, afin de l'ajuster à la valeur croissante de son bien. C'est dans cet esprit qu'a été rédigé ce codicille.

— Il avait l'intention d'affranchir Véronique, dit Gabrielle. Il m'a promis de le faire, la veille du jour où il est tombé malade.

— Véronique ? » Delahoussaye se tourna vers Tom. « Vous paraissez surpris, Tom. Votre père ne vous avait pas parlé de ce projet ?

— Non... mais nous n'en avons guère eu le temps. »

Delahoussaye tapota d'un doigt interminable le testament. « Le codicille est clair à ce sujet. Il souhaitait n'affranchir aucun esclave.

— Mais ils sont à nous à présent... commença Gabrielle pour se taire sur un regard de son frère.

— En effet, techniquement, ils le sont, dit le notaire. Mais il faut que le testament soit d'abord enregistré, puis que la succession soit exécutée ; si l'on ajoute à cela l'absence de Tom, il faut compter avec un retard inévitable.

— Vous voulez dire que nous ne pouvons pas affranchir Véronique ? interrogea Gabrielle.

— Je ne vous conseillerais pas, miss Cannon, de vous défaire de quelque bien que ce soit, avant que le domaine soit légalement vôtre. » Le fait qu'il eût cessé d'user de son prénom, signifiait qu'il eût été vain de poursuivre sur ce chapitre. Gabrielle se permit un coup d'œil agacé en direction de Tom, puis garda le silence jusqu'à ce que les ultimes questions de détail eussent été réglées et que l'on eût raccompagné l'homme de loi.

« Que veux-tu dire, Gabrielle ? demanda tante Mathilde sitôt la porte refermée. Olivier aurait dit qu'il allait affranchir Véronique ?

— C'est moi qui le lui ai demandé. Il a accepté.

— Mais à quelle fin ? Elle ne pourrait pas vivre ici ! » Tante Mathilde semblait presque effarée, comme si on venait de lui apprendre que Véronique emménagerait le soir même dans la maison.

« Nous avons parlé de l'établir modiste à La Nouvelle-Orléans », commença Gabrielle. Elle se garda de poursuivre en remarquant l'expression de son frère. Tom paraissait sur le point d'exploser, comme si ses lèvres serrées, ses prunelles rétrécies allaient, malgré lui, donner libre cours à l'émotion qu'il s'efforçait de contenir. « Mais c'en était encore au stade de projet...

— Bon, dit tante Mathilde. Nous avons tous suffisamment de préoccupations en tête sans qu'il soit besoin de soulever de nouveaux problèmes. Tom part demain pour Dieu sait combien de temps. Et comme M. Delahoussaye l'a dit, Gabrielle, rien n'est encore à vous.

— Je ne cherche pas à soulever de nouveaux problèmes », dit Gabrielle.

L'expression de Tom se radoucit. Il prit sa sœur par les épaules et l'attira à lui. « Mais bien sûr, Gabe. Seulement, tante Mathilde a raison : rien n'est encore à nous. Et tant que le domaine n'est pas légalement nôtre, nous ne pouvons rien faire pour Véronique.

— Oui, mais plus tard, lorsque nous serons propriétaires, tu seras d'accord pour l'affranchir, n'est-ce pas, Tom ? »

Gabrielle vit que les yeux de sa tante étaient rivés au visage de Tom. Elle a peur, se dit-elle, tout comme papa avait peur. Mais sa peur est d'une autre nature. Il n'était pas venu à l'esprit de papa que Tom pourrait un jour épouser Véronique. Tante Mathilde a peur que lorsque, au mépris des lois qui le prescrivent, elle aura été affranchie, il ne le fasse.

7

Les lames des persiennes délimitaient d'étroites bandes brûlantes de ciel bleu. Une vague de chaleur étouffante recouvrait
La Nouvelle-Orléans à la manière d'un voile de coton humide.
Chaque fois qu'il lui fallait quitter les hautes pièces de la maison
d'Esplanade Avenue, Gabrielle pensait avec nostalgie à Felicity,
à sa voûte de verdure et à la brise qui montait le soir du bayou
et dispensait par les fenêtres ouvertes une fraîcheur propice au
sommeil.

Elle n'avait pas eu une bonne nuit de sommeil depuis qu'à la
mi-juillet elle et tante Mathilde étaient arrivées à La Nouvelle-
Orléans. Elle avait d'abord imputé ceci au chagrin que lui causait la mort de son père. Puis elle avait attribué son insomnie à
ce séjour en ville, inhabituel en plein été, avant de comprendre
que la coupable en était cette terrible chaleur qui, jour après jour,
rendait plus accusés les cernes de ses yeux et plus pâle son teint.

L'horloge du palier sonna quatre heures. Gabrielle se mit sur
son séant, soulagée à la pensée que la maison allait bientôt s'animer, et qu'elle pouvait quitter ces draps moites, cet air immobile, pour gagner les pièces plus fraîches du rez-de-chaussée. Elle
tendit le bras pour sonner Véronique, se promettant, à présent
que Tom était rentré de voyage, de le pousser à œuvrer avec elle
à l'affranchissement de la jeune esclave.

Il ne faut pas si longtemps pour régler la succession, se dit-elle en se levant pour enfiler une chemise de batiste. Et même très accaparé par la politique, Tom ne négligera pas ses responsabilités envers Véronique. Il était rentré la veille au soir ; le frère et la sœur s'étaient vus au dîner, et la conversation avait uniquement porté sur la campagne présidentielle et l'influence qu'aurait son issue sur les chances de réconciliation et de paix.

« Les différentes personnalités de la région ont peut-être rendu hommage à la mémoire de notre père, avait déclaré Tom, mais ils n'ont pas suivi ses conseils. Modération et compromis sont deux mots qui ont été bannis du lexique sudiste. Là où nous avions deux conventions démocrates et deux candidats à l'investiture, nous en avons maintenant trois. Et Dieu sait si ce nouveau groupe dissident rend plus que jamais impossible un quelconque accord avec le Nord. »

Il avait fallu quelque temps à Gabrielle pour s'y retrouver entre les différents groupes et leurs candidats. Assise devant sa coiffeuse, elle les récapitula en comptant sur ses doigts, bien décidée à ne pas se tromper. « Voyons voir... Les démocrates du Sud, ceux qui ont commencé à faire scission à la convention de Charleston, ont désigné John Breckenridge, et Tom pense que c'est un bon choix. Les démocrates majoritaires ont, eux, désigné Stephen A. Douglas, dont Tom pense du bien mais estime qu'il ne trouvera absolument aucun appui dans le Sud. Et enfin, un troisième groupe de démocrates, apparemment mécontent de ces deux désignations, vient de former un parti de l'Union nationale et constitutionnelle, et soutient comme candidat à la présidence un dénommé John Bell... »

Elle eut un soupir et se pencha vers le miroir pour se pincer les joues jusqu'à ce qu'y vienne une légère rougeur. « On ne m'ôtera pas de l'idée, dit-elle en regardant son reflet, que ceux-là mêmes qui avertissent tout un chacun de la gravité de cette élection ne la prennent eux-mêmes pas suffisamment au sérieux. S'ils continuent sur cette voie, ils vont être cause d'une guerre ! »

Derrière elle, la porte s'ouvrit sur Véronique portant un verre de limonade sur un plateau d'argent. Chaque fois qu'elle voyait la jeune métisse, Gabrielle repensait à une scène qui avait eu lieu la veille de leur départ pour La Nouvelle-Orléans. Deux jours plus tôt, Lucie avait contracté une fièvre, laissant Gabrielle sans femme de chambre pour l'accompagner. Il semblait naturel d'emmener Véronique ; en plus de servir Gabrielle, elle trouve-

130

rait à La Nouvelle-Orléans tout ce dont elle aurait besoin pour la confection des toilettes de deuil de la jeune fille et de sa tante. De plus, s'était dit Gabrielle, même si je ne vais rien en dire, puisque tante Mathilde a paru si surprise par l'idée, je vais faire quelque recherche en vue d'établir Véronique lorsqu'elle aura été affranchie.

Cependant, sa tante s'était d'abord montrée intraitable. Véronique ne venait pas, quoiqu'elle fût incapable de dire les raisons de son refus et de proposer un autre nom. Vers la fin de l'entrevue, la nièce et la tante étaient au bord des larmes. Puis tante Mathilde avait fini par baisser pavillon. Encore quelques mois plus tôt, c'eût été Gabrielle qui eût fait machine arrière. Mais elle avait tenu bon et ignoré, sans jamais y refaire allusion, le refus de sa tante.

Elles s'étaient donc transportées à La Nouvelle-Orléans, et Véronique s'était installée dans la petite chambre voisine de celle de Gabrielle. Tante Mathilde était occupée à ses propres affaires, recevant les visites de condoléances d'un large cercle de relations, allant elle-même un jour en visite chez des parents de son mari, en leur maison du bayou LaFourche.

«Maintenant que Tom est rentré, dit Gabrielle, nous allons pouvoir commencer les démarches qui doivent être faites en vue de ton affranchissement.

— Je n'y pense guère», dit Véronique. Elle alla prendre dans l'armoire une robe noire. «Cela fait si longtemps que j'attends, je peux bien patienter encore quelques mois.

— Quelques mois ! Cela ne va pas prendre des mois. Tom et moi sommes les seuls héritiers, et je vais te dire une bonne chose, Véronique : quand j'ai vu l'importance des biens de mon père, et quand j'ai réalisé combien il payait ses avocats... Je peux t'assurer d'une chose : ils vont expédier cela aussi vite que possible.

— Les seuls héritiers... commença Véronique, hésitante.

— Oui ? Qu'allais-tu dire ? » Gabrielle ôtait sa chemise pour se passer sur la gorge et les bras de l'eau légèrement parfumée d'eau de Cologne.

«Je ne devrais pas te demander cela, dit la métisse. Cela ne me regarde pas...

— Oh, Véronique, pour l'amour du Ciel !

— Ton père... est-ce qu'il a laissé quelque chose à Mme LeGrange ? »

131

Gabrielle prit la serviette que Véronique lui tendait. Elle se sécha, puis tamponna une houpette dans un pot de cristal. Elle s'immobilisa, houpette pleine de poudre de riz à la main, et regarda Véronique. « Non, rien. Il a enjoint Tom et moi de l'entretenir, mais il ne lui a pas à proprement parler laissé quelque chose. » Elle se poudra gorge et bras, contemplant dans le miroir le petit nuage odorant qui l'environnait. « Je suppose qu'elle a de l'argent à elle... en fait, je n'y ai jamais vraiment réfléchi.

— Je ne pense pas qu'elle en ait », dit Véronique. Elle posa la robe sur une chaise et vint coiffer Gabrielle. « Abigail en parlait juste après la mort de M. Cannon. Elle espérait qu'il aurait laissé quelque chose à Mme LeGrange ; elle disait que ta tante n'avait rien à elle.

— Mais pourtant, elle et oncle Louis possédaient un immense ranch au Texas, un important troupeau. J'ai toujours cru qu'ils avaient prospéré.

— Selon Abigail, ils ont perdu beaucoup d'argent ; c'est pourquoi Mme LeGrange est revenue par ici à la mort de son mari.

— Tu veux dire que si elle ne vivait pas avec nous, tante Mathilde serait complètement démunie ? Qu'elle serait obligée de regarder à tout ? Mon père lui serait sûrement venu en aide...

— Je ne devrais pas parler de tout cela, dit Véronique. Mais Abigail avait un tel espoir que désormais il y aurait un peu d'argent... Je suis sûre que Mme LeGrange lui a dit qu'il n'en serait rien. »

Gabrielle la regarda disposer dans sa chevelure un dernier peigne de jais, puis elle se leva et tendit les bras pour enfiler la robe noire. « Je ne veux pas me faire l'avocat du diable, Véronique, mais quelle différence cela ferait-il si papa avait laissé de l'argent à ma tante ? Elle a tout ce qu'il lui faut, tout ce qu'elle désire ; jamais il ne lui a rien refusé. Tom et moi n'allons rien y changer. Une des premières entrées dans les comptes domestiques de papa est l'allocation personnelle qu'il versait à tante Mathilde pour qu'elle en use à sa guise. Tom et moi allons continuer de la lui verser, bien sûr. Que pourrait-elle désirer de plus ?

— Je ne vois pas ce qu'elle pourrait désirer de plus, dit Véronique en boutonnant la robe. Seulement je ne suis pas Abigail.

— Tout ceci est très ennuyeux, dit Gabrielle en plaçant un col de dentelle sur l'encolure de la robe. Si tante Mathilde souhaite plus d'argent, elle n'a qu'à demander. Elle doit bien s'en douter, tout de même !

— Je savais bien que je n'aurais pas dû parler de ça.

— Tu peux parler de tout ce que tu veux. Il n'y a aucune barrière entre nous...

— Sois-en remerciée, fit Véronique en déposant un baiser rapide sur la joue de Gabrielle. Attends, je vais le fixer. » A l'aide d'une broche de jais, elle épingla le col de dentelle, puis recula pour juger de l'effet produit. « Très comme il faut, dit-elle. Même un avocat de La Nouvelle-Orléans en sera impressionné.

— Peu importe de l'impressionner, pourvu qu'il fasse ce que j'attends de lui. »

Gabrielle attendit la fin de l'entrevue avec maître Guillot, avocat qui s'occupait des affaires d'Olivier Cannon à La Nouvelle-Orléans, pour aborder le cas de Véronique. « Il y a autre chose dont j'aimerais que nous parlions, dit-elle en jetant un coup d'œil à son frère. C'est ce dont je t'ai touché un mot, Tom, à la veille de ton départ pour Baltimore, à propos du projet qu'avait papa d'affranchir Véronique.

— Gabrielle, nous n'en avons même pas discuté, toi et moi...

— C'est juste. Mais nous n'avons aucune raison de ne pas profiter de ce que nous sommes ici, pour mettre au point une procédure légale. Cela facilitera notre décision. »

Maître Guillot leva les yeux d'une liste qu'il avait en main. « Vous avez dit Véronique ?

— Oui, fit Gabrielle.

— Ce nom ne figure pas sur cette feuille.

— Comment ? » Gabrielle se pencha par-dessus le bureau. « Puis-je voir cette liste, je vous prie ?

— Mais certainement. » L'avocat lui remit le papier, puis se carra dans son fauteuil, les mains croisées sous le menton. Son expression était limpide : il était trop souvent sollicité par des clients dont les aspirations n'étaient pas fondées et dont le raisonnement ne reposait sur rien de solide.

« Son nom n'est pas porté sur cette liste, dit Gabrielle en tendant la feuille à son frère. Comment cela se peut-il ? »

Tom parcourut le document. « C'est vrai, il n'y est pas. Je ne vois pas pourquoi... à moins que, bien sûr... Oui, c'est cela :

Véronique n'appartenait pas à père, Gabrielle. Elle appartient à tante Mathilde.

— A tante Mathilde ? Mais alors pourquoi ne l'a-t-elle pas dit, le soir où j'ai parlé du projet de papa ? Et pourquoi celui-ci a-t-il promis de lui offrir la liberté ?

— Est-ce que ce sont exactement ses paroles ?

— Mais bien sûr. Attends que je réfléchisse. » Gabrielle ferma les yeux pour se remémorer sa conversation avec son père. « Oui, j'en suis certaine. Il a dit qu'il l'affranchirait.

— Il devait avoir l'intention d'en parler avec tante Mathilde, dit Tom. Et je suppose que, compte tenu de l'amour et de la confiance qui régnaient entre eux, il comptait qu'elle serait d'accord.

— Il paraît étrange qu'il ne vous ait pas tout simplement dit que cette femme ne lui appartenait pas, intervint l'avocat, et qu'il n'avait aucun pouvoir de décision en ce qui la concernait.

— Je n'ai pas ce sentiment, dit Gabrielle. En dépit du fait que mon père a veillé à ce que je reçoive une éducation comparable à celle de bien des hommes, j'ai bien peur qu'en certains domaines il ne m'ait celé des choses, comme on le ferait avec une enfant.

— Gabrielle ! fit Tom. Comment peux-tu parler ainsi de notre père ?

— Je ne le dénigre pas, Tom, tu le sais bien. Seulement, les choses sont ainsi faites. Plus par tradition que parce que cela se justifie vraiment, on cherche à protéger une jeune fille dans ma position contre certains aspects de la réalité. Sans doute est-ce dans cet esprit que papa m'a répondu. Il pensait pouvoir obtenir ce que je lui demandais, et n'a pas jugé important de m'en faire connaître les détails. »

Au fond de son fauteuil, Tom tripotait machinalement la montre retenue à son gilet par une grosse chaîne d'or. « Je vois bien ce que tu veux dire, Gabe. Moi-même, il a pu m'arriver de me heurter à ce genre de mur. » Il regarda maître Guillot. « Rien ne sert de parler de cela ici. De toute évidence, il faut que nous interrogions notre tante.

— En effet, acquiesça l'avocat. Et même si elle accepte, il faudra recourir à certaines manœuvres afin de rester dans la légalité. Techniquement, la loi interdit d'affranchir un esclave.

— Je suis certain, dit Tom, que vous êtes rompu à toutes les manœuvres. Quelque coûteuses qu'elles puissent être. »

Un petit sourire vint éclairer la froideur de maître Guillot. «Vous pouvez compter sur moi, dit-il.

— S'il n'y a rien d'autre, nous allons prendre congé, dit Tom. Bien sûr, nous vous tenons informé de ce que notre tante décide au sujet de Véronique.

— Encore une question, mais d'intérêt personnel cette fois, dit l'avocat. Si vous avez le temps, bien sûr...

— Je vous écoute», dit Tom.

Maître Guillot se carra dans son fauteuil, se croisant à nouveau les mains sous le menton. «Je crois savoir qu'après la convention de Baltimore vous vous êtes promené à travers le Sud pour rencontrer les édiles de différentes villes?

— En effet. Étant dans chaque réunion le plus jeune et le moins expérimenté, j'ai écouté beaucoup plus que je n'ai pris la parole. Et je dois dire que j'ai été à la fois déçu et effrayé de découvrir que la raison n'avait guère sa place aux tables de conférence, et qu'en revanche l'émotion y présidait bien souvent.

— Eh oui, fit l'avocat. On envoie toujours promener la raison lorsqu'il s'agit de faire place à cette amie qu'on appelle la guerre.

— Est-ce qu'il va y avoir une guerre? interrogea Gabrielle. Tous, vous le dites, et vous ne faites cependant rien pour empêcher cette folie!

— Vous l'avez dit, miss Cannon, il s'agit d'une folie.» L'avocat prit sur son bureau un papier couvert de gros caractères. «L'auteur de ce tract est partisan d'une guerre, dit-il en laissant retomber la feuille. Et il n'est pas tout seul. Les rues sont couvertes d'affiches de cette teneur, qui répandent leur poison incendiaire.»

Tom ramassa le tract et le tint de sorte que Gabrielle pût également le lire. «Dieu merci, dit-il, Breckenridge ne va pas se faire le champion de tels sentiments. C'est pourquoi j'ai l'intention de consacrer beaucoup de temps et d'énergie à son élection:

— C'est là ce qui nous différencie, dit maître Guillot. Avec l'espérance propre à la jeunesse, vous travaillez à rendre le monde meilleur, et moi, vieux cynique que je suis, je me prépare à fuir.

— Pardon? fit Tom.

— Je consolide tous mes investissements, je prends des dispositions pour vendre tout ce qui pourra l'être, et transporter à l'étranger tous mes fonds.»

Saisi d'une grande fixité, Tom regardait l'avocat comme dans

135

l'attente que celui-ci poursuive. Puis, l'air très jeune et sans confiance en soi, il demanda : « Et vous-même, vous comptez quitter le pays ?

— Pas pour l'instant, répondit l'autre. Peut-être jamais. Cela va dépendre des événements. » Il donna une chiquenaude à la liste des biens de la famille. « M. Cannon, je ne suis pas en train de vous conseiller de suivre mon exemple. Vous m'avez demandé quelle était ma position en tant que personne privée, et je vous réponds. Je suis célibataire et ne compte plus que quelques parents fort éloignés. Mes biens sont facilement réalisables. Votre situation est plus complexe, et peut-être le facteur prépondérant est-il votre jeunesse, à vous et à votre sœur. Prendre des dispositions pour s'assurer une certaine sécurité pendant la dernière partie de sa vie est une chose. C'en est une autre de — comment dirais-je ? — d'abandonner sa position avant même qu'elle ne soit vraiment assise.

— Nous avons du temps, fit observer Tom. La guerre n'est pas pour demain. Peut-être même, si l'élection tourne bien, sera-t-elle évitée.

— C'est ce que nous espérons », dit maître Guillot. Il se leva pour raccompagner ses visiteurs jusqu'à la porte. Là, il marqua un temps d'arrêt. « Votre père était fier de vous et vous portait une grande affection, dit-il. Je sais maintenant pourquoi. » Puis, comme si cet affleurement sentimental eût été une entorse à son propre code de conduite, il s'inclina, tourna les talons et disparut à l'intérieur de son cabinet.

« Drôle de personnage, commenta Gabrielle. Je ne sais si je l'apprécie ou non.

— C'est quelqu'un de bien, dit Tom. Et d'intelligent. S'il n'est pas d'obstacle insurmontable à l'affranchissement de Véronique, il saura exactement comment procéder.

— Je sais que je n'aurais pas dû te soumettre cela à brûle-pourpoint, dit Gabrielle comme son frère l'aidait à remonter en voiture. Mais je tenais à faire avancer les choses. Je ne me doutais pas qu'il y avait un problème. »

Tom prit les rênes et conduisit les chevaux dans la rue. Gabrielle leva automatiquement son éventail devant son visage, humant le parfum dont il était imprégné, afin de ne pas sentir la puanteur des ordures pourrissant aux abords de la chaussée. Cela lui rappela un commentaire qu'Alex avait émis un ou deux jours plus tôt.

« La Nouvelle-Orléans est peut-être une grande dame, avait-il dit comme ils y flânaient en fin d'après-midi, mais il serait bon qu'elle se soucie un peu plus de sa toilette. »

« Ah, Tom, fit-elle, je n'ai pas eu le temps de te dire quel fidèle ami M. Saint-Cyr s'est révélé. Non seulement à Felicity, où il nous a fait une visite éclair à chaque passage de son vapeur, mais également ici. A notre arrivée la semaine dernière, un grand panier de fruits nous attendait, et assez de fleurs pour garnir tous les vases de la maison. Et tante Mathilde avait à peine retiré des meubles leurs voiles de protection que déjà il nous faisait tenir sa carte.

— On peut toujours compter sur Saint-Cyr pour faire ce qu'il faut, dit Tom en faisant faire un écart à l'attelage afin d'éviter un clochard qui dansait sur la chaussée. Et Scott ? Est-ce qu'il est passé ?

— M. Scott est reparti à Boston — quelque chose à propos d'une nouvelle ligne de navigation. Mais il ne devrait pas tarder à·revenir.

— Pauvre garçon. Je ne voudrais pas être à sa place. »

Avisant le regard interrogateur de sa sœur, Tom poursuivit. « Eh bien, il sait maintenant que le Sud n'est pas peuplé que de créatures irrationnelles, toutes décidées à œuvrer au sabordage de l'Union. Et bien sûr, il sait aussi que, de plus en plus, notre droit de quitter une Union dont nous estimons qu'elle nous opprime est une grande force qui va probablement écarter toute autre considération. Il a beau se focaliser sur la question de l'esclavage, il est honnête homme, et plus il passera de temps avec nous, plus il se sentira obligé d'au moins considérer l'autre aspect du problème.

— Néanmoins, sa loyauté restera avec le Nord ?

— Je n'en doute pas, dit Tom en faisant prendre à l'équipage une ruelle qui passait derrière la maison. C'est pourquoi je ne voudrais pas connaître son dilemme. Son honnêteté intellectuelle exige qu'il prenne en compte chaque point de vue, mais ses attaches affectives exigent qu'il n'en soutienne qu'un. Alors que dans notre cas, à toi et à moi, il n'y a pas de sentiments mêlés. »

Gabrielle attendit que son frère fît le tour de la voiture pour l'aider à descendre. « Vraiment, Tom ? Tu n'émets donc aucune réserve en ce qui concerne la cause sudiste ? »

Il est le portrait de papa, se dit-elle, la même détermination, la même résolution...

« Non, pas la moindre. » Ils empruntèrent bras dessus bras dessous l'allée menant vers la maison. « Je ne suis pas d'accord avec tout ce que j'ai entendu à Baltimore et dans les réunions qui ont suivi, je ne suis pas d'accord avec tous ces gens qui tiennent les Nordistes pour des bêtes féroces désireuses de détruire le Sud. C'est tout à fait déraisonnable, aussi déraisonnable que ces Nordistes qui pensent que tous les propriétaires d'esclaves les torturent et les brutalisent. »

Il ouvrit la porte et s'effaça pour laisser Gabrielle gagner la première l'atmosphère plus fraîche de la maison. « Mais on ne peut ignorer le fait que le Congrès, contrôlé par le Nord, se montre coupable d'iniquité envers le Sud. Jamais je ne croirai que nos pères fondateurs ont désiré cela. Selon moi, une telle attitude est un reniement de la Constitution et en elle-même une agression contre l'Union telle qu'elle a été conçue.

— Une telle vision des choses laisse peu de place aux divergences, Tom. » Gabrielle avisa son reflet dans le long miroir du vestibule. Quel est ce pâle fantôme tout de noir vêtu ? se demanda-t-elle.

« Tu n'es pas d'accord avec moi, Gabe ? Où est la faiblesse de mon raisonnement ? Sur quel point ton opinion diffère-t-elle ?

— Si, je suis d'accord. Mais je comprends maintenant ce que tu voulais dire à propos de M. Scott. Il va se sentir mal à l'aise ici.

— Peut-être va-t-il décider de rester à Boston », dit Tom. Il paraissait indifférent, et Gabrielle se rappela la froideur que certains des visiteurs avaient, le jour des funérailles de son père, manifestée à l'égard de Jordan Scott.

« Oui, peut-être », dit-elle. Puis, voyant arriver une silhouette familière, elle prit Tom par le bras. « Voici tante Mathilde, dit-elle. Il faut que nous l'interrogions à propos de Véronique.

— Pas maintenant, Gabe. Il faut d'abord que j'en sache un peu plus. Je ne tiens pas à demander à tante Mathilde de faire quelque chose dont je ne sais rien.

— Mais enfin, que veux-tu savoir de plus ? Nous allons l'affranchir, et elle va être modiste.

— C'est aussi simple que ça, pour toi, Gabrielle ?

— Cela va demander du temps, c'est certain. Et aussi de l'argent. De l'argent, Dieu sait que nous en avons. » Gabrielle pensa au système sous lequel travaillait Véronique. « Elle a même contribué à en gagner une partie !

— Est-ce seulement cela qu'elle veut faire ? Par exemple, où est-ce qu'elle s'établirait ? As-tu réfléchi à ça ?

— Ici, à La Nouvelle-Orléans, bien sûr. On trouve ici une importante communauté d'affranchis... » Une idée lui traversa l'esprit : « Et puis il y a l'intendant de M. Saint-Cyr, l'octaron... quel est son nom déjà ?

— Jacques Lamont ?

— Oui, c'est cela. Il doit connaître tout le monde... il doit être efficace en affaires, et puis il est octaron, comme elle... » Gabrielle parlait sans réfléchir, n'osant regarder son frère droit dans les yeux. Ce qu'elle y avait vu à la faveur d'un coup d'œil lui avait fait peur. « Tom... ne veux-tu pas ce qu'il y a de mieux pour Véronique ? »

Les traits de son frère se détendaient peu à peu, la lueur qui l'avait effrayée disparut de son regard. « Bien sûr que oui », dit-il. Il lui souleva le menton afin de rencontrer son regard. « Seulement, Gabrielle, es-tu certaine que ce que tu suggères est le mieux pour elle ?

— Non, dit-elle. Je n'en suis pas sûre. Je le pense, c'est tout. »

Tom eut un soupir. « Bon. Tante Mathilde est au salon, allons la voir. »

Tante Mathilde était assise dans son fauteuil ; près d'elle, il y avait « celui d'Olivier ». Elle paraissait dormir, mais ouvrit les yeux et se redressa à l'arrivée de ses neveu et nièce.

« Alors, demanda-t-elle, comment cela s'est-il passé chez l'avocat ?

— Très bien », dit Tom. Il se laissa tomber dans le fauteuil de son père, ce qui, remarqua Gabrielle, suscita chez sa tante un léger froncement de sourcils. « Nous avons beaucoup de bien, tante Mathilde ! Je l'ignorais.

— Votre père a fait fructifier son héritage. Et il a fait de même avec celui de votre mère.

— Cependant, Véronique n'était pas à lui, dit Tom.

— Pardon ?

— Son nom ne figure pas sur la liste des esclaves...

— Cela pour une simple raison : Véronique m'appartient.

— Nous aurions dû le savoir puisqu'elle est arrivée en même temps que vous et Abigail... Cependant, grandissant avec elle,

Gabrielle et moi avons fini par penser qu'elle avait toujours vécu à Felicity.

— Et comme elle m'appartient, j'estime que c'est à moi de décider de son avenir.

— Tante Mathilde, dit Gabrielle, jamais je ne vous aurais parlé aussi rudement, la veille du départ de Tom, si j'avais su que c'était à vous de décider de son affranchissement. Seulement, papa m'avait promis de l'émanciper et je pensais qu'il avait pouvoir de le faire.

— Ç'aurait sans doute été le cas, dit tante Mathilde. Même si, jadis, je n'ai pas toujours écouté Olivier, cela faisait plusieurs années que je suivais ses conseils.

— Alors vous allez l'affranchir ? Oh, tante Mathilde ! » Gabrielle se jeta au cou de sa tante et l'embrassa sur les deux joues.

« Réfléchis donc un peu, Gabrielle. Le testament de ton père stipule clairement qu'il souhaitait qu'aucun esclave ne soit affranchi en ces temps d'incertitude, et je suis bien certaine que s'il était encore ici et que nous le consultions, cela engloberait également Véronique.

— Ma tante ! Vous voulez dire que vous n'allez pas l'affranchir ?

— J'ai l'intention de suivre le conseil de mon frère, dit tante Mathilde. Et je te suggère d'en faire autant. » Elle se leva et consulta sa montre. « M. Saint-Cyr nous a envoyé sa carte peu après votre départ. Il souhaite passer dans la soirée, aussi ferions-nous mieux de nous mettre à table. »

Gabrielle vint se poster devant sa tante, lui barrant le passage. « Mais enfin, ce fameux soir, pourquoi n'avoir pas dit qu'elle était à vous ? Ce soir-là ou au cours des semaines qui ont suivi ?

— Gabrielle, je venais à peine d'enterrer mon frère après l'avoir soigné pendant des jours et des jours ; on venait de donner lecture d'un testament, testament qui, tout en ne recélant aucune surprise, précisait un certain nombre de choses. » Tante Mathilde secoua la tête comme pour en déloger une idée tenace. « Et voilà que tu nous lances cette idée au visage, l'affranchissement de cette enfant... Je t'ai répondu la première chose qui m'est passée par la tête... Je ne me souviens même pas de ce que j'ai pu te dire. Quoi d'étonnant à cela, accablée de chagrin et de fatigue comme je l'étais alors ? Par la suite, eh bien, sans doute ai-je espéré que, te souvenant du codicille au testament de ton père, tu mettrais cette idée en sommeil.

— Alors il n'y a aucun espoir pour Véronique? fit Gabrielle, parlant doucement pour dissimuler le tremblement de sa voix.

— Aucun espoir? Qu'est-ce que l'espoir, Gabrielle? Si c'est pour toi la possibilité qu'elle connaisse une existence différente de celle pour laquelle elle est née, je ne peux vraiment rien te dire. Actuellement, si on prend en compte tout ce que Tom nous a dit, je ne suis pas certaine qu'aucun de nous poursuivra l'existence qui a toujours été la sienne. Et jusqu'à preuve du contraire, il n'y a rien que je puisse faire pour Véronique. »

Tante Mathilde passa devant sa nièce dans le bruissement de ses jupes noires sur le sol.

« Oh, Tom, dit Gabrielle lorsqu'elle fut seule avec son frère. Qu'est-ce que je vais dire à Véronique? Comme une idiote, je lui ai dit ce que papa a promis. Elle espère être affranchie, Tom, et très rapidement! »

Elle ne se souvenait pas que son frère eût jamais été vraiment fâché contre elle, mais tel était maintenant le cas. S'armant de courage, elle attendit l'explosion en se disant que les reproches de Tom ne pourraient être plus durs que ceux qu'elle se faisait à elle-même. Cependant, après un silence glacé pendant lequel ses yeux gris fulminèrent au centre d'une face blême, il émit un juron et sortit.

Gabrielle le suivit des yeux, puis, hébétée, se retourna avec lenteur, enregistrant chaque détail du salon comme si la réponse à son problème était tapie derrière un fauteuil de brocart. Je n'aurai jamais la force de le lui annoncer, se disait-elle. Il le faut bien, pourtant. Elle serrait les poings sans même sentir ses ongles lui pénétrer dans la chair. Son regard se posa sur le fauteuil préféré de son père, et elle alla s'y blottir comme sur les genoux du disparu. Satanée impatience, songeait-elle. Il faut toujours qu'elle prenne le dessus. Seulement, cette fois ce n'est pas moi qui vais en pâtir, mais cette pauvre Véronique.

La cloche sonnant l'heure du dîner la fit sursauter. Elle bondit de son siège et, remettant rapidement de l'ordre dans sa coiffure, courut retrouver son frère et sa tante. Lorsqu'elle arriva sur le seuil de la salle à manger, tante Mathilde venait d'y entrer. Seul un pli amer au coin de sa bouche trahissait la scène qui s'était produite un peu plus tôt.

« Ah, te voilà, Gabrielle. Mais où est passé Tom?

— Je... je ne sais pas, tante Mathilde. Il était avec moi au

141

salon il y a une minute. Je suis certaine qu'il ne va pas tarder. »

Tom choisit cet instant pour entrer, l'air à peine moins soucieux que quelques minutes plus tôt. Il tint la chaise de sa tante, puis celle de Gabrielle, et enfin s'assit sans dire un mot.

Je ne vois pas de quoi nous pourrions parler, se dit Gabrielle. Et de fait, le repas se déroula en silence, chacun des convives étant trop soucieux ou irrité pour songer à lancer la conversation. Lorsque la servante vint annoncer qu'un gentleman était arrivé et attendait au salon, ils se levèrent avec ensemble et partirent d'un même pas vers la porte.

« Je vais saluer M. Saint-Cyr, puis me retirer, dit tante Mathilde. Ce temps d'août m'épuise, je suis certaine qu'il comprendra. »

Il a conscience que quelque chose ne va pas, se dit Gabrielle en voyant le visage d'Alex. Elle le regarda s'incliner vers la main de tante Mathilde, l'écouta proférer quelques questions pleines de sollicitude. « Il règne en effet une chaleur écrasante sur notre ville, disait-il. Pas le moindre souffle d'air, si ce n'est du côté du lac. Peut-être me permettrez-vous de vous accompagner, vous et miss Cannon, jusqu'à Milneberg un de ces après-midi ? Ce n'est qu'à un quart d'heure, on s'y divertit et on y respire.

— Je ne suis guère d'humeur à me divertir, monsieur Saint-Cyr. Et je ne conçois pas d'endroit convenant moins à mon deuil qu'un restaurant au bord du lac.

— J'aimerais bien y aller, monsieur Saint-Cyr, dit Gabrielle, ignorant la grimace de sa tante. J'ai travaillé très dur ces derniers jours et suis très tentée par votre proposition. »

Le regard d'Alex passa de Gabrielle à tante Mathilde, puis à Tom, dont l'expression ne lui offrit nul indice quant à la conduite à tenir. « Peut-être Tom m'aidera-t-il à organiser cette sortie, hasarda-t-il. Quelque chose de raisonnable, avec pour destination un pavillon privé, en sorte que vous, miss Cannon, n'ayez pas à endurer la curiosité publique...

— Je m'en remets à toi, Tom, dit tante Mathilde. Bonsoir, monsieur Saint-Cyr. Bonsoir, Gabrielle.

— Bonsoir, ma tante », dit Gabrielle. Pour autant qu'elle s'en souvînt, c'était la première fois qu'elles n'échangeaient pas un baiser en prenant congé pour la nuit ; mais le maintien de tante Mathilde n'indiquait nul radoucissement, et Gabrielle était encore bien trop bouleversée pour faire le premier pas.

Tom attendit que les pas de sa tante eussent décru dans l'escalier, pour s'adresser à son ami. «Désolé, Alex, mais nous avons eu un… petit problème, et nous en sommes encore tout retournés.

— Tout est ma faute, dit Gabrielle. Non, Tom, c'est moi qui vais dire à M. Saint-Cyr ce qui s'est passé. Tu ne serais pas assez sévère pour moi. Si tu savais comme je m'en veux!»

Elle avait pensé — avec raison — qu'il lui serait difficile d'annoncer la nouvelle à Véronique. Cependant, tout en racontant les derniers événements à Alex, en voyant l'expression qu'il s'efforçait de dissimuler, elle se rendit compte que cet aveu qu'elle lui faisait de son inconséquence était l'épreuve la plus pénible qu'elle ait jamais eue à affronter. «Je vous déçois, monsieur Saint-Cyr, ajouta-t-elle, voyant qu'il ne disait rien. Et vous avez raison d'être déçu. A présent il va me falloir annoncer à Véronique que cette promesse que je lui ai faite ne peut être tenue.

— Vous faites erreur, miss Cannon, je ne suis pas déçu. Désolé, oui, je suis désolé de ce que cette première initiative, dictée par votre générosité de toute nouvelle maîtresse, connaisse si peu de succès.

— Comprenez-vous bien la situation? Ce n'est pas à nous qu'appartient Véronique. Sinon… Oh, je reconnais que la position de ma tante n'est pas sans fondement. Papa a précisé de n'affranchir aucun de ses esclaves. Cependant, il n'est pas possible qu'il ait pensé à Véronique en écrivant cela! D'ailleurs, elle ne lui appartenait pas…

— Pensez-vous que Mme LeGrange accepterait de la vendre?» demanda Alex. L'énergie que Gabrielle sentait parfois émaner de lui, emplit d'un coup la pièce : il bondit de son fauteuil et saisit la main de Tom. «De me la vendre, Tom. Ensuite, je pourrais l'affranchir.

— Je ne sais pas, dit Tom. Je n'avais pas envisagé cette possibilité…

— Eh bien, envisage-la! Écoute, je vais lui écrire sur-le-champ pour lui faire une offre.

— Il vaudrait mieux réfléchir, dit Tom. Ne pas se jeter à l'eau sans plan bien défini.» Il ne consulta pas Gabrielle du regard, mais ce n'était pas nécessaire. Tante Mathilde était généralement d'humeur parfaitement égale ; dans une maison aussi bien ordonnée, il ne se passait que fort peu de chose qu'elle n'eût pas prévu, et, depuis des années, elle n'avait guère eu à morigéner ses neveu

143

et nièce pour les maintenir dans le droit fil de l'éducation qu'ils avaient reçue. Toutefois, depuis la mort de son frère, tante Mathilde avait changé. Son calme de surface s'altérait beaucoup plus facilement.

«Tom a raison, dit Gabrielle. Et si je n'avais pas été aveuglée par mes propres sentiments, j'aurais évité de la brusquer comme je l'ai fait.

— Ce qui est fait est fait, dit Tom. Maintenant si tu veux bien nous excuser, je pense qu'il serait bon que Saint-Cyr et moi parlions seuls de tout ceci. Alex, allons fumer un cigare dans le jardin.

— Faites, dit Gabrielle. Ah, comme je voudrais que vous arriviez à convaincre tante Mathilde! Véronique n'avait pas une existence très drôle... mais maintenant, cette liberté qu'on lui tend, puis qu'on lui reprend...»

Alex franchit en deux enjambées l'espace qui les séparait, il lui prit la main et se mit à la fixer d'un regard si intense que, pour un peu, elle aurait reculé.

«Être frivole a du bon, miss Cannon. Car, voyez-vous, la frivolité et le jeu forment l'imagination, et s'il y a une chose que je sais faire, c'est échafauder de bons plans.

— Un plan simple fera l'affaire, dit-elle. Persuadez ma tante de vendre Véronique, puis affranchissez-la.

— Oui, fit Alex en échangeant un regard avec Tom. Bon, Cannon, mettons-nous au travail. A propos, tant que nous en sommes à faire des plans, nous pourrions mettre au point notre sortie jusqu'au lac.

— Comme tu dis», fit Tom.

Il déposa un baiser sur la joue de sa sœur et suivit Alex hors de la pièce.

«Tom... appela Gabrielle.

— Oui? fit-il par-dessus son épaule.

— Est-ce que je dois attendre demain matin pour... annoncer la chose à Véronique?»

Son regard s'obscurcit, et elle y vit luire de la douleur, minuscules micas sur fond de gris. «Ce ne sera pas nécessaire, dit-il. Je l'ai mise au courant.»

8

Je ne vais pas sonner Véronique, se dit Gabrielle en montant lentement l'escalier, je vais me préparer moi-même pour la nuit. Sa honte croissait à chaque marche; si elle s'en voulait d'avoir, non sans légèreté, donné espoir à Véronique, elle se sentait plus méprisable encore d'éviter, après cela, de la regarder en face. En arrivant à sa chambre, elle rassembla son courage, bien décidée à sonner immédiatement la jeune esclave. Elle n'eut pas à le faire : Véronique l'y attendait, mince silhouette postée à la fenêtre, contemplant les jardins. Sa posture, son expression lorsqu'elle se retourna, tout en elle témoignait du coup sévère qu'elle venait de subir.

« Oh, Véronique, dit Gabrielle. Je donnerais tout ce que j'ai pour avoir seulement attendu d'être sûre de mon fait !

— Je sais bien que tu ne cherchais pas à me faire du mal, répondit Véronique. Et puis Tom m'a soutenue. Il m'a rappelé que tu as toujours au bout du compte obtenu ce que tu voulais.

— Tout est ma faute. C'est moi que cette déception atroce devrait frapper.

— Ce n'est pas ainsi que les choses se passent.

— Est-ce que je peux faire quelque chose ? Si toutefois il y a quelque chose à faire !

— Fais-moi pousser des ailes », dit Véronique. Puis elle se mit à vaquer à sa besogne, marquant ainsi clairement qu'elle n'avait rien de plus à ajouter.

Elle comme moi, nous n'allons pas trouver le sommeil, pensa Gabrielle lorsque la porte se referma sur la jeune métisse. Toutes deux, les yeux ouverts dans le noir, à cause d'un problème que tante Mathilde pourrait facilement régler. Et pourquoi ne le réglerait-elle pas ? Elle ne tient pas spécialement à avoir Véronique à Felicity ; on pourrait penser qu'elle serait satisfaite de l'éloigner, de la savoir en train de faire sa vie à La Nouvelle-Orléans. L'attachement que Véronique éprouve pour Tom s'y affaiblirait. Et le souci qu'il se fait pour elle, ce souci né de son sens de la justice et de cette compassion qu'il ressent pour ceux dont le sort est moins heureux que le sien, tout cela se changerait en simple amitié. Tante Mathilde ne voit-elle pas qu'en refusant d'affranchir Véronique, elle fait exactement ce qu'il faut pour exacerber les sentiments de Tom ?

Gabrielle fut frappée de la pertinence de cette idée. Oui, c'est exactement ce qui va se passer. Jusqu'à présent, quelles qu'aient pu être les craintes de papa ou de tante Mathilde, Tom n'a pas été vraiment amoureux de Véronique. Jusqu'à présent, l'affection qu'il lui portait était inhérente à sa nature ; son bien-être lui importait tout autant que le mien. Mais Véronique est maintenant en position de victime. Tante Mathilde n'agirait pas autrement si elle voulait qu'il se voue totalement au bonheur de Véronique.

Que pouvait-il bien se passer en ce moment dans le jardin ? Les deux garçons étaient-ils en train de fixer le prix qu'Alex offrirait pour acheter Véronique ? Comment parler de prix à propos d'une femme telle que Véronique ? Son savoir-faire de couturière était certes chiffrable… mais pour le reste ? Pressentant les sinistres à-côtés qu'elle entraînait, Gabrielle voulut chasser cette pensée, mais n'y parvint pas.

Et moi, si l'on essayait de chiffrer ce que je vaux, à combien arriverait-on ? Prenons par exemple miss Jumonville : elle n'avait qu'une modeste dot, et pourtant elle a épousé quelqu'un de riche. Elle se rappela ce que Dorothea Robin disait de la jeune mariée. Une maison bien tenue, des enfants élevés comme il convient… ce M. Forbes, chéri par une épouse lui devant tout. Qu'avait dit encore Dorothea ? Ah, oui. En retour, M. Forbes allait se montrer bon et généreux, se conduisant là comme tout honnête homme.

On ne se comporte pas autrement envers une esclave, se dit

Gabrielle en se mettant au lit. Certes, elle est «libre», et une vie confortable s'ouvre à elle; il n'empêche qu'elle avait bien peu de choix. Demeurer fille chez son père ou épouser M. Forbes.

Une idée était en train de se faire jour dans sa tête et, immobile sur le lit, Gabrielle attendit qu'elle prît forme. Tante Mathilde… tante Mathilde avait été mariée, et cependant, depuis quinze années qu'elle vivait chez son frère, elle menait l'existence d'une vieille fille. Et sans argent, s'il fallait en croire Véronique. Qu'était-il donc advenu de ses biens? Ce vaste ranch au Texas, tout ce bétail… Tu t'égares, se dit-elle. Concentre-toi sur l'idée centrale. Oui, c'est cela. J'en suis certaine. Il reste si peu de chose à tante Mathilde; elle régente la maison, mais ce n'est pas elle qui prend les décisions importantes. Jamais elle ne vendra Véronique, même si Alex Saint-Cyr lui en offre un très bon prix. Elle a besoin d'exercer un pouvoir sur quelque chose et, malheureusement, Abigail et Véronique en sont maintenant l'objet.

Gabrielle aurait préféré avoir tort, préféré que ce jugement sur sa tante fût moins le fruit d'une réflexion rationnelle que de l'inquiétude et la fatigue. Cependant, quand Alex Saint-Cyr vint le lendemain soumettre sa proposition, cela se solda, ainsi qu'elle l'avait prévu, par un refus. Tante Mathilde n'avait aucune intention de vendre Véronique, ni aujourd'hui ni jamais.

Comme si cela ne suffisait pas, elle fut prise de soupçons quant aux motifs d'Alex et convoqua Tom dans sa chambre pour lui parler si carrément que Gabrielle, qui tendait l'oreille de l'autre côté de la porte, eut peine à croire ce qu'elle entendait.

«Je suppose que cet achat faisait partie d'un stratagème pour affranchir Véronique», commença tante Mathilde.

Gabrielle n'entendit pas la réponse de son frère; il murmura quelque chose, puis, après un silence, tante Mathilde reprit la parole.

«C'est bien ce que je pensais. Écoute-moi bien, Tom, je te connais et ai confiance en toi depuis trop longtemps pour penser que tu essaies délibérément de te dresser contre moi. Tu t'es fourvoyé, tu t'es imaginé savoir ce qui serait le mieux pour Véronique, sans prendre en compte que des personnes plus âgées et donc plus mûres en savent tout simplement un peu plus que toi.

— Père a dit à Gabrielle qu'il allait affranchir Véronique.

— Oui, c'est ce qu'elle nous a dit. Je ne prétends pas qu'Olivier n'a rien dit de tel — quoiqu'un peu bouillante, ta sœur n'a rien d'une menteuse. Seulement le fait est que mon frère n'a pas eu le temps de venir m'en parler. Je n'ai aucune idée de ce qu'étaient ses intentions, et ne puis agir sur quelque chose que j'ignore.

— Tante Mathilde, vous avez pris votre décision, dit Tom. Est-il besoin que nous nous disputions là-dessus ? » En entendant sa voix, Gabrielle put imaginer la tête de son frère : visage fermé, regard sombre, lèvres serrées sur une colère qui montait peu à peu…

« J'en ai terminé, Tom. Une chose encore. A supposer que M. Saint-Cyr ait acheté Véronique puis l'ait affranchie, que se passe-t-il ensuite ?

— Eh bien, nous faisons ce que Gabrielle a projeté, nous l'installons modiste.

— Modiste, répéta tante Mathilde. Et rien d'autre ?

— Où voulez-vous en venir, ma tante ? »

La colère le gagne, pensa Gabrielle. Oh, pourquoi prolonge-t-elle un entretien qui leur est si douloureux à tous les deux ?

« M. Saint-Cyr a une réputation à La Nouvelle-Orléans, comme tu le sais sûrement, Tom.

— Une réputation ? Soyez plus claire, ma tante.

— Il est plus vieux que toi, Tom. Cela fait maintenant plusieurs années qu'il évolue sur la scène de La Nouvelle-Orléans. A la fin de chaque saison, il laisse derrière lui un cœur brisé.

— Êtes-vous en train de dire que Saint-Cyr fait délibérément en sorte qu'une dame tombe amoureuse de lui, puis qu'il la repousse ?

— Quelle autre explication pourrais-tu fournir à ce qu'on me rapporte ?

— Je vais vous en donner une, dit Tom. Il s'agit de ces mères dont la fille n'est pas parvenue à l'amener devant l'autel, de ces mères qui voient un si beau parti glisser entre leurs mains crochues ! Même si vous avez du mal à le croire, ma tante, sachez qu'Alex ne tombe pas facilement amoureux. Quant à faire le joli cœur jusqu'à ce que sa victime succombe, c'est là l'accuser de se conduire de façon déshonorante. Je ne veux pas en entendre plus !

— Parfait, fit tante Mathilde. Peu m'importe que tu ne te soucies pas de ce qui se raconte sur ton ami. Sache en revanche que l'identité de celui qui se proposait d'acheter Véronique a été pour beaucoup dans ma décision. Il est bien beau de dire qu'on va l'établir modiste, mais il y a eu de trop nombreux cas où une jeune personne possédant les… attributs de Véronique a été établie dans un tout autre état. »

Je ne peux croire que cela sort de la bouche de tante Mathilde, pensa Gabrielle. Le silence qui régnait à l'intérieur l'effraya… Tom était tellement furieux. Enfin, elle entendit la voix de son frère.

« Ma tante, il est préférable que nous oubliions ce que vous venez de dire. Je mettrai vos soupçons au compte d'un esprit marqué par le chagrin, et d'un souci légitime de protéger Véronique. Cependant, je dois en conséquence prendre des dispositions pour protéger mon ami. Je vais suggérer à Alex de borner ses visites ici à Gabrielle et à moi. Il ne demandera pas d'explication ; il voit plus de choses que ne le laisserait penser son apparente insouciance.

— Tu comptes donc laisser ta sœur le voir, et sans moi comme chaperon ?

— Comme chaperon ? En vérité, ma tante, vous me surprenez. Si Saint-Cyr est vraiment le triste sire que vous pensez, il trouvera bien le moyen de parvenir à ses fins. Je n'ai pas l'intention d'empêcher Gabrielle de le voir si elle le désire. Que vous le croyiez ou non, ils sont bénéfiques l'un pour l'autre. Et il ne fait pas plus le joli cœur, ma tante, que je ne le ferais dans la même situation.

— Tom… fit tante Mathilde, paraissant pour la première fois ébranlée.

— Il est bon que Gabrielle côtoie des hommes plus évolués que ceux qu'elle peut rencontrer par chez nous, poursuivait Tom. Et spécialement maintenant qu'elle ne va pas être présentée en société en raison de la mort de père. Le temps qu'elle passe en compagnie d'Alex va lui donner plus de discernement pour le jour où vont se présenter les premiers prétendants — elle est maintenant une grosse héritière, et j'imagine que tous les bons partis de la région sont déjà en train d'échafauder des projets. »

A ces mots, Gabrielle oublia tout ce qui avait précédé. Que venait-il de dire ? Que des hommes, de parfaits inconnus, allaient venir demander sa main ? Comme pour miss Jumonville, se dit-elle, comme un esclave mis aux enchères. Incapable d'en entendre plus, elle courut se réfugier dans sa chambre, une fois de plus

149

frappée de la vérité de ce vieux dicton qui veut que ceux qui écoutent aux portes entendent rarement quelque chose de bon.

Lorsqu'elle descendit à midi, sa tante était partie, acceptant finalement l'invitation pressante d'une vieille amie à passer quelques jours dans sa villégiature de l'autre côté du lac.

« Je suis un peu triste qu'elle n'ait pas pensé à me dire au revoir, dit la jeune fille. Je trouve cela un peu étrange...

— Tante Mathilde et moi avons eu une explication ce matin, dit Tom. Cela a été très pénible... nos propos ont bien souvent dépassé notre pensée.

— Oui, je sais, dit Gabrielle. J'ai presque tout entendu.

— Gabe ! Tu écoutes aux portes, maintenant ?

— Sinon comment pourrais-je me tenir au courant ? Cela te plairait qu'on te tienne en dehors de tout, de ne savoir que ce qu'on juge bon que tu saches ?

— Calme-toi, Gabe. Je ne m'en formalise même pas, et puis, d'une certaine façon, cela facilite les choses puisque tu sais maintenant ce que tante Mathilde dit d'Alex. »

Gabrielle détourna la tête, s'absorbant dans la contemplation d'un bouquet de fleurs comme s'il lui fallait en mémoriser chaque feuille et chaque pétale.

« Eh bien, l'as-tu entendu ? insista son frère.

— Oui.

— Gabe, il n'y avait pas un mot de vrai là-dedans ! Alex a bien trop de sens de l'honneur pour jouer la comédie à une femme. Tu te rappelles le jour où il est revenu de New Iberia si bouleversé d'avoir été mis dans une situation dont il lui avait été presque impossible de se sortir de façon honorable... »

Gabrielle regarda son frère, laissant la sincérité de ses paroles filtrer à travers sa douleur. « J'ai toujours tenu M. Saint-Cyr pour quelqu'un de bien, dit-elle. Il fait semblant d'être frivole et léger, mais il n'en est rien.

— Oui, il fait semblant. C'est exactement cela, même si je lui répète que ce masque le dessert.

— De toute manière, nous n'allons pas séjourner beaucoup plus longtemps à La Nouvelle-Orléans, dit Gabrielle. Aussi les occasions de me faire suborner par lui seront peu nombreuses. » Elle vint appuyer la tête contre la poitrine de son frère. « Oh, Tom,

150

quelle tristesse que tante Mathilde le voie ainsi. Bien sûr, je ne pense pas comme elle et serai heureuse de voir M. Saint-Cyr.

— Il n'empêche qu'elle a un peu gâché la joie de ces rencontres, dit Tom, et qu'elle a semé des germes de méfiance. »

Il l'entoura de son bras et lui tapota le dos, la consolant comme le faisait naguère son père. «Surmonte cela aussi vite que tu le pourras, Gabrielle. Alex nourrit un véritable respect à ton endroit...

— Comme moi au sien !

— Parfait. En ce cas n'en parlons plus. Je suis content que tante Mathilde soit partie pour quelques jours. Nous avons prévu pour demain notre excursion jusqu'au lac ; elle ne sera pas encore rentrée.

— Je trouve un peu... déloyal d'agir contre sa volonté, dit Gabrielle.

— Mais tu ne vas pas contre la mienne, fit son frère. C'est moi, à présent, le chef de famille. Tu es parfaitement en règle si tu fais ce que je dis.

— Oui, bien sûr», dit Gabrielle avec un pâle sourire.

La cloche sonna l'heure du déjeuner. Le frère et la sœur partirent bras dessus bras dessous vers la salle à manger. Cependant, Gabrielle n'arrivait pas à se défaire d'une pensée qui la gênait : elle et Tom avaient hérité à égalité les biens de leur père, et pourtant, comme il venait de le rappeler, son frère était le chef de famille. Cet état de choses ne semblait pas équitable à la jeune fille.

La forte brise qui arrivait du lac Pontchartrain arracha l'ombrelle des mains de Gabrielle pour l'envoyer rouler dans l'herbe. Alex se précipita, la saisit de sa main gantée et, de l'autre, ôta son haut-de-forme. «Faites attention, miss Cannon, dit-il en redonnant l'ombrelle à la jeune fille. Ce vent fou pourrait bien l'emporter à nouveau.

— J'apprécie tellement cet air frais que pour un peu je la lui abandonnerais volontiers, dit Gabrielle. C'est tout à fait étonnant : en ville, on étouffe, et ici, à quelques kilomètres, il règne une telle fraîcheur...

— C'est ce qui fait la popularité de Milneberg, dit Tom en considérant la foule qui évoluait du côté des restaurants et des dancings. Quinze minutes en train et on se retrouve sous un autre climat.

— J'aimerais bien voir certaines des attractions, dit Gabrielle, mais je pense qu'il est préférable de nous rendre directement au pavillon que vous avez réservé. Je dénote tellement dans cette robe de deuil...

— Le pavillon se trouve juste après cet hôtel, là-bas », dit Alex. Il offrit son bras à la jeune fille, et ils s'engagèrent sur l'étendue de sable, traversant la foule des promeneurs qui déambulait sans autre but que de savourer la brise venue rafraîchir cette lourde soirée d'été.

Un coup de feu fit sursauter Gabrielle et lui arracha un cri étouffé.

« Soyez sans crainte, dit Alex. Il ne s'agit que d'un stand de tir. »

Tom se retourna en direction de la tente où un jeune garçon épaulait une carabine. « J'irais volontiers brûler quelques cartouches... voir si l'œil que j'ai exercé chez nous dans les marais ne me trahit pas ici.

— Je peux accompagner miss Cannon jusqu'au pavillon, si tu souhaites t'attarder un peu », proposa Alex.

Tom regarda sa sœur puis de nouveau son ami. « Oui, je crois que je vais y aller. Cela ne t'ennuie pas, Gabrielle ?

— Mais non, bien sûr.

— En ce cas, je vous retrouve au pavillon », dit Tom en s'éloignant.

Gabrielle et Alex se remirent en route. Elle crut le sentir accélérer quelque peu le pas, et comprit qu'il souhaitait la conduire rapidement en un lieu plus tranquille.

Ils allaient atteindre leur but lorsqu'un homme, qui arrivait en sens contraire, prononça le nom d'Alex et lui tapota l'épaule du pommeau de sa canne. « Ça alors, Saint-Cyr ! » lança-t-il, portant aussitôt son regard sur Gabrielle. Il ôta son chapeau et s'inclina à son adresse. Elle lui répondit d'un petit hochement de tête. « Nous avons déploré l'absence de votre père lors de la réunion d'hier soir. Il n'est pas souffrant, au moins ?

— Mon père va bien, merci, répondit Alex.

— En ce cas pourquoi n'est-il pas venu ?

— Étant totalement ignorant de l'événement qu'a manqué mon père, je serais bien en peine d'avancer une excuse. » Devant la réserve glacée d'Alex, l'autre fit un pas en arrière, comme par l'effet d'une gifle.

« L'artillerie Washington s'est réunie pour désigner le candidat que nous allons soutenir », dit-il. Il considéra Alex en plissant les paupières. « Dois-je en conclure que votre père n'a pas d'opinion qu'il se soucie de défendre ?

— Concluez ce que bon vous semble, monsieur, laissa tomber Alex. Si vous voulez bien m'excuser, cette dame est en train d'attendre. » Et de tourner les talons après un petit signe de tête. Gabrielle prit son bras et ils repartirent en silence. A travers la manche d'Alex, la jeune fille sentait la tension qui l'habitait.

Ce n'est que lorsqu'ils furent assis à une table d'où la vue embrassait les eaux du lac, qu'il se détendit et lui sourit comme il en avait l'habitude. « Ici, nous serons bien, dit-il, et à l'abri d'intrusions dont nous n'avons que faire.

— Cet homme vous agaçait beaucoup, semble-t-il.

— Il est entré dans l'artillerie Washington par une ligne collatérale et non directe. Il en a toujours voulu à mon père, dont les ancêtres sont arrivés ici peu de temps après Bienville, alors que les siens ne sont arrivés qu'au lendemain de la guerre de 1812.

— En ce cas, je me réjouis que mes ancêtres aient très tôt fait souche dans le pays, dit Gabrielle. Sinon, vous nous mettriez peut-être au rang de ces nouveaux arrivants que vous paraissez mépriser.

— Je ne méprise personne, miss Cannon. Rien ne sert de penser du mal des gens, et le plus simple est de les éviter. »

Alex se tut le temps que le serveur ouvre une bouteille de champagne et emplisse deux flûtes de cristal. « Cet homme est aigri parce que, bien qu'il ne lève jamais le petit doigt pour se rendre agréable à qui que ce soit en dehors de son cercle d'intimes, mon père est partout le bienvenu. Et pourquoi, d'ailleurs, en serait-il autrement ? Il fait partie de toutes les organisations de cette ville uniquement ouvertes aux familles très anciennes et respectables, il a une magnifique cave, un excellent chef cuisinier, et les parties de chasse d'Olympia sont aussi renommées pour leurs participants que pour leur gibier. »

Le regard d'Alex démentait le ton léger de ses paroles.

« Vous n'êtes pas fier de votre père, n'est-ce pas, monsieur Saint-Cyr ?

— Fier ? » Alex eut un haussement d'épaules et se mit à contem-

153

pler les vagues frangées d'écume. «Tout ce qu'il possède lui a été transmis par héritage ou offert, à l'exception, je suppose, de son fameux charme. Il n'y a pas dans tout cela grand-chose dont on puisse tirer fierté.»

Il se tourna vers Gabrielle. Le soleil bas faisait jouer sur son visage des taches de lumière. «Cependant je l'aime bien, n'allez pas croire le contraire, miss Cannon. J'ai appris qu'il ne fallait pas attendre des autres plus qu'ils ne peuvent donner ; il est alors beaucoup plus facile de vivre en bonne intelligence avec eux.

— Oui, vous avez sûrement raison», dit Gabrielle. Elle espérait que Tom ne tarderait pas trop. C'était comme si les paroles de tante Mathilde avaient été gravées en elle ; chaque fois qu'un blanc s'intercalait dans la conversation, elles s'imposaient à elle et paraissaient emplir le silence.

«Que se passe-t-il, miss Cannon ?» demanda Alex. Voyant qu'elle ne répondait pas et, rougissante, détournait les yeux, il se recula contre le dossier de sa chaise, paraissant par ce geste accroître encore la distance qui les séparait.

«Il s'agit de ce que votre tante a dit à Tom, devina-t-il. Et des conséquences de leur... conversation.

— Oui, souffla-t-elle.

— Je ne puis me défendre, miss Cannon. Je ne peux prétendre que certaines jeunes demoiselles n'ont pas vu leur cœur se briser en heurtant cette façade lisse. Mais je peux vous dire que jamais je n'ai cherché à ce qu'il en soit ainsi. S'il y a une chose dont je ne veux pas être tenu pour responsable, miss Cannon, c'est bien du cœur d'une jeune écervelée.

— J'en suis convaincue. Seulement Tom n'a pas réfléchi avant de parler, avant de dire à tante Mathilde que vous ne vous présenteriez plus devant elle... je ne pense pas que cette décision soit vraiment la sienne. »

Alex prit la bouteille enveloppée d'un linge et la pencha au-dessus du verre de Gabrielle, observant les bulles dorées qui en remontaient la forme fuselée. Il emplit sa propre flûte, puis replaça la bouteille dans le seau à glace. «Elle ne va pas me manquer, dit-il. Cela va peut-être être un peu embarrassant, mais cela passera avec le temps.

— Je ne me suis jamais dressée contre tante Mathilde, commença Gabrielle, aussitôt interrompue par le haussement moqueur du sourcil d'Alex.

— Bien sûr que si, fit-il. Tom n'arrêtait pas de me raconter les entorses que vous faisiez aux règlements qu'elle édictait.

— J'étais encore une enfant.

— Et vous voici adulte et depuis peu propriétaire, ce qui vous met dans une position toute différente. » Il la regardait, et elle eut une nouvelle fois l'impression d'être comme aspirée par ce regard. « De toute manière, elle va avoir de quoi se changer les idées, lorsque le cortège des prétendants va se présenter aux portes de Felicity.

— Je vous en prie, ne me parlez pas de cela ! Si vous saviez comme cette perspective me fait horreur !

— Comment ? Voulez-vous dire que vous ne souhaitez pas qu'on vous courtise, qu'on vous dise que vous êtes la plus adorable créature habitant cette terre ?

— Je n'ai pas dit que je ne voulais pas être courtisée, monsieur Saint-Cyr. » Gabrielle but une gorgée de champagne. « Je ne tiens pas à ce que des prétendants défilent à Felicity non parce qu'ils me connaissent, mais parce qu'ils connaissent l'étendue du domaine des Cannon. »

Alex leva son verre et inclina la tête en un toast silencieux. « Sentiment que je partage. Et c'est pourquoi je ne me défends pas contre des ragots tels que ceux qui ont si fortement contrarié Mme LeGrange. Le nombre d'invitations que je reçois ne diminue pas ; c'est tout le contraire, j'en ai peur.

— Eh bien, Saint-Cyr, tu sembles avoir bonne opinion de toi-même ! » lança Tom, arrivant derrière Gabrielle. Il prit place entre sa sœur et son ami, et se servit un verre de champagne. « Mais ce n'est pas sans raison... toutes les qualités qui font qu'un jeune gentleman est très demandé, tu les possèdes.

— Je te remercie, dit Alex, mais je pense qu'en l'occurrence mes qualités se réduisent au nombre de deux. L'argent des Scott et le nom de Saint-Cyr.

— J'ai le même sentiment à mon sujet, dit Gabrielle. Et je peux t'assurer, Tom, que je ne vais pas supporter qu'une kyrielle de gentlemen que je n'aurai jamais rencontrés viennent me proposer en termes à peine voilés d'unir leur fortune à la mienne.

— Gabrielle, mais de quoi parles-tu ? Quelle kyrielle de gentlemen...

— Tu ne vas pas prétendre que tante Mathilde ne t'en a pas

155

parlé ! » lança-t-elle. Elle chercha son mouchoir et sentit qu'on lui en mettait un dans la main.

« Gabe, Gabe, ça alors, tu as dû mal comprendre !

— J'ai au contraire fort bien compris, dit-elle à travers l'épaisseur du tissu.

— Alex, viens à mon secours.

— Désolé, Tom, mais je ne vois pas ce que je pourrais faire. En un sens, miss Cannon a parfaitement raison. Des hommes qui ne la connaissent pas vont lui envoyer leur carte après avoir bien vérifié la façon dont s'orthographie son nom, pour lui demander de les recevoir. Tu sais parfaitement que c'est ainsi que cela se passe, pourquoi prétendre le contraire ?

— Mais enfin, rien ne l'oblige à en épouser un ! Seigneur, si cela te contrarie à ce point, peu m'importe que tu ne les reçoives même pas ! »

Par-dessus son mouchoir, Gabrielle scruta le visage de son frère. « Tu penses ce que tu dis, Tom ?

— Mais évidemment ! Felicity serait-elle un lieu public, un hôtel où les gens peuvent aller et venir à leur guise ? S'il y a quelqu'un que tu ne veux pas voir, tu n'as qu'à refuser.

— Tante Mathilde ne verra pas les choses de cette façon, tu le sais, Tom. Et toi, tu seras parti soutenir Breckenridge. Je n'aurai personne pour me soutenir. »

Tom lui caressa la main. Il souriait, maintenant qu'elle avait cessé de pleurer. « Gabe, je viens de te le dire. Peu m'importe que tu ne joues pas le jeu selon les règles établies. Mais si tu entends en édicter de nouvelles, le mieux serait selon moi que tu sois capable de mener la partie sans personne d'autre dans ton camp. »

Tom affichait le sourire indulgent d'un grand frère cédant à un nouveau caprice de sa petite sœur. Mais son regard avait une tout autre expression ; il s'était altéré, même si Gabrielle n'aurait su dire en quoi.

« Il me vient une idée, miss Cannon, intervint Alex d'une voix qui parut venir flotter entre le frère et la sœur, et attirer lentement leur attention. Si jamais la situation vous échappait, appelant des mesures plus drastiques, vous n'aurez qu'à annoncer que vous réfléchissez à ma demande en mariage et que vous ne pouvez voir personne tant que votre décision n'est pas prise.

— Alex ! s'écria Tom.

156

— Allons, Tom, M. Saint-Cyr entend simplement nous montrer que nous nous sommes un peu égarés, dit Gabrielle.

— Non, non, je suis sérieux», dit Alex. Il eut un sourire et se tourna vers Tom. «Voyons, Cannon, ne fais pas cette tête. Miss Cannon a parfaitement saisi ce que j'ai voulu dire. Elle a compris que la protection née d'une telle annonce me serait encore plus précieuse qu'à elle.

— Je veux bien reconnaître avec toi que l'ensemble de ce processus d'appariement laisse grandement à désirer. Et je regrette très franchement que ce problème ne puisse se résoudre aussi facilement que tu le proposes.

— Ne désespère pas, dit Alex. Si les élections de novembre nous donnent tort, notre monde va en être complètement bouleversé. Et des mariages naguère tenus pour mal assortis pourront se faire sans que quiconque y trouve à redire. »

Tom posa sur son ami le regard de ses yeux toujours étrangement vides. Puis quelque chose passa au fond de ses prunelles, une émotion fugace qui s'évanouit avant que Gabrielle ait pu l'interpréter. «Ma foi, dit-il enfin, il faut espérer que nous n'aurons pas à détruire une chose pour en mettre une autre à la place. » Il prit la carte du menu et en fit un écran à son visage. «Bon, que prenons-nous ? Alex, qu'est-ce que tu nous recommandes ? »

La soirée reprit un ton plus léger. Alex se mit à narrer diverses anecdotes, d'abord seul, puis, peu à peu, avec le concours de Tom.

Alors qu'ils venaient de quitter le restaurant pour prendre le train qui les ramènerait en ville, Gabrielle avisa un petit groupe de personnes qui quittaient les allées éclairées pour se diriger vers les bois.

«Où peuvent-ils bien aller ? » demanda-t-elle.

Les deux garçons regardèrent dans la direction indiquée et eurent le temps de voir le petit groupe à l'instant où il disparaissait sous le couvert des arbres.

«Ils sont sûrement à la recherche de Marie Laveau, dit Alex. Vous avez sûrement déjà entendu parler d'elle. On dit qu'elle est la reine du vaudou.

— Elle habite au milieu des bois ? s'étonna Gabrielle. Pourtant, je croyais qu'elle possédait une maison dans le Quartier français…

— Oui, dans Sainte-Anne Street, dit Alex. Mais elle en a également une dans les bois ; c'est là qu'ils célèbrent le grand rite annuel, le 23 juin, veille de la Saint-Jean. Cette date a une grande signification pour les adeptes du vaudou, encore que je ne sache pas pourquoi.

— Rien que d'y penser, j'en ai froid dans le dos, dit Gabrielle en se serrant contre son frère. Les esclaves de Felicity prétendent n'avoir rien à voir avec ces choses, mais il m'arrive de temps en temps d'apercevoir le gri-gri que certains d'entre eux cachent sous leurs vêtements. Évidemment, ils s'empressent alors de l'escamoter. Et il ne sert à rien de les interroger à ce sujet ; ils font semblant de ne pas en connaître la signification.

— Il y a cette femme, chez les Robin, qui se prétend rebouteuse, dit Tom. M. Robin ne prend pas cela au sérieux. Si elle était à moi, je lui ordonnerais de mettre un terme à ces manigances, ou bien je la revendrais. »

Il ne restait nulle trace du passage du petit groupe. Dans la nuit, les branchages faisaient comme un mur que le regard ne pouvait pénétrer. Gabrielle s'efforçait d'imaginer ce qui les attendait s'ils parvenaient à trouver Marie Laveau. Pourquoi risquer une telle rencontre, se demandait-elle, quand on sait les choses terribles dont les adeptes du vaudou se prétendent capables ?

Elle fut parcourue d'un frisson et se serra un peu plus contre son frère. « J'espère qu'ils ne vont pas la trouver, dit-elle. Je sais bien que les gens font peu de cas du vaudou et lui dénient tout pouvoir... Il n'empêche que nous avons tous entendu parler d'esclaves à qui on aurait jeté un sort mortel et qui, de fait, ont fini par mourir.

— On peut trouver à cela maintes explications, dit Alex. A commencer par un état émotionnel paroxystique dans lequel le sujet se persuade qu'il doit mourir et est littéralement l'artisan de sa propre mort.

— Cependant, si on ne lui avait pas jeté de sort, cette idée ne lui serait jamais venue, objecta Gabrielle.

— Vous êtes très gais, vous deux, dit Tom. Tenez, voilà notre train. Oublions le vaudou et apprécions plutôt le trajet de retour, sinon, Gabrielle, je vais devoir monter la garde devant ta porte pour tenir les cauchemars à distance. »

Le retour ne prit guère de temps. En l'espace d'une demi-heure, ils arrivèrent à La Nouvelle-Orléans et furent ramenés à la maison par le cocher d'Alex. Gabrielle monta aussitôt se coucher, laissant les deux garçons au fumoir. Cela a été une agréable soirée en dépit de quelques fausses notes, se dit-elle. Pauvre Tom, il faisait semblant de ne pas y penser, mais il est tellement évident que Véronique et ses ennuis occupent le centre de ses pensées.

Puis elle sentit monter en elle une bouffée de bonheur lorsqu'elle repensa à tout ce qu'avait dit Alex. Tante Mathilde se trompe complètement à son sujet, se dit-elle. Elle pense qu'il ne considère pas le mariage comme quelque chose de sérieux, mais bien au contraire, selon moi, il le prend plus au sérieux que quiconque.

Lorsque Gabrielle s'éveilla le lendemain matin, la maison ne résonnait pas des bruits habituels. Elle sonna vainement Véronique, fit une toilette rapide et s'habilla. Elle descendit en hâte pour trouver Alex et Tom, l'air fort absorbé, dans le bureau. Ils sursautèrent à son entrée.

« Que se passe-t-il ? demanda-t-elle. Tom, qu'est-ce qui ne va pas ?

— Rien. Pourquoi demandes-tu cela ?

— Comme si je ne te connaissais pas, Tom. Toi et M. Saint-Cyr avez l'air de comploter au moins un attentat à la bombe.

— Je n'ai pas l'intention de faire sauter quoi que ce soit, miss Cannon, dit Alex en s'inclinant. Il fait suffisamment chaud comme cela. » Il lança un regard à Tom. « D'ailleurs, je suis fatigué de La Nouvelle-Orléans au mois d'août, je pars aujourd'hui pour Olympia.

— Aujourd'hui ! Mais... n'est-ce pas un peu précipité ?

— Je t'avais prévenue, Gabe, dit Tom. A l'université, nous le surnommions Vif-Argent. A présent, tu comprends pourquoi.

— Évidemment, il doit faire plus frais là-bas, dit Gabrielle. Ce sera beaucoup plus agréable qu'ici.

— Olympia a en effet la réputation d'être très agréable. Miss Cannon, il faudra que vous veniez nous voir un de ces jours. »

Alex alla serrer la main de Tom. « J'espère être de retour avant que tu ne quittes la ville, sinon envoie-moi ton programme afin que nous puissions correspondre.

— Je n'y manquerai pas, dit Tom.

— Je vous dis au revoir, miss Cannon. Et si vous n'êtes plus ici à mon retour, peut-être pourrai-je venir vous voir à Felicity ?

159

— Avec Tom absent, cela sera difficile, monsieur Saint-Cyr. Depuis qu'il y a ce froid entre vous et ma tante, je ne...

— Tu n'auras qu'à envoyer ta carte quand tu viendras dans la région, intervint Tom. Je parlerai à tante Mathilde. Ça n'est de toute façon qu'une tempête dans une tasse de thé !

— Lorsque des ouragans se préparent, dit Alex, ces petites perturbations deviennent plaisantes, car on peut agir sur elles. » Il prit la main de Gabrielle et la garda un moment dans la sienne. «Vous me verrez donc, miss Cannon.

— Oui... bien sûr. »

Elle les regarda quitter le bureau et les entendit se mettre à parler à voix basse dès qu'ils furent dans l'entrée. Ils sont en train de comploter pour secourir Véronique, pensa-t-elle, mais il n'est pas question que je pose la moindre question à Tom. Cependant, comme je voudrais être au courant de ce qui se trame !

Tom proposa de faire une dernière fois le tour de leurs propriétés de La Nouvelle-Orléans, ce qui prendrait la majeure partie de la journée. Et pendant que nous serons partis, se dit-elle, Véronique va s'échapper. Tandis qu'ils allaient d'un bâtiment à l'autre, Gabrielle jetait des coups d'œil à son frère et s'étonnait de son calme. Lui et M. Saint-Cyr sont en train de se rendre coupables d'un crime grave, si, comme je le pense, ils aident Véronique à s'enfuir, et cependant il est aussi paisible que s'il n'avait rien à cacher.

Elle essaya bien de parler de Véronique, mais ce nom ne put franchir ses lèvres. Alors, avec le sentiment de suivre une histoire dans laquelle il n'y avait pas de rôle pour elle, elle mit une certaine distance entre elle et les événements qui venaient, elle le savait, de se passer.

Elle va aller à Olympia avec M. Saint-Cyr, se dit-elle. Pour y faire partie de la petite cour d'esclaves de son père... Non, à eux deux, Tom et M. Saint-Cyr peuvent certainement arriver à quelque chose de mieux. Ce n'est pas seulement un emploi moins contraignant, mais avant tout la liberté que désire Véronique. Ah, que Tom ne m'a-t-il mise dans la confidence, j'aurais pu l'aider à mettre tout cela au point ! J'aurais peut-être eu une idée, une idée comportant moins de risques.

Gabrielle redoutait les prochaines heures, la dissimulation à laquelle Tom allait être contraint, le silence qu'il lui faudrait elle-même garder. Et lorsqu'ils rentrèrent à la maison, où leur tante les attendait, reposée et disposée à oublier les récents accrocs, Gabrielle crut bien défaillir. Elle prit place à table, sachant la chambre de Véronique déserte et se demandant qui allait donner l'alarme. Ce rôle lui incomberait-il, au moment du coucher, à l'heure où la jeune esclave venait habituellement l'aider à sa toilette ? Serait-ce Tom ? Elle put à peine manger, et lorsque le moment fatidique approcha enfin, elle se demanda si elle aurait la force de jouer le jeu de son frère, ou si, au contraire, elle n'allait pas révéler tout ce qu'elle suspectait.

« Oh, à propos, tante Mathilde, dit Tom lorsqu'ils eurent pris le dessert. J'ai rencontré le petit Favrot hier. Il m'a dit que sa mère voudrait savoir si Véronique pourrait faire un peu de couture pour elle... en dépannage, si j'ai bien compris, parce que leur couturière habituelle est malade.

— Nous ne sommes plus ici pour très longtemps, répondit tante Mathilde. Mais il va sans dire que si Louise Favrot a besoin d'un service... une si vieille et si chère amie... Gabrielle, veux-tu sonner Véronique, s'il te plaît ? Il faut que je voie où elle en est dans son ouvrage. Peut-être pourra-t-elle passer demain matin chez Louise pour voir combien de temps celle-ci aura besoin d'elle. »

Gabrielle crut qu'elle ne pourrait jamais franchir la distance qui la séparait de la sonnette. Cependant, aiguillonnée par le regard de Tom, elle se leva et alla actionner le cordon par trois fois. Le maître d'hôtel allait entendre le signal dans la cuisine et le relaierait jusqu'à Véronique en utilisant le cordon central, situé dans l'office, qui permettait de sonner dans toutes les chambres des esclaves.

Voyant que Véronique n'arrivait pas, tante Mathilde demanda à sa nièce de répéter l'opération. En désespoir de cause, tante Mathilde finit par actionner la sonnette à pied, placée sous le tapis devant sa chaise et uniquement destinée à appeler le maître d'hôtel. Eli se présenta rapidement, sachant déjà ce que sa maîtresse allait dire. « J'ai sonné Véronique, m'ame LeGrange. Seulement, elle ne répond pas. Je ne sais pas où elle a bien pu passer.

— Envoie Abigail à sa recherche », ordonna tante Mathilde d'un ton sec. Lorsque Eli fut sorti, elle lança un regard en direction de Tom. « En train de bouder, j'imagine. C'est toujours ainsi que cela se termine, quelques bontés qu'on puisse avoir pour eux. »

Tom ne répondit rien, non plus que Gabrielle. Silencieux, ils écoutaient le pas d'Abigail dans les escaliers. Vivement que ce

soit terminé, songeait Gabrielle. Je voudrais être dans mon lit...
ou bien très loin d'ici. Elle se rappela ce que Véronique lui avait
dit : je voudrais avoir des ailes. Puis Abigail s'encadra sur le seuil.
La cicatrice qui lui barrait la joue paraissait plus sombre et plus
longue, comme si la nouvelle qu'elle allait annoncer avait déjà
commencé d'opérer des changements.

« Elle est nulle part, m'ame Mathilde. Ni dans sa chambre, ni
nulle part.

— Que me chantes-tu là, Abigail ? Elle est forcément quelque
part !

— J'sais bien, m'ame, seulement ce quelque part, il est nulle
part.

— Parfait, Abigail, je te remercie. Va m'attendre dans ma
chambre, je suis très fatiguée et ne vais pas tarder à monter. »
Tante Mathilde attendit qu'Abigail eut prit congé, puis s'adressa
à Tom. « Où est-elle ? demanda-t-elle.

— Véronique, vous voulez dire ? Je n'en ai aucune idée. Pourquoi le saurais-je ? »

Gabrielle connaissait bien l'expression qu'affichait Tom, et elle
vit que sa tante l'avait également identifiée. Tom ne dirait rien
de plus. Sa tante pouvait bien le questionner, voire le menacer
autant qu'elle le voulait ; lorsque Tom Cannon arborait cette
expression, il n'était aucun aveu qu'on pût lui arracher.

Tante Mathilde détourna les yeux du regard fixe de son neveu
et se tourna vers Gabrielle. « Gabrielle ? Sais-tu quelque chose ?

— Non, ma tante », répondit la jeune fille. Son regard croisa
celui de tante Mathilde, dont elle vit se plisser les paupières. Je
sais si mal mentir, se dit-elle. Dieu merci, je ne suis au courant
de rien !

« Il semble qu'elle se soit enfuie, dit tante Mathilde d'un ton
presque détaché. Si c'est le cas, il va falloir que nous prenions
des mesures pour la retrouver. Les proclamations habituelles...
je vais évidemment offrir une forte récompense. » Elle se leva tout
en scrutant le visage des deux jeunes gens. « Mais il est trop tard
pour aujourd'hui ; je suis fatiguée et je ne pense pas qu'une douzaine d'heures de plus changeront grand-chose, qu'en penses-tu,
Tom ?

— Je ne sais pas », fit Tom. Il avait toujours le même air ren-
fermé. Il se leva à son tour et s'inclina en direction de sa tante.
« J'ai un rendez-vous, dit-il. Et puisque vous savez déjà ce que

162

cela irait mieux avec le temps... mais j'ai l'impression d'avoir de plus en plus de chagrin.

— Je sais, dit Tom. Et c'est en partie de ma faute, Gabe. Je ne me montre pas à la hauteur de papa... il suffit de voir comme je m'y suis mal pris pour ce qui est de Véronique.

— Tu n'as pas refusé de la vendre», objecta Gabrielle. Elle observait attentivement son frère, se demandant s'il allait la mettre au courant quant à la fuite de Véronique.

«Non, mais j'aurais dû prendre des gants avec tante Mathilde, au lieu de lui jeter à la tête, dès le lendemain, la proposition d'Alex. Et, bien sûr, elle a vu clair à travers notre stratagème.

— Le souci que l'on se fait nous empêche de voir la meilleure voie à suivre. C'est ma faute si l'affaire s'est mal engagée. Je me suis lancée sans discernement, j'ai dit tout ce que je savais, sans réfléchir aux conséquences possibles.

— Oui, et maintenant nous sommes presque à couteaux tirés avec tante Mathilde. Je suis très contrarié par son entêtement en ce qui concerne Véronique, et je bous encore de rage quand je repense à la façon dont elle a parlé de mon meilleur ami... Et cependant je me dis que je ne devrais pas la traiter avec aussi peu de ménagement. Jamais père ne se serait comporté comme je l'ai fait, Gabrielle.

— Oh, Tom, comment peux-tu être aussi dur pour toi-même? Tu n'as pas eu le temps de te remettre de sa mort. Tu es parti pour Baltimore presque aussitôt, tu as sillonné le Sud et, sitôt ton retour, tu t'es retrouvé plongé dans de nouveaux problèmes! Je suis fière de toi, et je suis certaine que papa l'aurait été, lui aussi. Pour ce qui est de tante Mathilde, je crois savoir ce qu'elle ressent, même si cela ne me fait pas accepter plus facilement sa décision.

— Ce qu'elle ressent? Sa réaction, je la trouve pour le moins singulière! Imaginer qu'un garçon comme Alex, pour lequel j'ai tant d'affection, puisse envisager de se conduire de façon aussi méprisable... imaginer que Véronique, qui, tout comme toi, a grandi sous sa tutelle, puisse s'y prêter!... Mais elle préférerait mendier par les rues plutôt que d'être entretenue!

— Mais ne comprends-tu pas, Tom? C'est pour cela que tante Mathilde ne veut ni la vendre ni l'affranchir. Elle se sent responsable, elle ne croit pas que Véronique pourrait éviter une telle... une telle liaison, si elle volait de ses propres ailes.

— N'en dis pas plus, Gabe, sinon ce désir de me réconcilier avec ma tante que j'essaie de faire naître en moi va mourir
avant même que d'avoir vu le jour. » Tom se leva et se massa
la nuque. « Je suis complètement gourd, ma Gabe. Que ne
donnerais-je pas pour être de retour à Felicity avec pour programme rien de plus fastidieux qu'une longue chevauchée à tes
côtés !

— Assieds-toi sur ce tabouret, je vais te masser comme je le
faisais à papa. » Gabrielle se plaça derrière Tom et se mit à lui
masser nuque et épaules.

« Quel trésor tu es, Gabe, dit-il au bout d'un moment, sentant
ses muscles se dénouer. Je me réjouis que tu sois si mal disposée
à l'égard de ces prétendants dont nous attendons la venue... Seul
un homme d'exception saura te mériter. »

Elle réagit à ces paroles en lui déposant un baiser sur la joue.
Tom vit, au bonheur timide dont brillait son regard, combien
cet éloge la touchait.

« Eh quoi, Gabe ! Ne te crois-tu pas capable d'illuminer la vie
d'un homme ?

— Je ne sais pas, dit-elle. D'après ce que j'en sais, ce que
recherchent la plupart des hommes, c'est quelqu'un qui saura
tenir leur maison, porter et élever leurs enfants, et, bien sûr, leur
apporter du bien qui viendra grossir le leur. N'importe quelle
jeune femme bien élevée peut s'acquitter de cela. Quant à cette
illumination dont tu parles, je ne sache pas qu'elle entre jamais
en ligne de compte.

— Peu importe ce qui se passe chez les autres, Gabe. Tu sais
la dévotion que père portait toujours à notre mère quinze ans après
sa mort. Pareille dévotion était le fruit d'une union totalement
heureuse ; c'est ce que je tiens à vivre moi aussi, et je te conseille
de ne pas accepter autre chose.

— Mais comment m'y prendre, Tom ? Et toi, comment vas-
tu t'y prendre ?

— Je sais que tu y parviendras », dit-il. Il se leva et lui tendit
la main. Elle la lui prit en le regardant dans les yeux. Il ne m'a
pas dit comment je saurai reconnaître celui qui me rendra heureuse, se dit-elle. Mais à l'évidence, il a déjà trouvé, lui, celle
qui fera son bonheur.

Tante Mathilde rentra pour le déjeuner et fit le rapport de sa matinée à ses neveu et nièce.

«Je suis allée voir M. Guillot, dit-elle en commençant à manger. J'ai pensé qu'il était plus qualifié que moi pour s'occuper de cette affaire. Il se charge de faire paraître les annonces habituelles et placarder les affiches. Mais il n'est guère optimiste quant au succès de l'opération. »

Voyant que Tom n'avait nulle intention d'entrer dans la conversation, Gabrielle demanda : «Il pense qu'on ne retrouvera pas Véronique?

— Exactement, fit tante Mathilde.

— Il est pourtant particulièrement difficile de s'enfuir de Louisiane. Nous sommes très au sud et il n'y a aucun territoire susceptible d'accueillir un esclave marron dans les environs.

— Si Véronique était une esclave agricole, il serait sûrement possible de la retrouver, dit tante Mathilde. Mais avec la couleur de sa peau et le métier qu'elle possède... M. Guillot m'a rappelé qu'il y a une large population d'octarons libres à La Nouvelle-Orléans. Si elle parvient, comme il le pense, à se fondre parmi eux, c'en sera fait de nos chances de la retrouver.

— C'est ce que je lui souhaite! lança Gabrielle. Désolée, ma tante, mais vous savez ce que j'en pense...

— Oui, nous savons tous très bien ce que nous pensons à ce sujet. Et j'aimerais pour ma part n'en plus parler. » Tante Mathilde se tourna vers Tom et attendit qu'il lève la tête et soutienne son regard. «Tom, j'ai tenu des propos un peu sévères sur ton ami. Je te présente mes excuses. »

Gabrielle vit Tom en proie à un combat intérieur, et le fixa avec insistance afin qu'il se rappelle sa résolution de faire table rase de tout différend avec sa tante.

«Je... j'accepte vos excuses, tante Mathilde, finit-il par dire. Et je vous supplie de me pardonner les choses désagréables que j'ai pu vous dire.

— Merci, Tom. Bien sûr que je te pardonne. Ni toi ni moi ne sommes habitués à nous passer du conseil d'Olivier. Forcément, nous commettons quelques erreurs.

— C'est vrai, dit Tom. Eh bien, je suis heureux que ce soit réglé, tante Mathilde. Je pars demain soutenir la campagne de Breckenridge dans le nord de l'État, et je suppose que vous allez très bientôt regagner Felicity.

167

— Oui, il faudrait que nous retenions dès aujourd'hui nos places sur le bateau, de sorte à partir à la fin de la semaine. » Tante Mathilde considéra Tom d'un air incertain, puis, les yeux sur son assiette, ajouta : « J'avais pensé que nous pourrions demander à M. Saint-Cyr de venir dîner avec nous avant notre départ. C'est-à-dire ce soir… Faut-il que je lui envoie un mot d'invitation ?

— Saint-Cyr est parti pour Olympia, dit Tom. Il est parti s'occuper de son père, qui s'est cassé la jambe en faisant travailler un nouveau cheval de chasse. Je ne sais quand il reviendra.

— Ah ? Mais il est parti très soudainement. Il était encore ici il y a…

— Une chute de cheval est quelque chose d'assez soudain. » Tom semblait plus joyeux, comme s'il eût pour sa part passé l'obstacle avec une surprenante facilité. « Toujours est-il que son père lui a demandé de venir le distraire.

— En ce cas, nous n'allons pas le revoir, dit tante Mathilde.

— Je pense qu'il passera à Felicity lors d'une tournée d'inspection sur la ligne fluviale, dit Tom. Je l'y ai invité. »

A une altération à peine perceptible du visage de leur tante, les deux jeunes gens virent qu'elle réalisait que Tom faisait valoir son autorité. Lorsqu'elle reprit la parole, ce fut pour aborder un autre sujet, et elle n'évoqua plus ni Alex ni Véronique.

Avant de quitter La Nouvelle-Orléans, la tante et sa nièce eurent un dernier visiteur en la personne de Jordan Scott, retour de Boston, qui se présenta dans le cours du dernier après-midi.

« Miss Cannon, je suis désolé d'avoir manqué votre frère. » En redingote bleu pâle et pantalon crème, il semblait calme et serein, un peu comme s'il eût apporté dans ses bagages un peu de la fraîcheur de Boston. « Si je comprends bien, il s'est enthousiasmé pour son candidat.

— Ça oui, répondit Gabrielle. D'ici les élections de novembre, il va être la plupart du temps parti, s'employant à inciter les autres à voter pour M. Breckenridge…

— Et vous, miss Cannon ? Quels sont vos projets ?

— Nous partons demain pour Felicity. Ensuite… » Son regard plongea dans les yeux bleu pâle de Jordan, et elle repensa à la première fois où elle s'était trouvée sous ce regard pénétrant. « Ah, monsieur Scott, cela va peut-être vous sembler difficile à admettre, connaissant ma vraie nature, qui n'est pas tout à fait conforme aux convenances… mais mon frère m'a avertie qu'il fallait

168

s'attendre à ce que des gentlemen me rendent visite, tous avec des idées de mariage derrière la tête. » Elle eut un rire en voyant l'expression du jeune homme. «Je vois que vous envisagez cette perspective avec autant d'enthousiasme que moi. Dites-moi, monsieur Scott, si j'habitais Boston, aurais-je à affronter le même genre de procédure ?

— Je le suppose, dit Jordan. Mais, miss Cannon, avez-vous l'intention d'accepter un de ces prétendants ?

— Certainement pas !

— Cependant, il y aura parmi eux quelques personnes de connaissance, des fils de famille du voisinage...

— Comme Jaime Robin ou Harold LeBœuf ? Croyez-moi, monsieur Scott, je n'ai rencontré personne, là-bas, que je puisse seulement envisager d'épouser... D'ailleurs ce sujet me déprime au point que je vous serais reconnaissante de parler d'autre chose, je vous en prie.

— Je ne suis pas certain que celui-ci vous conviendra mieux, dit Jordan. Vous avez dit à l'instant que je connaissais votre vraie nature, qu'elle n'était pas tout à fait conforme aux convenances...

— Mais enfin, monsieur Scott, vous m'avez vue émerger du bayou ! Complètement trempée, pieds nus — une honte !

— C'est vrai. Et je n'ai jamais été autant surpris. Le bayou si paisible, la tranquillité de ce paysage qui défilait devant moi, et puis soudain, au milieu de l'eau, une nymphe aux cheveux roux !

— Si Brandy avait été là lorsque je vous ai vu entrer à la maison, croyez-moi, je lui aurais sauté sur le dos et j'aurais décampé ! Quel horrible moment cela a été pour moi, monsieur Scott.

— Je le savais, et je ne pouvais cependant vous assurer que jamais je n'y ferais allusion...

— Oh, cela n'a plus d'importance à présent, dit Gabrielle. Avec tout ce qui est arrivé depuis, s'inquiéter d'un incident aussi idiot paraît absurde.

— Idiot peut-être, et pourtant, miss Cannon, ne l'avez-vous pas senti ? Comme une charge électrique dans l'atmosphère, une impression de suspense... comme si on venait d'ouvrir un livre et qu'une histoire commençait...

— Pour parler aux femmes, vous n'avez nul besoin de leçons, monsieur Scott, dit Gabrielle en fronçant légèrement les sourcils. Vous vous y prenez plutôt bien.

« — Je ne cherche pas à faire un joli discours, miss Cannon, mais à exprimer ce que j'ai ressenti sur l'instant. C'est ce qui m'a poussé à participer au tournoi de l'anneau, cela au risque de me ridiculiser. »

De la déception dans le regard, Gabrielle se leva et s'éloigna de quelques pas.

« Monsieur Scott, si vous me dites que vous êtes tombé amoureux de moi à l'instant où vous m'avez vue, je quitte immédiatement cette pièce.

— Non, non... je ne me permettrais pas de dire une telle chose », dit-il en se levant à son tour, sans toutefois réduire la distance qu'elle avait mise entre eux.

« Que voulez-vous dire alors, monsieur Scott ? Je ne vous comprends guère...

— Je ne me comprends pas moi-même. Une sorte de correspondance, d'entrelacement de nos destinées... » Il se tut, et Gabrielle vit combien il manquait tout à coup d'assurance.

« Oui, bien sûr... une telle coïncidence survenant dans la vie de quelqu'un qui lit autant que moi... en vérité, je ne pouvais pas ne pas remarquer le côté dramatique, théâtral, d'un tel événement !

— Vous ne vous moquez pas ? interrogea Jordan Scott en faisant un pas vers elle. Vous avez vraiment le sentiment que nous sommes faits pour avoir quelque impact l'un sur l'autre ?

— Pourquoi me moquerais-je ? Quant à parler d'impact, monsieur Scott, je n'irais pas jusque-là, mais déjà, depuis le peu de temps que je vous connais, par les quelques conversations que nous avons eues, vous avez eu de l'influence sur ma façon de voir les choses.

— Et vous sur la mienne ! Revenez donc vous asseoir, miss Cannon. J'ai tant de choses à vous raconter ! Mon voyage de retour à Boston...

— Ah, mais oui, j'aurais dû vous poser la question ! Avez-vous fait un agréable séjour dans votre famille ? Ils ont dû être très heureux de vous avoir à nouveau. »

Jordan, tout sourire, attendit pour se rasseoir que Gabrielle eût repris sa place. « Ça, j'ai reçu un accueil royal. Chacun voulait entendre mes observations sur la situation telle qu'elle se présente ici. Des oncles qui me remarquaient à peine il y a un an étaient suspendus à mes lèvres. »

Gabrielle déploya son éventail et se mit à l'agiter lentement d'avant en arrière. Elle vit les yeux du jeune homme suivre ce mouvement rythmé, puis se porter à son visage. Il semblait comme hébété, avec l'air d'avoir perdu le fil de sa pensée. Promptement, s'éventant plus rapidement, Gabrielle lui remit les idées en place : «Et que leur avez-vous dit?

— Pardon?» Il secoua la tête, puis la regarda à nouveau, maintenant bien éveillé. «Aux gens de ma famille? Eh bien, je leur ai dit le fond de ma pensée. Que la situation ici est très préoccupante, et que si ce n'est pas un démocrate du Sud qui remporte les élections, elle risque d'empirer régulièrement.

— Étaient-ils d'accord avec cela?

— Ils ne pensent pas qu'un démocrate sudiste puisse l'emporter. C'est pourquoi ils n'ont pas été contents d'apprendre à quel degré les esprits sont échauffés dans le Sud.

— Dans le Sud! Je trouve, moi, que la rhétorique nordiste ne manque pas non plus de flamme!

— Je ne prétends pas le contraire», dit Jordan. Il se pencha en avant, et le vent de l'éventail fit légèrement bouger ses cheveux. «Dans ma famille, on trouve toute une gamme d'opinions, depuis mon père qui s'efforce à l'objectivité, jusqu'à ma grand-mère qui craint surtout qu'une belle créole ne capture son petit-fils, et de ne plus jamais le revoir.

— Et avez-vous fait bon voyage?» interrogea Gabrielle, bien décidée à ne plus aborder avec Jordan Scott le sujet du mariage. Quelque chose la mettait mal à l'aise dans la façon dont il la regardait de temps à autre, comme s'il comprenait parfaitement la connexion qu'il pouvait y avoir entre leurs deux destinées, et ne s'en ouvrait pas pour des raisons que ni l'un ni l'autre ne maîtrisait.

«Oui, excellent. Et très mouvementé.» Il eut un soupir et se tamponna le front à l'aide de son mouchoir. «Est-ce qu'il fait toujours aussi chaud en août?

— C'est un minimum, dit Gabrielle. Quand étiez-vous ici, la dernière fois? C'était en octobre? Alors, je crains que ce ne soit un choc pour vous. La chaleur ne va pas décroître avant la mi-septembre. Je suis contente de regagner Felicity demain. Je ne crois pas qu'il fasse vraiment moins chaud à la campagne, mais on y a une impression de fraîcheur.

— Pourrai-je vous y rendre visite, miss Cannon? Il va m'arri-

171

ver de temps à autre de remonter le fleuve sur un de nos vapeurs, et j'ai amassé tant de choses à vous dire pendant mon séjour à Boston ! Je n'ai pas cessé de tout voir à travers votre regard, il me semblait savoir précisément l'effet que chaque chose aurait produit sur vous, je pouvais presque vous entendre émettre vos commentaires pleins d'originalité... » Il se tut, fixant la surface lustrée de ses souliers comme s'il eût cherché à y lire son avenir.

« Ne tombez pas amoureux de moi, monsieur Scott », s'entendit dire Gabrielle. Ils se regardèrent, tous deux si bouleversés qu'ils ne purent parler. Jordan se ressaisit le premier.

« Pourquoi dites-vous cela, miss Cannon ?

— Ce serait une entreprise vaine...

— Voulez-vous dire que vous ne pourriez pas... m'aimer en retour ?

— Non... je ne veux dire que ce que j'ai dit. Ce serait vain.

— A cause de la situation politique ?

— Oui, bien sûr.

— Vous me surprenez, miss Cannon. J'ignorais que vous fussiez si... pragmatique. Je vous prenais pour quelqu'un de... romantique... d'idéaliste.

— J'espère être les deux à la fois », dit Gabrielle. Elle se leva, replia son éventail et partit vers la porte. Jordan se leva d'un bond, l'air si confus, si malheureux qu'elle lui tendit la main. « Monsieur Scott, dit-elle avec une grande douceur, votre grand-mère s'inquiète de vous voir épouser une fille de Louisiane, de crainte que cela ne vous coupe de votre famille...

— Ma grand-mère s'inquiète de mon mariage depuis le jour de ma naissance ! Je suis l'aîné, cela a une grande importance à ses yeux.

— Oui, et elle serait très malheureuse si elle apprenait que vous avez décidé de tomber amoureux de moi. » Gabrielle secoua la tête. « Non, monsieur Scott, vous n'êtes pas amoureux de moi, et je ne vous permettrai pas de dire que vous l'êtes. Peut-être êtes-vous intrigué, parce que, comme vous l'avez dit, vous n'aviez jamais rencontré de ''nymphe aux cheveux roux''. Et sans doute éprouvez-vous de la reconnaissance à mon endroit parce que je vous ai traité avec gentillesse et que vous vous sentez à l'aise avec moi... Je vous en conjure, monsieur Scott, n'allez pas gâcher une si belle amitié ! »

Il baissa le regard vers leurs deux mains dont les doigts s'entrelaçaient. « Elles vont bien ensemble, vous ne trouvez pas ? » Puis il se redressa. « Peut-être avez-vous raison, miss Cannon. Je ne m'étais jamais senti amoureux, ni même rien d'approchant, alors peut-être est-ce que je me méprends sur ce que j'éprouve. Toujours est-il que je vous en donne ma parole : je ne serai jamais le premier à revenir là-dessus.

— Scellons ce pacte d'une poignée de mains à la bonne vieille mode américaine, dit Gabrielle. Nous sommes amis, monsieur Scott, et vous serez toujours le bienvenu à Felicity. »

Jordan parti, Gabrielle monta dans sa chambre afin de surveiller le remplissage de sa malle. Mais si absorbée qu'elle fût bientôt par les derniers préparatifs de départ, elle repensait de temps à autre aux paroles exactes du jeune homme. « Je ne serai jamais le premier à revenir là-dessus. » Ce qui laissait une ouverture, si jamais le désir lui prenait de s'y risquer.

Parmi la pile de courrier figurait une invitation des Robin à leur trentième anniversaire de mariage.

« Je suis heureuse d'être rentrée à temps, dit tante Mathilde. J'aurais été triste d'avoir manqué cela, les Robin sont de si bons amis.

— Oui, cela va être plaisant de retrouver Dorothea et tous les autres, dit Gabrielle. Seulement, j'espère qu'une bonne pluie va nous apporter un peu de fraîcheur. »

De fait, la campagne semblait à peine moins étouffante que La Nouvelle-Orléans. Une atmosphère chargée d'humidité maintenait en suspension pollens et poussières, gênant considérablement la respiration et interdisant tout mouvement un peu énergique. Assise dès les premières lueurs de l'aube sur la galerie, regardant les esclaves partir en file indienne vers les champs, Gabrielle pensa aux heures pénibles qui attendaient ces malheureux et dit à sa tante de demander à Adams de leur accorder des périodes de repos au cours de la journée et de veiller à ce que des fûts d'eau leur soient apportés dans les champs.

En l'absence de Tom, Gabrielle et sa tante demandaient que l'on prépare des repas simples et légers, et Letha avait soin de procéder à la cuisson du pain et des viandes aux premières heures du jour, afin de n'avoir pas à allumer du feu au plus chaud de la journée.

Comme si l'air épais et immobile était un poids rapprochant au fil des heures le couvercle du ciel de la terre, confinant ainsi les humains dans un espace toujours plus réduit, les habitants de Felicity devenaient de plus en plus nerveux et irritables, et même la douce Lucie allait et venait avec une moue agacée.

La disparition de Véronique avait eu un effet qui rendait Gabrielle plus mal à l'aise que si chacun en avait parlé ouvertement. Mais cela demeurait enfoui. Abigail avait certainement raconté à Letha, et peut-être également à Lucie, ce qui s'était passé à La Nouvelle-Orléans. Mais ni l'une ni l'autre n'y faisaient la moindre allusion. Tout se passe, se disait Gabrielle, comme si la conspiration du silence par laquelle elles se protègent mutuellement lorsqu'une faute a été commise opérait alors même qu'elles n'ont absolument aucun renseignement en leur possession qui pourrait permettre à tante Mathilde de recouvrer son bien.

Aussi fut-elle heureuse de la diversion offerte par la fête chez les Robin, heureuse à la perspective de rencontrer des gens de son âge. Et ce serait de plus un soulagement de voir provisoirement sa tante frayer avec des personnes de sa génération.

A la faveur du voyage de retour, la tante et la nièce étaient parvenues à un niveau d'équilibre ; la tranquillité de la navigation, la paix de longues heures passées sur le pont dans la contemplation du paysage avaient peu à peu agi sur elles, et lorsqu'elles se furent réinstallées à Felicity, tante Mathilde avait solidement repris en main les rênes de la maison.

Toutefois, Gabrielle ne voyait plus sa tante avec les mêmes yeux que seulement quelques semaines plus tôt. Tante Mathilde, dont elle avait toujours jugé les décisions justes et raisonnables, avait failli. Si elle n'avait que peu de défauts, celui qu'elle venait de révéler avait causé beaucoup de dégâts. Gabrielle s'aperçut bientôt qu'elle ne se confiait plus aussi spontanément à sa tante et ressentait de plus en plus le besoin de garder pour elle ses pensées et ses impressions.

Située sur une colline basse et construite dans le style des Antilles avec un toit très pentu, des couloirs et des baies distribuées de sorte à bien ventiler les différentes pièces, avec, au sud, un écran d'arbres en protection contre le soleil, la maison des Robin était aussi bien protégée que possible de la chaleur, et pour une fois, parmi les invités regroupés à l'intérieur des hautes pièces ou sous de vastes tentes, la terrible canicule de ce mois d'août n'était pas le principal sujet de conversation.

Gabrielle se mit tout de suite en quête de Dorothea et finit par la trouver qui faisait de la balançoire avec un jeune homme qu'elle ne connaissait pas.

«Gabrielle, je te présente Paul Levert», dit Dorothea. Et à l'altération de sa voix lorsqu'elle prononça ce nom, Gabrielle comprit qu'il devait s'agir du garçon dont Dorothea avait fait la connaissance chez sa cousine, un peu plus tôt cette année-là. «Monsieur Levert, voici miss Cannon, l'amie dont je vous ai si souvent parlé. Mais dites-nous un peu les nouvelles, Gabrielle!

— La Nouvelle-Orléans au mois d'août n'a guère de charme, dit Gabrielle. Nous avions surtout à voir nos affaires, et, étant en deuil, nous ne sommes pas sortis.» Il ne semblait pas utile d'évoquer la sortie jusqu'au lac; cela aurait amené à parler de MM. Saint-Cyr et Scott, et, quoique Dorothea eût sans doute muselé sa curiosité du fait de la présence de M. Levert, Gabrielle ne se sentait pas l'envie de parler de l'un ou de l'autre.

«Mais que raconte-t-on au sujet de Véronique? questionna Dorothea. Bess a dit à maman qu'on lui avait rapporté que Véronique s'était enfuie!

— Comment cela serait-il arrivé aux oreilles de votre cuisinière? fit Gabrielle. Nos propres esclaves n'en ont pas parlé, du moins pas devant moi!

— Vous savez bien comment tout se sait parmi eux.

— C'est vrai», concéda Gabrielle. Autre sujet dont je ne tiens pas à parler, se dit-elle et, bredouillant une excuse, elle s'éloigna rapidement.

Elle semblait incapable de s'intéresser à aucun autre invité, et l'empressement avec lequel elle s'était habillée pour venir disparut bientôt, faisant place à un sentiment de désabusement et de solitude. Prenant un bol de punch, elle alla s'asseoir à l'ombre sur un banc, observant ceux qui s'amusaient, et se demandant pourquoi elle avait si peu envie de se joindre à eux. Son regard se posa sur Dorothea, toujours serrée de près par M. Levert.

Que l'amour est chose étrange, se dit-elle. J'ai toujours respecté Dorothea — elle est si intelligente et possède un tel bon sens. Pourtant, ce M. Levert n'a rien, semble-t-il, de bien extraordinaire, un jeune homme de bonne figure, mais sans grande personnalité. Et comme ses yeux sont pâles, ils semblent délayés au

175

milieu de son visage ! Ah, tu es ridicule ! se réprimanda-t-elle. Comme si la couleur des yeux avait de l'importance dans une question aussi sérieuse que celle de tomber amoureux.

Elle vit Harold LeBœuf qui changeait de direction pour pouvoir passer près de son banc. Rapidement, elle se leva, ouvrit son ombrelle et partit vers une table dressée sur la pelouse, où étaient servis des rafraîchissements. Ce long crépuscule allait bientôt prendre fin ; déjà, Mme Robin avait demandé que soient allumés les grands chandeliers, et certains invités se préparaient à prendre congé.

Gabrielle s'engagea entre deux rangs de salicaires dont le feuillage rose vif était un défi à la chaleur d'août. Le ciel, rougi par le soleil, était assorti à la couleur des pétales. Le monde rougeoyait de chaleur, menaçant de s'embraser à tout instant.

C'est alors qu'un tumulte éclata. Des bruits de sabots dans l'allée, un homme qui criait. Gabrielle vit l'effet que ses paroles avaient sur la foule, dispersant les petits groupes et poussant chaque invité à s'agglutiner autour du nouvel arrivant, qui venait d'arrêter sa monture devant M. Robin et répétait une nouvelle fois son funeste message.

« Michaël Fleming a été assassiné, l'esclave qui a fait ça est en fuite. On a envoyé des patrouilles, mais que tout le monde soit très prudent — Joseph a tué un homme, on ne le pendra pas plus haut s'il en tue d'autres. »

Il y eut des cris incrédules, des cris de colère. Une femme perdit connaissance, quelqu'un se mit à pleurer. Du geste, M. Robin réclama le silence.

« Je suis navré que notre petite fête s'achève ainsi. Je sais que chacun de vous désire rentrer immédiatement chez lui. Aussi Mary et moi vous souhaitons-nous bon retour. Et maintenant, mettez-vous en route. »

Des gens se hâtaient déjà vers leur voiture avec l'air d'être sur leurs gardes, comme si le meurtrier était embusqué derrière chaque tronc d'arbre. M. Robin aperçut Gabrielle et vint vers elle. « Vous et Mme LeGrange feriez mieux de rester. Sans homme à la maison... bref, je serais plus tranquille si je vous savais en sécurité sous mon toit. »

Tante Mathilde était tout acquise à cette idée. Elle écrivit un billet qu'elle chargea Samson de remettre à M. Adams, lui

176

commandant de regagner directement Felicity et de ne s'arrêter sous aucun prétexte.

« Mais enfin pourquoi ? dit Dorothea. Pourquoi ce Joseph — c'est bien son nom ? — pourquoi ce Joseph a-t-il tué M. Fleming ? »

L'homme qui était venu les prévenir lança un regard au père de la jeune fille, puis détourna les yeux. « Pourrais pas vous dire, miss Robin, fit-il. Vous savez ce que c'est... De temps en temps il y a des esclaves qui perdent la tête... Il y en a qui vont se cacher un moment dans les bois, d'autres qui essaient de s'enfuir, et d'autres qui... qui deviennent violents.

— C'est horrible, dit Dorothea. Horrible !

— Vous, mesdames, rentrez à l'intérieur », dit M. Robin. Il eut un geste en direction de son contremaître, qui attendait tranquillement à l'écart. « Tous nos gens sont rentrés, Wallace ?

— Oui, monsieur.

— Les chiens sont lâchés ?

— Oui, monsieur. Ils montent la garde. »

M. Robin eut un soupir. « C'est parfait. Et vous... vous êtes armé ? »

Un sourire passa sur le visage de Wallace. « Oui, monsieur, dit-il.

— Parfait. Jaime et moi allons prendre nos fusils de chasse et organiser un tour de garde. » M. Robin avisa sa fille et Gabrielle, qui n'avaient pas bougé, et se rembrunit. « Dorothea, il me semble t'avoir dit de rentrer.

— Oui, papa. » Et après un regard désespéré à Paul Levert, qui demeurait au côté de son père, Dorothea prit Gabrielle par la main et partit en courant presque vers la maison.

« Montons dans ma chambre, dit-elle lorsqu'elles furent à l'intérieur. Je n'ai aucune envie d'entendre ma mère et mes sœurs se ronger les sangs. Félice n'a aucun sang-froid, elle est si trouillarde qu'elle va sûrement faire une crise de nerfs au moindre bruit.

— N'avez-vous pas peur, Dorothea ? demanda Gabrielle dans les escaliers.

— Quoi ? De cet esclave ? Bien sûr que non ! Jamais il n'arrivera jusqu'ici. Nous sommes à des kilomètres de chez les Fleming. Et quand bien même il viendrait rôder par ici, il y a les chiens. Ils sont très méchants ; papa ne nous laisse pas sortir quand ils sont lâchés. En plus, on fait des battues dans toute la région, et

177

puis papa, Jaime et Wallace, et peut-être aussi M. Levert, vont monter la garde autour de la maison, armés jusqu'aux dents. Bon sang, Gabrielle, il faut que cet esclave soit devenu fou pour tuer Michaël Fleming, alors qu'il n'a absolument aucune chance de s'en tirer.

— Je devrais être attristée par la mort de M. Fleming, dit Gabrielle, mais ce n'est pas le cas. Nous ne connaissons pas les faits, mais je serais prête à parier qu'il l'a bien cherché... Ce M. Fleming est — était quelqu'un de très désagréable.

— Il l'a bien cherché ? Cela n'autorise pas à assassiner les gens, Gabrielle ! N'allez pas dire ce genre de chose en public, on vous traiterait d'irresponsable !

— Il a manqué de respect à Véronique, au début de l'été, lorsqu'elle faisait de la couture chez lui. Et puis il est allé raconter à Mme Fleming que c'était elle qui l'avait provoqué.

— Je n'en crois pas mes oreilles, fit Dorothea. Gabrielle, mais c'est d'*esclaves* que nous parlons. Est-ce que vous avez conscience de notre petit nombre face à eux ? Vous rendez-vous compte que le moindre signe de faiblesse, le plus petit relâchement dans la discipline peut mettre nos vies en danger ?

— On ne me fera pas croire que cet homme serait allé tuer Michaël Fleming comme cela, sans raison. Je sais que lorsque Tom a appris... » Gabrielle se plaqua la main sur la bouche en voyant l'expression de Dorothea.

« Quand Tom a appris qu'il avait manqué de respect à Véronique ? » fit Dorothea. Elle fixait Gabrielle d'un air distant, l'examinant comme s'il s'agissait de leur première rencontre. « Maman a toujours dit que votre père avait commis une grave erreur en l'élevant comme il l'a fait, avec Tom et vous.

— J'aimerais vous entendre vous expliquer là-dessus », dit Gabrielle. Elle se sentait tout à coup frigorifiée jusqu'au bout des doigts, comme si la mort de Michaël Fleming avait ouvert une crevasse dans le sol et qu'un courant d'air glacé, monté des entrailles de la terre, fût venu l'envelopper.

« D'être aussi bien traitée lui a donné de fausses espérances », disait Dorothea. Elle fut frappée de la froideur de Gabrielle. Elle n'avait pas l'habitude qu'on la défie ; étant l'aînée de quatre sœurs, elle était accoutumée à ce que la moindre de ses paroles eût presque valeur d'ordre. « Ne me regardez pas comme ça, Gabrielle ! D'abord cela ne se fait pas... Et puis réfléchissez un

peu avant de laisser entendre aux gens que votre frère se soucie excessivement de ce qui peut arriver à Véronique. Tout le
monde ne connaît pas Tom comme le connaissent ses proches
voisins... Si vous ne faites pas attention, Gabrielle, les gens vont
finir par s'imaginer qu'il l'a enlevée. »

Par un violent effort de volonté, Gabrielle se força à garder
la même expression tout en pivotant pour se diriger vers la porte.
« Il se fait tard, dit-elle lorsqu'elle fut à bonne distance de la lampe
à pétrole. Je vais aller retrouver ma tante, elle doit se demander
où je suis passée. »

Tante Mathilde et Mme Robin étaient assises dans la chambre de cette dernière. Elles avaient tiré les rideaux, allumé toutes
les lampes, et parlaient à voix basse.

« Ah, te voilà, dit tante Mathilde quand sa nièce frappa à la
porte restée ouverte. Ne pense plus à tout cela, Gabrielle. On
va bientôt mettre la main sur lui et le mener en prison. Ce sont
des choses qui arrivent, et, comme je le disais à Mme Robin, elles
semblent avoir l'effet d'un coup de bistouri sur un abcès. La pression retombe et de nouveau tout est calme.

— Jusqu'à la prochaine fois, fit Gabrielle, sachant que ce
qu'elle s'apprêtait à dire perturberait presque autant son audi-
toire que l'avait fait le crime de ce Joseph. Je suis heureuse que
Véronique soit sortie de tout cela. Et où qu'elle puisse être,
j'espère de tout mon cœur qu'elle ne rencontrera pas d'autre
Michaël Fleming. »

Elle n'attendit pas d'entendre la réponse outrée de sa tante
ni de voir la face stupéfaite de Mme Robin. Tournant vivement
les talons, elle suivit le couloir et passa la porte donnant sur
la galerie de l'étage. Là, elle s'adossa au mur de brique, qui
avait emmagasiné la chaleur du soleil. Un alignement de tor-
ches faisait une barrière de flammes le long de l'allée, et la jeune
fille distingua une silhouette sombre qui marchait sous cette
lumière.

Elle essaya de s'imaginer ce que devait éprouver Joseph, transi
de peur maintenant que s'était éteinte la fureur qui l'avait fait
frapper son maître. S'était-il caché entre les rangs de canne,
avec l'espoir d'obtenir de l'aide lorsque les premiers esclaves
arriveraient aux champs ? S'était-il engagé à travers les marais,
redoutant à chaque pas l'étreinte des sables mouvants ou l'attaque foudroyante d'un serpent ? Avait-il entendu les aboiements

179

des chiens qui le traquaient ? Ou bien avait-il simplement
attendu dans les ténèbres que son destin le rejoigne, en se disant
que s'il devait aller en enfer, au moins y avait-il d'abord expé-
dié Michaël Fleming ?

10

Un autre sujet à ne jamais aborder venait de s'ajouter à celui de la fuite de Véronique : le meurtre de Michaël Fleming et l'ahurissante sortie par laquelle Gabrielle l'avait commenté. Capturé avant minuit, jeté en prison avant le lever du jour, l'esclave meurtrier était désormais abandonné aux rouages de la justice, qui l'enverrait à la potence ou au pénitencier de Baton Rouge. Bien plus inquiétant était l'effet de cet assassinat sur les autres esclaves. A Felicity, Adams prit plusieurs mesures destinées à faire retomber la tension ; il offrit aux esclaves des champs une demi-journée de temps libre et leur permit d'organiser une fête.

« Ils se calment, madame, rapporta-t-il à tante Mathilde quelques jours après la mort de Fleming.

— Cependant, monsieur Adams, en l'absence de Tom, je désire que vous preniez des mesures supplémentaires.

— Il ne faut pas paniquer, madame LeGrange », dit Adams d'une voix tranquille.

Gabrielle vit une trace de peur passer sur le visage de sa tante.

« Chaque fois que quelque chose de ce genre se produit, dit celle-ci, j'éprouve la peur que j'ai connue jadis au Texas. Dans les premières années, cela a été les raids des Indiens, et plus tard les Mexicains.

— Les esclaves ne sont pas armés, madame LeGrange, et ils ne le seront jamais. » Le contremaître leva la main. « Oui, je sais

181

que les sabres d'abattage peuvent faire des armes redoutables, mais, croyez-moi, je les ai bien en main. » Il considéra un instant tante Mathilde, puis ajouta : «Écoutez, voilà ce que je vais faire. Jusqu'à ce que vous vous sentiez plus tranquille, je vais lâcher les chiens pour la nuit.

— Je vous remercie, monsieur Adams. Je ne sais ce qui m'arrive... Ce n'est pas la première fois qu'il y a des problèmes, et jamais je ne me suis fait un tel mauvais sang.

— L'été a été long, dit le contremaître. Trop de choses sont arrivées à la fois. M. Cannon qui meurt, comme ça...

— Oui, vous avez raison, fit tante Mathilde. L'été a été long. Je ne serai pas fâchée d'en voir la fin. »

La vague de fraîcheur qui survint au début de septembre leur mit du baume au cœur, même si, comme tante Mathilde le dit à Gabrielle : «Nous serons à nouveau accablés de chaleur la semaine prochaine. Mais en attendant j'ai décidé de profiter de ce beau temps pour inviter ma vieille amie Edith Maraist et son fils à venir dîner demain soir. Tu te souviens peut-être de Phillip, Gabrielle, bien qu'il soit parti plusieurs années dans l'Est pour ses études, et qu'il ait passé récemment un an à l'étranger.

— Quel âge a-t-il ? s'enquit la jeune fille en posant un regard vert sur sa tante.

— A peu près le même âge que Tom.

— Et il n'est pas fiancé ?

— Pas que je sache. »

Gabrielle se leva pour aller contempler longuement le portrait de sa mère. Puis elle pivota et attendit que sa tante soutînt à contrecœur son regard.

«Tante Mathilde, comment papa et maman ont-ils fait connaissance ? Je ne pense pas l'avoir jamais su.

— Eh bien, mais comme cela se passe ordinairement. Ta mère passait l'hiver à La Nouvelle-Orléans... Ton père était de tous les bals, de toutes les réceptions...

— Comment avez-vous fait connaissance avec oncle Louis ?

— De la même façon. Gabrielle, tu ne seras pas à La Nouvelle-Orléans cet hiver, tu ne vas par conséquent rencontrer aucun garçon de ton âge, aussi devons-nous procéder autrement. Edith et son fils sont en visite dans le voisinage, quoi de plus normal que de les inviter à passer nous voir ?

— Vous ne voulez pas comprendre, n'est-ce pas ? » fit Gabrielle.

182

Elle tourna la tête vers le visage heureux, serein, de sa mère. «Tante Mathilde, à quoi vous fait-elle penser?

— Ta mère? Que veux-tu dire?

— Si vous deviez décrire ce portrait, sans savoir qui il représente, que diriez-vous?

— Gabrielle, où veux-tu en venir?

— S'il vous plaît, ma tante, comment décririez-vous ma mère?

— Eh bien, comme une adorable jeune femme. Une jeune personne qui à l'évidence a reçu une bonne éducation... d'une grande beauté... de caractère heureux. Que faut-il encore que je te dise?

— Y a-t-il quelque chose dans ce portrait qui vous évoque une esclave près d'être vendue aux enchères?

— Gabrielle!

— Vous ne répondez pas, ma tante?

— Comment peux-tu parler ainsi de ta mère? Ah, quel dommage que ton père ne soit plus là! Sans lui, sans Tom, tu es intenable!

— Non, ma mère n'a rien d'une esclave qu'on exhibe sur une estrade. Et cela parce qu'on lui a fait la cour dans la dignité. C'était quelque chose de *personnel* entre elle et mon père. Il est tombé amoureux d'elle parce qu'il ne pouvait en être autrement!

— Veux-tu dire que si les Maraist viennent dîner, tu te sentiras comme une esclave qu'on met à prix? Gabrielle, comment peux-tu avoir des idées aussi horribles?

— Comment? Mais en réfléchissant, ma tante, en réfléchissant! En considérant ce que vous avez laissé entendre à Véronique au sujet de Michaël Fleming, ce que vous avez pu dire à Tom. En considérant un mariage comme celui de miss Jumonville et de M. Forbes, ou votre opinion sur M. Saint-Cyr. Comment pourrais-je penser autrement quand tout ce que j'entends sur le mariage le ravale au rang de simple opération financière? Quand figurent parmi les termes de cette transaction des choses que je préfère ne pas imaginer!»

Tante Mathilde se leva, le visage à ce point crispé par la colère et le dégoût que Gabrielle se demanda si elles pourraient jamais se témoigner à nouveau de la gentillesse. «Je ne sais pas si cela vient de ce qu'on t'a autorisé des lectures aussi variées, ou de ce qu'on t'a laissée courir la campagne avec ton frère. Mais si je m'étais une seule seconde doutée que tu nourrissais de telles idées, j'aurais...» Pour une fois, tante Mathilde était prise de

183

court. Abandonnant le terrain à sa nièce, elle courut se réfugier dans sa chambre.

Elle recouvra toutefois rapidement ses forces et, par Abigail, fit tenir à sa nièce un billet dans lequel elle lui rappelait qu'elle demeurait sa tutrice légale, ajoutant que si elle n'acceptait pas d'assister à ce dîner avec les Maraist, elle lui ordonnerait d'y paraître.

Cet après-midi fut le premier d'une longue série où Gabrielle emporta ses problèmes sur la tombe de son père. Elle s'assit sur le banc de marbre qui flanquait la sépulture d'Olivier Cannon, et se mit à pleurer doucement. Dans la fraîcheur de ce cimetière ombragé par des chênes, protégé par des tonnelles couvertes de plantes grimpantes, elle admit de quelle façon déplorable elle s'était conduite, et attendit qu'une solution s'offrît à elle. La caresse de la brise sur sa peau, le bruissement du feuillage et le roucoulement mélancolique des colombes finirent par avoir raison de sa douleur, de sa colère et de sa peur.

«Ah, papa! dit-elle en s'agenouillant près de la tombe pour y tracer de ses doigts mouillés de larmes le nom de son père. Que faut-il que je fasse? Si vous étiez ici, vous auriez su amener cela discrètement en sorte que je ne voie pas les ficelles qui font que ce jeune homme et cette jeune fille vont faire connaissance justement maintenant! C'est le côté évident de la chose qui me révulse, le fait d'être mise à l'encan, chacun sachant exactement de quoi il retourne!»

Enfin, elle parvint à sourire et il lui sembla entendre son père rire de concert avec elle, lorsqu'elle dit : «Parce que, pour être tout à fait honnête, papa, cela ne me dérangerait pas de rencontrer quelques gentlemen cet automne. Seulement, vous et Tom n'étant pas là, et tante Mathilde étant si tranchée, comment faire pour que ce soit moi, et non eux, qui décide de la règle du jeu?»

Elle se sentait mieux à présent ; ayant posé les termes du problème, elle pouvait maintenant travailler à sa solution. Rationnellement, elle écarta une réponse après l'autre jusqu'à ce qu'elle eût finalement la certitude de tenir celle qui fonctionnerait.

«Papa, je vous remercie de m'avoir appris à réfléchir, dit-elle, merci d'avoir eu foi en moi... » Elle sentit monter ses larmes mais parvint à les refouler. Si elle tenait à remporter la partie, il lui fallait se présenter devant tante Mathilde comme une jeune personne responsable, non comme une enfant pleurnicheuse.

Le plus difficile fut de prononcer des excuses, car si elle avait conscience d'avoir dit quelque chose de choquant, elle avait cependant la certitude d'avoir exprimé la vérité, ou du moins sa vérité. Mais ce n'était pas pour rien qu'elle s'était si souvent fiché des hameçons dans les doigts ou piqué les pieds nus sur des aiguilles de pin ; Tom lui avait fait subir un bon entraînement, et lorsqu'elle décidait de rester stoïque, nul obstacle ne lui résistait.

« Il est de mon devoir de te pardonner, Gabrielle, lui dit sa tante. Quant à oublier, j'ai bien peur que cela ne prenne un certain temps. Tu as eu des paroles très dures, des paroles que jamais je ne me serais attendue à t'entendre proférer...

— Tante Mathilde, j'ai dit que je regrettais. Je vous en prie, ne pourrions-nous passer à autre chose ?

— J'en serais heureuse. Je souhaite prendre plaisir à ce dîner de demain soir, et non m'étrangler à chaque bouchée !

— Justement, voulez-vous m'écouter ? J'ai décidé d'un modus vivendi dont je pense qu'il est acceptable pour nous deux.

— Un modus vivendi ? Gabrielle, qu'as-tu encore imaginé ?

— Simplement ceci, fit la jeune fille en s'asseyant près de sa tante. Vous désirez me voir recevoir des... des gens qui souhaitent nous rendre visite. Or si je me réserve le droit de ne pas recevoir tous ceux qui se présenteront, il y a certaines personnes que je serai tout à fait ravie d'accueillir.

— Certaines personnes ?...

— Tante Mathilde, si vous et Tom estimez que mon nom doit figurer en bonne place sur la liste des jeunes filles à marier, je m'en remets à vous. Mais si tel est le cas, ne pensez-vous pas qu'une personne qui constitue un si beau parti a le droit de se montrer un rien exigeante quant aux personnes qu'elle reçoit ? »

J'ai mis le doigt exactement là où il fallait, se dit Gabrielle en voyant le visage de sa tante commencer de se détendre.

« Eh bien... en effet, on n'attend pas de toi que tu reçoives des gentlemen qui se présenteraient sans aucune introduction...

— Seulement, voyez-vous, ma tante, c'est vous qui savez quel genre d'exigences mon père aurait eues en ce qui concerne mes prétendants. Et je me demandais si vous pourriez peut-être les... sélectionner. Puis m'instruire de ceux que je devrai rencontrer.

— Et tu t'en remettras à mon jugement ?

— Bien sûr, tante Mathilde. Je... j'ai beaucoup réfléchi cet après-midi. Et je réalise que même si mes parents se sont rencontrés au milieu d'une foule de gens, ceux-ci avaient été très soigneusement triés sur le volet. » Gabrielle leva les yeux vers le visage de sa tante et y vit de l'assentiment. Ainsi donc, tante Mathilde comprenait cela, l'avait peut-être appris à rude école, car si les traits des Cannon faisaient la mâle beauté d'un homme, ils étaient plutôt ingrats sur un visage féminin.

En cet instant, Gabrielle ressemblait si fortement à la jeune fille dont en une soirée Olivier Cannon était tombé éperdument amoureux, que les ultimes pans d'orgueil de sa tante tombèrent. Honorée Delery-Cannon avait été la femme la plus gentille, la plus généreuse que Mathilde Cannon eût jamais connue ; elle avait été la seule belle femme en présence de laquelle elle ne s'était pas sentie plutôt laide, allant même jusqu'à se sentir jolie.

« Je comprends, dit tante Mathilde. Bon, soyons pratiques : qu'allons-nous servir aux Maraist ? »

La préparation d'un menu, tâche que toutes deux appréciaient, acheva d'effacer toute trace de malaise. Lorsqu'en fin de soirée, Gabrielle se mit pour une heure au piano, elle put, l'esprit tranquille, jouer l'air de la chanson qu'elle considérait comme celle de ses parents : « *Crois-m'en, si ces charmes jeunes et tendres...* »

Et tante Mathilde, qui somnolait à demi en écoutant jouer sa nièce, dit une prière afin de remercier le Seigneur de ce qu'à Felicity tout différend parût apaisé.

La soirée avec les Maraist se passa agréablement. Phillip se révéla aussi plaisant que pondéré. Il perçut les subtils signaux envoyés par Gabrielle, et lorsqu'il prit congé, celle-ci savait que lors de leur prochaine rencontre il serait son cavalier, son voisin de table, mais qu'il n'envisagerait pas une seule seconde de lui être autre chose.

En septembre, chaque semaine apporta son lot de lettres envoyées par des gentlemen sur le point d'être reçus dans quelque plantation du voisinage ou projetant de se rendre pour affaires à Franklin, New Iberia ou St. Martinville, et qui, se prévalant d'une « très ancienne relation d'amitié entre leur père et Olivier Cannon » ou des « très heureux souvenirs que leur mère gardait d'une amitié d'enfance avec Honorée Delery », sollicitaient l'honneur de venir présenter leurs respects. Le dernier jour du mois, tante Mathilde, assise à son secrétaire, appela sa nièce, qui passait dans le couloir.

« Gabrielle, je ne sais s'il faut en rire ou en pleurer, dit-elle en montrant la lettre dont elle venait d'achever la lecture. Je suis devenue si experte à filtrer nos visiteurs potentiels que je me choque moi-même. Je suis assez impitoyable, j'en ai peur.

— Je dirais consciencieuse », dit Gabrielle. Elle embrassa sa tante sur la joue et s'assit à côté d'elle, tout en s'émerveillant des changements survenus chez celle-ci. Elles s'étaient si merveilleusement entendues ces dernières semaines, sans que rien ne vienne troubler leur harmonie. « Mais dites-moi, ma tante, quels critères appliquez-vous donc à ces messieurs ?

— La famille, bien sûr. » Tante Mathilde eut un rire en voyant l'expression de sa nièce. « Non, je ne vais pas t'assommer avec les subtiles gradations d'antécédents et de conduite qui président à ce genre de délibération. Ces nuances t'apparaîtront avec l'âge, et un beau jour, à ta grande surprise, tu te trouveras en train de retracer lignages et liens de parenté avec la science d'un vrai généalogiste.

— Il faudrait d'abord, en guise d'entraînement, que j'apprenne la liste de tous les monarques de France et d'Angleterre », dit Gabrielle. Elle se dit qu'écouter sa tante discourir sur ce sujet valait toutes les pièces de théâtre. Il y avait l'intrigue et le drame, le poids d'un facteur comparé à un autre, le caractère de nécessité de certaines décisions, quoique prises à contrecœur !

« Viennent ensuite la position et la fortune, reprenait tante Mathilde. Si possible, les deux ensemble. Du fait de l'ampleur des biens Cannon, il n'est pas facile de trouver des gens qui en possèdent de comparables. Je serais tout à fait disposée à accepter quelqu'un de fortune modeste, si sa position dans les affaires de l'État compense cela. Il est exclu de seulement envisager un parti qui, du fait d'une moindre fortune ou d'une position trop modeste, serait dépendant de toi. Pareilles unions sont rarement viables, Gabrielle, pour des raisons qui, j'en suis certaine, ne t'échappent pas.

— A vous entendre, on croirait que je dois fonder une dynastie, dit Gabrielle d'un air détaché. Cela fait penser aux mariages arrangés entre les grandes familles d'Europe.

— Mais que croyais-tu que c'était ? Quand je t'ai vue partir furieusement en guerre contre ce système, j'ai attribué, au moins

187

en partie, tes protestations à ces idées égalitaristes auxquelles tu as si largement goûté, mais que peut-être tu n'as pas eu le temps d'assimiler complètement.

— Quelles idées égalitaristes ? Si vous voulez parler de celles sur lesquelles cette nation a été bâtie...

— Pas exactement, fit tante Mathilde. Je ne me souviens plus lequel de ces messieurs a dit cela — les citations exactes n'ont jamais été mon fort —, mais l'un d'eux a dit quelque chose sur l'aristocratie naturelle...

— Il s'agit de Thomas Jefferson, précisa Gabrielle. En réalité, ce qu'il a dit peut se résumer au fait qu'il existe une aristocratie naturelle, basée sur la vertu et les aptitudes.

— Cela revient au même, dit tante Mathilde. Si une société veut durer et prospérer, il lui faut cultiver ses forces et éradiquer ses faiblesses. C'est en unissant la force à la force que nous obtenons des personnalités capables de consolider notre économie et nos structures politiques.

— Mais pas celles de la nation tout entière, semble-t-il. En tout cas, ma tante, tout cela ne laisse pas de m'étonner. Cela va plus loin que je ne le pensais. Si le processus que vous suivez s'inspire de celui qui prévaut en Europe, je n'ai plus qu'à espérer un sort plus heureux que celui de certaines dames infortunées de là-bas, telles que Marie-Antoinette et Marie Stuart.

— Moi qui croyais que nous faisions cela pour que tu ne perdes pas imprudemment la tête », dit tante Mathilde, si satisfaite de sa plaisanterie qu'elle ne remarqua pas le nuage qui se forma dans les yeux de sa nièce.

Les deux visiteurs que Gabrielle avait espérés ne vinrent finalement pas. Jordan Scott écrivit à la mi-septembre de La Nouvelle-Orléans que ses occupations au bureau central de la compagnie lui prenaient tout son temps, et qu'une tournée d'inspection sur la nouvelle ligne fluviale était un luxe qu'il lui fallait, pour le moment, remettre à plus tard. Dans le courrier suivant, Gabrielle reçut une lettre d'Alex, qui restait à Olympia, où, racontait-il, la jambe de son père se ressoudait lentement, et où, celui-ci ayant retrouvé bon moral, le temps s'écoulait assez agréablement.

« Je serai au regret de ne pouvoir aller vous rendre visite à Felicity, comme je l'eusse fait si je m'étais tenu à mon projet de passer au moins quelque temps sur notre nouvelle ligne. En revanche, je ne regrette pas de ne pas me trouver à La Nouvelle-Orléans. Nos hôtes nous rapportent qu'on n'y parle qu'élections et que, même si les réceptions et dîners donnés pour soutenir les divers candidats sont soignés et raffinés, on doit y payer ce que l'on mange en prêtant l'oreille à une interminable propagande politique ; ce ne serait pas, en ce qui me concerne, une transaction bien honnête, puisqu'il y a beau temps que j'ai choisi mon candidat. »

M. Saint-Cyr va-t-il voter pour Breckenridge ou pour Bell, se demanda Gabrielle, jugeant qu'il serait naturel de sa part d'épouser le choix de Tom. Cependant, comme j'ai pu m'en rendre compte, il n'a pas été surnommé Vif-Argent pour rien. Elle relut la lettre pour y rechercher la moindre allusion à Véronique, mais n'en trouva aucune. Les lettres de Tom, hâtivement griffonnées au terme d'une journée de campagne, n'en parlaient pas non plus. C'est comme si la terre s'était ouverte en deux pour l'engloutir, se dit Gabrielle, repensant aussitôt à la profondeur des yeux foncés d'Alex. Si elle ne se trouvait pas en sécurité, ni l'un ni l'autre ne seraient où ils sont actuellement. Tom la chercherait partout, non pour la ramener ici, mais afin de s'assurer qu'elle ne court aucun danger. Et M. Saint-Cyr serait à ses côtés ; sa loyauté envers mon frère ne peut être mise en doute.

Elle flâna jusqu'au belvédère et s'y assit, contemplant avec quelle délicatesse les dernières roses blanches et roses se mariaient avec les premiers camélias. Puis son regard se porta vers la maison. Comme mes parents étaient jeunes lorsqu'ils l'ont construite, songea-t-elle. Bien sûr, c'est leur fortune qui le leur a permis ; voilà encore une preuve tangible du genre de liberté que permet l'argent. Il est toutefois d'autres éléments qui assoient la pérennité des choses, mais aucun ne figure sur la liste de tante Mathilde. Oui, des éléments comme la loyauté, l'honneur, l'assiduité... Elle s'arrêta là, réalisant qu'elle attribuait ces qualités à Alex Saint-Cyr. Et il possède aussi les autres : une famille et du bien... Gabrielle quitta son banc pour s'engager dans la roseraie et faire un bouquet qu'elle porterait sur la tombe de son père.

M. Saint-Cyr est la preuve qu'il est des hommes capables de satisfaire à toutes les exigences. Celles qui permettront à notre société d'atteindre ses objectifs, et aussi celles qui répondent à des besoins plus humains. Mon père était un tel homme — pas étonnant que je sois si exigeante ! Tout en descendant le sentier familier qui menait au cimetière, elle réalisa que si tante Mathilde mesurait êtres et choses à son aune, elle venait elle-même de fixer sa propre référence. Un homme comme mon père, je n'accepterai rien de moins. Un homme résolu mais réfléchi, un homme d'honneur, un homme qui reste loyal à ceux qui placent en lui leur confiance, et qui sache sans compter recevoir et donner de l'amour.

Aucun de ceux qu'elle avait à ce jour rencontrés ne correspondait à cet idéal. Même des amis comme Alex Saint-Cyr ou Jordan Scott présentaient des insuffisances, le premier manquant de motivation, le second étant empêché par un excès de réserve de s'exprimer pleinement. Quant à la loyauté... dans le cas de Jordan cela pouvait être une arme à double tranchant ; en effet, si pour des raisons affectives il abandonnait les opinions politiques de sa famille pour embrasser celles du Sud, ne serait-ce pas là la marque d'un caractère chez lequel la loyauté pouvait céder le pas à des sentiments plus volatils ?

Cela valait également pour Alex Saint-Cyr. Son père et sa mère avaient des opinions diamétralement opposées, et comme leur union semblait ne connaître par ailleurs aucune harmonie, leurs divergences politiques ne pouvaient que les éloigner l'un de l'autre. Déjà, Alex se gardait d'affirmer une position tranchée qui l'eût rapproché de l'un ou l'autre de ses parents. Non, s'il était un jour forcé de choisir, le chagrin subséquent augurerait mal de ses engagements futurs.

Gabrielle ne ressortit pas particulièrement heureuse de ces réflexions. Elle n'avait pas réalisé sur quel terrain elle s'aventurait lorsqu'elle avait pour la première fois tenu tête à sa tante. A présent, elle découvrait l'ampleur du territoire où elle s'était risquée ; et, dans le droit fil des enseignements de son père et de son frère, elle résolut de ne pas battre en retraite avant d'en avoir exploré toute l'étendue.

De retour à la maison, elle trouva Adams qui l'attendait. « J'ai reçu une lettre de M. Cannon », dit-il. Puis remarquant sa confusion, il précisa : « De votre frère, miss Cannon.

— Ah, oui...

— Il prévoit d'arriver à La Nouvelle-Orléans à la veille de l'élection du 7 novembre. Il me fait vous dire qu'il faudra que vous vous y rendiez avant cela afin de signer les connaissements pour l'embarquement de notre sucre.

— Moi ? Mais est-ce que M. Guillot ne pourrait pas s'en charger ? Il doit avoir notre procuration...

— M. Cannon dit qu'il préfère qu'un membre de la famille soit présent, et comme il aura du retard, il voudrait que ce soit vous. Tenez, voici sa lettre. Il dit qu'il a eu trop à faire pour trouver le temps d'écrire deux fois... »

Gabrielle parcourait la feuille en hochant la tête. «Oui, il est même étonnant, avec tout ce qu'il a en tête, qu'il ait pensé à la récolte. Très bien, je prends immédiatement mes dispositions. » Elle leva les yeux vers Adams. «Je doute que ma tante puisse partir maintenant, mais nous comptons suffisamment de parents à La Nouvelle-Orléans pour me servir de chaperon en attendant l'arrivée de mon frère. Pour ma part je n'en éprouve nul besoin, mais il faut, par égard pour ma tante, respecter les conventions. »

Adams se leva, récupéra la lettre de Tom, puis s'immobilisa comme s'il voulait ajouter autre chose. Après avoir légèrement incliné la tête, il dit : «Miss Cannon, les gens disent toujours que vous tenez plutôt de votre mère. Mais là... j'ai l'impression de me trouver en face d'Olivier Cannon. »

Gabrielle éprouva la douleur familière, à laquelle cette fois s'ajoutait autre chose : l'impression d'un accomplissement, comme si la promesse faite naguère à son père de lui faire honneur s'était frayé un chemin à travers son chagrin pour éclater au grand jour.

«Que tu voyages seule ? dit tante Mathilde lorsque Gabrielle vint l'instruire de son programme. Mais, tu n'y penses pas...

— Je ne serai pas seule, mais à bord d'un bateau plein de passagers, dont je connaîtrai sans doute la plupart. C'est la volonté de Tom, ma tante, et nous n'avons plus le temps de lui écrire que c'est impossible. Aussi, que puis-je faire d'autre ?

— C'est bien de Tom, ça, grommela tante Mathilde. La moitié des rugosités de ton caractère viennent de la façon insensée dont il t'embarquait dans ses aventures, qu'elles fussent ou non convenables pour une fille.

— Selon moi, tante Mathilde, le fait de se rendre à La Nouvelle-Orléans pour veiller à la bonne vente de notre sucre n'a rien d'une aventure insensée.

— C'est vrai. Mais j'envoie immédiatement Samson en ville pour qu'il télégraphie à cousine Emma de t'attendre sur le quai et de descendre à l'hôtel avec toi. » Tante Mathilde regarda sa nièce par-dessus ses lunettes. «Enfin, si tu n'as pas l'intention d'ouvrir la maison...

— Non, pas pour un aussi court séjour. Je suppose que, sitôt les élections, Tom aura hâte de regagner Felicity — cela fait si longtemps qu'il est parti!»

Obligée de voir certains détails commerciaux avec Adams et de surveiller le remplissage de sa malle par Lucie, Gabrielle n'eut guère le loisir de penser à autre chose. En revanche, une fois à bord du vapeur, tandis que l'appontement de Felicity s'éloignait dans le sillage, une pensée s'imposa à elle, qui n'avait jusqu'alors qu'effleuré sa conscience. M. Scott prendrait sûrement le temps de venir lui rendre visite, et la jambe du père de M. Saint-Cyr était certainement suffisamment remise pour qu'il redonne sa liberté à son fils.

Les deux premières journées de Gabrielle à La Nouvelle-Orléans passèrent très vite. Elle mena avec M. Guillot les ultimes transactions de la vente de la moisson. A peine sa cousine, miss Emma Fontenot, était-elle remise du choc à elle causé par le fait que Gabrielle eût voyagé non accompagnée sinon d'une femme de chambre, qu'il lui fallut se faire à l'idée que lorsque, le matin, elle quittait l'hôtel Saint-Louis, ce n'était pas pour faire les magasins ou se rendre chez une modiste, mais pour aller à la banque.

«Enfin, on dit que si nous n'élisons pas un Sudiste modéré, notre monde va nous tomber sur la tête, dit miss Emma au premier petit déjeuner qu'elles prirent ensemble. Mais sans doute devrais-je admettre qu'il a commencé de se lézarder.

— La moitié du domaine est à moi, dit Gabrielle. Il n'est pas insensé que je sache comment le gérer.

— Oh, j'en conviens volontiers, dit miss Emma en déposant sur son assiette une généreuse cuillerée de confiture de mûres. Mais de mon temps, Gabrielle, une jeune femme qui se truffait la tête avec ces choses faisait figure de rareté.» Elle eut un soupir, sans doute à la mémoire du temps passé. «Évidemment, ta chère tante était elle aussi en avance sur son époque. Je me souviens que lorsqu'elle a épousé Louis LeGrange, nous avons tous pensé qu'il avait de la chance d'avoir trouvé une telle femme, à la tête sur les épaules. Louis était un garçon intelligent, mais

192

peut-être un peu... eh bien, je ne dirais pas instable, mais peut-être un peu plus enclin que d'autres à prendre des risques.

— Je ne l'ai pas connu », dit.Gabrielle. Et elle se mit à boire son café en se demandant si sa conscience allait lui permettre de puiser plus avant dans le stock d'informations de miss Emma, décidant finalement que non. Mais peut-être était-il permis d'amorcer la pompe... Elle versa une seconde tasse de café à sa cousine et lui approcha le pot de lait chaud. Miss Emma se beurra un croissant, en rompit un petit morceau qu'elle tartina de confiture.

« Un très beau garçon, ce Louis, mais tu auras vu des photographies, je suppose ? Et très apprécié. Tout le monde l'aimait bien... toujours aimable et si amusant... ça oui, Mathilde Cannon avait décroché le gros lot.

— Est-ce ainsi qu'on voyait leur mariage ? demanda Gabrielle. On estimait que... qu'elle y gagnait plus que lui. »

Les yeux pâles de miss Emma s'écarquillèrent. « Mon Dieu, non... je ne voudrais pas insinuer que... car après tout, Mathilde apportait une partie de l'argent des Cannon. Et puis, comme tu sais, elle était une personne très accomplie. Seulement...

— Seulement, elle n'était pas jolie », dit Gabriélle.

Le battement de cils de sa cousine, la roseur qui lui monta aux joues achevèrent d'édifier Gabrielle. Elle termina son café puis, souriant en sorte que miss Emma ne craignît pas d'avoir trahi son amie, chercha à en savoir plus. « Dites-moi, est-ce qu'il méritait ma tante ?

— Est-ce qu'il la méritait ? répéta miss Emma d'une voix qui montrait peu de compréhension, et qui affecta plus Gabrielle que tout ce que cette vieille fille sotte avait dit jusque-là.

— Comme vous dites, miss Fontenot, les idées évoluent. Oh, regardez l'heure ! Si je ne me dépêche pas, je vais être en retard. »

Elle a dû être assez jolie, se dit Gabrielle dans les escaliers. Il en subsiste encore quelques traces, si chiffonnée soit-elle. Alors pourquoi ne s'est-elle pas mariée ? Est-ce parce qu'un joli minois ne suffisait pas, et qu'elle n'avait pas grand-chose d'autre à déposer dans une corbeille de mariage ? L'idiote ! Tante Mathilde en vaut dix comme elle.

A la vue d'une silhouette connue qui marchait devant elle, elle s'arrêta net. Tom ! Non, ce ne pouvait être lui. Il serait immédiatement venu la voir. Elle hâta le pas afin de vérifier qu'elle faisait erreur. Je vais rattraper cet homme et m'assurer que ce n'est pas mon frère. C'est alors que le marcheur s'arrêta afin de céder le passage à deux dames qui sortaient d'un magasin. Gabrielle put voir son visage. C'était bien Tom. Ainsi, arrivé en ville plus tôt que prévu, il n'était pas aussitôt venu voir sa sœur, ni ne lui avait envoyé un mot !

Mais elle comprit vite pourquoi il ne l'avait pas instruite de son arrivée. Cela se voyait à son allure, à sa démarche : il allait retrouver Véronique. Elle n'eut qu'un instant d'hésitation, puis, le cœur battant, lui emboîta le pas.

Au début, elle éprouva quelque difficulté à ne pas le perdre de vue sans risquer de révéler sa présence. Mais elle ne tarda pas à comprendre que sa hâte lui faisait ignorer tout ce qui l'environnait ; il marchait à grands pas, ne regardant ni de droite ni de gauche, ralentissant à peine aux intersections et manquant plusieurs fois se jeter sous les sabots d'un attelage.

Le souffle commençait de manquer à Gabrielle, et elle désespérait de pouvoir suivre encore longtemps son frère, lorsqu'elle le vit s'engager dans une étroite venelle entre deux bâtiments. Elle courut jusqu'au coin et risqua un œil dans la ruelle, prête à se plaquer contre le mur si Tom y stationnait.

Mais la ruelle était déserte à l'exception d'un chat de gouttière qui la toisa d'un œil jaune avant de se rendormir. Un violent courant d'air s'engouffrait dans l'étroit passage, projetant poussière et feuilles mortes sur la jupe de la jeune fille. Elle s'enveloppa dans sa cape et, comme elle se tenait là, irrésolue, un homme sortit d'une maison à peu de distance. Il s'arrêta le temps d'enfiler ses gants et d'enfoncer un peu plus son chapeau, puis se mit en marche dans sa direction.

Lorsqu'il fut plus près, Gabrielle vit qu'il s'agissait d'un octaron, très coquettement vêtu, et portant une canne à pommeau d'argent. Il se mouvait avec la même grâce que le maître de danse qui leur avait enseigné, à elle et à son frère, les différents pas et figures utiles dans une salle de bal. Elle le regardait approcher, presque fascinée.

Leurs regards se rencontrèrent. Ses yeux semblaient presque noirs sur sa peau pâle. Il souleva son chapeau et inclina la tête. A cet instant, en dépit du fait qu'elle ne l'eût jamais vu avant ce jour, Gabrielle eut le sentiment que cet homme la reconnaissait.

Puis elle fut de nouveau seule au milieu de la ruelle, réalisant soudain le danger de sa position. Si jamais son frère débouchait d'une de ces maisons et s'apercevait qu'elle l'espionnait, les conséquences en seraient assurément très pénibles. Elle revint sur ses pas et prit la direction du cabinet de maître Guillot.

« Excusez mon retard, dit-elle en arrivant. Un contretemps de dernière minute... » Elle attendit qu'il la débarrasse de sa cape pour l'accrocher à la patère du vestibule, puis le suivit dans son bureau. « Avez-vous eu des nouvelles de Tom ? demanda-t-elle, penchée sur les papiers qu'elle était venue signer.

— De Tom ? Ma foi, non. Que je sache, il n'arrive que demain.

— C'est ce que j'ai cru comprendre en effet.

— Demain, veille des élections. Ça, il a bien calculé son arrivée. La ville va se changer en asile de fous, ce sera pire encore que le carnaval, j'en ai peur. »

Gabrielle signait mécaniquement les documents, s'efforçant à faire le vide dans son esprit tant qu'elle se trouverait sous le regard scrutateur de l'avocat. Elle parvint tant bien que mal à garder une contenance, échangeant les plaisanteries habituelles lorsque les papiers eurent été établis, et assurant maître Guillot qu'elle transmettrait à Tom son bon souvenir. Sur le chemin du retour, elle parvint à garder un visage impavide, muselant les pensées qui bouillonnaient dans sa tête. Lorsqu'elle eut regagné l'hôtel et le havre de sa chambre, elle se posta toutefois à la fenêtre et se mit à fixer la rue par laquelle arriverait son frère s'il venait la voir.

S'il ne se montre pas — oh, s'il ne se montre pas, que faudra-t-il en conclure ? Je n'ai aucune preuve que Véronique habite dans cette ruelle, mais de qui d'autre pourrait-il s'agir ? Une heure s'écoula, puis encore trois quarts d'heure. C'est alors qu'il apparut au coin de la rue, se dirigeant vers l'hôtel. Il paraissait tout à fait tranquille à présent, comme libéré de cette inquiétude qui tout à l'heure lui faisait parcourir les rues d'un pas si rapide.

Quelle attitude prendre ? se demanda Gabrielle. Il va sûrement lire sur mon visage que je sais — que je soupçonne quelque chose. Elle se tourna de nouveau vers la fenêtre et vit qu'un répit lui était accordé. Elle n'aurait pas à rencontrer son frère en tête-à-tête, car Alex Saint-Cyr venait de le rejoindre. Elle ignora le caractère fortuit de l'apparition d'Alex et le fait qu'elle impliquait sa possible participation à la disparition de Véronique. En présence d'un tiers, elle serait capable de dissimuler ses sentiments, et lors-

195

que, plus tard, elle se retrouverait seule avec son frère, elle les aurait celés suffisamment longtemps pour pouvoir persévérer dans la dissimulation.

Cependant, alors qu'elle se préparait à lui offrir le joyeux accueil auquel il s'attendrait, elle se découvrit une nouvelle raison d'être triste. Pour ce qui les concernait tous les deux, elle et Tom n'avaient jamais eu de secrets l'un pour l'autre. Elle pouvait comprendre qu'il ne lui dît pas comment lui et Alex s'y étaient pris pour aider Véronique à s'enfuir ; elle eût pu les trahir sans le vouloir, et la sécurité de Véronique importait avant tout. En revanche, s'il ne lui confiait pas maintenant d'où il arrivait, alors quelque chose s'ouvrirait entre eux, non pas un gouffre, mais un début de fissure dans cette confiance réciproque qui avait toujours marqué leurs rapports.

On frappa à la porte d'entrée. Elle courut ouvrir et s'entendit s'écrier le nom de son frère comme si elle ignorait qu'il fût en ville, puis elle salua Alex Saint-Cyr avant de leur assener une avalanche de questions destinées à orienter la conversation dans une direction peu dangereuse.

En les observant au cours de ces premières minutes, elle s'aperçut que les deux garçons avaient changé ; Tom était devenu plus agité, et Alex plus calme.

« Ma parole, Tom, dit-elle à son frère qui, tout en parlant, faisait les cent pas dans la pièce, à te voir, on croirait que tu fais encore campagne. Tu nous parles comme du haut d'une tribune.

— C'est ma foi vrai, fit-il en se laissant tomber sur un canapé bas. C'est que je n'ai fait que cela ces derniers mois ; c'est une habitude qu'il va m'être difficile de perdre.

— Tu penses que Breckenridge va l'emporter ?

— Je n'en ai pas la moindre idée. Si Bell n'était pas en course, je te dirais oui. Seulement il va lui prendre des voix, ce qui pourrait bien donner la victoire à Douglas.

— N'importe quel démocrate plutôt que ce Lincoln, dit Alex. Maintenant qu'approche l'heure de vérité, j'imagine que bon nombre de démocrates qui ont prôné la scission au mois d'avril vont s'en mordre les doigts lorsqu'on leur présentera la facture.

— A t'entendre, on dirait que tu vois Lincoln l'emporter, dit Tom.

— Son parti ne présente qu'un seul candidat quand le nôtre en présente trois. Toutes les chances sont de son côté. » Alex se leva pour appliquer une claque affectueuse sur l'épaule de Tom. «Mais au moins auras-tu œuvré pour empêcher son élection. Moi, j'ai tué le temps à Olympia, me partageant entre la chasse et d'interminables parties d'échecs avec mon père. Au cours des derniers mois, je n'ai rien fait dont je puisse être fier.

— Si. Au moins une chose», dit Tom en lui adressant un regard entendu. Puis, comme s'il avait perçu la curiosité de sa sœur, il lui adressa la parole. «Et toi, Gabrielle, à quoi as-tu passé ton temps ? A part recevoir un défilé de prétendants. Ce que j'aurais voulu être là pour te voir dans ce rôle ! »

Alex haussa les sourcils, l'air très intéressé. Mais il ne dit rien et, sans quitter Gabrielle des yeux, vint s'asseoir près d'elle.

«Mon Dieu, fit-elle, il n'y a pas grand-chose à dire...

— Cependant tu as dû avoir des visites ? dit Tom. Dans une lettre, tante Mathilde me parlait d'un M. Harrison, et toi-même, ne m'as-tu pas parlé d'un M. Foret ?

— Tu sais alors tout ce qu'il y a à savoir sur ces deux gentlemen. Quant aux autres candidats... Que je te dise comment je vois les choses : quelque chose fait que, dès qu'apparaît quelque part une riche héritière, un certain nombre de messieurs ne songent plus tout à coup qu'à lui faire quitter l'heureux état qui est le sien. Et au début, tante Mathilde prenait fermement position dans ce sens, mais en usant d'un peu de diplomatie, je m'en suis fait une alliée. J'ai maintenant reçu tous ceux que j'ai l'intention de recevoir, et même si tante Mathilde ne désespère pas de me voir épouser quelque personne convenable, elle a perdu de son enthousiasme initial. Attendu que je me suis soumise à sa volonté cet automne, il me sera plus facile dans l'avenir de rester sourde à ses éventuelles réflexions sur cette folie qui s'éternise. »

Quittant sa chaise, elle se plaça face aux deux garçons et posa sur eux un regard plein de gravité. «Voilà, et c'est tout ce que j'ai à dire sur ce sujet, maintenant et à jamais. Me suis-je bien fait comprendre ?

— Veux-tu dire que pas un ne t'a plu ?

— Cela te surprend, Tom, considérant à quels modèles celui que je pourrais envisager d'épouser doit correspondre ?

— Tu penses à notre père ?

— Ainsi qu'à toi. » Elle noua ses bras autour du cou de son frère. «Comprends-moi, Tom : ayant grandi entre deux hom-

197

mes tels que vous, comment pourrais-je aimer quelqu'un qui ne serait pas de la même étoffe ?

— Certes, miss Cannon, ce serait inconcevable, intervint Alex. Et nul ne doit l'attendre de vous. » Il eut un regard vers la pendule dorée qui ornait le dessus de la cheminée, et dit : « Il y a assez longtemps que je m'impose au milieu de vos retrouvailles ; en revanche, je serais ravi que nous nous voyions demain. Miss Cannon, ma mère vous écrit pour vous inviter à dîner avec elle et mon père, demain soir au restaurant Chez Antoine. Attendez, je dois avoir son billet quelque part… » Il fouilla dans ses poches et en tira une petite enveloppe scellée de cire gris pâle. « Bien sûr, Tom, tu es toi aussi invité.

— Je préfère ne rien promettre, dit Tom. Tu comprends, c'est la veille des élections. Sans doute y aura-t-il des réunions de dernière minute. Et puis dans l'état de nervosité où je me trouve, je ne ferais pas un convive bien agréable.

— Tu restes ici un moment ?

— A La Nouvelle-Orléans ? Je ne pense pas. Gabrielle a réglé à peu près tout ce qu'il y avait à régler, et il me tarde de rentrer à la maison.

— C'est un peu ce que tous nous disons », murmura Alex à voix si basse que Gabrielle crut avoir mal entendu. Il se pencha pour lui baiser la main. « Miss Cannon, voulez-vous que je passe vous prendre pour aller voir passer le défilé à Jackson Square ? Ensuite, nous nous rendrions directement au restaurant.

— Tom, tu seras pris, dis-tu ?

— Oui.

— En ce cas, c'est d'accord, dit-elle à Alex.

— Je passe ici à six heures. Jordan sera avec moi — le pauvre, lorsque la dernière boule du scrutin sera enfin tombée, il sera, je crois bien, l'homme le plus heureux de La Nouvelle-Orléans.

— Comment va M. Scott ? demanda Gabrielle. J'ai reçu quelques lettres de lui, il semblait très pris par les affaires…

— En effet, ma mère et lui ont énormément travaillé durant l'automne. Je n'ai pas cessé de lui faire savoir que j'aimerais venir m'acquitter de ma part de travail, mais elle n'a jamais paru réfléchir à ce à quoi elle pourrait m'employer. » Il ramassa ses gants et se mit à les enfiler, lissant le cuir noir sur ses longs doigts. « Ah, que voulez-vous, on ne peut avoir été une cigale pendant la plus grande partie de sa vie, et espérer qu'on vous prenne tout à coup

198

pour une fourmi. » Il souriait, et Gabrielle sentit son cœur se serrer. « Alors à demain ?

— Oui, dit-elle.

— Je te raccompagne jusqu'en bas, dit Tom. Gabrielle, dînons ici ; j'ai tant de choses à te raconter, nous serons entre nous.

— Entendu », dit-elle.

Il avait effectivement beaucoup de choses à lui raconter. Elle en apprit plus sur la crise politique du moment pendant ces deux heures avec son frère qu'au cours des six derniers mois. En revanche, Tom ne dit pas un mot sur la personne à laquelle il avait rendu visite dans la matinée, pas plus qu'il n'évoqua Véronique.

11

Debout entre Alex et Jordan, un manteau de grosse laine la protégeant de l'humidité qui montait du fleuve de l'autre côté de Jackson Square, Gabrielle se tenait appuyée contre le balcon de fer forgé de Pontalba Building et regardait passer le défilé dont les flambeaux faisaient flotter comme un voile noir au-dessus des marcheurs.

«Cela ressemble à Mardi gras, dit-elle, sauf qu'ils n'ont pas de masques.»

Un homme qui portait une pancarte à l'effigie de son candidat la brandit vers le balcon en criant «Breckenridge! Breckenridge!». Les gens massés sur les trottoirs reprirent son cri, et cette clameur fut tout à coup couverte par le sifflement suraigu d'une fusée tirée depuis la digue. Il y eut presque aussitôt un second sifflement, et deux détonations déversèrent dans le ciel nocturne une pluie d'étincelles vertes et argent.

Puis ce fut une succession de chandelles romaines, qui explosaient dans un éblouissement de lumières bleues, or et écarlates. Alors, on distribua en bas, dans la rue, des allumettes japonaises qui furent bientôt allumées comme autant de lucioles voletant dans l'air nocturne.

«Que de lumière, dit Alex. Il faut espérer qu'elle reflète les intentions des électeurs.

— Je ne crois pas qu'il faille s'attendre à un miracle, dit Jordan. La situation présente vient de ce que même les esprits les plus éclairés se sont obscurcis. Une élection ne va pas résoudre ce que des décennies de débat et de législation n'ont pu solutionner.

— Je suis de ton avis, dit Alex. Et je ne crois pas qu'une douzaine d'élections parviendraient à résoudre les problèmes agités au cours de cette campagne. L'esclavage et la sécession... Le pire ennemi de la nation n'aurait pu forger pires armes pour détruire l'Union...

— On pourrait croire que vous êtes opposé à la sécession, monsieur Saint-Cyr, dit Gabrielle. C'est la première fois que je vous entends exprimer quelque chose qui s'apparente à une opinion !

— Il ne s'agit pas tant de ce contre quoi je suis, miss Cannon, que de ce pour quoi je suis.

— Et c'est ? »

Alex s'adossa à la balustrade, tournant le dos à la parade qui se poursuivait dans la rue. La lueur des flambeaux et du feu d'artifice éclairait ses pommettes hautes et allumait dans ses yeux sombres des reflets dorés, pareils à des paillettes de mica noyées dans une pierre. « Que je vous cite cela de mémoire... » Il réfléchit un moment, les yeux dans le vague, puis, d'une voix sourde :« ''Quand dans le cours des événements humains, il devient nécessaire pour un peuple de dissoudre les liens politiques qui le rattachent à un autre peuple, et d'occuper parmi les puissances de la terre la position juste et légitime à laquelle l'autorisent les lois naturelles et divines, le respect des opinions humaines exige qu'il fasse état des raisons qui le contraignent à la scission...''

— Mais il s'agit de la déclaration d'Indépendance ! dit Gabrielle.

— En effet.

— Je ne comprends pas... voulez-vous dire que le Sud a tort, qu'il n'a pas le droit de faire sécession ?

— Pas du tout. La sécession serait une répétition des événements qui ont accompagné cette déclaration. Le Sud souhaite rompre ses liens avec l'Union s'il ne reçoit pas un meilleur traitement de la part de celle-ci. Il est disposé à former une nation distincte.

— En ce cas, monsieur Saint-Cyr, vous êtes partisan de la sécession. Vraiment, je ne vous suis pas.

— Je m'explique. A Olympia, j'ai eu tout le temps de réfléchir à tout cela. J'ai lu quantité de lettres, de journaux et d'autres

201

écrits de ces hommes qui ont rédigé le document que je viens de citer, et qui y ont consacré leur vie, leur fortune et leur honneur. C'était il n'y a pas cent ans, et voici que déjà un vaste pan de l'Union est sur le point de s'écrouler. » Il la regardait avec tant de gravité qu'elle fut parcourue d'un frisson et ramena sa cape sur ses épaules afin de mieux se protéger du vent.

« Bon, supposons maintenant que l'élection soit défavorable au Sud et qu'il forme une nouvelle nation. Selon vous, combien d'années s'écouleront avant que quelque partie de cette union soit insatisfaite, se sente à son tour opprimée, et que le processus de sécession se répète une nouvelle fois ?

— Quand même, monsieur Saint-Cyr, nous serions liés par des intérêts communs !

— C'était le cas des colons, dit Alex. Mon raisonnement est peut-être spécieux, mais lorsqu'on considère quelles réticences une fédération plus puissante a dû surmonter pour se former, et avec quelle promptitude elle a commencé de se défaire, on peut fort bien envisager une atomisation conduisant à un système de cités indépendantes, comme chez les anciens Grecs.

— Vous n'y pensez pas ! fit Gabrielle. Monsieur Scott, venez à mon secours, je ne sais plus que penser !

— Vous faites appel à la mauvaise personne, dit Jordan. L'Histoire occidentale est celle de la grandeur et de la chute des empires, vous le savez aussi bien que moi, miss Cannon.

— Allez jusqu'au bout de votre argumentation, monsieur Saint-Cyr. Voulez-vous dire que, disons, Felicity, avec quelques plantations voisines, pourrait former son propre minuscule État ?

— Ce serait certes pousser mes prémisses à leur extrême, dit Alex. Mais si le Sud fait sécession, il faut s'attendre à de nouvelles dissolutions de chaque côté de la frontière, cela de notre vivant.

— Je ne vois toujours pas où vous voulez en venir. Vous énoncez des idées, vous avancez des arguments, mais je n'ai pas encore entendu un point de vue !

— Si vous voulez parler de ce que j'estime bon ou mauvais, je ne me prononce pas là-dessus.

— Vous ne vous prononcez pas... Faut-il comprendre que vous vous en désintéressez ? Vous prévoyez ce démembrement à venir, mais vous ne vous en inquiétez pas... »

En un mouvement brusque, Alex s'écarta de la balustrade pour se retourner vers la foule. « Quelle différence cela peut-il faire, miss Cannon ? » D'un geste circulaire, il engloba le feu d'artifice, les fanfares et la foule. « Ce soir, de telles scènes se répètent d'un bout à l'autre du pays. Ce soir est l'aboutissement de toute une saison de semblables manifestations. Tous ces gens, miss Cannon, ont et défendent des opinions, mais à quoi bon ?

— A quoi bon ? Au moins se seront-ils dressés pour affirmer leurs convictions ! »

Elle vit le regard d'Alex s'altérer sous l'effet de cette repartie, et une nouvelle fois son cœur se serra. Il attendit un moment avant de répondre ; elle crut qu'il allait se défendre, et fut un peu plus peinée lorsqu'il dit : « Je me souviens vous avoir dit un jour que lorsque j'étais devant vous, j'avais toujours la parole malheureuse, ou que je disais ce que je pensais d'une manière qui vous agaçait ou vous décevait.

— Cela vient seulement de ce que je ne vous comprends pas, monsieur Saint-Cyr.

— C'est l'évidence, miss Cannon. J'en accepte toute la responsabilité. » Alex regarda du côté de Jordan, qui s'était éloigné de quelques mètres le long de la balustrade. « Deux mots, puis nous irons retrouver mes parents au restaurant. Jusqu'à ce que je passe autant de temps à Olympia, je n'avais pas réalisé combien la vie peut être douce lorsqu'on se tient à l'écart de la mêlée. Si l'Union tient le coup, il n'y aura pas de mêlée, bien sûr. Dans le cas contraire, eh bien, les endroits ne manquent pas où je pourrai me rendre. »

Gabrielle le regardait avec de grands yeux, certaine que quelque chose lui avait échappé. Voulait-il vraiment dire qu'il se désintéresserait d'une crise qui dominait l'existence de chacun ? « Monsieur Saint-Cyr, s'entendit-elle dire, je suis navrée de m'apercevoir que, bien que vous admiriez les hommes qui ont fondé cette nation, vous ne semblez pas faire grand cas de ce pour quoi ils se sont battus. »

Alex haussa les sourcils, interrogateur.

« Oui, vous ne vous faites pas leur émule, reprit-elle. Vous allez jusqu'à dire que si le Sud quitte l'Union, vous quitterez le Sud. »

Alex ouvrit les lèvres, puis les referma. Il offrit son bras à Gabrielle et appela Jordan. Puis, parlant tout contre l'oreille de la jeune fille, il dit : « Je vous en prie, miss Cannon, essayez de me comprendre. Je ne pense pas que la position du Nord soit légitime ; seulement j'estime qu'il met le Sud dans une situation

203

intenable. Si nous demeurons au sein de l'Union, nous sommes opprimés. Si nous la quittons, nous signons notre ordre d'exécution.

— Cependant vous pourriez vous tromper, dit Gabrielle.

— Bien sûr...

— Alors il faut remercier le Ciel de ce que vous ne défendiez pas vos opinions. Il y a suffisamment de gens qui œuvrent contre nous, sans qu'il soit besoin que vous vous y mettiez aussi. »

Marchant entre Alex et Jordan, Gabrielle gardait un souvenir amer de l'heure qui venait de s'écouler. Elle ne se sentait guère d'humeur à dîner au restaurant, ne parvenait à penser à rien de plaisant, et n'aspirait que se retrouver seule dans sa chambre d'hôtel. Tout à coup, comme l'on attendait à l'intersection de Chartres Street et de Sainte-Anne Street que l'arrière-garde du défilé achevât de passer, elle vit une silhouette familière se rencogner à l'entrée d'une ruelle, et ne put réprimer un cri.

« Qu'avez-vous, miss Cannon ? s'inquiéta Jordan.

— Euh, j'ai cru avoir perdu mon bracelet. Mais, non, il est toujours là. » Elle leva le bras, rejetant en arrière les plis de sa cape.

« Je pars devant, dit alors Alex. Il y a quelque chose que je voudrais voir.

— Entendu, fit Jordan. Nous allons suivre à une allure plus tranquille. »

Alex s'en fut immédiatement, marchant d'un pas si vif qu'il eut bientôt disparu dans la brume. Gabrielle et Jordan parcoururent en silence la longueur d'un demi-pâté de maisons. Ce fut le jeune homme qui engagea la conversation :

« La vie semble avoir abandonné toute chose, ne trouvez-vous pas, miss Cannon ? Ou bien cette impression m'est-elle toute personnelle ?

— Non... étrangement, en dépit de tout ce tumulte auquel nous venons d'assister... Je sais exactement ce que vous voulez dire, monsieur Scott. Le même sentiment m'envahit de temps en temps, une impression d'irréalité... Je me mets alors à me demander pourquoi je vaque à mes petites occupations, pourquoi je prends la peine de lire et de me former une opinion... Comme dit M. Saint-Cyr, cela ne changera rien. »

Jordan tourna la tête vers elle. Son regard si sérieux rappela à Gabrielle les circonstances plus heureuses où leur conversation n'était pas aussi contrainte. « Je ne suis pas certain, miss Can-

204

non, que les sentiments d'Alex soient aussi extrêmes qu'il le laisse entendre.

— De toute façon, il se pourrait qu'il en change dès demain. N'oubliez pas son surnom. Mais je ne vais pas me faire de souci pour M. Saint-Cyr et sa nature caméléonesque. Je n'ai aucune raison de m'en faire et je ne m'en fais pas. » Elle se rapprocha de Jordan afin d'éviter un tas d'ordures posé à même le trottoir. «Et vous, monsieur Scott, comment vous sentez-vous?

— Désenchanté. Et furieux.

— Cela ne vous ressemble pas. Vous, toujours si calme, si pondéré.

— Je partage sûrement les sentiments de nombreux jeunes gens de mon âge. Nous avons la vie devant nous, mais si la sécession devient une réalité et qu'une guerre s'ensuit, alors notre destin nous échappera. »

Le ton passionné du jeune homme la surprit, puis elle se rappela ce qu'elle avait elle-même dit tout récemment au sujet de la présente conjoncture et des difficultés qu'elle causerait au jeune Nordiste.

«Votre esprit et votre cœur ne s'accordent pas, n'est-ce pas? » dit-elle. Elle soupira en considérant combien il devait être difficile de vivre en conflit avec soi-même.

«Vous me comprenez, dit-il. Bizarrement, cela me met du baume au cœur, même si cela ne change rien à mon dilemme.

— Bien sûr, je vous comprends, dit Gabrielle. Vous avez vécu parmi nous, vous avez travaillé ici, vous savez que nous ne sommes pas tous des monstres irrationnels et belliqueux. Et s'il vous faut combattre le Sud, cela n'aura rien pour vous plaire.

— Je n'aurai pas le choix. C'est ce qui me soucie, ce qui me fait peur, en fait. Comment réconcilierai-je mes sentiments? Comment m'y prendrai-je pour faire s'accorder ma tête et mon cœur?

— Si je connaissais la solution, je trouverais la paix intérieure, moi aussi.

— Tenez, fit Jordan, voilà Chez Antoine. » Ils traversèrent la rue et firent halte devant la porte du restaurant. «Avez-vous déjà rencontré ma tante?

— Non jamais. Et M. Saint-Cyr non plus.

— Il est d'un abord facile. C'est quelqu'un qui aime la vie. Ma tante, elle, est différente. Voyez-vous, miss Cannon, je me dis parfois qu'elle serait peut-être moins... virulente dans ses opinions si elle vivait à Boston, au milieu de gens qui pensent comme elle, plutôt qu'ici, où quasiment personne ne partage ses vues.

— C'est certain, dit Gabrielle. Lorsqu'on est cerné, on reste sur la défensive. Mais loin de moi l'idée de la provoquer, si c'est ce qui vous tracasse, monsieur Scott. La dissension est bien la dernière chose qui me tente ce soir. Pour tout vous dire, si je ne me devais pas à ces gens, je vous aurais demandé de me raccompagner. Les choses étant ce qu'elles sont...

— Les choses étant ce qu'elles sont, nous allons, en fait de conversation, louvoyer en de traîtres passages et mettre le cap sur les eaux franches de la pleine mer. »

Les deux jeunes gens suivirent le maître d'hôtel dans un long couloir donnant sur un cabinet privé. La porte en était ouverte, et Alex se tenait sur le seuil ; il était d'un maintien plus rigide qu'à l'accoutumée, et Gabrielle se demanda si lui et sa mère n'avaient pas déjà trouvé matière à désaccord.

Jamais je n'ai eu moins envie que ce soir de me trouver à une table étrangère, se dit-elle en s'avançant pour faire la connaissance des Saint-Cyr. A son approche, une femme aux cheveux blond cendré et aux yeux bleu pâle se leva et lui tendit la main. Une robe du soir en satin gris, très simple, un collier, des boucles d'oreilles, des broches et des bracelets de perles et de saphirs, soulignaient les traits fins et la mince silhouette de Mme Saint-Cyr, sans toutefois nuire à la pâleur de sa chevelure et de ses yeux.

« Ah, dit-elle, voici miss Cannon. »

A ces mots, l'homme qui se tenait face à la cheminée se retourna, et Gabrielle dut réprimer sa surprise en découvrant une réplique du visage d'Alex. Quoique bien sûr plus âgés, et creusés de quelques rides, les traits étaient les mêmes. C'était le même petit sourire dissymétrique, la même courbe ombrageuse du sourcil. Seuls les yeux diffèrent, pensa-t-elle en croisant son regard ; ceux d'Alex semblent aspirer toute chose en leur sombre intérieur, alors que ceux de son père sont comme deux charbons, qui ne réfléchissent rien et seraient imperméables à tout.

« C'est un honneur que de vous avoir à dîner, miss Cannon, dit Hector Saint-Cyr en s'avançant pour lui faire le baisemain. Nous aimons beaucoup votre frère et espérions l'avoir ce soir avec nous, mais Alex me dit que Tom est accaparé par la politique... » Son ton exprimait sans ambiguïté ce qu'il pensait de l'activité

206

militante de Tom ; Gabrielle sentit le sang lui monter aux joues.

« Mon frère croit à ce qu'il fait, dit-elle. Il s'efforce de remplacer notre père, et...

— Et il y réussit à merveille, dit Alex. Miss Cannon, voulez-vous vous asseoir ici ? » Il lui tenait la chaise qui se trouvait à la droite de sa mère. Ensuite, il alla s'asseoir en face de la jeune fille. Hector Saint-Cyr prit place en face de sa femme, et Jordan se plaça à la droite de Gabrielle.

« Dites-moi, miss Cannon, demanda Mme Saint-Cyr, vous intéressez-vous autant que votre frère à la politique ? Alex nous a laissés entendre que vous avez reçu une excellente éducation et que vous débattez aussi bien qu'un homme.

— Je m'intéresse à tout ce qui affecte ma vie, comme par exemple la forme de gouvernement que nous plaçons à notre tête, dit prudemment Gabrielle.

— Vous faites donc la distinction entre politique et gouvernements, dit Mme Saint-Cyr. C'est intéressant. Tant de gens ne le font pas. »

Un serveur vint déboucher le champagne et emplir les verres. Hector Saint-Cyr s'adressa à sa femme : « Julia, vous nous avez promis une plaisante soirée. Par définition, cela exclut toute discussion ayant pour sujet la politique ou le gouvernement.

— Peut-être abonderais-je dans votre sens en d'autres circonstances, répondit Julia Saint-Cyr. Mais le sort du pays se décide demain ; une conversation, quelle qu'elle soit, peut-elle ignorer ce fait ? »

Hector leva son verre, but une gorgée, puis adressa un sourire à la ronde. « Je serais ravi d'essayer, dit-il. Et je suppose ne pas être le **seul** dans ce cas.

— **Miss** Cannon, dit sa femme, souhaitez-vous que nous retirions la politique de notre menu de ce soir ? Vous décidez pour nous tous.

— Je crois que les opinions de chacun d'entre nous sont déjà connues ou aisément discernables, répondit Gabrielle. Comme il est peu probable que quiconque convainque quiconque, et comme nous sommes en si petit comité, peut-être pourrions-nous parler de choses plus... harmonieuses.

— Bien sûr, miss Cannon. Si tel est votre souhait, je ne parlerai pas de l'élection. » Julia Saint-Cyr s'absorba dans l'étude du menu, apparemment ignorante du silence qui planait sur la tablée.

Le premier plat arriva, et l'on se mit à manger. Mais en dépit de la qualité des mets et de l'excellence des vins, l'ambiance n'y était pas. Quelqu'un lançait un sujet de conversation, quelqu'un d'autre s'efforçait de l'alimenter, mais toute tentative retombait bien vite, comme si le silence se fût imposé sous la forme d'un sixième convive.

Je vais devoir rester assise à cette table pendant les dix années à venir, se disait Gabrielle lorsque, tout à coup, la porte s'ouvrit à la volée. Un homme fit irruption dans la pièce, la face cramoisie, le souffle court.

«Madame Saint-Cyr... les bateaux... un incendie... venez vite...

— Comment? Que me chantez-vous là, Pierre?» Julia Saint-Cyr bondit de sa chaise et traversa la pièce à petits pas précipités. La traîne de sa robe du soir se prit dans la chaise; elle la dégagea d'un geste impatient, ce qui renversa la chaise, mais ne ralentit pas sa progression.

«Un incendie sur les docks. Deux, peut-être trois de vos bateaux sont en feu.»

Julia Saint-Cyr regarda les convives d'un air affolé, puis s'adressa à son fils : «Alex, fais avancer la voiture. Il faut que j'y aille...

— Je vais y aller, mère, dit Alex en se levant. Jordan et moi allons nous occuper de tout. Restez ici avec miss Cannon.

— Il n'en est pas question, fit Julia. Va chercher la voiture, Alex. Ou faut-il que je m'en charge?

— Fais ce que demande ta mère, dit Hector Saint-Cyr, qui n'avait pas bronché et savourait le vin qui venait d'être servi. Un excellent bordeaux, miss Cannon. Du 1844, le seul qui convienne vraiment au palais d'un gentleman.»

Gabrielle, debout, prenait appui contre la table. «Je... je ferais mieux de rentrer à l'hôtel, dit-elle.

— Je vous raccompagne», dit Jordan.

Mais sa tante ne l'entendait pas ainsi. «Elle peut venir avec nous jusqu'aux docks, dit-elle. Là, je descendrai, et tu pourras la reconduire.

— Mais...»

D'un regard froid, elle fit taire toute objection. Alex s'encadra sur le seuil pour annoncer que la voiture était avancée. On suivit le couloir au pas de course, déboucha dans la rue et monta en voiture, Gabrielle et Alex sur une banquette, Jordan et Mme Saint-Cyr sur l'autre, Pierre debout sur l'essieu arrière.

Les chevaux prirent de la vitesse, dévalant Saint-Louis Street vers Decatur Street et les quais Saint-Cyr et Scott. Enveloppée dans sa cape, Gabrielle aperçut bientôt les énormes volutes de fumée qui montaient vers le ciel. Les navires étaient encore masqués par les entrepôts, mais la base des nuages, où se projetait une lueur orange, donnait une idée de la violence de l'incendie.

Au fur et à mesure qu'ils approchaient des quais, une foule de plus en plus dense ralentissait leur progression. Le cocher saisit son fouet pour le faire claquer au-dessus des têtes en hurlant : « Écartez-vous ! Laissez passer ! »

Des badges à l'effigie de Breckenridge apparaissaient au revers des vestes, et, tandis que les chevaux s'enfonçaient au milieu de la cohue, Gabrielle comprit que ces gens arrivaient pour la plupart de la parade, désireux d'ajouter un spectacle de plus à ceux auxquels ils venaient déjà d'assister. En un dernier coup de collier, l'équipage arriva sur l'esplanade qui faisait face aux bureaux de la compagnie. On voyait maintenant les mâts des bateaux incendiés. Les flammes y montaient, en tombaient, émettant une colonne ininterrompue de fumée, qui était comme l'assurance d'une inévitable destruction.

Quatre navires flambaient maintenant, et bien qu'on eût sectionné leurs aussières pour les laisser dériver sur le fleuve afin d'éviter que le feu ne se transmît aux bateaux voisins et aux entrepôts, des flammèches se portaient sur le pont des autres bâtiments, sur les toits des magasins, obligeant les pompiers à courir en tous lieux, traînant derrière eux de grandes lances alimentées par l'eau du port.

Lorsqu'il avisa la voiture, un homme sortit de la foule en hurlant le nom d'Alex.

« Comment est-ce arrivé, Jacques ? » interrogea ce dernier en sautant à terre pour saisir l'homme par le bras. Gabrielle le reconnut aussitôt pour l'homme qu'elle avait vu dans la ruelle, le jour où elle avait suivi son frère ; il s'agissait d'un affranchi, l'intendant de Hector Saint-Cyr. Elle se recula sur la banquette, à peine consciente de ce qui se disait.

« Il y a eu une explosion, expliquait Jacques. Et puis une autre quelques minutes plus tard. D'abord sur l'*Ocean Belle*. Ensuite sur la *Sea Queen*.

« — C'est une chaudière qui a sauté ? Seigneur, regardez-moi ça ! » Alex désignait les bateaux qui dansaient sur le fleuve. Des morceaux de voile enflammée s'en détachaient pour descendre en planant tels des oiseaux de feu jusqu'à la surface de l'eau et s'y abîmer dans un jet de vapeur. Des barils, certains en flammes, d'autres intacts, parsemaient le fleuve. Et de temps en temps une détonation sourde ponctuait la progression du brasier dans les entrailles des navires.

Jacques se tourna vers Julia Saint-Cyr. « Ça n'est sûrement pas accidentel.

— Pas accidentel ! Vous voulez dire qu'il s'agit d'un sabotage ?

— Ça m'en a tout l'air. Le second de la *Belle* jure avoir reniflé l'odeur de la dynamite. Et l'officier mécanicien de la *Queen* se trouvait dans la chambre des machines quand le bateau a pris feu. Tout y était parfaitement en ordre jusqu'au début de l'incendie.

— Mais pourquoi aurait-on incendié nos bateaux ? fit Alex. Qui pourrait nous haïr à ce point ? »

Comme en réponse à cette question, une rumeur sourde montait peu à peu de la foule. Tout d'abord incompréhensible, le concert s'ordonna, et l'on entendit bientôt : « Sales traîtres ! Traîtres à notre cause ! »

Puis ce fut comme un écho des cris joyeux de la parade : « Breckenridge ! Breckenridge ! Breckenridge ! »

La foule se resserrait autour de la voiture. Gabrielle se faisait toute petite sous les plis de sa cape. Son regard se porta vers le fleuve, où les quatre navires dérivaient ensemble, comme emprisonnés par un immense filet ardent.

« Emmenez les dames en sécurité, ordonna Alex au cocher. Jordan, viens avec moi. »

Jordan sauta à terre, au beau milieu de la populace. Gabrielle vit qu'on lui brandissait des poings sous le nez ; elle se plaqua contre son siège, visage blême au fond de sa capuche. Elle ne voyait plus ni Alex ni Jordan, déjà perdus dans la cohue. Le cocher fit claquer son fouet au-dessus des têtes, faisant momentanément reculer les gens qui se pressaient autour de l'attelage. L'instant d'après, ils se ruèrent furieusement à l'assaut de la voiture. Des mains essayaient de s'emparer des rênes. La mèche du fouet s'abattit encore et encore, zébrant des visages, tailladant des mains. Les chevaux bondirent en avant, s'ouvrant à coups de sabots un chemin au milieu des corps entremêlés. Pendant d'interminables secondes, Gabrielle contempla avec horreur le visage d'un homme qui s'était hissé sur le marchepied et s'accrochait à la portière. Puis le cocher fit virer son attelage sur la droite, et l'homme lâcha prise, retombant dans un océan de bras et de poings. Comme libérée d'un trop grand poids, la voiture fit un bond en avant. Elle traversa encore quelques émeutiers épars, puis la route fut claire.

Julia Saint-Cyr se retourna pour contempler la scène, la lueur de l'incendie, la colonne de fumée noire, les silhouettes courant en tous sens, pareilles à des marionnettes évoluant sur un fil invisible... «Voilà donc à quoi ressemble l'enfer», dit-elle avant de se laisser retomber sur la banquette.

«Madame Saint-Cyr... vous n'êtes pas blessée?» demanda Gabrielle. Elle revit l'expression qu'arborait Hector Saint-Cyr au moment où sa femme quittait précipitamment le restaurant : le regard opaque, les lèvres étirées par un petit rictus, et, seul signe apparent d'une quelconque émotion, le tapotement de son doigt sur le rebord de la table. «Tout cela est si horrible... dit encore la jeune fille.

— J'ai bien peur que ce ne soit qu'un début», dit Mme Saint-Cyr. Elle se tint plus droite et releva la tête. «Joseph, nous allons reconduire miss Cannon à l'hôtel Saint-Louis. Puis vous me ramènerez au port.

— Bien, madame Saint-Cyr», fit le cocher. Comme si de pareilles émotions eussent été son pain quotidien, il ne semblait nullement affecté par ce que l'on venait de traverser.

Julia Saint-Cyr s'était également ressaisie ; elle avait recouvré son masque, et le regard qu'elle posait maintenant sur Gabrielle n'exprimait que de la curiosité. «Cette violence vous surprend, miss Cannon?

— Elle m'affecte.

— Ah, que voulez-vous, c'était inévitable. Encore que je ne m'y attendais pas aussi tôt, je vous l'avoue. Tenez, nous y sommes, miss Cannon. Nous vous ramenons saine et sauve. J'en ferai part à mon fils et à mon neveu — comme vous le savez sans doute, ils sont tous les deux fort soucieux de votre sort.

— Oui, ce sont d'excellents amis», dit Gabrielle. Elle fut reconnaissante au portier de l'hôtel de l'aider à descendre de voiture. Encore quelques minutes à tenir, et elle retrouverait le havre de sa chambre.

«Je suis navrée de ce qui vous arrive, madame Saint-Cyr. J'espère que cela ne s'avérera pas une perte trop sévère.

— Nous ne risquons pas de sombrer à cause de quelques navires, dit Julia Saint-Cyr. En fait, ce désastre est peut-être en fin de compte une bénédiction, car il me contraint à une décision que j'aurais sans doute été forcée de prendre.

— Eh bien, bonsoir. Et merci pour ce dîner. J'ai été...

— Ravie? Oui, moi aussi.» Julia fit signe à son cocher en se penchant en avant comme pour élancer elle-même les chevaux.

Gabrielle s'attarda un moment à regarder s'éloigner l'équipage, puis s'engouffra dans l'hôtel. Elle désirait ne voir personne, pas même Tom; et, lorsque Lucie vint lui ouvrir, c'est avec un soupir qu'elle apprit que ni sa cousine ni son frère ne l'attendaient.

«Il y a eu bien du bruit et de l'agitation, ce soir dans les rues, observa Lucie en l'aidant à se dévêtir. Un des porteurs disait qu'il y avait un incendie du côté du fleuve. Vous en avez entendu parler?

— Oui. Des bateaux appartenant à Mme Saint-Cyr ont brûlé.

— Ah ben ça!» La physionomie de Gabrielle coupa court à toute autre question. Complètement épuisée, elle avait le sentiment que s'il lui fallait prononcer un mot de plus sur les événements de la soirée, elle ne pourrait le supporter. Lorsque lui fut apporté le verre de lait chaud qu'elle avait demandé à Lucie de faire monter, elle alla s'asseoir près du feu, et laissa la chaleur combinée du breuvage et des flammes apaiser ses nerfs à vif. Puis elle se mit au lit avec la crainte de ne pas trouver le sommeil; harassée et découragée, elle s'endormit presque instantanément.

Elle fut réveillée le lendemain matin par des bruits de voix assourdis provenant du salon de sa suite. Lucie lui apprit que M. Saint-Cyr était arrivé de bonne heure et qu'il prenait le petit déjeuner avec Tom.

«Dépêchons-nous, Lucie», dit-elle. L'angoisse qu'elle avait ressentie en regardant brûler les navires et en entendant les cris de haine de la foule l'étreignit un peu plus; il était arrivé quelque chose de plus, sinon pourquoi Alex eût-il été ici?

A son entrée, les deux garçons se levèrent pour venir à elle, une expression inquiète sur le visage, et cela confirma ses craintes.

«Que s'est-il passé? fit-elle d'une voix altérée.

— Je ne sais comment vous l'annoncer», dit Alex. Il vint dans

212

la lumière, et elle vit les hématomes qui marquaient sa peau si pâle, le pansement qu'il portait au-dessus de l'œil.

« Mais vous êtes blessé ! » s'écria-t-elle. Et de se laisser tomber sur une chaise, le visage blême, les yeux écarquillés.

Alex vint s'agenouiller près d'elle. « Rassurez-vous, miss Cannon. Ce n'est pas aussi grave qu'il y paraît, et je gage que les mauvais drôles qui m'ont fait cela regrettent de s'être échauffés.

— Mais enfin que s'est-il passé, monsieur Saint-Cyr ? Et comment va votre mère ? Lorsqu'elle m'a laissée, c'était pour retourner tout droit au port... »

Alex lança un regard à Tom. « Mère va bien, dit-il. Elle a repris la situation en main. » Il alla à la fenêtre, évitant de regarder Gabrielle ou Tom. « Plus en main que jamais, en fait.

— Expliquez-vous, dit Gabrielle. Je vous en prie. »

Alex se retourna, les mains dans les poches, bien campé sur ses jambes, comme pour un nouveau combat.

« Nous avons tenu une réunion dès que l'émeute a été terminée, Jordan, ma mère et moi. » Un rictus lui déforma la bouche. « Elle a voté au nom de père, et voici ce qui a été décidé : les navires restants vont appareiller dans la semaine pour Boston. Mère et Jordan vont s'embarquer sur le dernier. Je peux les accompagner si tel est mon désir.

— Les accompagner... vous voulez dire partir pour Boston ?

— Oui.

— Mais, et votre père ?

— Il part demain pour Olympia. Et je doute fort qu'il en sorte. Voyez-vous, il ne lui faut pas un bien grand royaume, il se contentera du modeste domaine encore sous son pouvoir.

— Mais comment choisir entre eux deux, monsieur Saint-Cyr ? C'est un choix trop cruel... »

Le regard d'Alex était rivé à celui de la jeune fille, et elle y [li]t un peu de la douleur qui l'habitait. Elle tendit presque inc[on]sciemment la main vers lui, et lança un regard implorant [à so]n frère. « Oh, Tom, Mme Saint-Cyr va sûrement revenir à [la m]aison...

— Elle est persuadée d'agir au mieux », dit Alex. Il alla prendre sa tasse de café et se mit à en fixer le contenu comme pour y lire l'avenir. « Jamais je n'aurais pensé que ma prédiction sur l'atomisation de notre univers se réaliserait aussi rapidement... Et cependant, ça y est, voici mon royaume divisé en parties les

213

plus petites possibles. Ma mère emporte sa part à Boston, mon père emporte la sienne dans sa retraite campagnarde.

— Et vous, monsieur Saint-Cyr ? » Gabrielle se sentait déchirée, arrachée à un monde qu'elle percevait tout à coup comme un lieu étrange et plein de périls. Tom posa sa main sur la sienne, et elle s'y agrippa en attendant la réponse d'Alex.

« Il y a un bateau qui part dans trois jours pour la France, dit-il. Je vais de ce pas y retenir une cabine.

— Alex, n'agis pas dans la précipitation, dit Tom. Rentre à Felicity avec nous, prends le temps de réfléchir. »

Le regard du jeune homme s'éclaira brièvement d'une petite lueur d'espoir, mais il secoua la tête et ses yeux s'assombrirent à nouveau. « J'ai eu tout le temps de réfléchir. Si je l'avais employé plus intelligemment, je ne me trouverais pas aujourd'hui devant un tel dilemme. Non, pas question que je l'impose maintenant à mes amis. Je vais me transporter en Europe. N'essaie pas de m'en dissuader, Tom. Ma décision est prise.

— Notre porte te sera toujours ouverte, dit Tom. N'est-ce pas, Gabrielle ? »

Elle n'eut qu'un instant d'hésitation, mais vit que ce balancement n'avait pas échappé à Alex. Il repense à ma déception d'hier soir lorsqu'il m'a dit sa façon de voir, pensa-t-elle ; il ne voit pas que ce terrible désastre fait passer au second plan un sentiment aussi dérisoire.

« Oui, bien sûr, dit-elle.

— Je suis incapable de me projeter très loin dans l'avenir, dit Alex, ni même de rêver à un nouveau séjour dans ce lieu idyllique. Il me faut mettre du champ entre moi et ce conflit. J'espère que vous le comprenez.

— Envoie-moi ton adresse dès que tu en auras une, dit Tom. Il n'est pas question que je te perde de vue !

— Il n'en est pas question », dit Alex. Il prit ses gants et son chapeau. Il était trop bouleversé pour ajouter quelque chose, et ne put que saisir la main de Tom et le regarder dans les yeux.

« Je vous laisse, dit Gabrielle. Il est naturel que vous vous fassiez vos adieux seuls.

— Miss Cannon, dit Alex. Puis-je vous écrire, à vous aussi ?

— Mais bien sûr, monsieur Saint-Cyr.

— Et vous me répondrez ?

— Je le fais toujours. »

214

Les laissant seuls, Gabrielle regagna sa chambre et ouvrit un livre dont elle lut et relut la même page jusqu'à ce qu'elle entendît se refermer la porte du salon. Dieu merci, se dit-elle, nous rentrons bientôt à la maison. Elle laissa le livre glisser à terre, ferma les paupières et se laissa emporter loin de cette chambre, loin de La Nouvelle-Orléans. Elle se trouvait à Felicity, chevauchant Brandy à travers les champs aux teintes de l'automne. Elle voyait le feuillage jaune, rouge et orange se détacher sur le bleu du ciel. Elle se voyait passer sous les grands acacias qui faisaient pleuvoir sur elle leurs feuilles écarlates et luisantes. Déjà, elle sentait dans l'air limpide l'odeur des feux de feuilles mortes. Au détour du bois de chênes, elle découvrait la maison éclaboussée de soleil, la vieille demeure, paisible et sûre.

CORRESPONDANCE

De Tom Cannon à Gabrielle Cannon, 26 janvier 1861

Ma chère Gabe,
Voilà c'est fait. La Louisiane s'est officiellement détachée de l'Union et, pour reprendre les paroles de l'ex-gouverneur Alexandre Mouton, président de cette convention, nous sommes maintenant « une puissance libre, souveraine et indépendante ». Jamais auparavant je n'avais vu l'Histoire en train de se faire, mais c'est le sentiment que j'ai eu ce matin. Tout autour de moi, des hommes pleuraient et exultaient à la fois. Puis le gouverneur Moore est arrivé, précédé du drapeau au pélican de l'État de Louisiane. L'aumônier a dit l'action de grâces et béni le drapeau. La communion de la foule était presque tangible ; dix-sept délégués avaient voté contre la sécession, mais lorsque le décret a été signé, le vote donnait 121 voix contre 9. Je ne prétends pas ne pas avoir de craintes, et je pense que le gouverneur Moore a en grande partie orchestré ce résultat par l'initiative qu'il a prise une semaine avant cette assemblée et dont tu as dû entendre parler. Quoi qu'il en soit, il a annoncé lors de la session d'ouverture qu'il avait, une semaine plus tôt, investi deux forts fédéraux au sud de La Nouvelle-Orléans, l'arsenal de Baton Rouge, ainsi que plusieurs autres biens fédéraux, et arraisonné un cotre des douanes. Il a

sollicité de notre part un vote d'agrément. En cas de rejet, nous pouvions aussi bien plier bagages et rentrer chez nous. Et ce premier scrutin — 119 contre 5 — reflète assez bien la façon dont les choses se sont passées. On ne peut cependant en vouloir à Moore. Après tout, son discours d'investiture, il y a un an, prédisait que le Sud ne pourrait tolérer encore bien longtemps le traitement que lui infligeait un Congrès entre les mains des Nordistes, et tout ce qu'il prévoyait est arrivé.

Je vais passer par La Nouvelle-Orléans avant de rentrer à la maison. Le sentiment général est que les États sécessionnistes vont prochainement se doter d'un gouvernement en bonne et due forme. Cela fait, l'étape suivante semble être la guerre.

Je n'ai pas fait que travailler pendant mon séjour à Baton Rouge. Nos amis se sont montrés très empressés, m'invitant plusieurs fois à dîner. Il y a deux jours, j'étais chez les Bienvenu, qui m'ont demandé de vous transmettre leur bon souvenir, à tante Mathilde et à toi.

Ton frère affectionné, Tom.

D'Alex Saint-Cyr à Gabrielle Cannon, 22 février 1861

Chère miss Cannon,
J'ai reçu votre lettre ce matin, et mon humeur, jusqu'alors aussi sombre et morne que le temps, s'en est trouvée allégée. J'ai ri comme je ne l'avais fait depuis des semaines à votre récit de l'escapade du cochon des Robin. La vision de la digne Dorothea vidée de son escarpolette par cet animal passant en trombe sous elle aurait dû me navrer, mais elle a eu l'effet contraire. Je lis vos lettres comme s'il s'agissait de romans ; elles me transportent en un autre lieu et un autre temps, et je m'absorbe dans les aventures de gens qui n'étaient jusqu'alors pour moi que des noms. A propos de littérature, j'ai passé quelque temps en Angleterre juste après Noël, et ai eu la chance d'y rencontrer M. Dickens, dont vous goûtez tant les œuvres. Il m'a très gentiment dédicacé plusieurs de ses livres ; je vous les ai postés juste avant de quitter Londres, aussi devriez-vous bientôt les recevoir. J'espère qu'ils grossiront avec bonheur votre bibliothèque.

Vous me demandez de vous décrire Paris, puis vous me posez des questions si détaillées sur cette ville que je vous crois bien volontiers lorsque vous dites l'avoir déjà visitée en compagnie d'Hugo et de Balzac ! A côté d'eux, je crains d'être un piètre guide. Il est un autre écrivain français qui mériterait, je pense, que vous le découvriez ; il s'agit de Gustave Flaubert, dont le roman *Madame Bovary* a fait sensation ici lors de sa publication il y a quatre ans. Je vais vous l'envoyer aujourd'hui, au risque d'encourir la réprobation de Mme LeGrange, car beaucoup le tiennent pour très immoral, et donc très peu convenable pour une jeune personne. Mais je m'en remets à votre intelligence et à votre discernement, miss Cannon, et serai heureux de savoir ce que vous penserez de la malheureuse héroïne de ce livre.

Je vais le mardi soir à la Comédie-Française, c'est le soir où s'y rendent les gens prestigieux. Et quel spectacle ! Lorsque la pièce est sans intérêt, on regarde l'assistance. Les dames en particulier, suivant l'exemple donné par l'impératrice Eugénie, portent des robes si échancrées qu'on a baptisé cette coupe le décolleté à la baignoire, ce qui dans certains cas signifie qu'on n'aperçoit par-dessus la balustrade de sa loge que les épaules et la gorge de l'intéressée. Je vais aussi à l'opéra ; j'ai vu l'autre soir *Un bal masqué* de Verdi. Il est bon à savoir que la première new-yorkaise aura lieu ce mois-ci, le 11, je crois. Vous pourrez donc le voir probablement avant longtemps à La Nouvelle-Orléans.

Miss Cannon, il m'arrive une chose horrible. Je suis dans la Ville lumière et déambule dans le plus épais brouillard. Je suis sérieux, si sérieux que mes compagnons me jugent ennuyeux ; et lorsque j'avance pour prétexte les événements inquiétants qui agitent mon pays, ils me demandent pourquoi, s'ils m'inquiètent à ce point, je me trouve à Paris. Très bonne question, à laquelle je ne sais que répondre. Cette suite de sorties au théâtre ou à l'opéra, de dîners et de soirées, d'excursions jusqu'à des villas des abords de la ville ne parviennent pas à me faire sortir de moi-même, mais c'est une routine, et je pourrais presque y sacrifier en dormant. Peut-être que je suis endormi et attends que quelque chose ou quelqu'un vienne me réveiller... A la lecture de votre lettre, je me suis dit qu'il faudrait peut-être que je me l'administre chaque matin comme on le ferait d'un tonique, pour que sa fraîcheur et sa vigueur se communiquent à mon sang, jusqu'à ce que je puisse m'extraire de ce miasme et me raccrocher de nouveau à quelque but.

A qui est-ce que j'essaie d'en conter, miss Cannon ? Je n'ai jamais eu de but, je me suis toujours défié de ce mot et de tout ce qu'il implique. Je m'embarrasse moi-même, voilà le fin mot de la situation, mais je suis trop pragmatique pour m'imaginer que quelque geste impulsif saurait donner un sens à ma vie, et trop désenchanté pour ne pas souhaiter qu'un deus ex machina m'apporte une réponse.

Vous allez regretter d'avoir accepté de correspondre avec moi, miss Cannon, mais je suis très heureux que vous l'ayez fait. Je m'aperçois que je suis incapable de vous mentir ou de me mentir en votre présence. Bizarrement, je vous sens très proche de moi, plus proche que les gens avec qui je dîne deux fois par semaine.

Brûlez *Madame Bovary* s'il vous choque. Mais vous avez l'âme vaillante, et je vous ferais insulte si je ne vous envoyais pas ce remarquable ouvrage.

Sincèrement vôtre, Alex Saint-Cyr.

De Jordan Scott à Gabrielle Cannon, le 14 avril 1861

Chère miss Cannon,

Notre correspondance au cours des mois qui ont suivi mon départ précipité de La Nouvelle-Orléans a représenté pour moi beaucoup plus que je ne saurais dire. J'ai bien peur qu'il ne nous faille y mettre un terme, tout au moins jusqu'à la fin des hostilités entre nos deux pays. Comme c'est étrange de vous imaginer citoyenne d'une nation étrangère ! Et cependant c'est ce que vous êtes depuis qu'existent les États confédérés d'Amérique.

Lorsque vous recevrez cette lettre, je serai de surcroît officier dans la marine de l'Union. Il est donc clair que la poursuite de notre correspondance est impossible. Je ne sais seulement pas comment vous pourriez me faire parvenir vos lettres ; je ne puis vous donner mon adresse militaire, ni ne veux que vous m'écriviez chez les miens. Ils ont été si bouleversés par les événements de la semaine passée — d'abord la formation des États confédérés, puis le bombardement de Fort Sumter — que je ne puis ajouter à leur désarroi en leur demandant de me transmettre vos lettres. Certes, nous nous attendions à ce que les États du Sud se regroupent, mais bien peu, je pense, s'attendaient à ce que les hostilités soient si rapidement ouvertes. Je me demande si le général Beauregard, qui a commandé l'attaque sur Fort Sumter, est considéré comme un héros en Louisiane. Je suis porté à le penser. Quand les enfants du pays commettent au loin des actes guerriers, on n'entend parler que de gloire, jamais de l'horreur de tels actes...

Je vous demande pardon, je ne voulais pas critiquer un homme dont je crois avoir entendu dire qu'il était un ami de longue date de votre père. Je ne sais trop où j'en suis, miss Cannon, je voudrais que le sens du devoir ne soit pas aussi affirmé dans la tradition des Scott. Je n'ai pas le loisir de choisir un rôle plus pacifique ; ma famille me croit aussi désireux que n'importe quel patriote de prendre part à cette guerre, et sans doute une partie de moi l'est-elle...

Cependant, il en est une autre qui se rappelle les paysages et les gens de Louisiane, et qui est triste d'en être séparée non seulement physiquement, mais aussi émotionnellement. J'avais commencé de me sentir très proche de vous, miss Cannon, ce que j'ai quelque difficulté à concevoir, moi qui pensais qu'un tel rapprochement ne s'opérait qu'entre un homme et une femme qui s'aiment, et ne pouvait conduire qu'au mariage. Ce n'est pas le sentiment que j'ai pour vous, miss Cannon. Ce que j'éprouve doit être de l'amitié, l'*agapê* des Grecs, ce mot qui désigne une sympathie, une empathie entre deux êtres, sentiment peut-être plus durable que l'amour romantique.

Je vais conserver ce sentiment comme une flamme sacrée, avec l'espoir que les tristes événements qui nous divisent ne dureront pas toujours, et que lorsque nous nous retrouverons, nous pourrons reprendre les choses où nous les avons laissées.

Soyez assurée que je prierai pour la sécurité de tous les habitants de Felicity. Miss Cannon, si jamais vos pensées se portent vers Jordan Scott, je vous demande humblement de vous le rappeler avec confiance et bienveillance.

Bien sincèrement vôtre, Jordan Scott.

De Gabrielle Cannon à Alex Saint-Cyr, 15 avril 1861

Cher monsieur Saint-Cyr,

Vous êtes trop bon ! Quel luxe que de posséder ces ouvrages de M. Dickens, et dédicacés à mon intention ! Ils figurent en bonne place sur mes étagères ; en revanche je dois vous avouer que je cache *Madame Bovary*. J'en ai à peine commencé la lecture, mais cela semble en effet un livre extraordinaire. Je vous dirai ce que j'en pense dès que j'aurai fini de le lire et aurai eu le temps de me former une opinion.

La vie parisienne me paraît des plus attrayantes. Il y a du mouvement ici aussi, bien sûr, du fait de la formation des États confédérés et à cause de Fort Sumter — vous lisez certainement les journaux —, mais tout cela n'a rien de rassurant. Le recrutement des unités de milice, créées au lendemain de l'élection de M. Lincoln, s'est accéléré ; de plus en plus de volontaires se joignent aux patrouilles qui recherchent les esclaves en fuite. L'atmosphère de notre région, habituellement paisible, est portée à la tension et à l'inquiétude. Tom est à la maison, ce qui est une bonne chose, mais il est si demandé dans les réunions et assemblées que c'est à peine si je le vois.

Bon, parlons d'autre chose. Que je vous raconte une autre histoire sur la vie à la campagne, ne serait-ce que pour vous montrer que tout n'y est pas uniquement fait de guerre et de politique !...

12

Le bruit cadencé de chaussures de marche foulant le gravier de l'allée fit sortir Gabrielle sur le balcon du premier étage. Tom commandait l'exercice de la milice locale. Un soleil printanier, encore pâle pour cette fin d'avril, baignait les marcheurs d'une lumière presque voilée, ornait d'une délicate dorure le canon des fusils et tachait d'un lavis doré ceux qui les maniaient.

La jeune femme se pencha en avant pour humer l'air parfumé, les odeurs de glycine, grappes blanches et violettes dont les tiges se nouaient autour des arbres et des tonnelles, l'odeur des troènes dont les minuscules inflorescences piquetaient l'épais massif bornant la pelouse, et celle des roses, disposées en un long ruban multicolore dans le jardin à la française.

La luxuriance de ce paysage, la richesse de sa végétation s'éveillant après le long sommeil hivernal, le chant des oiseaux dont retentissait chaque arbre, tout cela donnait un air d'incongruité aux silhouettes qui manœuvraient dans l'allée, un peu comme si elles eussent échoué ici après avoir quitté par erreur leur terrain d'exercice.

Pivotant pour remonter l'allée avec ses hommes, Tom aperçut sa sœur et lui fit un signe. Elle lui répondit de même, puis, objet de tous ces regards masculins, regagna l'intérieur de la maison.

Depuis qu'on avait appris l'attaque contre Fort Sumter, les compagnies de volontaires, organisées à la diable en novembre au lendemain de l'élection de Lincoln, avaient commencé de s'exercer avec plus de sérieux. Gabrielle et sa tante avaient dû prendre leur parti que des inconnus qui n'avaient jamais mis le pied à Felicity vinssent quotidiennement prendre conseil auprès de Tom. Le jeune homme prouvait chaque jour un peu plus qu'il possédait une stature égale à celle de feu son père.

Le spectacle d'hommes en armes et en uniforme était maintenant chose courante sur tout le territoire de la Louisiane. Un certain nombre d'unités avaient adopté le pantalon coloré et la veste serrée rendus populaires, l'année précédente, par les zouaves de la fameuse expédition italienne des Mille. Tom, toutefois, considérant que ces freluquets multicolores feraient des cibles de choix pour les fantassins yankees, avait habillé sa compagnie de teintes moins voyantes.

Les hommes firent l'exercice jusqu'à midi, puis se rassemblèrent autour de leur chef qui avait une question importante à leur poser. Comptaient-ils se porter volontaires pour servir sur une période de douze mois dans l'armée confédérée, en réponse à l'appel qu'avait fait trois jours plus tôt le gouverneur Moore, désireux que cinq mille Louisianais allassent grossir les forces sudistes ? Cet appel était depuis lors l'objet des commentaires de tous les citoyens comme de tous les hommes de la compagnie.

Si jamais la Louisiane était attaquée, comment pourrait-elle se défendre, ses soldats se trouvant sur des champs de bataille fort éloignés ? Cette question avait été pour la première fois soulevée en mars. En effet, avant même que les délégués qui s'étaient réunis pour voter la sécession ne ratifient, le 21 mars, la constitution de la Confédération, le secrétaire confédéré à la Guerre, Leroy Walker, avait demandé une levée de mille sept cents hommes, qui devaient servir conjointement avec d'autres unités sudistes à armer des forts disséminés à travers les États confédérés. Et le 8 avril le président Jefferson Davis, en réponse à l'attitude négative du président Lincoln face aux tentatives de conciliation de la Commission confédérée pour la paix, avait demandé que chaque État sécessionniste fournisse un nouveau contingent, dont trois mille Louisianais. L'appel de Moore, survenant si rapidement après celui de Davis, soulevait quelques protestations.

« Nous serons exsangues, se plaignaient certains Louisianais.

224

Pourquoi devrions-nous renoncer à toute possibilité de nous défendre, afin d'aller protéger des États si éloignés ? »

D'autres considéraient cependant que la jeune Confédération se devait de présenter à l'ennemi commun un front uni, arguant de ce que si l'on occupait les forces de l'Union sur les champs de bataille du Nord, la Louisiane aurait tout le temps de préparer sa défense.

Les hommes de la compagnie de Tom se divisaient à peu près également entre ceux qui estimaient préférable de rester sur place pour former une milice, et ceux qui souhaitaient aller rejoindre les autres volontaires à Camp Walker, centre d'entraînement établi sur le site du vieil hippodrome de la Métairie, à La Nouvelle-Orléans.

Aujourd'hui, une décision devait être prise. Tous les yeux étaient braqués sur Tom, debout en haut des marches du perron de Felicity. Bien que n'atteignant pas les soixante-quinze hommes de l'effectif exigé par le gouverneur, prévu pour se composer de soixante-quatre soldats, huit sous-officiers et trois officiers, la compagnie de Tom était tout à fait opérationnelle avec ses soixante-trois hommes, et il ne doutait pas que si ceux-ci choisissaient de rejoindre l'armée confédérée, il se trouverait dans la région de la Teche suffisamment de volontaires pour la reformer.

Car, en dépit de leurs protestations, ces hommes étaient issus de familles qui ne s'étaient jamais dérobées à leur devoir. En 1779, lors de la guerre d'Indépendance, les milices acadiennes de la région s'étaient jointes aux forces du gouverneur espagnol Bernard Galvez pour attaquer les forts de Manchac et de Baton Rouge tenus par les Anglais. Et lorsqu'en 1812 les pirates de Jean Lafitte avaient mis leurs armes et leur vie à la disposition du général Andrew Jackson lors de la bataille de La Nouvelle-Orléans, les Acadiens avaient répondu présent. Les pères de ces hommes ne s'étaient pas non plus esquivés lorsqu'il avait fallu prêter main-forte à leurs voisins, et un grand nombre d'entre eux avaient combattu les Mexicains et donné leur vie pour l'indépendance du Texas ; ainsi avait péri Louis LeGrange, l'oncle de Tom. Le courage ne leur fait pas défaut, se dit le jeune homme en considérant ses troupes, et ils ont à cœur de défendre notre cause.

Il leva la main pour demander le silence. Les hommes cessèrent peu à peu leurs discussions, chacun renonçant, le vote approchant, à convaincre son voisin par un ultime argument. Ils se

225

tenaient en position de repos, appuyés sur le canon de leur arme ou bien la tenant dans le berceau de leurs bras. Ce serait un miracle, pensa Tom, si deux d'entre eux avaient le même modèle de fusil. Ces armes avaient décimé des vols de canards traversant le ciel d'hiver, abattu maint chevreuil fuyant à travers les marais, et chacune était aussi particulière que son possesseur. Mais ce dont elles manquaient en conformité était largement compensé par l'œil exercé de leur utilisateur.

«Je pense que nous sommes tous au courant de la rapidité avec laquelle empire la situation, commença Tom. Le blocus naval de Lincoln est déjà en place. Et sans doute la marine de l'Union va-t-elle rapidement verrouiller le delta, empêchant ainsi toute liaison commerciale par mer.

— Cela signifie-t-il qu'ils ont des vues sur La Nouvelle-Orléans ?» interrogea quelqu'un au dernier rang. La question suscita une vague de commentaires, et Tom dut une nouvelle fois lever la main.

«Je ne peux croire que les Yankees se satisferont d'en faire seulement le blocus. Ils vont sûrement chercher à s'en emparer.

— Mais nous avons des forts, lança quelqu'un. Fort Jackson et Fort Phillip...

— Beauregard affirme qu'il va falloir les renforcer si on veut qu'ils soient capables de soutenir un assaut de quelque importance. Quant à savoir si ses suggestions vont être écoutées...

— Dites-nous la vérité, Cannon, fit un homme au premier rang.» Il s'avança jusqu'au bas des marches. «Quelles sont les chances du Sud face à un ennemi disposant de la puissance industrielle du Nord ?

— Nul ne peut répondre à cela avec certitude. Mais les militaires expérimentés disent que cela dépend pour beaucoup de la durée de la guerre. Si elle est brève, notre faiblesse industrielle nous desservira moins que dans une longue campagne.

— Moi, je dis qu'il faut répondre à l'appel de Moore ! lança quelqu'un. On monte en Virginie et on les raccompagne jusqu'à la frontière canadienne !

— Voilà qui est parlé !» renchérit un autre. Ce fut un concert d'acclamations.

Au début, plusieurs hommes demeurèrent indécis, le visage marqué par le doute. Puis ils se laissèrent peu à peu gagner par l'enthousiasme de leurs camarades. En quelques minutes, l'ensemble de la compagnie eut résolu de partir dès que possible pour Camp Walker.

Gabrielle, qui jouait une nouvelle composition de Louis Gottschalk, entendit la clameur et courut se poster à la fenêtre du salon. Les hommes jetaient leurs chapeaux en l'air et se donnaient de grandes claques dans le dos. Tom vit sa sœur et, quittant le groupe qui l'entourait, s'engouffra dans la maison. Il fit irruption dans le salon et courut jusqu'au piano. Il se mit à chercher fiévreusement parmi les partitions rangées dans un petit secrétaire. «Je voudrais que tu nous joues quelque chose», dit-il à Gabrielle en lui faisant signe d'approcher. Il lui mit une partition entre les mains. Puis, debout près d'elle, il se mit à chanter dès que retentirent les premières mesures.

Sa voix de ténor fut entendue depuis la pelouse, et bientôt tout le monde chanta. Le soprano de Gabrielle se joignit au refrain, d'abord altéré par l'émotion, puis ferme et sonore. Il s'agissait de la chanson de Daniel Emmett, entendue l'hiver précédent au Varieties Theater de La Nouvelle-Orléans et reprise depuis à travers tout le Sud comme un véritable hymne.

> *Then I wish I was in Dixie — Hooray.! Hooray!*
> *In Dixie's land I'll take my stand,*
> *To live and die in Dixie.*
> *Away, away, away down south in Dixie.*

Lorsque mourut le dernier accord, Gabrielle prit la main de son frère. «Tante Mathilde et moi allons t'accompagner à La Nouvelle-Orléans, dit-elle. Afin de voir à ton équipement et que tu abordes la carrière militaire avec style.

— C'est une bonne idée, répondit Tom. Tant que nous y serons, il serait peut-être bon que nous allions voir Guillot, histoire de consolider notre portefeuille, et peut-être de faire passer quelques capitaux à l'étranger...

— Je me demande combien de temps il va encore rester à La Nouvelle-Orléans. Tu te rappelles qu'il s'est mis dès l'année dernière à réaliser une partie de ses biens.»

Tom regarda ses hommes par la fenêtre; ils étaient maintenant tranquillement égaillés devant la maison. «Je suppose que, la menace d'une guerre se précisant, nous allons assister à un petit exode. Et il va aussi y avoir ceux qui déjà réfléchissent à la façon dont ils vont s'y prendre pour tirer profit du conflit, tous les charognards qui se nourrissent du malheur des autres et qui seraient prêts à renier père et mère si cela pouvait leur rapporter quelques poignées d'or.

— Oh, Tom, comme je voudrais que tu te trompes ! Il est déjà assez douloureux de voir le pays se diviser, mais il serait pire encore de voir la dissension s'insinuer jusque dans nos rangs.

— Oui, et c'est peut-être l'effet le plus désastreux de ce genre de guerre. Elle fait des frères de naguère des ennemis, elle sépare pour toujours ceux qui hier vivaient ensemble. » Tom eut un soupir et laissa encore quelques instants sa main dans celle de Gabrielle. Puis, se redressant, prenant inconsciemment une posture martiale, il dit : «Ah, que veux-tu, maintenant tout est dit. Nous sommes avec notre camp, Gabrielle, et il ne nous reste plus qu'à aller là où le devoir nous appelle.

— M. Scott, je me demande où cela va le mener, dit Gabrielle. J'espère que le bateau sur lequel il sert ne va pas être dépêché dans le Golfe, quoique nous n'en saurons jamais rien.

— Je me fais plus de souci pour Alex. Dans ce conflit, Scott se conforme à sa tradition familiale et aux sacrifices qu'elle exige. Alex, lui, me paraît dans une position beaucoup plus inconfortable.

— Son père fait partie de l'artillerie Washington. Si jamais il se lasse de broyer du noir à Paris, M. Saint-Cyr pourra toujours venir s'y enrôler.

— Tu es bien dure, Gabe. Je te croyais plus compatissante à son endroit. Car enfin, ce n'est pas la guerre qu'il essaie de fuir, mais ce choix terrible que lui impose sa mère.

— Ce choix, il lui faudra de toute façon le faire, s'il veut un jour voler de ses propres ailes. Peut-être pas un choix aussi tranché que celui d'abandonner un de ses parents pour suivre l'autre. Il n'empêche, Tom, il lui faudra bien un jour prendre une décision. Celle de laisser s'épanouir cette profondeur que nous admirons tous les deux, ou bien celle de la réprimer totalement pour mener une existence marquée par la frivolité et le plaisir.

— Oui, tu vois juste, bien sûr. Moi aussi, je sais cela depuis longtemps. Seulement je n'avais pas eu le courage de reconnaître, même en mon for intérieur, que ce dilemme, il se l'est pour une bonne part fabriqué tout seul. Après tout, il n'est pas le premier à être tiraillé entre les aspirations d'une mère et celles d'un père ! Quelque chose fait qu'il y accorde trop d'importance, quelque chose que je n'ai jamais bien saisi. »

Moi, je crois avoir saisi, faillit dire Gabrielle. Mais elle se mordit les lèvres et se retourna vers le clavier. L'ondoyante mélodie de Gottschalk accompagna Tom hors de la pièce et recouvrit les pensées qui se bousculaient dans la tête de Gabrielle. Orpheline de mère depuis la petite enfance, elle s'était bâti un idéal maternel à travers ses lectures et la vénération que son père portait au souvenir de sa femme. Nulle part dans cet idéal il n'y avait de place pour une mère capable de rejeter son enfant, et lorsqu'elle pensait à Julia Saint-Cyr et à la froideur qu'elle témoignait à son fils, elle se sentait pleine de sollicitude pour Alex et de compassion pour la douleur qui devait être la sienne. Et cependant, il ne se résout pas à trancher l'ultime lien qui les rattache, se dit-elle en reprenant machinalement le morceau à son début. Il séjourne dans les limbes, n'habitant ni avec l'un ni avec l'autre, ne prenant jamais position... Elle ne lui jetait pas la pierre. Au milieu d'un tel foyer, avait-il jamais connu un peu d'amour ? L'un ou l'autre de ses deux parents l'avait-il jamais admiré ou félicité, l'un ou l'autre lui avait-il jamais dit que sa présence le réjouissait ? Ils lui ont fait un tort immense, pensa-t-elle en plaquant le dernier accord du morceau. Et tant qu'il n'aura pas décidé que pareil traitement était odieux, le comportement de ses parents continuera de le faire souffrir.

C'était là un problème qui la dépassait et dont la solution ne pouvait venir que de lui. Je n'ai rien d'un deus ex machina, se dit-elle. Il revient à M. Saint-Cyr de résoudre lui-même son dilemme, et pour son bien je prie le Ciel pour qu'il le résolve bientôt.

Le pouls de La Nouvelle-Orléans s'était accéléré, comme si la cadence des musiques militaires lui était entrée dans les veines, évinçant pour un temps les rythmes créoles qui d'ordinaire lui donnaient le *la*. C'est aussi d'un pas plus vif que tante Mathilde faisait les magasins, se procurant non seulement le fourniment donc Tom aurait besoin, mais aussi différents articles qui, à cause du blocus, feraient bientôt défaut.

Il n'y avait pas que les listes de courses qui fussent au diapason militaire : la ville tout entière paraissait ne plus du tout se soucier de commerce ou de vie sociale ; toutes les activités étaient centrées sur Camp Walker, où arrivait un flux régulier de volontaires, qui dressaient leurs tentes sur ce terrain marécageux et, dans des conditions matérielles très difficiles, s'efforçaient d'instituer une routine militaire.

Avant même que n'arrivent les trois mille nouvelles recrues affectées à Camp Walker, on dut mettre en place un autre cantonnement, Camp Lewis, afin d'absorber le trop-plein, et en l'espace de quelques brèves semaines on comprit qu'il serait impossible de mener l'instruction des hommes sur ce site. Souffrant d'une pénurie d'eau, manquant d'ombrage, infesté de moustiques et constamment boueux, le camp n'avait pour lui que sa proximité de La Nouvelle-Orléans, et le gouverneur Moore cherchait déjà un autre emplacement.

Cependant, les habitants de la grande ville, insoucieux des inconvénients du camp, s'y rendaient comme à un lieu de villégiature pour dîner au mess des officiers ou des sous-officiers, assister aux exercices et contempler avec un mélange d'effroi et de plaisir les diverses activités militaires. Tante Mathilde racontait que les magasins bruissaient de dames venues acheter toutes sortes de douceurs qu'elles destinaient aux soldats de Camp Walker. La route qui y menait était devenue une des plus fréquentées de la région.

Aussi loin que remontât le souvenir de Gabrielle, c'était la première fois que la grande maison de l'Esplanade n'était pas le centre d'une intense activité mondaine. Veillant aux mille détails qu'impliquait l'incorporation de ses volontaires dans l'armée confédérée, Tom n'avait ni le temps ni l'envie de sacrifier à des mondanités. Quant à tante Mathilde, elle n'avait lancé aucune invitation, considérant qu'elle et sa nièce manquaient déjà de temps pour mener à bien le programme qu'elles s'étaient fixé.

Compte tenu de ses multiples allées et venues, il était facile à Tom de disparaître plusieurs heures d'affilée à l'insu de sa sœur ou sa tante. Gabrielle avait son idée là-dessus, à savoir une maisonnette située dans une venelle du Quartier. Le quatrième jour suivant leur arrivée, elle n'y tint plus. Apprenant que Tom serait retenu toute la matinée à une réunion des officiers de sa compagnie, elle se coiffa de son bonnet, se munit de son ombrelle et quitta la maison, bien décidée à voir Véronique.

Elle eut quelque peine à trouver la fameuse ruelle et se fourvoya à plusieurs reprises. Enfin, elle se retrouva entre les deux murs de brique dont elle avait gardé le souvenir. Oui, et là-bas se trouvait la porte d'où avait surgi Jacques Lamont, régisseur du père d'Alex. Elle s'en approcha lentement, se représentant maintenant que cette démarche pouvait s'avérer une terrible erreur. Si Véronique est bien là, qu'est-ce que je vais lui dire ? Qu'est-ce que je vais faire ? Elle hésitait, ne sachant s'il fallait rester ou partir, quand une petite pancarte posée derrière la fenêtre accrocha son regard.

« Modiste », annonçait l'enseigne de carton. C'était peu, et pourtant ces sept lettres renfermaient un si grand rêve que Gabrielle ne balança pas plus longtemps. Elle monta vivement les marches du petit perron et actionna le heurtoir. Elle s'attendait évidemment à voir Véronique, aussi eut-elle un hoquet de surprise lorsqu'une femme plus âgée lui ouvrit.

« Je cherche... euh, êtes-vous la modiste ?

— Je suis son aide, dit la femme. Souhaitez-vous voir mademoiselle Lamont ?

— Oui », souffla Gabrielle.

La femme s'effaça pour la laisser entrer. La jeune fille s'engagea dans un large couloir qui traversait la maison de part en part et se terminait par une porte-fenêtre donnant sur une cour. Ce passage comportait plusieurs portes.

« Par ici », dit la femme en ouvrant l'une d'elles.

Gabrielle entra en se demandant ce qu'elle allait bien pouvoir dire à Véronique. Une femme qui cousait à la machine se retourna à son approche. La pédale s'immobilisa, la machine à coudre s'arrêta, tout bruit cessa. Véronique eut un sursaut de surprise.

« Gabrielle ! souffla-t-elle en se levant et laissant choir son ouvrage. Mais... qu'est-ce que tu fais ici ?

— Il fallait que je te voie, Véronique. Je tenais à m'assurer par moi-même que tout allait bien pour toi. » Gabrielle traversa la pièce pour étreindre les mains de la jeune métisse. « Sois sans crainte, je ne te trahirai pas ! Nul ne saura que je t'ai retrouvée. Je te le promets !

— Mais comment m'as-tu retrouvée ?

— J'ai suivi Tom, expliqua Gabrielle. L'automne dernier.

— Tu sais depuis tout ce temps que je suis ici ? »

Voyant l'affolement de Véronique, Gabrielle se hâta de la rassurer. « Je n'en ai parlé à personne, pas même à Tom. » Elle lâcha

231

les mains de son amie pour s'en écarter légèrement. « Je ne dis pas que... que cela ne m'a pas fait mal de voir qu'il ne me faisait pas assez confiance pour me mettre dans le secret.

— Oh, Gabrielle, ce n'était pas une question de confiance ! Seulement, un tel secret, moins on est à le connaître, plus il a de chances d'être gardé.

— C'est exactement ce que je me suis dit. Et le jour de l'incendie, quand j'ai vu le régisseur de M. Saint-Cyr, et que j'ai reconnu en lui l'homme que j'avais vu sortir d'ici, j'ai compris qu'Alex Saint-Cyr avait été pour quelque chose dans ta fuite et que Tom disposait d'un allié.

— J'ai tant de choses à te dire, s'exclama Véronique, et tant de choses à te montrer ! Je sais qu'on a enfreint toutes sortes de lois, mais je m'en moque ! M. Lamont me présente comme sa cousine germaine — c'est pour cela que je porte son nom. J'ai un cercle d'amis, de bonnes clientes... Jamais je n'aurais cru un tel bonheur possible !

— Et il n'y a pas eu d'alertes ? Personne n'a fait le rapprochement avec les annonces et affiches publiées pour te retrouver ?

— Personne. Je ne suis pas venue tout de suite à La Nouvelle-Orléans... » Véronique se tut, se demandant visiblement quelle part de son histoire Gabrielle avait pu deviner.

« J'ai d'abord pensé que tu étais à Olympia, dit celle-ci. C'était à l'époque où M. Saint-Cyr est parti si précipitamment pour aller voir son père, qui venait de se casser la jambe.

— Il se l'était effectivement cassée, dit Véronique. Une mauvaise fracture, d'ailleurs. Mais c'est vrai, je suis partie avec lui, et j'y suis restée jusqu'après les élections. Quand il s'est embarqué pour la France, toutes les démarches avaient été faites pour ce magasin, et Tom comme M. Saint-Cyr estimaient que je ne courais plus de danger en venant ici.

— Tu as eu auprès de toi deux solides chevaliers servants. Je suppose que... que tu t'es rendue utile à Olympia. Dans son état, M. Saint-Cyr devait avoir besoin de beaucoup de soins.

— Il a son propre personnel, qui va au-devant même de ses désirs. Non, j'ai passé le plus clair de mon temps à repriser des lainages, à rafraîchir des dentelles, des choses comme ça. Quand j'en suis partie, même une Mme LeGrange aurait été satisfaite de l'état du contenu des armoires !

— C'est étrange, dit Gabrielle, mais tante Mathilde ne fait

jamais la moindre allusion à ton sujet — ni moi non plus bien sûr, pourquoi le ferais-je ?

— Pourquoi le ferait-elle ? Je pense pour ma part que Mme LeGrange ne sait pas trop si elle me préfère esclave ou libre.

— Oui, elle n'est pas très cohérente, dit Gabrielle. Te traiter comme elle t'a traitée pendant ton enfance et ton adolescence, pour ensuite attendre de toi que tu te résignes à être une esclave...

— M. Saint-Cyr — Alex Saint-Cyr — m'a fait comprendre combien ce que nous dicte notre tête peut être différent de ce que souhaite notre cœur. Je pense qu'au fond de son cœur Mme LeGrange voudrait me voir libre, mais que dans sa tête il en va tout autrement. De là, cette acceptation passive de ma fuite. Si on me retrouve, sa tête aura eu raison. Sinon, c'est son cœur qui aura eu le dernier mot.

— Tu... M. Alex Saint-Cyr a passé beaucoup de temps auprès de toi ? interrogea Gabrielle en prélevant un corsage en cours de confection pour en étudier les manches avec autant de soin que si elle eût dû en tailler de semblables dans la demi-heure.

— Je le voyais assez souvent, mais jamais pour très longtemps, répondit Véronique. Il me montrait comment occuper mon temps libre. Il me montrait dans la bibliothèque les livres qui me plaisaient, il m'envoyait chercher des fleurs et des simples dans les bois. Le soir, il m'aidait à identifier les constellations.

— Tu veux dire qu'il te donnait des leçons particulières, dit Gabrielle, saisie d'un malaise aussi soudain que peu rationnel.

— Oui, c'est un peu cela. Il disait que si je voulais convaincre les gens que j'avais vécu à l'étranger, il me fallait approfondir mes connaissances de base... » Voyant les yeux de Véronique se charger soudain d'angoisse, Gabrielle cessa d'un coup de soupçonner que ce séjour à Olympia ait pu avoir les parfums d'une idylle. Alex Saint-Cyr lui a donné des armes pour sa survie, se dit-elle. Et de serrer la jeune métisse dans ses bras.

« Tu es cultivée jusqu'au bout des ongles, Véronique. Je crois savoir que Jacques Lamont est quelqu'un de très raffiné, mais je suis certaine que tu ne dépares pas ses fréquentations.

— Il a la bonté de m'en assurer. Tu n'as pas idée de ma nervosité le soir où je l'ai accompagné à la première réception à laquelle il m'a invitée. Mais tout le monde m'y a accueillie avec tant de gentillesse... Ah, Gabrielle, as-tu idée du bonheur que je trouve à être ici ? De me réveiller le matin en sachant que même

233

si mon bon sens va me pousser à travailler toute la journée, je pourrais très bien décider de ne rien faire ! D'aller au marché et de choisir ce fruit plutôt que celui-là, ce poisson plutôt que ce poulet ! De recevoir des invitations et d'en lancer ! Ah, Gabrielle ! »

A cet instant, Gabrielle comprit, aussi clairement que si elles eussent eu une même tête et un même cœur, tout ce que cela signifiait pour Véronique. « Oui, ma chérie ! » dit-elle, et lorsqu'elle embrassa la métisse sur la joue, leurs larmes se mêlèrent. Elles demeurèrent longtemps embrassées, pleurant doucement, se libérant d'un reste de ressentiment et de jalousie pour l'une, de culpabilité et de frustration pour l'autre.

Au bruit du heurtoir contre la porte d'entrée, leurs mains se portèrent vivement à leur mouchoir, et lorsque l'employée de Véronique vint annoncer que Mme Gautreaux venait pour son essayage, les deux jeunes filles avaient recouvré leur calme.

« Tu as du travail, dit Gabrielle, je ne vais pas te retarder plus longtemps. Est-ce que je peux revenir te voir ?

— Bien sûr », fit Véronique. Puis, alors que Gabrielle allait sortir, elle se hâta d'ajouter : « Ne dis rien à Tom pour l'instant, veux-tu ? J'ai besoin de réfléchir pour savoir s'il faut ou non lui dire que tu m'as trouvée.

— Comme tu voudras, dit Gabrielle. Mais je ne crois pas que cela l'ennuierait de me savoir dans le secret, à présent que tu es sortie d'affaire.

— Tu as peut-être raison », dit encore Véronique. Mais sa cliente entrait, et elle ne put en dire plus.

Gabrielle regagnait la maison d'un bon pas, à ce point plongée dans ses pensées qu'elle ne remarquait même pas l'animation des rues. Puisque Véronique me le demande, se disait-elle, je ne vais pas dire à Tom que je sais tout. Elle va y réfléchir et comprendre que cela ne présenterait aucun inconvénient... Elle s'immobilisa au beau milieu du trottoir, inconsciente des regards intrigués des passants tout à coup obligés de faire un écart. Cependant, de son point de vue, cela présenterait peut-être un inconvénient. Le fait que je sois ouvertement dans leur secret ne pourrait qu'affaiblir ce qu'elle voit comme un lien privilégié entre Tom et elle.

L'industrie de tante Mathilde connut enfin quelque répit. Elle

234

demanda à Tom d'inviter autant d'hommes de sa compagnie que possible à une réception prévue pour l'après-midi du dimanche suivant. «Rien de formel, simplement un bon punch, précisa-t-elle. Des petits gâteaux et des canapés. Nous allons envoyer des cartons à de jeunes personnes de notre connaissance. J'espère que tout le monde passera un excellent après-midi.»

La date de cette réception tombait quelques jours après le premier anniversaire de la mort d'Olivier Cannon. Entrant dans la chambre de sa nièce et la voyant pour la première fois sans ses habits de deuil, tante Mathilde déclara : «Dieu merci, Gabrielle, ces jeunes gens ne te verront pas en noir. C'est de gaieté qu'ils ont besoin. Dieu sait quand ils auront à nouveau l'occasion de prendre du bon temps.»

J'ai l'impression de sortir d'un cocon de ténèbres, se dit la jeune fille en faisant tourner devant la grande glace les volants de ses jupes de mousseline vert pâle. Elle considéra son visage. Son teint semblait plus frais, comme si le noir des toilettes de deuil lui eût passé sur la peau un film gris, à présent enlevé. Mais il y a autre chose qui a changé, se dit-elle en s'approchant du miroir. Une expression plus grave habitait son regard, ses joues avaient perdu de leur rondeur, le dessin de ses lèvres, toujours aussi plein, paraissait cependant moins enclin à sourire ; je suis devenue adulte, pensa-t-elle. Lorsqu'il y a un an je me suis habillée pour le tournoi de l'anneau, c'est une enfant que je voyais dans le miroir. Cette enfant n'est plus qu'un souvenir, elle a fait place à cette jeune femme que je ne suis pas certaine de bien connaître...

Son cœur se mit à battre plus fort ; elle n'aurait su dire si cette émotion était de l'exaltation ou de la peur. Elle n'avait pas le souvenir d'avoir jamais ressenti cela ; c'était comme si elle venait de traverser ce qui lui restait de territoire familier, et qu'au-delà s'étendît l'inconnu.

Du rez-de-chaussée lui arrivèrent les premiers bruits de voix, et, s'étant munie de son éventail, elle quitta sa chambre. Quoi que lui réservât demain, cet après-midi-là son rôle était clairement défini : recevoir aimablement les camarades de son frère et leur offrir un plaisant souvenir à emporter au camp. Elle s'arrêta le temps de prendre la traîne de sa robe, puis s'engagea dans l'escalier. L'air pleinement heureux, Tom conversait dans le vestibule avec un jeune homme qu'il tenait par les épaules. Ce dernier tournait le dos à Gabrielle, et cependant quelque chose dans sa posture, dans les gestes de ses mains… Alex Saint-Cyr ! Il se retourna aussitôt, et la jeune fille réalisa qu'elle avait prononcé son nom à voix haute. Elle était incapable de bouger, et Alex la rejoignit à mi-hauteur de l'escalier.

« Miss Cannon, les mots sont faibles pour vous exprimer ma joie de vous trouver ici.

— Mais que faites-vous donc à La Nouvelle-Orléans, monsieur Saint-Cyr ? Votre dernière lettre ne parlait pas d'un retour prochain.

— Je me suis embarqué sur le bateau suivant. Pour ce qui est de mes projets, je n'en ai pas plus qu'à l'accoutumée. » Il lui offrit son bras et ils descendirent ensemble les dernières marches. « Si je n'avais vu en passant des signes de vie, j'eusse manqué cette agréable surprise, car si vous me croyiez toujours à Paris, je vous imaginais, pour ma part, encore à Felicity.

— Ma compagnie est versée dans l'armée confédérée, dit Tom en venant se joindre à eux. Je t'ai dit dans une lettre que nous allions former une compagnie de miliciens. Eh bien, nous faisons maintenant partie de l'armée régulière et partons bientôt pour Camp Moore.

— Vous êtes destinés à la défense de la Louisiane ?

— J'en doute. Nous envoyons chaque mois des milliers d'hommes en Virginie, et le gouvernement en demande encore.

— Est-ce bien sage ? Je suis rentré à bord d'un bateau français, c'est pourquoi le blocus nous a laissés passer. Mais la marine de l'Union croisera bientôt devant tous les ports du Sud. Il me semblerait bon de garder ici des troupes à opposer à cette menace. Si jamais les ports du Mississippi tombaient aux mains de l'Union, c'en serait fait de la guerre en Louisiane.

— Dis donc, Saint-Cyr, tu sembles en savoir long en fait de stratégie militaire », dit Tom. Il avait parlé d'une voix égale que contredisait cependant un raidissement soudain. Alex rougit légèrement.

« Peut-être est-il un peu présomptueux de ma part de donner des conseils quant à une situation où je ne suis pas moi-même impliqué.

— Vous ne faites que répéter ce que disent beaucoup de gens, intervint Gabrielle. Sois honnête, Tom. Tu n'es pas, toi non plus, certain que faire sortir toutes ces troupes de Louisiane soit une si bonne idée que cela.

236

— C'est vrai, reconnut Tom. Et c'est pourquoi, Alex, j'ai pris ombrage de ce que tu viens de dire. Mais allons plutôt nous asseoir. Il y a une éternité que nous ne nous sommes vus !

— Je ne peux rester, dit Alex. Je me rendais à une réception à l'autre bout de la rue.

— Quoi ? A peine rentré, et les invitations pleuvent déjà ! fit Tom en riant de bon cœur, tant il était heureux de revoir son ami. Mon vieux Saint-Cyr, tu vas faire encore plus de dégâts qu'avant, avec ces airs parisiens que tu auras ramenés de là-bas.

— Oh, je doute que Paris m'ait beaucoup amélioré.

— Il faut que nous nous revoyions, dit Tom. Et sans tarder ! Je ne te laisse pas partir avant que nous soyons convenus de quelque chose.

— Tu es plus pris que moi, dit Alex. A toi de proposer.

— Demain à déjeuner, dit Tom. Ce soir, j'ai un dîner.

— A demain donc », dit Alex. Il baisa la main de Gabrielle. « A bientôt. Tenez, voici vos invités qui arrivent. »

Plusieurs soldats de Tom descendaient l'allée, leurs boutons d'uniforme rutilant au soleil. Alex les croisa sur le seuil. Gabrielle s'avança pour les accueillir.

Tante Mathilde sortit en hâte de la cuisine, où elle avait fait d'ultimes recommandations à son personnel. Pendant les heures qui suivirent, elle et ses neveu et nièce s'attachèrent à veiller au bien-être de leurs invités.

Gabrielle consacrait toute son énergie à la bonne marche de la réception. Cependant, derrière sa conversation presque machinale, une chose surtout lui occupait l'esprit : sa réaction lorsqu'elle avait réalisé que l'homme qui conversait avec Tom était Alex Saint-Cyr. Ç'avait été comme de retrouver une partie d'elle-même, jusqu'alors égarée. C'était là la définition la plus approchante qu'elle parvenait à trouver à son émotion : même si elle n'avait rien ressenti de tel à l'époque, il lui semblait qu'en partant à l'automne dernier, Alex Saint-Cyr avait emporté une part d'elle-même ; à présent qu'il était de retour, elle se sentait à nouveau entière.

Mais était-ce de l'amour ? Elle ne le savait pas, n'avait aucun moyen de le savoir. Elle pensait à la dernière lettre de Jordan Scott, dans laquelle il lui disait l'aimer, non pas d'un amour romantique, mais d'une amitié pleine et sincère qu'il jugeait de loin préférable. Peut-être est-ce cela que j'éprouve pour M. Saint-

Cyr, cet *agapê* dont parle M. Scott. Pendant tout l'après-midi, elle sentit la présence d'Alex à ses côtés, elle savait ce qui l'eût fait rire et ce qu'il eût trouvé intéressant, elle savait de quels garçons il eût apprécié la compagnie, lesquels il eût évités... Mais était-ce de l'amour ? Au terme de ces réflexions, elle n'avait toujours pas trouvé de réponse.

Tante Mathilde et Tom sortirent peu après que le dernier invité eut pris congé. Celle-là allait dîner chez des parents, celui-ci allait retrouver des camarades. Gabrielle les vit partir avec soulagement. Sa tante lui proposa de l'accompagner, mais elle déclina, disant qu'elle souperait légèrement et se coucherait de bonne heure. Cette soirée d'avril lui fit changer d'avis ; la fragrance des oliviers en fleur l'attira dans le jardin, sous la tonnelle chargée de rosiers grimpants.

Elle s'assit dans la pénombre de la charmille. La lueur des réverbères de la rue n'éclairait que la cime des arbres, et la lune n'était pas encore assez haute pour dispenser beaucoup de lumière. De ce trou d'ombre, Gabrielle regardait défiler les silhouettes des passants, à peine visibles derrière la haie qui longeait la grille de fer forgé. C'est alors que se profila une forme, sitôt identifiée avec la complicité de la lune qui, à cet instant, sortit de l'écran des arbres et la baigna de quelques rayons.

« Miss Cannon ! » dit Alex. Il s'approcha de la haie, et Gabrielle, après un temps d'hésitation, alla vers lui sur l'allée de gravillons.

« Bonsoir, monsieur Saint-Cyr, dit-elle. Je prenais l'air dans le jardin. La soirée est si douce qu'il a fallu que je sorte.

— Puis-je me joindre à vous ? Si vous jugez que ce n'est pas convenable, je le comprendrai parfaitement.

— Bien sûr que vous pouvez, dit-elle. Une vieille connaissance retour de Paris... Oublions un peu les usages. Attendez, je vais vous ouvrir le portillon. »

Qui est-elle, celle qui va lui ouvrir ? se demandait-elle. Est-ce l'enfant qu'il a laissée l'automne dernier, la femme récemment révélée, ou bien quelqu'un qui serait entre les deux, une créature à la formation de laquelle il a contribué ?

Elle ouvrit le portail et s'effaça pour le laisser entrer, puis elle lui montra le chemin jusqu'à la tonnelle et reprit sa place sur le banc. Alex restait debout à l'entrée du berceau de verdure, le chapeau à la main, dans une position détendue, sauf un petit muscle crispé au coin de la bouche.

« Alors, votre petite fête s'est-elle bien passée ? demanda-t-il.

— Parfaitement bien. Et la vôtre ?

— La mienne ? Ah, celle à laquelle je suis allé. Eh bien, en fait, non. » Il se retourna pour contempler le jardin. Le clair de lune peignait des ombres autour de ses yeux.

« J'en suis désolée, dit Gabrielle.

— Euh, peut-être ne vous ai-je pas dit, à vous et à Tom, l'absolue vérité. Je me suis rendu à une réception, c'est vrai, mais une réception d'adieu donnée par des officiers de l'artillerie Washington. Leur régiment doit prochainement monter en Virginie, et... et j'ai été assez idiot pour leur demander si je pouvais les accompagner.

— Monsieur Saint-Cyr ! »

Alex lui refit face, et elle put voir sa bouche s'étirer en ce sourire cynique qu'elle lui connaissait bien. « Cela vous surprend vous aussi, miss Cannon. Eh bien, ils ont eu la même réaction. Il m'a fallu un moment pour les convaincre que je parlais sérieusement. Ensuite, eh bien, ensuite leur étonnement s'est très vite changé en gêne. Du moins, certains d'entre eux étaient-ils gênés de m'opposer un refus. D'autres ont tiré quelque satisfaction de mon... humiliation, et je ne peux pas dire que je leur en veuille. »

Tandis qu'il parlait, Gabrielle était venue se poster près de lui et lui avait doucement posé la main sur le bras. « Mais pourquoi ce refus ? demanda-t-elle.

— Vous ne devinez pas ? » Comme elle demeurait silencieuse, il dit : « La défection de ma mère.

— On ne peut tout de même pas vous la reprocher !

— Non, mais on est en droit de ne pas me faire entièrement confiance. » Il se posa l'index en travers des lèvres. « Ne vous fatiguez pas à me défendre ou à les attaquer, dit-il. En choisissant très tardivement mon camp, j'ai été l'artisan de cet état de choses. Comme le petit garçon qui criait au loup, j'ai trop souvent répété que peu me souciait de choisir entre les positions de mon père et celles de ma mère. Aujourd'hui, on me présente la facture, à moi de payer.

— Mais que comptez-vous faire ? Retourner à Paris ? Demeurer ici ?

— Je n'ai encore rien décidé. Comme un idiot, j'avais tout misé sur l'artillerie Washington...

— Vous ne partirez pas sans me le faire savoir ? demanda-

239

t-elle, suscitant dans le regard d'Alex une expression qui lui serra le cœur.

— Cela signifie-t-il que vous me portez un intérêt particulier ? fit-il. Parce que je dois vous mettre en garde : ce serait à vos risques et périls.

— A mes risques et périls ? Dois-je comprendre que vous ne me portez aucun… intérêt particulier ? Après toutes ces lettres, ces livres que vous m'avez envoyés… » Elle se mit soudainement en colère et foula aux pieds la barrière que, pensait-elle, il dressait entre eux. « Vous m'envoyez *Madame Bovary*, puis vous venez me parler de risques ! »

Alex la regardait et son visage était comme un masque. « Pauvre Emma, dit-il. Elle risque tout, et elle perd tout. Je voudrais simplement vous éviter d'en faire autant.

— Je ne suis pas d'accord, dit Gabrielle, les joues en feu, les yeux étincelants. Au début du livre, l'existence d'Emma Bovary ne vaut pas mieux que celle d'un esclave. Au moins essaie-t-elle d'en sortir !

— Ne pensez-vous pas que son suicide témoigne de la futilité de ses efforts ? Et prouve que le système contre lequel elle monte sa dérisoire petite rébellion a toujours été trop puissant pour qu'elle ait la moindre chance ?

— La futilité, ce n'est pas d'essayer de s'émanciper, monsieur Saint-Cyr. C'est de ne pas essayer. Les rêves d'Emma n'aboutissent à rien, c'est vrai, à moins que rien même. Mais une autre femme en tirerait un enseignement, et agirait avec plus de discernement, avec moins de sottise.

— Et donc, si vous étiez dans la peau d'Emma Bovary, vous prendriez les mêmes risques ? »

Gabrielle rougit plus encore, mais ne céda pas un pouce de terrain. « Je ne sais si ma rébellion suivrait exactement le même chemin, dit-elle. Mais en esprit… oui, en esprit, je serais tout à fait solidaire de sa révolte ! »

Alex referma les bras autour d'elle si vite qu'elle n'eut pas le temps de réagir. L'instant d'avant, une bonne trentaine de centimètres les séparaient, et voici que tout à coup l'espace entre eux venait de se réduire à rien. Elle sentit ses lèvres se poser sur son front, errer sur ses joues. Puis elle s'arracha à lui, le regardant comme si elle le voyait pour la première fois, ne disant rien, les yeux pleins de larmes.

« Je... je vous prie de m'excuser, miss Cannon. Je suis désolé. »

Gabrielle ne disait toujours rien. Et Alex, après un dernier regard implorant, tourna les talons, posa son chapeau sur sa tête et s'en fut presque en courant.

Regardant toujours droit devant elle, Gabrielle se laissa tomber sur le banc. Elle prit une longue et lente inspiration, puis une autre et une autre encore. Elle attendait que s'apaise l'émotion qui la bouleversait. Était-ce de la colère ? De l'ahurissement ? Elle se rappelait le contact de ses bras autour d'elle, celui de ses lèvres... puis ce sentiment de complétude, d'accomplissement. Oui, il l'avait éprouvé, lui aussi.

C'est donc de l'amour, pensa-t-elle. Ce tournoiement, cette impression de se fondre dans la personnalité de l'autre et, tout à la fois, d'avoir une conscience avivée de soi...

Elle ne bougeait pas de son banc, perdue dans un songe heureux, tandis que montait la lune. Ils se reverraient demain, et elle le persuaderait que l'aimer lui ne présentait pas de danger. Comme si l'heure qui venait de s'écouler lui eût donné des yeux neufs, elle voyait combien Alex correspondait aux critères qu'elle s'était fixés l'automne précédent. Toujours loyal et droit, capable de dévouement, il avait bien un but, ce qu'elle n'avait pas vu jusqu'à présent. Un but subtil, difficilement discernable, mais un but tout de même. Celui de se faufiler entre Charybde et Scylla, de n'adhérer aux opinions ni de l'un ni de l'autre de ses parents, tout en ne reniant ni l'un ni l'autre. Et comme si cela ne suffisait pas, il projetait de faire en sorte qu'ils puissent tous continuer de s'aimer, ou du moins en sorte qu'ils n'en pâtissent pas trop.

Je l'aiderai de toute la force de mon amour, se promit-elle. Il apprendra à me faire confiance et se sentira plus en sécurité. Alors, du pont de ce navire construit par notre amour, il gouvernera entre écueil et tourbillon et nous amènera à bon port.

Gabrielle eut une excellente nuit, la dernière avant des semaines. Au matin arrivèrent deux lettres d'Alex, une pour elle, l'autre adressée à Tom. Celle-ci annonçait simplement qu'il avait dû quitter la ville et qu'il irait voir Tom à Camp Moore. Celle de Gabrielle n'était pas beaucoup plus longue, mais assez longue toutefois pour lui briser le cœur.

« Chère miss Cannon, lut-elle, je ne puis encore ajouter aux excuses que je vous ai présentées hier soir au sujet de ma conduite, mais je puis, en quittant sur-le-champ La Nouvelle-Orléans, couper court à une situation riche de souffrance potentielle. Oubliez-moi, miss Cannon. Si j'ai jamais eu l'espoir de vous mériter, cet espoir est désormais évanoui. Vous avez transformé ma vie, et je vous en remercie.

« Avec mes plus sincères vœux de bonheur, Alex Saint-Cyr. »

13

A Felicity, avec toute l'indifférence de la nature face aux vicissitudes que connaissent les hommes, les ciels de juin, saupoudrés de nuages épars, semblaient les mêmes que ceux dont Gabrielle avait conservé le souvenir. Les roses embaumaient pareillement, le chèvrefeuille croissait avec la même vigueur et les premières tomates étaient aussi savoureuses que celles qu'elle cueillait naguère avec Tom lorsqu'ils descendaient au bayou, assaisonnées d'un peu de sel qu'il tirait de sa poche, pleines de toute la chaleur du soleil sous leur peau tendue.

Et quoique le gouffre noir qui s'était ouvert dans son cœur à la lecture du billet d'Alex ne parût pas devoir se refermer par l'effet de cette douceur estivale, Gabrielle était pénétrée de la nécessité de présenter aux autres une façade optimiste que rien ne devait démentir dans ce qu'elle écrivait à son frère. Ainsi, elle emplissait ses lettres de ces nouvelles et anecdotes qui avaient tant plu à Alex Saint-Cyr, passant le buvard sur les larmes qui parfois tombaient sur le papier, et se répétant que si Alex ne s'estimait pas digne d'elle, le jour viendrait peut-être où il aurait une plus haute idée de lui-même. Il n'a pas résolu le problème central, et le refus de l'artillerie Washington n'a fait que confirmer ce qu'il savait déjà. Il lui faut faire un choix, les événements l'y contraignent. Seulement, il ne s'y résout pas. Il ne veut pas faire un choix dicté par l'état de guerre. Il ne jugerait pas cela honnête. Mon Dieu, quelle solution a-t-il ?

Cette question, à laquelle ses pensées finissaient toujours par la ramener, devint une sorte de contrepoint à tout ce qui se passait dans sa tête. Tandis qu'elle vaquait à ses occupations quotidiennes, elle émergeait et requérait son attention. Où était Alex Saint-Cyr ? Et que faisait-il ?

Tom n'aurait pu l'éclairer là-dessus. Alex était bien allé le voir à Camp Moore, peu après que sa compagnie y eut pris ses cantonnements. Il paraissait préoccupé, avait écrit Tom, mais ils avaient passé une agréable soirée. Alex avait vaguement parlé de peut-être partir loin, mais il n'avait pas dit à Tom qu'il le tiendrait au courant de ses projets, et jusqu'alors il n'en avait rien fait. Dès que Tom apprendrait quelque chose, il ne manquerait pas de le faire savoir à sa sœur.

Il ne faisait aucune allusion à Alex dans ses dernières lettres, qui étaient pleines de détails sur Camp Moore. « Dieu merci, écrivait-il, cet endroit n'a rien à voir avec Camp Walker ! » Situé à quelque cent vingt kilomètres au nord de La Nouvelle-Orléans, dans une région de petite montagne couverte de pins, l'endroit était presque dépourvu de moustiques. L'eau potable y abondait grâce au ruisseau du Castor et à la rivière Tangipahoa. Bien drainé, le terrain convenait parfaitement aux besoins de l'armée. La profusion de pins et de sources en avait fait pendant des années une région de villégiature très prisée, et la qualité de son air lui avait valu l'appellation de « ceinture d'ozone ».

« Le ruisseau et la rivière qui bordent le camp, écrivait Tom, sont plus propices à la baignade que le bayou Teche. La nuit, la température devient si fraîche que je dors encore avec une couverture légère. »

Dans d'autres lettres, il parlait des visites que faisaient au camp des gens venus de La Nouvelle-Orléans, des épouses, des frères, des fils ou des fiancées ; alors, le cantonnement prenait un air de fête, on entendait des fanfares, on voyait des défilés, et le drapeau confédéré flottait mollement dans l'air chaud. « L'autre soir, une jeune demoiselle, avec une voix un peu comme la tienne, Gabe, mais pas aussi douce, nous a chanté *The Bonnie Blue Flag*, et je peux te dire que lorsqu'elle a terminé, il n'était pas un seul homme qui n'eût la larme à l'œil. »

Gabrielle parvenait à ne rien laisser paraître devant les autres, mais lors de ses promenades solitaires jusqu'au bayou, ou lorsqu'elle cousait seule sur la galerie, l'absence de Tom lui pesait terriblement, et il n'était pas rare qu'elle versât des larmes. Tout lui évoquait son frère et, de plus en plus, lui remémorait Alex Saint-Cyr. Les vapeurs passant devant le quai de Felicity, le sentier menant au belvédère… Tom lui semblait être partout, et cette présence était si forte qu'il lui arrivait d'allonger le pas, comme si en marchant plus vite, elle allait le trouver qui l'attendait au détour d'un mur ou derrière un arbre.

Tant que je ne pourrai l'imaginer dans un autre lieu, se disaitelle, je continuerai de m'attendre à le trouver par ici. Les lettres de Tom l'aidèrent peu à peu à le visualiser. Elle se l'imaginait tantôt marchant au pas entre des rangées de pins, tantôt nageant dans l'eau claire d'un ruisseau. Puis il lui écrivit que sa compagnie allait bientôt rejoindre l'armée de Virginie. Elle se reporta alors, pour se faire une idée de ce nouvel environnement, aux différents ouvrages d'histoire et de géographie qu'elle put trouver. Elle repéra le site du camp en Virginie sur une des cartes de son père. Les fins tracés, les couleurs vives, réduisaient ce territoire à des dimensions modestes et praticables ; mais lorsqu'elle pensa aux distances que cela représentait, et aux événements que son frère et des milliers d'hommes allaient vivre, alors l'échelle des cartes lui parut tourner en dérision le chaos dans lequel ils vivaient, et elle s'en détourna, cherchant refuge dans son cher Tennyson ou s'absorbant des heures entières au piano.

Elle lisait avidement la presse et ouvrait avec empressement le paquet de journaux de La Nouvelle-Orléans que déposait le vapeur, s'absorbant dans leurs pages à la recherche de l'éventuelle mention de personnes de sa connaissance. Les noms des navires de l'Union participant au blocus ne signifiaient rien pour elle, sinon que Jordan Scott était à bord de l'un d'eux. Au fur et à mesure qu'elle prenait connaissance des engagements entre navires de l'Union et navires confédérés, au fur et à mesure de l'aggravation des effets du blocus, elle avait de plus en plus de mal à faire abstraction du rôle du jeune Nordiste dans cette guerre. Il pouvait bien nourrir un profond respect à l'endroit de Gabrielle, et même la tenir pour une amie chère, le fait qu'il eût accepté de servir les armes de l'Union ne pouvait pas ne pas altérer ces liens. Pour l'instant au moins, Jordan Scott était officier dans la marine de l'Union avant d'être un ami.

Par un après-midi de la mi-juillet, sa lecture assidue se vit récompensée. Elle avait gagné la galerie du premier, avait traîné vers un coin d'ombre le fauteuil à bascule et s'était absorbée dans la lecture du dernier *Picayune*. Un titre retint son attention, et elle lut fiévreusement l'article qu'il introduisait.

«Le 4 juillet, devant Galveston, des canonnières de l'Union ont arraisonné six forceurs de blocus. Un septième a réussi à s'échapper; selon des observateurs, le *Sir Lancelot* aurait en effet échappé aux canonnières grâce à une manœuvre subtile et, semble-t-il, à une meilleure connaissance de la côte.»

L'article se poursuivait sur plusieurs paragraphes, mais ne mentionnait plus le *Sir Lancelot*. Ce n'était nullement nécessaire: Gabrielle savait, avec autant de certitude que s'il se fût trouvé devant elle pour le lui dire, que l'homme de barre de ce bateau n'était autre qu'Alex; elle demeura un long moment immobile, agrippant fermement le journal, le regard perdu par-delà la balustrade.

C'est tout à fait le genre de chose dont il est capable. Oui, cela lui ressemble bien de mener un combat solitaire, privé de la protection d'un uniforme, sans que ses exploits soient connus ni sa bravoure célébrée... Ce n'est pas à l'armée confédérée qu'il essaie de prouver quelque chose, mais à lui-même.

Elle ne voyait plus les arbres et les pelouses du jardin, les écureuils qui évoluaient aux abords de l'allée. Elle voyait le bleu de la mer, et un petit bateau blanc. Un homme aux yeux sombres se tenait à la barre, le vent agitait sa brune chevelure, et il menait son bâtiment d'une main vigoureuse.

Elle se sentait emportée vers lui, elle sentait le pont se soulever sous ses pieds, pouvait presque sentir sur son visage la caresse de la brise marine. Elle se leva pour s'approcher de la balustrade, s'y maintenant comme à un bastingage. Il lui sembla se scinder en plusieurs fractions; une partie d'elle-même voyageait avec son frère Tom, l'autre, battant des ailes comme un oiseau égaré, survolait une mer infinie. Quelque part à la surface de ces eaux, voguait Alex Saint-Cyr. La pensée que ce même impitoyable soleil le brûlait également, la pensée qu'ils habitaient une même infime portion de l'univers et que le ciel de Felicity s'étirait jusqu'à son horizon à lui, étaient des considérations incapables de la rasséréner.

Elle eut beau combattre les démons qui l'assaillaient, la menace de mort qui pesait sur Alex était d'un poids trop lourd et, vaincue, elle regagna sa chambre pour y pleurer longuement.

Un nouveau démon vint l'y visiter, exigea son attention et chercha à la tenter par l'énoncé d'une terrible évidence.

Ta jeunesse est sacrifiée à la guerre, disait-il. Tous les galants, tous les bals, les jolis discours et les fleurs. Partis, envolés à jamais.

Un démon égoïste, un démon puéril, mais qu'il fallait pareillement combattre. Car si la guerre fait de plus tangibles victimes que la jeunesse et le bonheur, la perte de ceux-ci n'en est pas moins douloureuse. Et si ceux qu'elle menace sont tentés de la traiter à la légère, ses dégâts ne sont cependant guère réparables.

En cet après-midi de solitude, Gabrielle fut secourue par le souvenir de son père. Au coucher du soleil, elle se rendit sur sa tombe et, après y avoir déposé quelques salicaires en fleur, elle s'assit sur le banc de marbre qui la flanquait. En ce lieu, le défunt lui semblait très proche ; fermant les yeux, elle se souvenait de conversations qu'ils avaient eues, elle le revoyait lui prodiguer en souriant un conseil de plus.

« Les combats les plus durs ne sont pas ceux qui nous opposent au monde, mais bien ceux qui se déroulent à l'intérieur de nous-mêmes et travaillent à nous rendre inférieurs à ce que nous sommes vraiment. Ne te laisse jamais à ce point accaparer par les ennemis extérieurs, Gabrielle, que tu ne puisses plus tenir tête à ceux qui sont en toi, et qu'ils te conquièrent. Leurs victoires sont les seules dont tu doives vraiment te garder, et leur défaite la seule tâche importante à laquelle te tenir. »

Un mouvement de l'air, non une brise mais la promesse d'une nuit plus fraîche, effleura son front, porteur d'un parfum de menthe venu d'un massif qui buissonnait de l'autre côté de la grille du cimetière. Un jeune cardinal fit une courageuse tentative de vol, rasant la pierre tombale de la mère de Gabrielle pour venir se poser sur une basse branche non loin de sa tête.

La jeune fille se sentait mieux à présent, elle sentait s'affirmer la continuité de la vie. Une sorte d'acceptation tranquille descendait sur elle, effaçant de son âme les ultimes traces des déchirements de l'après-midi.

Lorsqu'elle regagna finalement la maison, ce ne fut pas avec le sentiment d'avoir remporté une victoire définitive, car elle n'ignorait pas qu'il lui faudrait lutter encore et toujours. Mais elle avait appris quelque chose pendant cette heure passée sur la tombe de son père, quelque chose qui lui serait fort utile au cours des difficiles mois à venir.

Point ne lui était besoin de comprendre tout ce chaos, tous ces événements effrayants. Il lui fallait seulement y faire face. Et cela, se dit-elle, imitant inconsciemment en pénétrant dans la maison l'attitude ferme et robuste de son père, cela je peux le faire, et je le ferai.

Juillet s'écoulait lentement, comme si la chaleur avait englué le calendrier. Les journaux faisaient état d'escarmouches en Virginie, d'une série de mouvements de troupe pareils à une danse délicate, durant laquelle les deux parties font tour à tour une invite d'abord acceptée avec hésitation puis déclinée. Mais le fait que les troupes confédérées, commandées par le général Beauregard et comprenant l'artillerie Washington, et les sixième, septième et huitième régiments de Louisiane se fussent massées au niveau du très important nœud ferroviaire de Manassas, en Virginie, ajouté à l'approche d'une assemblée confédérée devant se réunir le 20 juillet à Richmond, tout cela eut finalement raison des atermoiements de l'Union, et ce fut le premier engagement important de la guerre en Virginie.

Les deux armées étaient surtout composées de troupes instruites à la hâte et peu rompues à la discipline militaire. La bataille opposa quelque vingt-quatre mille soldats de l'Union à un peu plus de trente-deux mille Confédérés. A la fin de la journée, quatre cent dix-huit Nordistes avaient été tués, mille onze blessés, et mille deux cent seize autres devaient être portés disparus. Tel était le tribut payé à la fatigue qu'à quatre heures de l'après-midi les forces du Nord ordonnèrent une retraite en bon ordre en direction de Washington. Mais ce repli se changea bientôt en fuite éperdue lorsque les hommes les moins expérimentés, craignant une poursuite des Confédérés, rompirent les rangs. Mais du fait des lourdes pertes qu'ils venaient d'essuyer — trois cent quatre-vingt-sept tués, mille cinq cent quatre-vingt-deux blessés et douze disparus —, les Confédérés renoncèrent à pousser leur avantage. Même si des unités fraîches étaient disponibles, les officiers sudistes inexpérimentés ne savaient comment les faire donner, et c'est ainsi que les troupes de l'Union purent regagner les défenses de Washington.

Si cette première bataille suscita en ce 21 juillet quelque consternation à Washington, une vague de jubilation s'empara de

Richmond et se répandit à travers le Sud en même temps que la nouvelle de la victoire. A La Nouvelle-Orléans on assista à un élan de patriotisme qui fit se multiplier les engagements. Et même si des couronnes mortuaires apposées sur mainte porte rappelaient à la ville ceux qui avaient péri à Manassas, on portait force toasts à la santé des victorieux rescapés et du général louisianais qui les menait.

A Felicity, Gabrielle et sa tante étaient partagées entre la joie que leur causait la victoire confédérée, et leur inquiétude quant au sort de Tom. Enfin, une lettre de lui vint les rassurer.

« Il ne se répand pas en détails, observa Gabrielle en relisant cette lettre.

— Non, cela doit être au-dessus de ses forces », dit tante Mathilde. L'agitation dont elle avait fait preuve en lisant à haute voix la lettre de Tom avait effrayé sa nièce ; déjà, en ouvrant l'enveloppe ses mains tremblaient, et sa voix s'était brisée en apprenant la mort au feu d'un garçon d'une plantation voisine.

« De plus, cela a été écrit il y a des semaines, dit tante Mathilde tandis que Gabrielle reglissait la lettre dans l'enveloppe. Il y a eu d'autres batailles depuis... »

L'expression de sa nièce la fit taire, et elles s'agenouillèrent pour les prières du soir avec ce mélange de gratitude, d'espoir et d'angoisse qui était devenu leur lot quotidien.

La plus infime bonne nouvelle donnait lieu à des réjouissances. L'arrivée par bateau de produits de première nécessité, transportés via le lac Pontchartrain de Mobile ou de La Havane jusqu'à La Nouvelle-Orléans, et de là, toujours par voie d'eau, jusqu'au bayou Teche, les emplissait de joie pour plusieurs jours. Déjà, les canonnières fédérales mouillées dans l'embouchure du Mississippi avaient réduit à l'état de goutte à goutte le flux de marchandises qui faisaient naguère la prospérité de La Nouvelle-Orléans ; et des articles dont les Louisianais avaient toujours fait grande consommation étaient maintenant fort rares.

Le savon, les souliers de dames, le café et les étoffes, ainsi que les matières grasses, l'amidon et les bougies avaient considérablement augmenté et, lorsqu'ils étaient disponibles, ils étaient bien trop coûteux pour la plupart des bourses. Quoique l'exploit de Raphaël Semmes qui, à la fin de juin, avait réussi avec son *CSS Sumter* à passer au nez et à la barbe du sloop *USS Brooklyn*, tendît à prouver que l'habileté et la bravoure sudistes ne le cédaient en rien aux forces yankees, et quoique, au cours des dix premiers mois du blocus de la Louisiane, plus de trois cents bateaux fussent parvenus à se glisser à travers les mailles du filet, il n'en restait pas moins que plus le blocus durait, plus ses effets se faisaient durement ressentir, car même en temps de pénurie, les besoins humains demeurent les mêmes.

A présent, Gabrielle cherchait dans les journaux des nouvelles des deux fronts, de la guerre en Virginie et de celle qui opposait la flotte fédérale aux forceurs de blocus. Mais des mois durant, elle ne releva rien sur le *Sir Lancelot*, et n'eût été la coupure de journal jaunie qu'elle avait soigneusement serrée entre deux mouchoirs de lin, elle aurait pu penser avoir vu ce nom en rêve.

Le monde semblait déformé ; certains lieux, insignifiants par la taille, prenaient une grande importance du fait des batailles qui s'y déroulaient, et des garçons d'une vingtaine d'années, par leur intrépidité, surpassaient la gloire de soldats plus âgés et plus expérimentés. L'horizon de Gabrielle s'étrécissait, et sa vie se bornait maintenant aux grilles de Felicity et aux chemins menant aux villes et plantations distantes d'une journée de cheval.

Elle ne recevait plus de lettres d'invitations de ses amies de La Nouvelle-Orléans, de Baton Rouge. Pour chaque homme qui quittait son foyer pour entrer au service de la Confédération, plusieurs femmes délaissaient des occupations plus frivoles, afin de tricoter et coudre pour lui, d'espérer et de prier pour lui. Les jeunes gens avec lesquels on avait dansé l'été passé étaient maintenant disséminés à travers le Sud. Lisant les journaux ou étudiant les cartes sur lesquelles elle et sa tante suivaient l'évolution du conflit, Gabrielle ne pouvait voir le nom d'un village ou d'une ville sans aussitôt penser au frère ou au cousin d'une amie, qui y était cantonné.

La guerre était présente à chaque instant de la journée ; il semblait impossible de s'y soustraire, car les plus banales activités quotidiennes étaient compliquées par ses restrictions, et les désirs les plus légitimes frustrés par ses exigences. Pire que tout, il y avait l'ennui. Même si des fêtes étaient organisées pour aider à l'effort de guerre, toute trace de gaieté semblait bannie. Nul air de danse ne pouvait gonfler d'allégresse le cœur d'une jeune fille, quand les jeunes gens qui auraient dû être ses cavaliers se battaient en de lointaines contrées. Et comme chacun de ces rassemblements était l'occasion d'échanger des fragments de nouvelles et de chercher à se rassurer par les inquiétudes d'autrui, Gabrielle finit par redouter les galas qu'organisaient tante Mathilde et les autres dames de la région, s'y rendant comme par devoir, et espérant que sa soumission à ce rôle apparemment insignifiant lui serait comptée le jour où la guerre prendrait fin.

Les premières prédictions d'une guerre rapide et victorieuse faisaient place à des déclarations plus mesurées, et plus d'un dirigeant du Sud, si cela avait été à refaire, eût sans doute opté pour une voie différente et moins belliqueuse.

Comme si les cieux de l'été 1861 eussent été dominés par l'étoile rouge d'Homère qui «de sa chevelure ardente fait pleuvoir les épidémies, la pestilence et la guerre», le Sud, non moins attaché à sa cause, mais plus conscient du prix à payer, commença de se préparer pour un long siège.

Au plus fort de l'été, Gabrielle dormait d'un sommeil peu réparateur, s'éveillant toute moite pour ensuite vaquer sans grande énergie à ses occupations. La pile de linge qui l'attendait dans la corbeille à couture lui paraissait chaque jour plus énorme et moins engageante. Il y avait longtemps que l'avait quittée son enthousiasme du premier jour en ce qui concernait le ravaudage de vieux vêtements qui iraient aux nécessiteux. Retourner cols et poignets, reprendre des ourlets était une occupation fastidieuse, et elle regrettait bien souvent les travaux d'aiguille et de broderie auxquels elle se consacrait naguère. Mais son sens du devoir et la sincère conviction que cela aussi servait la cause sudiste l'armaient de courage, même si elle ne voyait pas de rapport entre une robe destinée à une voisine dans le besoin et les batailles où prenait part le mari de celle-ci.

Les esclaves de Felicity et des plantations environnantes n'étaient pas ignorants des effets de la guerre. Les fugues se faisaient plus fréquentes, et même si, comme à l'accoutumée, les fuyards se cachaient quelques jours dans les bois avant de négocier leur retour, l'alarme était donnée, et les patrouilles redoublaient de vigilance. Ceux qui ne voulaient pas prendre le risque de s'enfuir travaillaient de moins en moins, et il y avait chaque jour plus de maux d'estomac et de crampes.

«M'est avis, madame LeGrange, que cela va être une de nos plus belles récoltes, annonça Adams. Mais si le nombre des tire-

251

au-flanc continue d'augmenter, je n'aurai bientôt plus assez de bras pour la moisson.

— Faites votre possible pour leur faire entendre que les Yankees ne sont pas près de venir les libérer, fit sèchement tante Mathilde. Encore que pour vous dire la vérité, monsieur Adams, si je pouvais leur trouver des remplaçants, je les expédierais volontiers dans le Nord. En dehors de Letha, Jonas, Samson, Abigail et quelques autres, ils ne travaillent pas assez pour payer leur entretien.

— Sans ces nouvelles lois, j'aurais pu les laisser organiser une petite danse, dit Adams. Distribuer un peu d'alcool et les laisser prendre du bon temps, histoire de les purger de leur mécontentement. Mais je ne vais pas enfreindre la loi simplement pour leur redonner un peu de cœur à l'ouvrage. Il faut voir ce que donnera un peu plus de sévérité.

— Rien d'excessif surtout, monsieur Adams. Vous savez ce que mon frère pensait à ce sujet, et mes neveux pensent pareillement.

— Je pense pouvoir leur faire peur sans forcément vous désobéir. Mais vous savez, madame LeGrange, ce n'est pas le moment de se montrer trop bon. Plus la guerre va se rapprocher, plus nous aurons de problèmes.

— A chaque jour suffit sa peine. Je compte sur vous pour agir au mieux. »

Letha avait sa propre idée sur la question, et elle s'en ouvrit à Gabrielle un après-midi qu'elles écossaient des petits pois. Tout en regardant les doigts de l'esclave faire tomber les pois vert vif de leur cosse, Gabrielle repensait à la fois où elle avait supplié son père d'affranchir Véronique, et à cette clause du codicille à son testament : «ceux qui pourront supporter le fardeau de la liberté».

«Letha, demanda-t-elle, s'il te fallait quitter Felicity, où irais-tu ? »

On n'entendit pendant un moment que le claquement des cosses et le crépitement des pois dans la casserole. Puis Letha se mit à rire. «Pourquoi me posez-vous une question pareille ? Vous savez bien que je suis enracinée ici tout comme ces grands chênes là-bas.

— Letha, si le Nord gagne la guerre, vous serez tous libres. A ce moment-là, tu seras désireuse de t'en aller, non ? »

Letha se mit à sourire, comme si les dernières paroles de

Gabrielle lui fussent allées droit au cœur. « C'est donc à ça que tu penses, petite. A la liberté et à tout ce qu'on raconte là-dessus. Vois-tu, moi j'ai pas besoin que des messieurs, là-bas très loin, me libèrent. Je suis libre, libre dans l'amour du Seigneur. » Elle secoua la tête, et le ruban de son chignon fit un arc écarlate. « Ce n'est pas à moi de Lui dire que je ne peux être une bonne personne que s'Il me libère ici-bas. Je dois être une bonne personne où que je sois. C'est quelque chose que je sais, miss Gabrielle. Et donc je suis libre.

— Oh, Letha », fit Gabrielle en s'élançant vers sa vieille nourrice. Sa casserole pleine de pois roula d'un côté, son panier de cosses de l'autre, mais elle s'en moquait. La tête posée sur les genoux de Letha, elle se mit à pleurer. Et lorsqu'elle sentit la grosse main de l'esclave se poser sur sa tête, caresse qui avait jadis apaisé maints de ses chagrins, elle s'émerveilla de la puissance de cette foi qui rendait Letha si forte que, esclave, elle était capable de la consoler, elle qui vivait libre.

La seule distraction de ces longues et chaudes journées fut le fait d'un parent éloigné de Mme LeBœuf, qui venait d'arriver de La Nouvelle-Orléans avec son ballon et une longue expérience de ces courses aériennes alors en vogue dans cette ville.

« Cela semble très intéressant, qu'en penses-tu, Gabrielle ? dit tante Mathilde après avoir reçu l'invitation de Mme LeBœuf à une démonstration.

— Oui, certainement », répondit la jeune fille. Sa première impulsion l'aurait portée à décliner ; la folle confiance de Harold LeBœuf en son charme n'avait pas diminué depuis qu'il était un des rares jeunes gens encore dans la région, et Gabrielle n'avait guère envie de passer tout un après-midi en sa compagnie. Mais la manière dont le regard habituellement las de sa tante s'était allumé, l'empressement qui perçait dans sa voix lui firent changer d'avis. Je ne suis pas la seule à souffrir de la chaleur et de la monotonie, se dit-elle, et les obligations de tante Mathilde sont plus nombreuses et plus pénibles que les miennes.

Ainsi donc, le jour venu, elles se vêtirent comme pour une fête. Passé la première année de la mort de son frère, tante Mathilde s'était mise à porter le gris du demi-deuil ; Gabrielle avait en revanche choisi une robe bleu pâle, ornée de rubans plus foncés et, à la taille comme dans la bande de son chapeau, de roses blanches. Son reflet dans le miroir la ragaillardit et, lorsqu'elle arriva à la plantation des LeBœuf, où se massait une foule impatiente, elle se sentait d'humeur allègre et, pleine d'enthousiasme, se faufila jusqu'aux premiers rangs.

Fait de papier toilé, gommé contre l'humidité, le ballon se dressait magnifiquement sur fond de ciel bleu pâle. Teint en violet, il était orné des signes du zodiaque, peints en argent. De longs serpentins de soie, s'étageant du mauve le plus tendre au violet le plus profond et mêlés de rubans argentés, pendaient de la nacelle d'osier suspendue sous le ballon. En dessous, une machine achevait d'injecter l'hydrogène dans la légère enveloppe.

« C'est magnifique ! » s'exclama la jeune femme. Elle fut tout à coup saisie du désir de s'affranchir de la gravitation et des vicissitudes terrestres. Quel effet cela devait-il faire de glisser au-dessus de la cime des arbres et de survoler les eaux étincelantes du bayou Teche ? Comme si ses jupons eussent été emplis d'hydrogène, la rendant elle aussi plus légère que l'air, elle se sentait détachée de la scène environnante. Elle entendait bien le brouhaha de la foule et, quelque part, les accents d'une musique. Autour de cette bulle superbe qui emplissait presque complètement son champ de vision, elle distinguait bien quelque mouvement, de la couleur. Mais pendant quelques instants, elle se sentit perdue dans le temps et l'espace.

Puis une voix la tira de sa rêverie, une main se posa sur son bras. « Miss Cannon ! Quel plaisir de vous voir ici. » Se retournant, elle reconnut le jeune Harold LeBœuf, tout sourire et flanqué d'un homme de haute taille et très bien mis. « Je vous présente Adolphe LeBœuf, mon cousin. C'est lui, l'aérostier. »

L'homme s'inclina presque jusqu'à terre. Sa lavallière de soie était de même couleur que le ballon et également tissée des signes du zodiaque. Ces étranges symboles, le regard sombre et passionné de l'homme hypnotisèrent presque Gabrielle et accrurent encore son détachement des choses matérielles.

« Je suis monté avec lui, hier, disait Harold. Il m'a confié la manœuvre un moment. Il paraît que j'ai des aptitudes.

— Et vous, miss Cannon, dit l'homme. Aimeriez-vous monter dans mon ballon ?

— Cela me ferait grand plaisir. Malheureusement, ma tante

est déjà suffisamment éprouvée comme cela sans avoir à regarder sa nièce disparaître dans l'atmosphère.

— C'est bien moins dangereux qu'il n'y paraît, dit Adolphe LeBœuf. Même si je vous avoue que je laisse les gens croire que je risque ma vie chaque fois que je décolle. »

Il continua de parler, haussant graduellement la voix en sorte qu'on pût l'entendre à la ronde, prenant prétexte de cette conversation, ainsi que Gabrielle s'en fit la remarque, pour se livrer à une sorte de représentation nourrie de silences calculés pour produire le meilleur effet, et au récit soigneusement mis au point d'anecdotes sensationnelles, qui laissaient les dames bouche bée et arrachaient aux hommes des regards d'envie.

Et Harold donne naturellement dans son jeu, se dit Gabrielle en se détournant légèrement pour fixer son attention sur le ballon, qui dansait mollement au bout de ses cordes. Deux esclaves étaient appuyés à une barrière séparant la pelouse d'une pâture. Lorsque l'attention générale se fut fixée sur Adolphe LeBœuf, ils se glissèrent sous cette palissade pour venir s'accroupir à quelques mètres de la nacelle.

Je me demande bien ce qu'ils ont derrière la tête, se dit la jeune femme. Mais voici que les musiciens se mettaient à jouer une polka entraînante et que plusieurs jeunes gens improvisaient une danse sur l'herbe rase. «Voulez-vous danser, miss Cannon?» demanda Harold en offrant son bras. Mais Gabrielle secoua la tête et alla retrouver sa tante.

«Je me demande si ces hommes sont là pour aider M. LeBœuf», dit-elle en désignant du menton les deux Noirs accroupis près du ballon, qu'ils ne quittaient pas des yeux.

Puis on vit l'aérostier se diriger vers sa nacelle, le dos droit, la tête haute, répondant à peine aux acclamations qui accompagnaient chacun de ses pas. «Il a une haute idée de lui-même, observa tante Mathilde. Pour un peu, je dirais qu'il plastronne !

— Ce n'est pas sans raison, fit Harold jaillissant tout à coup devant les deux femmes. Il a remporté plus de courses en ballon que quiconque à La Nouvelle-Orléans... »

Il fut interrompu par un grand cri, suivi d'une forte clameur. «Mais que se passe-t-il? dit Gabrielle. Oh, regardez! Les deux esclaves, ils sautent dans la nacelle !

— Laissez-moi passer ! hurlait Harold en essayant de se frayer un passage au milieu de la cohue. Lorsqu'il atteignit le premier rang, un des esclaves venait de trancher la dernière des amarres, et le ballon prenait déjà son essor.

L'autre Noir avait passé un bras autour du cou d'Adolphe LeBœuf et lui renversait la tête en arrière de sorte que la lavallière violette flottait au vent et lui recouvrait le visage à la façon d'un masque. Les signes du zodiaque, couleur argent, y scintillaient comme des étoiles. Puis la brise laissa retomber la large cravate, et l'on put voir la face terrorisée de l'aérostier, cramoisie par la strangulation, éclairée par une paire d'yeux exorbités.

L'esclave qui tenait le poignard lui posa la lame sur la gorge et eut un geste dont la signification n'était que trop évidente. Il dit quelque chose que la foule n'entendit pas, et fit signe à son complice de relâcher Adolphe LeBœuf. Reprenant difficilement son souffle, celui-ci tituba jusqu'aux commandes de l'aérostat. La vitesse d'ascension ralentit, se stabilisa, et la nacelle, qui oscillait violemment, réduisit peu à peu son mouvement pendulaire et pendit bientôt sous la splendide sphère violette et argent comme le petit appendice d'une lune dérivante.

Comme un seul homme, la foule poussa un long soupir, et l'on aurait pu croire que c'était le ballon qui avait laissé s'échapper dans l'atmosphère un peu de son gaz. Harold, qui était resté le nez au ciel, se retourna brusquement pour aller se jucher sur la palissade.

« Il me faut des hommes à cheval, lança-t-il. Mon cousin compte survoler le Teche et parcourir une quinzaine de kilomètres dans cette direction. Il a l'intention de se poser chez les Goudeau. Il faut qu'il y ait là-bas un comité de réception.

— Mais ne va-t-il pas changer de direction?

— Est-ce qu'ils ne vont pas l'obliger à se poser ailleurs? »

La confusion était à son comble. Déjà plusieurs hommes couraient vers leur cheval. Quelqu'un ne cessait de hurler qu'il fallait avant toute chose se rendre au bureau du télégraphe pour alerter toute la région.

Le ballon n'était déjà plus qu'un point brillant sur la masse nuageuse qui s'amoncelait sur l'horizon. Bientôt, on ne le vit plus, et Gabrielle sentit tout l'éclat de cet après-midi s'évanouir avec lui. Ne subsistaient que cette étouffante chaleur et une grande inquiétude.

« Je suis terriblement désolée, dit-elle à Harold, qui passait en courant. C'est une chose si horrible…

256

— On va les capturer », promit le jeune homme. Il paraissait plus mûr à présent, avec autour de la bouche des rides qui lui vieillissaient le visage. « Le ballon ne peut rester en l'air plus de quelques heures. Dès qu'il redescendra, nous les capturerons. »

La foule tournait en rond, commentant sans fin les événements. Certains, sur l'invite de Mme LeBœuf, allaient prendre un rafraîchissement, un punch glacé ou un petit gâteau. Mais la plupart, avec des regards inquiets en direction des esclaves amenant chevaux et voitures, prenaient promptement congé et se hâtaient de rentrer chez eux, angoissés par des considérations semblables à celles dont tante Mathilde faisait part à sa nièce.

« Une évasion a toujours un effet déplorable sur les autres esclaves, disait-elle en conduisant Gabrielle vers leur hôtesse. J'ignore comment la nouvelle peut se répandre aussi rapidement, mais je suis certaine qu'avant même que nous soyons rentrées, les nôtres seront au courant. Je te garantis qu'Adams ne va pas chômer ce soir. Nous ferions mieux de rentrer sur-le-champ. Je ne lui serai pas d'une grande utilité, mais enfin je serai là. »

Ayant salué Mme LeBœuf, elles se dirigeaient vers leur voiture, lorsque Harold les rattrapa. « Ne me dites pas que vous partez ?

— Il le faut, dit tante Mathilde.

— En ce cas, je vous reconduis. Felicity se trouve sur le passage du ballon. Si jamais il devait s'y poser...

— Cessez donc de faire peur à Gabrielle, dit tante Mathilde. Pour notre protection, nous avons Adams, et il nous reste encore quelques esclaves loyaux. En outre, je ne voudrais pas vous enlever à votre mère. Elle a besoin de vous ici. »

Il les raccompagna jusqu'à leur voiture, réitérant à chaque pas sa proposition. Enfin, elles furent installées, et Jonas sortit par une manœuvre experte l'attelage d'entre les voitures stationnées alentour.

« Eh bien, dit tante Mathilde lorsqu'on roula sur la route, voilà un après-midi qui ne se termine pas comme il a commencé. » Elle lança un regard acéré à sa nièce. « Surtout ne lâche pas la bride à ton imagination. Harold se plaît à dramatiser. Ce ballon sera descendu pour le coucher du soleil, et à l'heure du souper tout sera terminé.

— Oui, sans doute », dit Gabrielle. Puis, murée dans son silence, elle se mit à contempler le paysage sec et poussiéreux qui défilait, le comparant à son humeur du moment. Dans les instants qui avaient suivi l'envol du ballon, elle n'avait rien entendu sur les esclaves eux-mêmes. Nul n'avait-il donc éprouvé la moindre compassion à leur égard ? Nul n'avait-il perçu l'ironie de leur position, en ce moment tellement libres, voguant dans la splendeur céleste, avec pour destination certaine la capture ou la mort ?

Elle secoua la tête afin de chasser ces pensées funestes, mais ce fut en vain. Sitôt arrivée à Felicity, elle monta directement dans sa chambre, tandis que tante Mathilde se mettait en quête d'Adams. Elle ne fut pas surprise lorsque Lucie tapota contre la porte et lui annonça que sa tante dînerait dans sa chambre sur un plateau et lui demandait d'en faire autant. Elles n'auraient pas eu le goût de converser, et Gabrielle savait en outre que, lors des crises d'insoumission, Adams appréciait que même les esclaves domestiques regagnent aussitôt que possible leurs quartiers, afin que la tâche des gardes qu'il plaçait en fût facilitée.

La nuit parut interminable. Gabrielle entendit sonner tous les quarts d'heure et quitta plusieurs fois son lit pour sortir sur la galerie et scruter vainement le ciel nocturne dans l'espoir d'y voir passer l'aérostat. Mais ne passaient que des nuages frangés de lune. Au matin, une Lucie morose et abattue lui apporta son café mais point de nouvelles, et c'est le cœur anxieux qu'elle descendit prendre le petit déjeuner.

L'air de tante Mathilde était en harmonie avec l'état d'esprit de sa nièce. Après le petit déjeuner, elles gagnèrent la salle de couture et se concentrèrent sur leur ouvrage, ne rompant le silence que pour de sporadiques commentaires sur ce à quoi elles s'absorbaient.

Aux environs de midi, elles entendirent un cheval remonter rapidement l'allée. Se précipitant aussitôt à la fenêtre, elles virent Adams courir au-devant du cavalier. Elles n'entendirent pas ce qu'ils disaient, mais la physionomie d'Adams leur fit froid dans le dos. Suivie de près par Gabrielle, tante Mathilde quitta précipitamment la pièce, dévala les escaliers et ouvrit la porte d'entrée au moment où le contremaître s'engageait sur les marches de la galerie.

« On les a retrouvés, dit-il. A peu près là où Harold LeBœuf a dit qu'ils atterriraient.

— Et… dans quel état sont-ils ? demanda tante Mathilde.

— LeBœuf a eu la gorge tranchée quelques minutes avant qu'ils

258

touchent le sol. Les deux esclaves ont été pendus peu après par les gars qui les attendaient.

— Dieu du ciel ! » fit tante Mathilde en se signant rapidement. Elle tendit la main vers Gabrielle et, soudain, glissa vers le sol, rattrapée de justesse par le contremaître.

« Allez chercher des sels », dit celui-ci, soutenant, guidant tante Mathilde vers la porte. Gabrielle s'élança dans les escaliers et courut jusqu'à la chambre de sa tante. Comme sa main se refermait sur le flacon de sels, elle avisa une photographie encadrée, qui trônait au centre de la coiffeuse.

Agée seulement de trois ans au moment de sa mort, elle n'avait conservé aucun souvenir de Louis LeGrange, son oncle. Mais en contemplant ce portrait miniature que le temps n'avait pas encore fané, elle eut une soudaine impression de déjà-vu, comme si elle eût été auprès de tante Mathilde, contemplant ce même portrait, au moment où était arrivée la nouvelle de la mort de Louis LeGrange. Elle frissonna, se signa instinctivement et, chassant de son esprit l'image de son frère dont cet oncle avait approximativement l'âge à l'heure de sa mort, elle prit le flacon et retourna au rez-de-chaussée.

Tante Mathilde commençait à se remettre. Elle laissa néanmoins sa nièce lui passer les sels sous le nez, puis elle s'assit, laissant le temps aux esprits volatils de faire leur effet. « Ça y est, Adams, dit-elle, prenant le bras que lui offrait le contremaître et se levant précautionneusement de son fauteuil. On dirait que ça commence.

— Que quoi commence, madame LeGrange ?

— Les premières fissures, Adams. Les fissures qui lézardent le vernis de la civilisation et laissent surgir les plus affreux démons.

— C'est que les gens sont nerveux, madame LeGrange. Non que j'approuve une action aussi expéditive... »

Tante Mathilde eut un sourire, un sourire si morne et dépourvu de joie que Gabrielle sentit un nouveau frisson lui parcourir l'échine. « Mais il faut dire, n'est-ce pas, Adams, qu'on ne demande jamais l'avis de ceux qui ne sont pas d'accord. » Puis, recouvrant un peu de son énergie coutumière, elle s'adressa à sa nièce. « Il faut que nous allions voir Mme LeBœuf sitôt le déjeuner. Pauvre femme, quel coup terrible cela doit être pour elle. »

Lorsqu'elles arrivèrent chez les LeBœuf, la mécanique mortuaire était déjà en marche, et Gabrielle se sentit très vite inutile.

Elle passa du salon, où l'on étouffait, à la galerie, plus fraîche, alla s'accoter à une des colonnes les plus éloignées et se mit à fixer le jardin sans vraiment le voir. Elle tentait de faire le vide dans son esprit, elle aurait voulu devenir aussi légère que ce ciel bleu infini qui épousait si étroitement la terre et y plaquait cette épuisante touffeur. Mais des images ne cessaient d'affluer, celle d'un ballon violet et argent mené par un homme à la gorge ensanglantée. Celle de deux corps noirs se balançant mollement au bout d'une corde.

Si seulement Tom était ici, se dit-elle. Il saurait me remonter le moral. Ou bien Alex. Mais Tom était en route pour la Virginie, et chaque heure l'éloignait un peu plus. Quant à Alex, il avait disparu, il s'était aussi complètement évanoui que s'il eût emprunté un ballon pour gagner les confins de l'espace et y voguer comme un nouveau Hollandais Volant.

Elle ne s'était jamais sentie aussi seule qu'en ce moment. C'est alors qu'elle repensa à ce que sa tante avait dit ce matin-là à Adams, et elle put mettre un nom sur au moins deux des démons qui venaient de surgir de cette première fulgurante fissure. L'un se nommait la peur, l'autre la solitude ; et si d'autres devaient suivre, il lui fallait apprendre sans tarder à affronter d'abord ces deux-là. Résolue, elle se rappela de qui elles étaient venues apaiser le chagrin, et retourna à l'intérieur pour s'y rendre utile.

La nuit se refermait autour de la maison. Dans le salon, on avait allumé des cierges autour de la bière d'Adolphe LeBœuf. Son enveloppe violette et argent pliée, ternie par la pénombre, le ballon avait été remisé dans une stalle inoccupée des écuries, ses promesses de gloire oubliées, sa nacelle maculée de sang.

14

« Demandez à quelqu'un d'autre de jouer, dit Harold LeBœuf
en se penchant par-dessus le piano pour regarder Gabrielle dans
les yeux. Que je puisse danser avec vous.

— Je serais une bien piètre hôtesse, dit-elle en feuilletant ses
partitions à la recherche d'un nouvel air entraînant, si je demandais à un de mes invités de jouer afin que je puisse danser. »

Les premiers accords de *Monsieur Banjo* noyèrent la réponse de
Harold ; il attendit un instant, puis voyant que Gabrielle ne s'inté-
ressait qu'à sa partition, il haussa les épaules et s'éloigna.

« Il est vraiment dommage que Gabrielle ne s'intéresse pas à
Harold, dit Mme Robin à tante Mathilde derrière l'écran de son
éventail. Je sais bien qu'il est un peu plus jeune qu'elle, mais
il est splendide dans son uniforme, et puis il n'a vraiment d'yeux
que pour elle.

— Gabrielle semble cuirassée contre les flèches de Cupidon,
dit tante Mathilde. Dieu sait si elle a eu des prétendants au cours
de cette année, des garçons venus de tout l'État, dont certains
ne manquaient pourtant pas de suite dans les idées...

— Pendant un temps, j'ai cru qu'elle avait quelque intérêt pour
M. Saint-Cyr, dit Mme Robin dont les yeux trahissaient la
curiosité.

— Vraiment ? fit tante Mathilde. Je n'ai rien remarqué de tel.
Il est vrai que c'est tout à fait le genre de garçon à faire tourner

la tête d'une jeune fille. Il est plutôt beau garçon, et il possède cette allure...

— Il m'a fait penser à votre Louis, dit Mme Robin. Un peu le même air... » Le visage de tante Mathilde fut déformé par la douleur ; son amie lui posa une main sur le genou. « Pardonnez-moi, Mat. Je ne voulais pas faire resurgir un vieux chagrin.

— Cela fait plus de quinze ans que Louis est mort, dit tante Mathilde. On pourrait s'attendre à ce que je sois capable d'entendre son nom sans que cela réveille... » Elle secoua la tête sans cesser de regarder sa nièce. « Ah, que voulez-vous... un homme comme Louis, une fois que vous l'avez aimé, votre cœur ne peut plus s'en détacher.

— Alors il est aussi bien que Gabrielle ne soit pas tombée amoureuse d'Alex Saint-Cyr, dit Mme Robin. Vous savez quelle girouette est ce garçon... aussi changeant que le temps !

— Je suis contente que Gabrielle ne soit amoureuse de personne, dit tante Mathilde. Je ne voudrais pas qu'elle épouse un garçon sur le point de partir à la guerre. » Elle se tut en voyant le visage de son amie. « Excusez-moi, je sais que Dorothea se marie la semaine prochaine...

— Oui, et son mari rejoindra son régiment trois jours après. Mais elle dit qu'il n'y a que ce garçon qui puisse la rendre heureuse, et de quel droit, Mat, est-ce que je l'empêcherais de se marier avec lui ? »

Mathilde LeGrange se pencha pour déposer un baiser sur la joue de son amie ; ses lèvres y effleurèrent une larme. « Ma foi, vous avez raison, que Dorothea prenne son bonheur où elle le trouve. » Toutefois, en s'éloignant pour aller veiller aux détails du dîner, tante Mathilde se sentait soulagée de ce que jusqu'à présent Gabrielle ne parût pas tentée de faire quelque chose d'aussi irréfléchi.

Depuis son piano, celle-ci avait pu observer sa tante et Mme Robin en train de converser. Elle avait compris que c'était d'elle que parlaient les deux femmes, car leurs gestes, leurs expressions les trahissaient. Mme Robin joue à la marieuse, et tante Mathilde, elle, se montre polie, mais je vois à son visage que ce que dit Mme Robin n'est guère à son goût. Ça y est, elle s'en va, Dieu merci ; à présent Mme Robin va devoir exercer auprès de quelqu'un d'autre ses talents de marieuse.

Elle plaqua l'accord final, et les danseurs l'applaudirent. Tante

Mathilde s'encadra sur le seuil pour annoncer que le dîner était servi. Tandis que la foule des invités faisait lentement mouvement vers la salle à manger, Harold LeBœuf vint trouver Gabrielle.

«Promettez-moi de dîner avec moi. Nous pourrions nous installer sur la galerie. C'est la pleine lune, la nuit est magnifique.

— Je regrette, dit Gabrielle, mais je ne peux pas.» Et de le planter là pour suivre les invités. Tante Mathilde avait assisté de loin à ce bref échange, et son regard allait de l'un à l'autre des deux jeunes gens. Pendant une seconde, on eût pu croire qu'elle allait dire quelque chose, puis elle soupira et tourna les talons pour aller conférer avec Jonas du découpage du jambon.

«C'est un tel plaisir de voir revivre cette superbe maison et d'y être invité, dit Dorothea Robin à Gabrielle. Paul a l'impression que cette soirée est donnée en notre honneur, car tout le monde vient le féliciter et s'intéresse à nos projets.» Elle regardait le jeune homme qui était à côté d'elle, et, voyant le regard que celui-ci retournait à sa fiancée, Gabrielle se sentit tout à coup exclue.

«Oui, répondit-elle, c'est vraiment merveilleux que vous vous mariiez.» Ils ne m'entendent même pas, pensa-t-elle en se fondant aux autres invités. Comment leur en vouloir, quand le temps qu'ils ont à passer ensemble est si court et si précieux? Celui de Paul et Dorothea était l'un des quelque douze mariages qui allaient être célébrés ce mois-là; dans toute la région, en dépit du manque de temps, des mères faisaient appel à toute leur ingéniosité pour organiser une célébration digne du mariage de leur enfant.

La guerre est présente en toute chose, se dit Gabrielle en prenant place derrière le bol à punch afin de remplir les coupes en argent du fameux sabayon de tante Mathilde. Certains de ces mariages, comme celui de Paul et Dorothea, iraient de soi même en temps normal. D'autres, en revanche, n'auraient jamais lieu en temps de paix, lorsque les beaux uniformes font place à des costumes moins avantageux.

Elle eut une pensée pour Alex, sillonnant les eaux du Golfe sous la pleine lune d'octobre. Comme il est loin... En fait, je me suis persuadée qu'il est là-bas, occupé à forcer le blocus. Mais il pourrait être n'importe où... Je n'ai même pas de lettres, à la différence de l'année dernière... Et lui n'en a pas de moi.

Comme pour souligner la pensée qui se formait dans sa tête, elle entendit une bribe de conversation.

« Vos lettres me sont d'un grand réconfort, disait un soldat à sa voisine de table. Elles ne m'arrivent pas régulièrement. Il peut se passer des semaines sans que j'en aie une seule, et un beau jour le courrier m'en apporte toute une pile. »

Elle ne chercha pas à entendre la réponse de la jeune fille. Stimulé par les paroles du soldat, son esprit se raccrocha à une nouvelle idée. Je pourrais écrire à Alex, se dit-elle. Oui, je vais le faire.

Elle commença le soir même et, de ce jour, lui écrivit quotidiennement. Le fait de coucher ses pensées par écrit lui faisait paraître Alex plus proche, et chaque fois qu'elle terminait une lettre, elle croyait un peu plus qu'il reviendrait un jour. Ces lettres quotidiennes formèrent bientôt une pile impressionnante qu'elle enfermait à clef dans le tiroir de son secrétaire. Elle les ressortait souvent pour les relire, et était parfois étonnée de tout ce qu'elles révélaient.

Si je ne parviens jamais à les lui donner, se disait-elle en les remettant en place, et s'il n'apprend jamais toutes ces choses sur moi, ces lettres n'auront cependant pas été écrites en vain. Car elles m'aident à voir clair, elles gardent trace des changements qui s'opèrent en moi. A la façon d'un journal, elles témoignent d'où je suis partie, de la direction que j'ai prise et de ce que j'ai vu en chemin.

Tante Mathilde crut discerner chez sa nièce une gravité toute neuve, une application nouvelle à ce qu'elle faisait. Elle cousait des heures sans maugréer et, en compagnie de sa tante, se mit à faire des tournées de charité dans tout le voisinage, portant de la nourriture aux malades et cherchant à réconforter les familles auxquelles la guerre avait déjà pris un fils, un père ou un frère. C'était comme s'il fallait que chaque journée fût bien remplie afin que le soir, lorsqu'elle prenait la plume, sa lettre fût le reflet de toutes ces heures consacrées à des tâches qui, si elles n'infléchissaient pas le cours funeste de la guerre, en allégeaient du moins le poids.

Sa vie était maintenant circonscrite au périmètre de Felicity. Ce n'est que lorsqu'elle montait Brandy qu'elle aspirait à de plus vastes territoires ; alors seulement, galopant pendant des kilomètres, parvenait-elle à se changer les idées. Ces longues chevauchées lui redonnaient de l'énergie et restauraient sa bonne humeur, en sorte que, lorsque le temps se gâtait, interdisant toute sortie, elle n'était que morosité jusqu'à ce que la pluie prît fin et qu'elle et Brandy pussent s'élancer sur les routes.

Elle mûrit, se disait tante Mathilde. Elle est en train de devenir une femme, une femme dont Olivier serait fier si seulement il pouvait la voir. Eût-elle été moins accaparée par la plantation, peut-être tante Mathilde aurait-elle imputé à leur vraie cause les longues périodes pensives et les larmes occasionnelles de sa nièce. Mais ayant chaque jour un peu plus besoin de son soutien, elle préférait ne pas voir que la jeune femme ne prenait pas seulement à cœur les intérêts de Felicity et les prières pour Tom.

L'automne s'écoula ainsi. Quelques événements se haussèrent au-dessus de la routine quotidienne. Le 6 novembre, Jefferson Davis, qui avait servi comme président provisoire, fut élu pour un mandat de six années à la tête du gouvernement confédéré. Son discours du 19 novembre à l'occasion de la nouvelle session du Congrès confédéré était teinté d'optimisme et fut largement cité par toute la presse du Sud. L'année en cours « devrait remplir le cœur de nos compatriotes de gratitude envers la providence », avait-il déclaré avant de justifier son optimisme par la qualité des récoltes, le succès des opérations militaires, l'efficacité grandissante de l'armée, et enfin par les espoirs que l'on pouvait nourrir quant aux finances.

En ce qui concernait les opérations militaires, l'année avait en fait été marquée par une campagne d'escarmouches sporadiques, une suite de gains et de replis, une alternance de succès et de revers. Ni le gouvernement fédéral ni le gouvernement confédéré ne semblaient avoir beaucoup progressé vers la réalisation de leurs objectifs ; l'Union avait été rompue, la nouvelle nation n'était pas encore libre. Dans chaque camp, des familles pleuraient la mort d'un époux, d'un père, d'un frère ou d'un fils. Pour ceux-là, la guerre était terminée. Pour des milliers d'autres, elle allait commencer.

Pour Gabrielle, la période des fêtes ne fut marquée que par un seul événement mémorable. Le 31 décembre, alors qu'elle s'efforçait de jouer avec un semblant de gaieté des airs de Noël, Letha entra, un petit colis à la main.

« C'est pour vous, miss Gabrielle », dit l'esclave. Elle le lui remit, puis demeura sur place, imperturbable.

Gabrielle retourna le paquet et y vit son nom, calligraphié d'une écriture familière. «Comment est-il arrivé ? demanda-t-elle en se levant à demi.

— Par un de ces bateaux qui passent sur le bayou. Un homme est venu l'apporter.» Letha jeta un coup d'œil au colis, puis regarda la jeune femme dans les yeux. «Miss Gabrielle... cet homme, il a recommandé d'en parler à personne de ce paquet. Mais si ça doit nous amener des embêtements, va falloir que j'en parle à vot' tante.

— Aucun risque de ce côté-là, Letha», assura Gabrielle. Elle avait les yeux qui brillaient, elle souriait. Elle glissa le paquet dans sa poche et referma le couvercle du piano. «Je vais aller l'ouvrir dans ma chambre.»

Letha lui posa la main sur le bras. «Miss Gabrielle, va falloir que vous me disiez qui vous envoie ça. Sinon faudra que j'en parle à vot' tante.

— Plus tard, Letha», fit Gabrielle en se dégageant. Elle quitta presque en courant le salon, avec le sentiment que le regard de la vieille esclave lui brûlait le dos. Il lui fallut, lui sembla-t-il, une éternité pour atteindre sa chambre. Enfin, elle s'y enferma à clef, approcha son fauteuil à bascule de la fenêtre afin de n'avoir pas à allumer la lampe, et s'y laissa tomber.

Une lettre glissa sur ses genoux lorsqu'elle eut arraché la cire qui scellait le paquet. Elle la lut précipitamment, s'accordant à peine le temps de la compréhension, prenant fiévreusement connaissance de la conclusion avant de reprendre sa lecture au début.

«Ma chère Gabrielle, débutait la lettre, Si je m'adresse à vous de la sorte, c'est que je suis incapable de m'imposer les restrictions prescrites par l'usage quand, au cours de ces mois éprouvants, votre visage a été ma constante vision, votre sourire mon unique joie, vos yeux mon inspiration de tous les instants, et le souci que vous avez de moi mon indéfectible espoir.

«Il est peut-être des hommes plus insensés que moi, mais j'en doute. Quand je repense aux instants très précieux que j'ai gâchés lors de cette dernière soirée... Mais à quoi bon épiloguer sur un élan que je n'ai moi-même pas compris sur le moment. Je croyais ne pas vouloir de votre amour parce que je ne le méritais pas. Il a fallu des heures de solitude, il m'a fallu réfléchir sur moi-même comme je ne l'avais jamais fait, pour comprendre tout ce qu'une telle position pouvait comporter d'arrogance et de présomption.

« Qui suis-je pour vous imposer mes vues dans des domaines tels que l'amour ? Vous, dont chaque souffle fait le bonheur de ceux qui vous entourent, dont la sollicitude et l'amour faisaient de votre frère Tom le garçon que nous enviions le plus. C'est moi qui suis le novice, celui qu'il faut prendre par la main sur les sentiers de l'amour. J'ai compris trop tard que j'avais trouvé en vous la tutrice idéale, j'ai réalisé trop tard ce que j'avais presque perdu. Je dis ''presque'' parce que je crois pouvoir m'en remettre autant à votre loyauté qu'à votre amour. Je ne crois pas, chère âme, que vous m'aurez abandonné. Ne me restent que l'espoir et la prière.

« Il y a longtemps déjà que je veux vous dire tout ceci, mais j'ai attendu d'être certain que ma lettre vous parviendrait. Aujourd'hui, je suis en mesure de vous l'envoyer, accompagnée d'un souvenir de moi, qui est le modeste gage de ce qu'un jour je vous offrirai, et le gage minuscule de mon très grand amour. »

De ses doigts tremblants, Gabrielle ouvrit l'ultime emballage en papier de soie et découvrit un médaillon et une fine chaîne d'or. Le médaillon était bordé de minuscules perles et portait en son centre une améthyste. Ce bijou, par la beauté et la qualité du travail, n'avait rien à envier à ceux que Gabrielle possédait déjà. Elle le prit et en apprécia le poids, puis elle actionna le petit mécanisme qui en commandait l'ouverture, et, le souffle coupé, découvrit la miniature qu'il contenait. Il s'agissait de leurs deux portraits, peints en vis-à-vis. Alex et elle. Contemplant ces deux visages, elle eut tout à coup l'impression de vivre une autre vie, où, en gage de son amour pour lui, elle lui aurait offert son portrait. Une autre vie, plus simple et plus sûre, où ne subsistait aucune incertitude et où elle n'avait qu'à suivre les inclinations de son cœur...

Sans lâcher le médaillon, elle reprit la lettre et poursuivit sa lecture.

« J'imagine votre surprise lorsque vous découvrirez les portraits que renferme ce médaillon. Et j'espère que vous n'en concevrez nulle irritation. La naissance de ce portrait est aussi simple que le permettent les cheminements de l'amour. Le jour du tournoi de l'anneau, j'ai demandé à un artiste de vous croquer au moment où le spectacle retiendrait toute votre attention, puis de réaliser cette miniature afin que j'eusse ainsi toujours votre image avec moi. Je n'arrive pas à me repentir de cette liberté que j'ai prise, tant a compté pour moi, depuis lors, la possibilité de contempler votre beau visage.

« J'en arrive maintenant à la partie la plus difficile pour moi de cette lettre, celle où il me faut répondre aux questions que vous devez vous poser. Vous aimais-je déjà il y a si longtemps ? Auquel cas, pourquoi ne me suis-je pas déclaré ?

« Ma réponse à la première question est celle-ci : Je ne sais s'il faut appeler amour l'émotion que vous m'avez inspirée dès notre première rencontre. L'amour, me semble-t-il, doit croître en même temps que croît la connaissance que l'on a de l'autre. L'amour naît de moments partagés, d'idées partagées. A présent, je peux dire que je vous aime, car cet attrait du premier jour a trouvé une base sur laquelle s'appuyer, il a eu le temps d'explorer tous les accès que vous m'avez si généreusement ouverts à votre cœur et à votre esprit. Il n'en est pas moins vrai, Gabrielle, que lorsque je vous ai vue debout dans le vestibule de Felicity, j'ai eu l'impression — comment exprimer cela ? —, j'ai eu le sentiment d'arriver chez moi, quoique ce fût la première fois que j'entrais dans cette maison. Tom m'avait bien sûr longuement et souvent parlé des siens. Il sentait, je pense, que je n'avais pas connu la même enfance que lui et que j'aspirais à en entendre autant qu'il voudrait bien m'en dire. Lorsque j'ai vu votre visage, cela a été comme si toute la douceur, tout le bonheur dont il m'avait parlé s'étaient rassemblés pour se concentrer en vous. Pour émaner de vous. Pour vous faire telle que vous êtes. J'étais si ébranlé par la violence de ce sentiment — et si effrayé —, que j'ai réagi en affichant mon air coutumier, mon air de sophistication vaguement cynique, pensant que cela me protégerait d'un émoi aussi soudain que violent.

« M'avez-vous percé à jour ? J'aimerais tellement le savoir ! Et qu'en était-il les autres fois, lorsque je vous traitais comme Tom vous traitait, me disant que ce que je ressentais était peut-être l'amour que j'eusse éprouvé pour la sœur que je n'ai pas eue. Quel menteur je fais, et avec quelle conviction je tentais de me berner moi-même ! Cela jusqu'à ce qu'il ne me fût plus possible de me cacher la vérité, et que je susse que, quoi qu'il advienne, il me fallait vous dire mon amour.

« Ce qui m'amène à la seconde question : Pourquoi ne me suis-je pas déclaré plus tôt ? Quand j'ai appris le nombre des prétendants qui vous pressaient au cours des mois qui ont suivi la mort de votre père, je m'en suis terriblement voulu, me disant que celui qui n'œuvre pas de tout son cœur à la réalisation de son vœu le plus cher mérite toute la misère du monde. C'est mon amour-propre qui m'a retenu, Gabrielle. Je trouvai peu acceptable de vous soumettre à cela. Votre chagrin était encore trop récent, la perte de votre père vous accaparait le cœur et l'esprit. Et lorsque est arrivé le moment où j'aurais pu me déclarer... vous savez quelle était alors la situation. Mon amour-propre à nouveau, mais un peu mieux placé cette fois. Le mépris et les insultes dont on accablait les miens auraient pu rejaillir sur vous. Quelle sorte d'amour serait-ce là, qui ne craindrait pas d'exposer son objet à de telles épreuves?

« Mais aujourd'hui je reprends espoir, car mes entreprises ne sont pas sans connaître quelque succès. Il est des sphères où la mention de mon nom s'accompagne de respect ; petit objectif intime que j'ai atteint, tout en en poursuivant de plus vastes et plus en rapport avec la cause sudiste.

« C'est bien à contrecœur que je me sépare de votre portrait, mais je ne voudrais pas qu'on le trouve sur moi si jamais mes activités devaient connaître une issue malheureuse. Mais soyez sans crainte, je m'éveille chaque matin en pensant que le passage d'une nouvelle journée me rapproche de vous, et m'endors chaque soir avec l'assurance que les doux rêves qui vont bercer mon sommeil se réaliseront bientôt.

« Mon messager doit se mettre en route, je me dépêche de lui remettre ceci. Croyez que je vous aime plus que tout au monde et que je vous ai toujours présente en mon cœur.

« Avec tout mon amour, Alex. »

Jamais il n'y eut pareille lettre, pensa Gabrielle en la portant à ses lèvres. Dire qu'après toutes ces semaines passées à lui écrire, j'ai fini par recevoir une lettre de lui. Elle laissait courir ses doigts sur le médaillon, effleurant doucement le visage d'Alex. Il ne me plaît guère de cacher cela à tante Mathilde. Cependant, si je le lui dis, elle me posera tant de questions que ce sera comme de l'avoir invitée à partager notre jardin secret.

Non, je ne vais rien lui dire, et je vais faire en sorte que Letha fasse de même. Alex est loin et le restera encore longtemps. S'il revient — *quand* il reviendra —, il sera toujours temps d'annoncer publiquement les liens qui nous unissent, et d'endurer cet intérêt des parents et des amis, qui, quoique bien intentionnés, peuvent donner aux amoureux l'impression que le monde est une scène de théâtre où tous attendent qu'ils donnent une représentation.

Ainsi donc, à contrecœur mais convaincue de la nécessité de ce faire, elle enferma la lettre et le médaillon avec la pile de ces autres lettres dont le nombre grossissait chaque jour. Et maintenant, se dit-elle en replaçant la clef dans sa cachette, il faut que j'aille demander à Letha de ne rien dire à tante Mathilde, il faut que je la convainque que ce ne sera pas mal agir, même si en moi-même je n'en suis pas si sûre.

Letha était en train de compter des draps devant l'armoire à linge. Inconsciemment, Gabrielle retrouva les intonations de son enfance, de l'époque où Letha se plaisait à lui passer tous ses caprices.

« Letha, j'ai quelque chose à te demander...

— Si ça a quelque chose à voir avec le colis, je ne veux rien entendre.

— Je voudrais simplement que tu n'en parles pas à tante Mathilde. »

Les yeux de l'esclave se fixèrent sur le visage de Gabrielle. « Ce paquet, c'est M. Alex qui l'a envoyé, n'est-ce pas ?

— Letha... »

La vieille esclave passa un bras autour de la jeune fille et l'attira à elle. Souvenir de cette femme qui lui avait été une mère et une nourrice, guide et gardienne, une odeur mêlée d'amidon et de vétiver passa sur Gabrielle. Elle nicha la tête dans le cou de Letha et se mit à sangloter doucement.

« Je sais de qui étaient ces lettres et ces colis de Paris, qui te mettaient en joie l'hiver dernier. L'adresse sur le paquet de ce matin était de la même écriture.

— Il est si loin, Letha ! Et il court chaque jour de terribles dangers. Je ne veux pas avoir à parler de lui... Je ne veux pas que tante Mathilde m'observe, et que toutes les dames du voisinage s'apitoient sur moi chaque fois que j'ai l'air un peu triste...

— Écoute un peu, petite, fit Letha en caressant de sa grosse main la tête de Gabrielle. Nous avons tous largement assez de tracas, et je vois pas pourquoi je te gâcherais ton petit rayon de soleil. Si cela peut te rendre heureuse de faire un secret de M. Alex, fais-en à ton aise. Ma mémoire n'est plus si bonne, et puis m'ame LeGrange, elle me gronde toujours parce que je parle plus que je devrais. Je ne dirai rien.

— Letha, oh, merci ! » s'exclama Gabrielle, souriant à travers ses larmes. Elle embrassa Letha sur la joue.

« Attends un peu, petite. Il faut toi aussi que tu me fasses une promesse. » La vieille Noire referma sa main sur celle de Gabrielle. « Faut que tu me promettes de ne pas faire d'idioties du genre de partir pour aller retrouver ce jeune homme je ne sais où.

— Jamais je ne ferais une chose pareille !

— Je ne pense pas, non. Seulement quand les temps sont durs, les gens font des fois de drôles de choses. Promets-le-moi quand même, Gabrielle.

— D'accord, je te le promets.

— C'est bien. Et n'oublie pas, l'amour est une chose, mais une promesse en est une autre. Tu es une Cannon, et les Cannon, ils font jamais une promesse qu'ils n'ont pas l'intention de tenir.

— Je la tiendrai, Letha. » Ayant recouvré sa bonne humeur, Gabrielle serra sa vieille nourrice dans ses bras. « De toute façon, on va le voir arriver ici un de ces jours, tu verras ce que je te dis. Il me demandera ma main dans les règles, et alors quel mariage nous aurons !

— Ce sera un grand jour, miss Gabrielle. Oui, un bien grand jour. »

L'esprit tranquille, Gabrielle regagna sa chambre et prit de quoi écrire. La réponse à Alex se constitua peu à peu sous sa main, et quoiqu'elle sût que sa destination était le tiroir du bureau, il lui semblait que son message allait franchir à tire-d'aile la distance qui les séparait.

A la mi-février, une lettre de maître Guillot arriva, lui conseillant de venir à La Nouvelle-Orléans afin de discuter de la vente de certains biens. « Je pense que nous avons attendu le temps qu'il fallait, écrivait l'avocat. Je dois vous dire en confidence que je ne suis plus pour longtemps à La Nouvelle-Orléans. Si je dois m'occuper de la vente de ces choses, il conviendrait que les tractations soient menées sans retard. »

« Maître Guillot ne paraît guère confiant quant à l'avenir de La Nouvelle-Orléans, observa tante Mathilde, qui, après sa nièce, venait de lire la lettre.

271

« — Il ne fait qu'exécuter des décisions que Tom et moi avons prises juste avant le début des hostilités, dit Gabrielle. Je me sentirai plus tranquille lorsque ce sera fait. Comptez-vous m'accompagner, ma tante ? J'ai l'intention de partir dans deux jours et de... »

Remarquant l'expression de sa tante, elle s'interrompit et réalisa que l'ordre même de leur existence s'était inversé. Au lieu de demander à tante Mathilde la permission de partir en voyage, elle l'informait de ses projets. Elle allait reprendre la parole, émettre la proposition selon l'ancienne formulation. Mais tante Mathilde la devança.

« Tu n'as plus besoin de moi, Gabrielle, dit-elle en souriant. Tu organises ton emploi du temps comme une vraie femme d'affaires. Non, je n'ai pas l'intention de me rendre à La Nouvelle-Orléans en ce moment. Le temps est exécrable, et puis ma présence ici est indispensable. Penses-tu ouvrir la maison ?

— Je n'y vais pas pour très longtemps, dit Gabrielle. L'hôtel Saint-Louis est très bien. » Elle anticipa sur ce qu'allait dire sa tante : « Je suppose que vous n'allez pas me laisser voyager seule ?

— Certes non. La cousine de Mme Robin, tu sais, celle qui passe l'hiver chez eux, serait peut-être heureuse de faire un petit voyage. Bien sûr, nous lui donnerions un petit quelque chose. La pauvre n'a vraiment rien à elle.

— Voulez-vous lui écrire pendant que je prends mes dispositions ?

— Je vais le faire tout de suite », dit tante Mathilde. Elle se leva et vint embrasser sa nièce. « Tu es très diplomate, ma chérie, tout comme l'était ton père. Et j'en suis très heureuse. »

Puis elle alla s'asseoir à son secrétaire, tandis que Gabrielle se mettait en quête de Jonas. Tante Mathilde se félicite de ce que je sois capable de me prendre en main, se dit la jeune femme, mais elle apprécie que je la consulte. Il faut remercier le Ciel de ce que nous nous comprenions si bien ; la vie serait impossible si elle n'acceptait pas de me voir grandir.

Jonas partit à cheval sous la bruine pour aller prendre un billet au bureau de la compagnie de navigation. Gabrielle monta dans sa chambre pour choisir les effets qu'elle emporterait. C'est la pire période pour se rendre à La Nouvelle-Orléans, se dit-elle. Le temps peut y être glacial un jour et très doux le lendemain. Quoi que j'emporte, cela ne conviendra probablement pas.

Elle se laissait cependant gagner par l'excitation, et c'est en fredonnant qu'elle passa en revue sa garde-robe, car même si ce voyage avait les affaires pour objet, il n'en constituait pas moins une parenthèse fort bienvenue au milieu de la morne routine de l'hiver.

Le trajet en bateau de New Iberia jusqu'à La Nouvelle-Orléans lui sembla tout à la fois étrange et familier. Le paysage des berges des bayous et des rivières n'avait pas changé ; mais les conditions de ce voyage, l'absence de tout membre de sa famille donnaient à Gabrielle le sentiment de le faire pour la première fois.

Miss Hebert, la cousine de Mme Robin, se révélait d'une compagnie agréable. Sans pour autant s'imposer à Gabrielle, elle se montrait toujours disposée à lui tenir compagnie ou à lui faire la conversation. « En fait, c'est assez triste, nota la jeune femme dans sa lettre quotidienne à Alex. Je ne peux m'empêcher de penser qu'une telle amabilité vient de la nécessité où est miss Hebert de s'en remettre pour vivre à la générosité d'autrui, et non forcément d'une inclination naturelle. Mais nous nous accordons bien, et elle est ravie à l'idée d'aller rendre visite à de vieilles connaissances, tandis que je verrai à mes affaires. Je regrette de ne pouvoir consulter Tom avant que tout soit signé, mais il a foi en mon jugement, et je ne puis qu'espérer que sa confiance est bien placée... »

Gabrielle et miss Hebert prirent une suite à l'hôtel Saint-Louis, et tandis que celle-ci envoyait des cartes de visite, celle-là prit rendez-vous avec maître Guillot, puis s'en fut voir Véronique. Descendant Chartres Street d'un pas vif, elle observa combien l'atmosphère avait changé. Là où quelques mois auparavant le Quartier français débordait de gaieté et d'animation, la ville montrait à présent qu'elle sentait sur elle le souffle glacé de la guerre. De nombreux magasins étaient déserts, et un grand nombre de gens erraient par les rues, comme s'ils avaient oublié le but qu'ils s'étaient fixé dans l'existence. Et même si de la musique et des rires jaillissaient toujours de la porte des cafés, il y perçait une note contrainte et fébrile. Lorsqu'elle fut en vue du magasin de Véronique, Gabrielle manqua rebrousser chemin de crainte que la jeune métisse n'eût elle aussi changé.

Mais quand elle poussa la porte et entendit le tintement argentin de la clochette, elle se sentit aussitôt rassurée, car, ici, tout était resté comme avant. C'étaient les mêmes empilements de tissu, les mêmes bruits réguliers, le ronflement de la machine à coudre, le bruissement des ciseaux. « Véronique ? appela-t-elle. C'est Gabrielle. Où es-tu ?

— Gabrielle ! » Véronique s'encadra sur le pas de la porte. Elle demeura une seconde immobile, une main sur le cœur, puis s'élança pour prendre Gabrielle dans ses bras. « Tu sais que tu m'as fait peur ! Quand es-tu arrivée en ville ? Tu es ici pour longtemps ?

— Je suis arrivée hier en fin d'après-midi, et je ne reste que quelques jours, dit Gabrielle. Je suis ici pour affaires. Maître Guillot se propose de réaliser quelques biens à nous, et je suis venue voir cela avec lui.

— Je m'apprêtais à prendre un café avec des calas. Allons au salon, nous pourrons nous raconter toutes les nouvelles. »

L'appartement de Véronique occupait l'autre moitié de la maison. Il était meublé simplement mais avec goût. Un bouquet de fleurs sèches dans une cruche bleu vif, une couverture piquée, imprimée de motifs compliqués, était tendue sur un mur ; où qu'elle portât les yeux, Gabrielle tombait sur un détail qui la ravissait. « C'est très beau, dit-elle. Cette jolie petite maison, ton propre atelier... cela doit être un peu comme de jouer à la poupée...

— Tout va si bien que j'en retiens mon souffle de crainte que cela ne dure pas », dit Véronique. Elle apportait un plateau à café chargé de gâteaux de riz. Elle le posa sur la table devant Gabrielle.

« Et tu es tellement chic ! reprit celle-ci. Tiens, ce détail de ton col... A côté de toi, je me sens mal fagotée, arrivant tout droit de ma campagne.

— Qu'est-ce que tu racontes ? » Véronique regarda de plus près la toilette de sa visiteuse. Cette veste n'a besoin que d'une légère rectification aux revers... un rien de passementerie aux manches... Si tu veux, pendant que tu es en ville, je pourrais te retoucher tout cela.

— Bien sûr, ce serait très agréable d'être à la dernière mode », dit Gabrielle. Elle prit sa tasse et se mit à contempler la porcelaine, qui laissait filtrer la lumière. « Mais peut-être est-il un peu dérisoire de se soucier de la tenue d'un col ou de garnitures de manches, quand la flotte de l'amiral Farragut croise dans le Golfe, pareille à un énorme cachalot sur le point de nous avaler.

— Et cependant, à en croire mes clientes, cet hiver a été le plus gai de ces dernières années. Cela n'a été que bals, pièces de théâtre, concerts, le tout mené tambour battant.

— A la campagne aussi, il y a eu une profusion inhabituelle de divertissements. Tante Mathilde dit que lorsque surviennent de graves problèmes, comme c'est le cas actuellement, les gens cherchent à se regrouper, afin de vérifier qu'ils s'en tirent aussi bien — ou au moins pas plus mal — que les autres.

— Mme LeGrange jouit toujours d'une bonne santé ? s'enquit Véronique, un peu tendue, comme chaque fois qu'elle prononçait ce nom.

— Tu connais ma tante. Il n'y a pas de tâche qu'elle ne puisse accomplir, ni de responsabilités trop lourdes pour ses épaules. Du lever jusqu'au coucher, elle n'arrête pas une minute, mais elle semble en excellente santé.

— Est-ce qu'il lui arrive de parler de moi ?

— Jamais. Ah si, il y a quelques semaines, ton nom a été prononcé à propos de quelque chose de si bête, de si révoltant même, que, tu vois, cela m'était complètement sorti de la tête.

— Qu'est-ce que c'était ?

— Colette va enfin avoir un enfant, dit Gabrielle. Vers la fin du printemps, je crois. » Elle remarqua alors la tête que faisait Véronique. « Je suis idiote, je n'aurais pas dû te parler de ça.

— Mais non, pas du tout. Tout cela est derrière moi. Simplement, ce nom m'a remis en mémoire quelque chose que j'aimerais bien un jour totalement oublier. Non, dis-moi.

— Bon, comme tu voudras. Mais je te préviens, c'est complètement absurde. Voilà, il semble que Colette t'a reproché son incapacité à avoir un enfant.

— A moi ! Mais cela fait plus d'un an que je n'ai pas mis les pieds là-bas !

— Elle t'accuse de faire agir le vaudou sur elle, elle dit que tu t'es enfuie grâce au culte noir... Tu vois, je t'avais dit que c'était stupide.

— Mais elle, elle y croit, dit Véronique. Il faut que tu te pénètres de cela, Gabrielle. Elle croit à ce qu'elle raconte.

— Quelle différence cela fait-il ? De toute façon, elle se vante de ce qu'un sorcier de chez les Robin a levé le sort que tu lui avais jeté, et c'est pourquoi elle porte maintenant un enfant.

— Comment se fait-il que tu saches tout cela ? voulut savoir Véronique. Qui te l'aurait dit ? »

Gabrielle détourna les yeux en rougissant. «Tu connais ma sale habitude d'écouter les conversations qui ne me regardent pas. Abigail et tante Mathilde s'entretenaient; quand j'ai entendu ton nom, j'ai pointé l'oreille.

— Je ne t'en fais pas le reproche, dit Véronique. Ainsi, je sais que j'ai à me protéger.

— Te protéger? Mais contre quoi?

— Gabrielle, les sortilèges de ce sorcier, tu ne comprends pas que c'est contre moi qu'ils auront été dirigés?

— Mais ils n'ont aucun pouvoir!

— C'est ce que me dit la raison. N'empêche...»

Véronique resservit un peu de café, puis se mit à tourner machinalement une cuillerée de sucre dans sa tasse. «Je sais combien cela peut te paraître absurde, Gabrielle. Et ma propre réaction me consterne, mais il n'empêche que je suis incapable de prendre ça à la légère.» Elle manipulait maintenant une petite croix d'or qu'elle avait au cou. «Je pensais m'être débarrassé l'esprit des dernières empreintes de l'esclavage, et voilà qu'il revient au galop.

— Véronique, je t'en prie, ne t'en fais pas un monde. Colette est quelqu'un de très émotif et qui adore attirer l'attention sur soi. Elle dira tout ce qui lui permettra de mettre les autres en émoi, elle en fait tant que tout le monde sera soulagé quand elle aura mis son bébé au monde...

— Oui, tu as raison, reconnut Véronique. Je vais arrêter d'y penser.» Elle se leva pour se diriger vers un bureau finement travaillé, qui occupait un coin de la pièce. Elle en tira un mince paquet de lettres noué d'une faveur rouge. Elle défit le ruban, chercha rapidement une lettre qu'elle rapporta avec elle. «Voici une lettre de Tom arrivée la semaine dernière. Il dit qu'il aimerait que tu saches où je suis, et qu'il espère que je trouverais le moyen de te donner signe de vie.» Elle regarda Gabrielle et sourit. «Nous sommes donc tous dans le secret à présent. Je vais lui écrire qu'il y a beau temps que tu m'as retrouvée.

— Nous avons eu des nouvelles de lui juste avant mon départ pour ici, dit Gabrielle. Je suis toujours plus tranquille dès que je reçois une lettre... Puis je pense au temps qu'elle a mis pour me parvenir, et à tout ce qui a pu se passer depuis qu'il l'a écrite.

— Je sais. C'est très dur de savoir aussi peu de chose sur...

276

la façon dont se déroule sa vie. Mais, et M. Saint-Cyr ? Comment va-t-il ?

— Je... je n'en sais rien », fit Gabrielle. Puis, subitement désemparée, elle se jeta contre l'épaule de Véronique et fondit en sanglots. « Il force le blocus, Véronique. Il court de tels dangers ! Il faut que tu n'en parles à personne. Je n'aurais pas dû t'en parler, mais c'était un secret trop lourd pour moi toute seule !

— As-tu parfois des nouvelles ? demanda Véronique d'une voix inquiète qui eut pour effet de redoubler les larmes de Gabrielle.

— J'ai eu une lettre à Noël. Depuis, plus rien. Oh, Véronique ! »

Debout l'une contre l'autre, elles mêlaient maintenant leurs larmes. Comme toutes les barrières sont stupides, se disait Gabrielle. Esclave et maîtresse, Noire et Blanche... Dans tout ce qui est l'essentiel, nous sommes exactement semblables.

A la fin de leur entrevue ce matin-là, maître Guillot tendit à Gabrielle un exemplaire du journal de la veille, dont il avait entouré un article en rouge. « On y parle d'une de vos anciennes relations, miss Cannon. J'ai pensé que cela vous intéresserait. »

Gabrielle prit le journal et lut le titre de l'article en question : « Ancien résident de notre ville, un prisonnier fédéré va être libéré. » Le cœur battant de plus en plus vite, elle prit connaissance de la suite, en croyant à peine ses yeux.

« Le lieutenant Jordan Scott, dont beaucoup se souviendront comme du neveu de Mme Hector Saint-Cyr (née Julia Scott, de Boston, Massachusetts), figure sur la liste des prisonniers fédéraux qu'il est prévu de relâcher selon les termes du décret du 19 février issu par le Congrès confédéré. Détenu à Fort Jackson depuis sa capture au début de l'année, le lieutenant Scott sera raccompagné en même temps que d'autres prisonniers à bord d'une des unités de la flotte de l'amiral David G. Farragut. Les autres prisonniers ayant des connexions locales, sont... »

Le journal tomba des mains de Gabrielle. « Je me demande si... pensez-vous qu'il serait possible de le voir ?

— A Fort Jackson ? Cela doit pouvoir se faire. » Maître Guillot regardait la jeune femme avec un mélange de raideur juridique et de chaleur humaine. « Voulez-vous que je voie ce qu'il est possible de faire ?

— Oui, dit-elle. Mais il faudrait que cela se fasse très vite. Je ne suis pas à La Nouvelle-Orléans pour très longtemps.

— De toute façon, sa libération doit avoir lieu très bientôt, dit l'avocat en se levant. Je vois cela immédiatement, miss Cannon, et je vous envoie une note à votre hôtel dès que je tiens quelque chose. »

La raccompagnant jusqu'à la porte, il dit : «Je voulais vous demander : votre tante a-t-elle retrouvé son esclave ? Comment s'appelait-elle ? Son nom m'échappe...

— Véronique. Non, ma tante n'a pu remettre la main sur elle.

— Ah, que voulez-vous, comme je l'ai dit sur le moment à Mme LeGrange, une jeune octaronne a toutes les chances de se fondre dans la nature. Il faut espérer qu'elle n'aura pas quitté une forme d'esclavage pour sombrer dans une autre... Mais pardonnez-moi, miss Cannon, j'ai la fâcheuse habitude de penser tout haut. Bon, eh bien, bonne journée. Je vous fais signe très bientôt.

— Merci», dit Gabrielle, baissant la tête pour se protéger d'une bourrasque qui dévalait la rue. Reprenant le chemin de son hôtel, elle se dit qu'il était impossible que maître Guillot sût rien de précis au sujet de Véronique, qu'il n'avait fait que la sonder, subodorant un rapport entre le projet d'affranchissement de Véronique, dont elle et Tom lui avaient parlé, et la disparition subséquente de la jeune esclave. Elle résolut de concentrer ses pensées sur l'affaire qu'elle venait de conclure avec l'avocat, considérant que si elle s'asseyait à son secrétaire pour en noter les détails à l'attention de son frère, elle parviendrait peut-être à reléguer au second plan la possibilité d'une entrevue avec Jordan Scott.

Mais lorsqu'elle arriva à l'hôtel et envisagea les longues heures qui allaient passer avant qu'elle reçoive quelque chose de l'avocat, son agitation se mit à croître. A son retour, miss Hebert la trouva qui faisait les cent pas dans le salon.

«Aimez-vous les cartes, miss Cannon ? Nous pourrions jouer au double solitaire...

— Je crois que je n'arriverais pas à tenir en place, miss Hebert. J'ai eu ce matin des nouvelles d'une vieille connaissance, un garçon qui est enfermé à Fort Jackson et qui va être bientôt libéré.

— Un Yankee ? fit miss Hebert en ouvrant de grands yeux.

— Un garçon de Boston, dit Gabrielle. Il se nomme Jordan Scott.

278

— Le neveu de Julia Saint-Cyr ! Mais on ne parle que de cela en ville, du moins dans les maisons où je me suis rendue aujourd'hui.

— De quoi parle-t-on ? De l'emprisonnement du lieutenant Scott ?

— De la partition de sa famille. Il y a bientôt un an que son oncle s'est retiré dans leur plantation, quant à Mme Saint-Cyr, elle a complètement pris fait et cause pour le Nord.

— Je sais tout cela, dit Gabrielle, regrettant aussitôt son ton cassant. Excusez-moi, miss Hebert. Tout ceci est nouveau pour vous, alors que pour mon frère et moi, les malheurs de cette famille sont une vieille et triste histoire.

— Les gens aiment à oublier leurs propres problèmes en parlant de ceux des autres, dit miss Hebert. Mais vous dites que le lieutenant Scott va être libéré ? Comme sa mère doit être heureuse ! »

Seigneur, se dit Gabrielle, cette miss Hebert fait quand même une fameuse girouette. Pas question de la mettre dans la confidence si jamais je rends effectivement visite à M. Scott, car la nouvelle ferait le tour de la ville avant qu'il soit tard.

Lorsque arriva un billet de maître Guillot expliquant quelles dispositions il avait prises pour organiser la visite, Gabrielle inventa aussitôt un prétexte pour ressortir et insista pour que miss Hebert invite une amie à dîner dans leur suite.

Voilà, se dit la jeune femme en montant en voiture, un bon repas bien arrosé devrait si plaisamment occuper miss Hebert d'ici l'heure du coucher, qu'elle ne se souciera pas de l'endroit où je me serai rendue ni de qui j'y aurai vu. Puis, la rencontre étant maintenant si proche, elle orienta ses pensées vers Jordan Scott.

Comme sa dernière lettre remontait à loin ! Ces six derniers mois avaient paru une éternité. Ce ne sera plus le même homme, se dit-elle. Il a connu les combats, il a été fait prisonnier, il a connu la captivité. Voici qu'on va le libérer, mais ce sera pour rejoindre son bâtiment et retourner au feu. Son bateau sera un maillon de cette chaîne qui nous prive de ce dont nous avons besoin. Il donnera des ordres, et des canons feront feu sur des ports et des navires sudistes. Il fait partie des ennemis de mon frère et de l'homme que j'aime… Jamais je n'aurais dû concevoir l'idée d'aller le voir !

La voiture arrivait à hauteur du premier poste de garde.

279

Gabrielle entendit le cocher donner le mot de passe à la sentinelle. Il est trop tard pour reculer, se dit-elle en se calant contre
son dossier, j'ai franchi le point de non-retour. Pense à l'homme
qu'il était, se dit-elle. A son désir d'apprendre tout ce qu'il était
possible d'apprendre au sujet de Felicity et de la vie que nous
menions, à son honnêteté dans la discussion, à sa sincère sollicitude à mon égard. Cependant, tandis que la voiture pénétrait dans
le fort, elle se demanda : Mais pourquoi suis-je ici ? Pourquoi cette
brève visite à un homme que je ne reverrai probablement jamais ?
Quelque chose m'y pousse, quelque chose sur quoi je ne peux
mettre un nom...

Et quand un soldat la fit entrer dans la petite pièce où l'attendait Jordan Scott, elle lut cette même question dans son regard.

«Miss Cannon, fit-il, je... je ne m'attendais pas à vous voir
ici.

— Je suis moi-même quelque peu étonnée, dit-elle en prenant
la chaise que lui avançait la sentinelle. J'avais cru comprendre
qu'on nous laisserait seuls.

— C'est comme vous voulez, madame», fit le soldat en recu-
lant vers la porte. On entendit glisser un verrou. Gabrielle frissonna et s'enveloppa plus étroitement dans son manteau.

«Je passais à La Nouvelle-Orléans pour affaires, et maître Guillot, notre avocat dans cette ville, m'a fait lire l'article évoquant
votre libération imminente. Je lui ai demandé de m'obtenir un
droit de visite, et me voici.

— Je suis très heureux de vous voir, dit Jordan. Encore qu'un
peu confus.» Il prit l'autre chaise et s'y assit à califourchon, les
bras croisés sur le dossier. «Avant la guerre, avec quelle légèreté
je vous ai demandé de préserver notre amitié !

— Elle n'est plus la même ?

— Je n'en sais trop rien. Vous savez, c'est ma première
guerre...»

Jordan paraissait si malheureux, ressemblait tant à ce jeune
garçon qui avait été passé naguère sur le gril de maint salon créole
avant d'apprendre à s'y mouvoir avec aisance, que Gabrielle ne
put s'empêcher de rire. Après un instant de stupeur, il l'imita.
Oubliées les épreuves des derniers mois, évanouie la petite pièce
grise, ils étaient redevenus comme avant, deux jeunes gens désireux de devenir amis.

«Bien sûr, lieutenant Scott, que c'est votre première guerre !

Nous sommes tous dans ce cas, et nous ne savons guère comment réagir. Je sais bien que votre devoir vous conduit à commettre des actes hostiles à la cause que défend mon frère... mais, je ne sais pourquoi, je n'arrive pas à faire le lien entre vous et la marine de l'Union... Je dois toujours vous voir en messire Tristan, rôle que je préfère de beaucoup !

— Comme c'est étrange. Figurez-vous que lorsque je pense à vous, lorsque je pense à Felicity, je vois un lieu lointain et enchanté, un endroit comme Camelot.

— Une Camelot bien sinistre désormais. On y manque de tout, tous les hommes en sont partis... » Gabrielle se tut, secoua la tête. « Et puis non, je n'ai pas envie de parler du présent. Il ne nous offre rien de bon. Je préférerais évoquer un passé heureux, penser à l'adolescente écervelée que j'étais plutôt qu'à la jeune dame raisonnable que je suis devenue.

— L'adolescente écervelée occupe souvent mes pensées, miss Cannon. Elle a été la première personne qui m'ait poussé à n'être pas toujours aussi sérieux, elle m'a montré que, quel que soit notre âge, il reste toujours en nous un morceau d'enfance. »

Les yeux de Gabrielle s'inondèrent de lumière, comme si elle venait de passer de l'ombre au soleil. « Oui... oui, c'est vrai, je me raccroche à cette fille insouciante. Quand il me semble qu'ennui et solitude vont m'engloutir, je vais là où elle est, et j'y trouve qui m'attendent vous et d'autres amis. » Elle se tut pour tenter de refouler ses larmes. « Quand je me dis que cette guerre va détruire tout ce qu'il y avait de beau et de bien, je me console en pensant que jamais les bombes et les fusils ne pourront m'enlever ces souvenirs.

— Je me demande si c'est là tout ce que nous aurons jamais », dit Jordan. Il posa une main près de celles de Gabrielle, puis la déplaça légèrement de sorte à les lui toucher. « Un lieu où me retirer quand la laideur se referme autour de moi...

— Si nous arrivons à conserver cela... cela et le respect que nous avons l'un pour l'autre, je crois que nous aurons prouvé quelque chose de capital. » Gabrielle sut alors ce qui l'avait amenée là, elle sut la réponse à la question que tous deux se posaient. « Lieutenant Scott, je viens de réaliser... » Elle s'efforçait de mettre en paroles l'idée qui flamboyait dans sa tête. « Ce qui m'a poussée à venir ici, ce qui vous a rendu heureux que je l'aie fait va bien plus loin que l'amitié qui peut nous unir. Il s'agit de quelque chose de plus vaste... d'un besoin de prouver que même la guerre ne peut avoir raison de nos meilleurs instincts, que notre volonté d'aimer est plus forte que ce qui amène les hommes à se haïr.

— Oui, j'éprouve la même chose, dit Jordan en posant la main sur celle de la jeune femme. Une sorte d'entêtement qui empêche le meilleur de soi-même de se perdre dans ce chaos qu'on appelle la guerre.

— Le meilleur de vous-même ne saurait se perdre, dit Gabrielle, ignorant les larmes qui lui venaient aux yeux. Vous êtes une des meilleures personnes que j'aie jamais rencontrées... Votre souvenir, celui de votre amitié ont éclairé maintes heures noires au cours de cette année. »

Ils ne se dirent plus grand-chose ; il ne pouvait demander ce que devenait Tom, et Gabrielle évita tout sujet de conversation qui eût pu les amener à prononcer le nom d'Alex. Mais le souvenir de la main de Jordan posée sur les siennes, de la lumière qui avait habité ses yeux bleus allait conforter la jeune femme dans sa croyance en la victoire finale du bien sur le mal. Alors que la visite touchait à sa fin, juste avant que le garde lui ouvre la porte, elle se retourna vers Jordan pour lui dire : « Lieutenant Scott, je vais prier pour que le jour vienne où nous vous accueillerons de nouveau à Felicity.

— Accepter cette invitation sera une des premières choses que je ferai lorsque cette guerre prendra fin.

— Dieu fasse que ce jour soit proche », dit-elle.

Il lui baisa la main, la gardant longuement entre les siennes avant de la relâcher. Puis il se mit au garde-à-vous quand entra le garde qui allait reconduire Gabrielle à l'extérieur du fort.

Tandis que sa voiture sortait de l'enceinte pour prendre la route qui la ramènerait en ville, Gabrielle pensait à l'heure qui venait de s'écouler. Sa visite à Jordan lui avait été très bénéfique, et sans doute l'avait-elle également été pour lui. Nous n'avons pas progressé d'un pas dans notre désaccord, se dit-elle. Mais il y a au moins une chose que nous nous sommes prouvée l'un l'autre : il nous est possible de soustraire notre amitié aux ravages de la guerre.

15

Le printemps apporta à Felicity de mauvaises nouvelles de La Nouvelle-Orléans, sur laquelle la flotte de l'amiral Farragut exerçait une pression toujours accrue. Au pays, ce fut l'éclosion de fièvres et de maladies diverses. Outre les problèmes stomacaux et respiratoires habituels, on assistait surtout à une épidémie de malaria. Il ne restait que fort peu de quinine dans la boîte à pharmacie de la plantation, dont les réserves étaient au plus bas du fait de la pénurie créée par le blocus naval, et, les cas se multipliant, tante Mathilde était de plus en plus préoccupée.

Déjà, pour soigner certains problèmes intestinaux, elle et Samantha recouraient à des médicaments à base de plantes ; suivant les instructions d'une circulaire du Bureau de santé de l'armée confédérée envoyée à tous les hôpitaux du Sud, elles faisaient des compositions et des élixirs à partir de simples collectés dans les champs et les marais. Cette circulaire suggérait de remplacer la quinine par de la moelle, de l'écorce ou des feuilles de sassafras, mais quoique tante Mathilde en suivît les instructions à la lettre, il était clair que les malades qui recevaient de la quinine se remettaient, et que la plupart de ceux qui en étaient privés mouraient.

« Trois nouveaux cas ce matin, annonça-t-elle un jour à sa nièce au moment du déjeuner. Et il ne reste pas assez de quinine pour la journée.

283

« — Est-ce que nous ne pourrions pas nous en procurer sur une autre plantation ? Peut-être la malaria ne frappe-t-elle pas partout avec autant de sévérité. » Gabrielle leva sa fourchette, pour la laisser aussitôt retomber. Les couverts qu'elle et sa tante utilisaient étaient tout ce qui restait d'argenterie dans la maison depuis qu'un mois plus tôt Adams était allé cacher l'ensemble de l'orfèvrerie et des bijoux. En dehors d'une bague que son père lui avait offerte et dont elle ne se séparait jamais, et du médaillon d'Alex que nul ne voyait jamais, Gabrielle n'avait plus rien, de même que tante Mathilde, dont la seule parure était un camée à l'intérieur duquel elle conservait une mèche de cheveux de son mari. Les coffrets avaient été vidés de leurs bijoux, les buffets de tous leurs plats, aiguières et soupières ; de tous les changements survenus ces derniers mois à Felicity, ceux-là étaient les plus dérisoires, et cependant ils affectaient grandement le moral de Gabrielle.

Elle s'acquittait sans trop de peine du surcroît de travail. Quelques esclaves avaient pris la clef des champs dès que la nouvelle du passage victorieux de Farragut sur le cours du Mississippi avait atteint le Teche. D'autres avaient été requis pour travailler comme mineurs dans le gisement de sel gemme récemment découvert sur Avery Island, à quelque trente kilomètres de là. Les esclaves domestiques étaient maintenant affectés au travail des champs, et tante Mathilde, aidée d'Abigail, cultivait désormais elle-même le potager. Gabrielle n'était pas en reste. Elle apprit à manier le sarcloir aussi bien qu'Abigail, et lorsque Samson ne rentrait pas à temps des champs, c'était elle qui allait traire les vaches.

Mais lorsque venait le soir, lorsque la journée se terminait enfin, elle aurait voulu être certaine que l'existence pour laquelle elle se battait n'appartenait pas déjà au passé. Assise en compagnie de sa tante dans la salle à manger dénudée, mangeant une nourriture toute simple à la lueur d'une unique chandelle, elle avait le sentiment que la beauté des choses était en train de se dissoudre, comme si l'ombre de la guerre en eût occulté l'éclat.

« Ce n'est pas que les inévitables privations m'affectent beaucoup, écrivait-elle dans sa lettre quotidienne à Alex. Mes épreuves sont si dérisoires, comparées à celles que traversent la plupart des gens, que je devrais avoir honte. Mais le fait d'avoir caché nos bijoux, notre argenterie... Nous sommes en train de verser dans la barbarie, Alex, car nous nous attendons au pire de la part des soldats yankees, si jamais ils arrivent jusqu'ici. Agir comme s'ils allaient détrousser les civils et enfreindre ainsi des règles qui sont aussi celles de la guerre, c'est comme si nous considérions que c'est là quelque chose d'inéluctable, et c'est cela que je déteste. »

Cependant, tout le monde cachait ses bijoux et son argenterie. Les dames ne se paraient plus que de chaînettes et colliers fort simples, et celles qui ne s'étaient jusqu'alors que fort peu souciées de la guerre, tant qu'elle leur paraissait lointaine, devenaient maintenant très prolixes au sujet des Yankees, colportant des récits de pillage et de destruction, à tel point que bientôt une atmosphère de peur et d'angoisse recouvrit le pays.

L'apparition de la malaria achevait de démoraliser les gens. Dans les cimetières des maîtres et dans ceux des esclaves, on ne comptait plus les tombes des malheureux qui, en dépit d'amples réserves de quinine, avaient succombé à la maladie ; maintenant que le médicament faisait défaut, tante Mathilde s'attendait à voir mourir, d'ici la fin du conflit, au moins une douzaine d'esclaves de Felicity.

Elle considéra sa nièce et, presque machinalement, lui dit de s'alimenter. « Tu dois te refaire des forces, dit-elle. Cela nous est à tous un devoir.

— Oui, ma tante, dit Gabrielle en reprenant sa fourchette pour commencer de manger.

— Pour en revenir à la quinine, je crois savoir que les Robin en ont une bonne réserve. Je me rappelle Mme Robin disant que son mari en avait obtenu l'hiver dernier. Je vais chez eux sitôt le repas terminé.

— Qu'allez-vous leur offrir ? demanda Gabrielle, rompant un morceau de biscuit pour le tremper dans du sirop de canne.

— Ce que je vais leur offrir ? Ça, je n'y avais pas pensé.

— Il ne faut pas compter qu'ils vous en donneront gracieusement, ma tante. Aujourd'hui, la quinine vaut son pesant d'or. Que pourrions-nous leur donner en échange ?

— Oui, que leur donner ? Nous sommes nous-mêmes si démunies ! »

Gabrielle mordit dans son biscuit, se disant qu'au moins Letha n'avait pas perdu la main. « Je pencherais pour du whisky, dit-elle. M. Robin en est sans doute à court depuis belle lurette — vous savez combien il a toujours été parcimonieux dans l'approvisionnement de sa cave : peu de vin, et assez médiocre en général. Il n'a jamais eu non plus une importante réserve de whisky ; peut-être vous en échangeront-ils contre un peu de quinine.

— Gabrielle, tu ne devrais pas parler ainsi d'un ami...

— Oh, tante Mathilde, quelle importance ? La Nouvelle-Orléans est sur le point de tomber. Est-ce si grave si je dis que la cave à vin et à whisky de M. Robin n'est guère fournie ?

— Le fait de cacher l'argenterie et les bijoux te dérange, dit tante Mathilde en se levant. Eh bien, moi, ce qui me dérange, c'est lorsqu'on abandonne toute réserve. »

Et de quitter aussitôt la pièce, sans doute à dessein de laisser Gabrielle à son repentir. Mais celle-ci n'était nullement dans une telle disposition d'esprit. Dieu merci, se disait-elle en terminant son biscuit, M. Robin est plutôt chiche lorsqu'il s'agit de vin ou de whisky ; sinon nous n'aurions rien qui puisse les tenter, et tante Mathilde reviendrait bredouille, même si elle considère Mme Robin comme sa meilleure amie.

Lorsqu'elle rentra de chez les Robin, les premiers mots de tante Mathilde donnèrent raison à Gabrielle. « Je t'avoue que j'ai été sidérée par la façon dont on m'a reçue, dit-elle en enlevant son chapeau pour le remettre à Abigail. On aurait dit que je venais les voler. Je t'assure, Gabrielle, je n'avais jamais vu ce côté des Robin.

— Il faut dire que vous ne les aviez encore jamais fréquentés en temps de guerre. Avez-vous de la quinine ? Jonas est au plus bas...

— Oui, j'en ai, dit tante Mathilde en levant un petit récipient. Mais M. Robin s'est montré très dur ! Pour finir, je lui ai donné en whisky le double de ce que je jugeais équitable.

— Dieu merci, papa aimait avoir une cave bien garnie. Ce n'est pas ce whisky qui nous manquera, et Dieu sait que nous avons besoin de quinine. »

Tante Mathilde attendit qu'Abigail sorte, puis vint prendre la main de sa nièce. « Gabrielle, il n'y en a pas assez pour tous les esclaves qui sont atteints...

— Pas assez ? Vous me paraissez pourtant en rapporter là une certaine quantité.

— Il y en a suffisamment, oui, pour en soigner quelques-uns. Mais si j'en donne à tous les malades, il se peut qu'aucun ne s'en sorte. »

Gabrielle retira sa main et recula d'un pas. « Vous ne pensez pas ce que vous dites, j'espère ! Vous n'allez tout de même pas *choisir* qui va avoir de la quinine et qui ne va pas en avoir ! Tante Mathilde, ne me dites pas que vous comptez *choisir* ceux qui vivront et ceux qui mourront...

— Je t'en prie, Gabrielle, essaie de comprendre. » Tante Mathilde s'avança vers sa nièce. D'une main, elle tenait la quinine ; de l'autre, elle tâtonnait, comme pour trouver son chemin dans le noir. « Vaut-il mieux les laisser tous mourir ? Ou sauver ceux qui ont les meilleures chances de s'en sortir ?

— Dites-moi une chose, ma tante : parmi ceux qui ont les meilleures chances, est-ce que par hasard les hommes qui travaillent dans les champs ne figureraient pas en tête de liste ? »

Le regard de tante Mathilde ne se troubla pas, son corps ne vacilla pas. « Ce sont les plus robustes. Il est naturel de supposer que leur constitution, combinée aux bienfaits du médicament, leur permettra de se remettre.

— Et les autres, on les abandonne à la mort...

— Les autres prendront la préparation au sassafras que recommande le major général des armées. Nous prierons pour que ce remède et les forces qu'il peut leur rester les remettent sur pied. »

Gabrielle attendit que retombe un peu de son écœurement, de sorte à pouvoir s'exprimer sans s'étrangler sur chaque mot. « Tante Mathilde, depuis la mort de mon père, je pense vous avoir été soumise en toutes choses. » Un hochement à peine perceptible de sa tante lui fit signe de poursuivre. « Mais là, je ne peux vous donner raison.

— Je n'attends pas de toi que tu m'approuves, répondit tante Mathilde. En me faisant ta tutrice légale jusqu'à tes vingt et un ans, Olivier cherchait à te protéger de choix difficiles comme celui-ci. » Elle se redressa, se faisant encore plus grande. « Et de même que tu t'efforces de bien faire ce que je te demande, de même je m'attache à faire ce qu'il attendait de moi.

— Tante Mathilde ! Ne mêlez pas mon père à ce terrible choix. Jamais il ne l'aurait fait !

— En es-tu si sûre, Gabrielle ? » Tante Mathilde s'approcha et lui prit le menton. Sa main était froide, sèche, avec une peau fripée, qui n'était plus attachée à de la chair.

« Je n'en suis pas *sûre*...

287

— Alors brisons là. Ma tâche est suffisamment difficile comme cela, sans qu'il me faille en plus prendre en compte les émotions d'une petite fille sentimentale. »

Tante Mathilde s'en fut. Gabrielle put entendre le bruissement de ses jupes dans le couloir, le bruit de la porte de derrière ; elle comprit que sa tante se rendait au quartier des esclaves.

C'est horrible, une telle chose ne peut exister, se disait-elle en gravissant les escaliers avec lassitude. Lucie l'attendait dans sa chambre. Somnolant sur une chaise, elle se réveilla à l'arrivée de la jeune femme, et se leva en se frottant les yeux.

« Vous m'avez l'air complètement rendue, miss Gabrielle, dit-elle. Vous devriez vous ménager un peu, sinon vous allez tomber malade, vous aussi.

— Non, ça va bien. Toi aussi, tu es fatiguée, Lucie. Sauve-toi. Je n'ai pas besoin de toi ce soir. »

Cette nuit-là, Gabrielle ne put dompter les démons qui l'assaillaient, l'angoisse et la solitude, la colère contre la guerre, contre elle-même et contre tante Mathilde. Elle eut un sommeil haché et se leva au petit jour, s'habilla pour descendre aux écuries, sceller Brandy et s'élancer dans une longue et impétueuse chevauchée. Elle ne revint qu'au lever du soleil ; sa tante et Abigail étaient déjà au travail.

Tante Mathilde ne donna aucune nouvelle des malades, et Gabrielle ne lui en demanda pas. Au cours des quelques jours qui suivirent, elle en vit plusieurs qui se remettaient, dont Jonas, qui reprit bientôt le travail. Elle savait bien que tous les malades ne guérissaient pas, mais n'avait nul besoin que sa tante vienne le lui dire. Vers le milieu de la semaine suivante, à la fin de la journée, les plaintes lugubres d'esclaves transportant un nouveau cadavre vers sa tombe s'élevèrent sur le sentier menant de leur quartier au cimetière où Felicity enterrait ses serviteurs. Et bien qu'elle eût voulu savoir si certains des défunts avaient été au nombre de ceux à qui sa tante avait choisi de donner le seul médicament efficace, elle ne chercha pas à l'apprendre. Elle savait que jamais elle n'eût été capable de faire le choix qu'avait fait tante Mathilde, mais elle savait également qu'en ne s'y opposant pas elle avait renoncé à tout droit de juger.

« Va les porter à Letha, dit Gabrielle au garçonnet qui se tenait devant elle, un seau plein de mûres au bout de chaque bras. Je vais me promener un moment.

— Faites attention, miss Gabrielle, dit le petit Noir. Je viens de voir à l'instant un serpent d'eau qui prenait le soleil sur une souche.

— Je vais être prudente. »

Gabrielle regarda l'enfant s'éloigner lentement sur le sentier qui montait du terrain marécageux bordant le bayou vers les prairies et les champs. Il disparut bientôt au détour d'un bouquet d'arbres, et ce silence particulier du début de l'après-midi régna sans partage. On n'entendait que le bourdonnement des insectes, l'appel sporadique d'un oiseau, le bruissement de la brise à travers les pins, les chênes et les cyprès. Loin de troubler le silence, ces bruits l'enrichissaient de la voix même de la nature.

Gabrielle leva le visage en direction du soleil, espérant que sa chaleur aurait raison de la mince carapace de glace qui semblait la couper de toute émotion. Elle voyait à travers, entendait tout ce qui se disait de l'autre côté. Mais plus rien ne lui importait. La Nouvelle-Orléans était tombée à la fin d'avril. Baton Rouge avait été investie en mai. Elle n'éprouvait qu'indifférence face à ces deux événements ; simplement, elle s'en moquait. Il n'y avait que deux choses dont elle se souciât, et elle n'avait de pouvoir ni sur l'une ni sur l'autre.

Depuis des semaines, on n'avait aucune nouvelle de Tom. La dernière lettre était arrivée à la fin de mars, mais avait été écrite au début de février, et sa concision, si différente des épanchements épistolaires du temps de Camp Moore, en faisait la lettre d'un étranger. Gabrielle en avait maintes fois relu les quelques paragraphes, y cherchant un mot, une formule qui ressemblât à son frère. N'y trouvant rien de tel, et désireuse de se bâtir mentalement l'univers dans lequel il vivait, elle se reportait aux comptes rendus des journaux sur la guerre en Virginie. Mais des pointillés sur une carte et le récit de batailles vieilles de plusieurs jours n'avaient guère plus de réalité que le contenu des romans de Walter Scott. Et Gabrielle avait le sentiment d'être séparée de son frère par une gigantesque crevasse ouverte à la surface de la terre, un gouffre retentissant de cris de terreur et d'agonie.

Elle n'avait pas non plus reçu de nouvelles d'Alex depuis sa lettre de Noël. Peut-être gisait-il au fond du golfe du Mexique, environné des restes de son navire... Ce que l'on apprenait de l'avance lente mais inexorable de la marine fédérale sur le Mississippi, la relation des batailles de Fort Jackson et Fort Phillip, étaient la toile de fond sur laquelle elle se représentait Alex, mais la vision de son petit bateau entouré de canonnières fortement cuirassées et de sloops rapides ne servait qu'à aviver encore son désespoir. Il lui semblait parfois que le fleuve en aval de La Nouvelle-Orléans et la partie du golfe du Mexique qui baignait la Louisiane étaient devenus une gigantesque nasse, un tourbillon de feu et de fumée, où ne pouvaient que s'abîmer ceux qui s'y aventuraient.

A d'autres moments, elle cherchait refuge dans ses souvenirs de La Nouvelle-Orléans et Baton Rouge telles qu'elle les avait connues lors d'étés révolus. Elle rêvait à des réceptions dans des plantations de Baton Rouge, sur la rive gauche du fleuve, à des traversées en ferry-boat pour se rendre à quelque soirée en ville. Elle se souvenait de sa visite du capitole de l'État et de l'impression que lui avait faite l'immense vitrail qui dominait sur trois niveaux un hall central pavé de marbre. Elle se rappelait la fois où, depuis la galerie du Parlement, elle avait entendu son père faire un discours.

Seuls ces souvenirs pouvaient encore la faire pleurer pour la vie sans histoires qu'ils symbolisaient. La crainte que l'avenir ne réserve des larmes bien plus amères l'accompagnait tout au long de la journée ; aussi, comme beaucoup de femmes dans le Sud, elle s'élançait à corps perdu dans toutes les tâches qui se présentaient, peut-être dans l'espoir que, si elle restait suffisamment occupée, cette menace se chercherait une victime oisive et donc plus vulnérable.

Cependant, il arrivait parfois que les diverses besognes dans lesquelles elle s'absorbait lui imposassent plus que toute autre chose la réalité de la guerre ; alors, elle travaillait le souffle court et la peur chevillée au corps. Ainsi, ces seaux de mûres allaient servir à faire des confitures pour l'hiver ; Letha en servirait peut-être un peu à la fin du dîner et en réserverait un saladier pour le petit déjeuner du lendemain, mais la plus grande partie serait déversée dans le grand récipient de cuivre réservé à cet usage, et irait rejoindre à l'office les conserves et bocaux qui étaient une autre ligne de défense contre les restrictions toujours plus sévères que leur imposait la chute de La Nouvelle-Orléans.

« Au moins, nous tirons notre subsistance de la terre », aimait à répéter tante Mathilde, mais cette formule, destinée à rassurer, avait l'effet contraire sur Gabrielle. Le fait de dépendre pour se nourrir de ce qu'on produisait sur place signifiait que son univers s'était réduit à l'étroit périmètre des terres de Felicity. Comme si elle habitait un îlot dérivant toujours plus loin du monde, elle se retirait en elle-même. Et elle se prenait parfois, lorsque la monotonie de cette existence lui devenait insupportable, à souhaiter que quelque chose vînt y mettre un terme, fût-ce l'arrivée tant redoutée des soldats du Nord.

Accoudée sur le dos, elle fermait les yeux, cherchant à oublier ces funestes pensées dans la chaleur du soleil sur sa tête nue, dans la fraîcheur de l'eau sur ses jambes. La brise tiède, le soleil, l'eau vive l'apaisèrent peu à peu.

Elle n'aurait su dire combien de temps s'écoula ainsi. Ni éveillée ni endormie, consciente de ce qui l'entourait, mais n'en faisant pas partie, elle entendit une voix qui prononçait son nom, mais ne fit pas le lien entre ce nom et ce qu'il signifiait. Puis ce fut un sifflement assez fort et tout proche. Elle ouvrit les yeux et vit un petit vapeur qui approchait de l'appontement. Une femme et un homme se tenaient à l'avant.

Gabrielle se leva précipitamment cependant que l'homme la hélait derechef. C'est alors qu'elle le reconnut et se figea, muette et comme pétrifiée. Alex sauta sur le quai et la prit dans ses bras, tandis qu'un matelot amarrait l'embarcation.

Elle l'entendait répéter son prénom encore et encore, faisant de ces trois syllabes un poème d'amour.

« Gabrielle. Gabrielle. »

Il la serrait contre lui, lui embrassait le front, les joues et enfin les lèvres. Elle entendait un son qu'elle n'identifiait pas, une sorte de battement. Son cœur, son cœur bien sûr. Et un autre son, celui de sa voix qui murmurait : « Alex. Oh, Alex. »

Puis, étroitement embrassés, ils ne dirent plus rien. Du doigt, il suivait la ligne de sa joue, il effleurait ses lèvres. Il brisait cette carapace glacée dont elle était enveloppée, il libérait ses émotions.

Comme s'il s'agissait effectivement d'une gangue de glace qui commençait de fondre, Gabrielle se mit à verser des larmes et, enfouissant le visage dans l'épaule d'Alex, elle laissa doucement s'écouler de son corps la tension et la lassitude de ces derniers mois.

« Tu me brises le cœur, dit Alex en lui embrassant les cheveux.

Je t'en prie, Gabrielle, ne pleure pas. Je suis revenu, je suis entier... Regarde qui est avec moi ! »

Elle se souvint alors de la femme qui était avec lui sur le bateau. Elle releva la tête, s'essuya les yeux et vit une silhouette silencieuse et floue qui semblait attendre. La femme s'était encapuchonnée d'un châle sombre qui lui couvrait la moitié du visage, mais sa peau ivoire, ses yeux dorés encadrés de cheveux d'ébène la rendaient aisément identifiable.

« Véronique ! » souffla Gabrielle. Il lui sembla que l'appontement vacillait sous ses pieds et, sans quitter la métisse des yeux, elle se laissa aller contre Alex.

« Ça ne va pas, Gabrielle ? » s'inquiéta-t-il. Elle retrouva un semblant d'équilibre et avança d'un pas vers Véronique, qui se tenait toujours immobile sur la plage avant du bateau.

« Je me suis fait tant de mauvais sang pour toi ! lui dit-elle. Je me demandais ce que tu étais devenue... »

Véronique bougea légèrement la tête sous son châle, mais elle ne répondit pas.

« Elle a vécu de durs moments, dit Alex. Nous devrions la conduire jusqu'à la maison. Je vais tout vous raconter en chemin.

— Oui, bien sûr », dit Gabrielle. Elle faisait son possible pour se tenir droite, espérant que son léger vertige, qui faisait trembler l'air et estompait les contours du bateau, allait s'atténuer, que ses idées allaient s'éclaircir et ses jambes retrouver leur vigueur. Elle prit plusieurs profondes inspirations, secoua la tête et adressa un sourire à Alex. « C'est la plus délicieuse surprise qu'on m'ait jamais faite, lui dit-elle. Mais tout m'est tombé dessus si brusquement.

— Je suis désolé, dit-il. j'aurais dû vous faire prévenir... »

Mais elle lui posa les doigts sur la bouche. « Chut, fit-elle. Si vous m'aviez fait prévenir, je n'aurais rien fait d'autre que vous attendre près de ce quai.

— Gabrielle, je...

— Plus tard », dit-elle. Et, pour la première fois depuis des mois, ces deux mots étaient porteurs de promesse et d'espoir.

Alex souleva Véronique dans les airs et la déposa sur les planches de l'appontement. Le patron du vapeur passa la tête à la fenêtre de sa timonerie. « Bonne chance, Alex ! Si jamais vous avez encore besoin de mes services, et si je suis toujours à flot, faites-moi signe, je viendrai aussi vite que possible.

— Rappelez-vous : vous ne m'avez pas déposé ici », lança Alex.

La face du marin se fendit d'un grand sourire. « Ne vous en faites pas pour ça. Passé le prochain méandre, je ne sais plus qui vous êtes. »

A l'aide d'une gaffe, un matelot écartait le bateau du quai. Les cheminées crachèrent un jet de fumée, et la roue se mit à tourner dans un blanchissement d'écume. Les trois compagnons regardèrent le vapeur gagner le chenal du bayou puis, avec l'appui du courant, prendre de l'erre.

Nul ne parla jusqu'à ce que seul un sillage témoignât sur les eaux brunes du passage récent d'un bateau. Puis Alex rompit le silence : « Pourvu que je ne fasse pas courir de plus grands dangers à Véronique en l'amenant ici. Je ne voyais pas ce que je pouvais faire d'autre.

— De plus grands dangers ? » Puis Gabrielle se souvint : Véronique était une esclave en fuite. Et rien dans l'attitude de sa tante ne permettait de penser qu'elle allait la traiter avec plus de mansuétude que ne le prescrivait la loi.

« Selon vous, que va faire Mme LeGrange en la voyant ? »

C'est alors que Véronique sortit de sa torpeur. Elle tendit la main en direction de Gabrielle. « Mon atelier... ma maison... tout est fini, Gabrielle. Envolé.

— C'est horrible ! dit Gabrielle. Véronique... mais tu es souffrante ! Il faut te soigner...

— Gabrielle, dit la jeune métisse, d'une voix si sourde que Gabrielle dut se pencher pour entendre. Si je reviens à Felicity, est-ce que cela signifie que je vais être à nouveau une... une esclave ?

— Ne pense pas à cela. Tâche de te reposer. Je vais parler à tante Mathilde. Je ne sais pas ce que je vais lui dire, mais je trouverai bien quelque chose.

— S'il y avait eu un autre endroit possible, croyez-moi, je ne serais pas venu apporter la discorde ici », dit Alex, remontant avec Gabrielle le sentier reliant le quai à la route de la plantation. Il s'arrêta afin de placer plus confortablement Véronique dans ses bras, puis il repartit, marchant aussi aisément que si son fardeau n'eût rien pesé.

« Vous ne seriez pas venu ? Oh, Alex, ne dites pas cela !

— Si j'avais été seul... Mais lorsque je suis tombé sur elle par

293

hasard... En dépit des risques, j'ai estimé préférable de l'amener ici. Je ne pouvais la laisser là-bas.

— La situation est si mauvaise que cela à La Nouvelle-Orléans ?

— Horrible. La ville est en ébullition, c'est la panique générale. La milice se retire, laissant la population sans défense. » Alex secoua la tête, comme pour en chasser de terribles visions. « Mais ne parlons pas de ça. Je suis ici, et vous êtes contente de me voir...

— Contente ! Le mot est faible pour décrire ce que j'éprouve. Le seul fait que vous soyez vivant... Oh, Alex ! »

Elle avait les yeux à nouveau pleins de larmes. Il se pencha pour les lui embrasser.

« Et Tom ? demanda-t-il. Quelles sont les nouvelles ? »

Véronique ouvrit les yeux et tourna la tête vers Gabrielle. L'intensité de son regard doré faisait peur à voir.

« Aucune nouvelle depuis mars, répondit Gabrielle. Et encore cette dernière lettre avait-elle été écrite longtemps avant. Il est toujours en Virginie —du moins s'y trouvait-il à l'époque. » Incapable de supporter la compassion muette d'Alex, l'angoisse du regard de Véronique, elle détourna les yeux. « On se bat beaucoup là-haut. Je prie sans arrêt pour lui, comme je l'ai fait pour vous. » Regardant de nouveau Alex, elle vit la joie que lui valait cette révélation.

« Eh bien, vos prières ont été exaucées, dit-il. Car, en dépit de tout, me voici. Et il en ira de même pour Tom. Tous il faut que nous y croyions, Gabrielle. »

Ils arrivaient à l'orée du bois de chênes. Alex s'immobilisa pour contempler le paysage serein qui les environnait. Lorsqu'elle entrait dans ce bois, Gabrielle se sentait toujours transportée dans un lieu plus ancien. Cela venait de la qualité de l'air, de cette lumière filtrée par les myriades de feuilles vert cru. Il y régnait une grande fraîcheur qu'embaumait tout ce qui poussait sous le couvert, violettes sauvages, chèvrefeuille et, entre les énormes racines des chênes, des tapis de mousse verte. On eût dit que l'air capturait l'essence même de ces arbres et la tenait emprisonnée sous leurs ramures.

« Comme tout est tranquille ici, disait Alex. J'avais gardé le souvenir de cette quiétude. »

Gabrielle découvrait à présent les changements que le temps et la guerre avaient opérés en lui. Il semblait aminci, avec une musculature plus longue et plus ferme. Son visage s'était buriné, sa peau ivoire s'était hâlée, le soleil et le sel avaient paré ses cheveux noirs de reflets cuivrés. Les plis amusés qu'elle lui connaissait étaient toujours là, aux commissures de ses lèvres et au coin de ses yeux ; mais de nouvelles rides s'y étaient ajoutées, qui parlaient d'émotions jadis étrangères à son visage. Enfin, il avait les joues plus creuses.

« Vous vous êtes trouvé au plus fort de l'action, n'est-ce pas ? » demanda-t-elle.

Quelque chose passa dans le regard d'Alex, le souvenir des atrocités de la guerre.

« Je suis ici, dit-il, c'est tout ce qui compte. »

Une silhouette féminine se profila sur la galerie, sur l'arrière de la maison. Gabrielle rassemblait son courage en pensant à l'heure à venir. La duplicité de Tom, la sienne, tout allait y être révélé, de même que le rôle joué par Alex dans la fuite de Véronique.

« Sans doute la proximité de la guerre va-t-elle relativiser tout cela », dit-elle, comme pour elle-même.

Alex aperçut à son tour tante Mathilde. « J'ai un peu honte de le dire, mais jusqu'à ce que je voie votre tante, je n'ai pas pensé une seconde à ce qu'elle va ressentir en apprenant que nous avons tous comploté derrière son dos.

— Dites-vous, Alex, que nous n'avons pas à avoir honte de ce que nous avons fait pour Véronique ! Il suffit de voir de quelle façon elle s'en est tirée par la suite !

— Regardez, votre tante se dirige vers nous. »

De fait, Gabrielle vit que tante Mathilde venait vers eux, la main en visière. « Gabrielle, c'est toi ? interrogeait celle-ci. Avec qui es-tu ? »

Après un bref échange de regards avec Alex, la jeune femme s'avança au soleil. « C'est Alex Saint-Cyr, ma tante. Il ramène quelqu'un avec lui, il ramène Véronique.

— Quoi ? fit tante Mathilde, portant la main à son cœur. Il ramène *Véronique* ?

— Oui, tante Mathilde. » Gabrielle fit signe à Alex de rester en arrière tandis qu'elle s'avançait au-devant de sa tante. « C'est une longue histoire. Une histoire que nous vous raconterons volontiers. Seulement, Véronique est malade... Elle se trouvait à La Nouvelle-Orléans lorsque la ville est tombée. Est-ce que nous pourrions la mettre au lit, ensuite nous vous raconterons tout ? »

Tante Mathilde porta son attention sur Alex, qui se tenait sous l'ombrage des premiers arbres. Son regard passa du visage du jeune homme à celui de Véronique, toujours inanimée. Avec une expression de dégoût, sans même avoir salué Alex, elle se tourna de nouveau vers sa nièce. « Il ose l'amener ici ? Il ose venir se pavaner sous mon nez avec ma propriété ? » Elle usait d'une voix basse, parfaitement maîtrisée, mais si venimeuse que Gabrielle ne reconnaissait pas sa tante en cette femme.

« Ma tante !

— Maintenant que La Nouvelle-Orléans n'est plus si sûre, il faut qu'il l'amène ici ?

— Vous ne pouvez penser ce que vous insinuez, ma tante. Ce n'est pas possible...

— Et pourquoi ne le penserais-je pas, Gabrielle ? » Tante Mathilde pivota pour faire face à Alex, qui s'était approché. « Tel jour, vous m'offrez d'acheter Véronique. Je refuse. Le lendemain, elle s'enfuit. Et le surlendemain, vous partez pour Olympia, et on ne vous revoit pas pendant des mois ! Ensuite, vous vous embarquez pour l'Europe... et pendant tout ce temps, aucune nouvelle de Véronique ! Maître Guillot m'avait avertie qu'elle se trouverait sans doute des complicités... J'aurais pu lui répondre qu'elle n'aurait pas à chercher bien loin. »

Alex avait à ce point blêmi que Gabrielle retint son souffle dans l'attente du déchaînement verbal qui n'allait pas manquer de suivre. Mais il parla peu et d'un ton très mesuré. « Madame LeGrange, je déplore que les circonstances vous conduisent à vous faire une telle opinion de moi. Pour l'instant, Véronique a grand besoin de soins médicaux. S'il n'est pas possible de lui en prodiguer ici, je vais l'emmener ailleurs.

— Me dessaisir à nouveau de mon bien ? C'est hors de question ! » Tante Mathilde opéra un quart de tour, les joues en feu, les lèvres si serrées qu'elle en avait du mal à parler. Elle désignait la porte du bureau, au bout de la galerie. « Transportez-la à l'intérieur. Ensuite, vous quitterez Felicity, monsieur Saint-Cyr.

— Tante Mathilde ! s'écria Gabrielle.

— A quoi t'attendais-tu donc, Gabrielle ? A ce que je l'accueille à bras ouverts ? Je vois que c'est ton cas. Eh bien, moi, je ne suis pas idiote à ce point.

— Il a lui-même échappé aux pires dangers, ma tante ! Vous ne pouvez le renvoyer comme cela, vous n'en avez pas le droit !

296

— Je suis ta tutrice légale, Gabrielle. Je suppose que cela me confère le droit de refuser que ce monsieur reste ici. »

Si Alex ne s'était pas trouvé là, devant elle, jamais Gabrielle n'eût trouvé le courage de dire ce qu'elle dit alors. Mais tous ces mois de séparation, l'injustice des accusations de sa tante et l'angoisse qui ôtait à Véronique l'usage de la parole, tout cela se combina en elle et lui donna la force de se rebeller. Elle se redressa et toisa sa tante. « Vous semblez oublier que je suis en partie propriétaire de cette maison et de cette terre, et que vous êtes entretenue par mon frère et moi. Alex Saint-Cyr est le meilleur ami de Tom. Il est l'homme que j'aime. En l'occurrence, il est hors de question de le renvoyer. »

Gabrielle s'attendait à un flot de paroles, espérant qu'elle saurait y faire face. Mais après un instant de stupeur, sa tante tourna les talons et s'en fut en courant presque vers la maison.

« Alex, transportez Véronique dans le bureau, dit la jeune femme. Ne dites rien, je vous en prie !

— Écoutez, Gabrielle, je...

— Lorsqu'elle ira mieux, Véronique expliquera à ma tante que ses soupçons sont déplacés. Oh, Alex, qu'elle puisse penser de telles choses de vous !...

— Je ne peux rester, dit le jeune homme en suivant Gabrielle sur la galerie. Le fait que ce que dit Mme LeGrange est faux ne change rien au fait qu'elle me croit capable d'une conduite aussi peu honorable. »

Elle ouvrit la porte et s'effaça pour le laisser passer, puis l'aida à installer Véronique sur la banquette. « Tout est arrivé trop vite, Alex. Ma tante va se calmer, elle sera plus à même d'entendre la vérité.

— La vérité ne va pas me disculper de l'accusation d'avoir aidé une esclave à s'enfuir.

— Mais Tom a agi de même ! En plus, il a continué de la voir en cachette. Si je ne l'avais pas suivi un jour à son insu, je n'aurais appris qu'il y a un mois ce qu'il était advenu de Véronique. »

Tandis que Gabrielle parlait, la physionomie d'Alex s'était transformée : la colère avait fait place à une expression grave et pondérée. « Je crois préférable de laisser Tom en dehors de tout cela.

— Mais enfin, Alex, sa participation vient à votre décharge ! Elle prouve que vous n'avez cherché qu'à lui venir en aide.

297

« — Je ne suis pas certain que cela satisfasse plus votre tante que sa propre version de la fuite de Véronique », dit Alex. Il prit les mains de Gabrielle et la regarda dans les yeux. « Gabrielle, vous qui savez tant de choses, sans doute savez-vous aussi que Tom est amoureux d'elle ? »

Une faible plainte monta de la banquette sur laquelle était couchée Véronique. « Gabrielle. » Celle-ci dut une nouvelle fois se pencher tant la voix de la métisse était faible. « Gabrielle, je t'en supplie, ne dis pas à Mme LeGrange que Tom et moi... »

Ce fut comme si un grand calme se rendait maître de Gabrielle, investissait son cœur et apaisait les passions qui y avaient fait rage. Non, elle n'allait pas trahir Véronique et Tom, d'autant que celui-ci n'était pas ici pour protéger sa bien-aimée de la colère de tante Mathilde. Quand il rentrera — s'il rentre un jour —, alors ce secret pourra être révélé. Mais pour l'instant ? Non, elle n'avait pas le droit de racheter son propre bonheur en bradant celui de Véronique.

« Je ne le lui dirai pas. Repose-toi, Véronique. Je reste auprès de toi jusqu'à l'arrivée de Samantha. »

Véronique reglissa dans le sommeil. Gabrielle se réfugia entre les bras d'Alex. « Seulement, si je ne parle pas à tante Mathilde du rôle joué par Tom, jamais elle ne voudra croire que tout ne s'est pas passé comme elle le dit. Et elle usera de tous les moyens en son pouvoir pour nous séparer ! Oh, Alex, tout cela est trop cruel ! »

« — Nous ne pouvons trahir Tom, dit Alex. Pour le reste... laissons passer quelques heures, Gabrielle. Dans quelque temps, nous aurons les idées plus claires. »

On entendit des pas sur la galerie. Gabrielle s'écarta vivement d'Alex pour se pencher au-dessus de Véronique. Tante Mathilde entra, suivie de Samantha. Elle passa devant Alex comme s'il n'était pas là, et s'adressa d'une voix sans chaleur à sa nièce. « Samantha va veiller sur Véronique. Ce qui te laisse libre de t'occuper de ton... invité. »

Cela fit l'effet d'une gifle. Le visage en feu, Gabrielle sortit précipitamment. Alex la suivit promptement, et ils se dirigèrent ensemble vers la garçonnière.

« Je vais prendre quelques heures de sommeil avant de repartir, dit-il. Je suis épuisé, et je sais que Tom exigerait que je me repose un peu.

« — Vous ne pouvez partir, dit Gabrielle. Il doit bien y avoir une solution à notre problème.

— Gabrielle, je vous en prie. Laissons passer l'après-midi. Je suis tellement fatigué.

— Mon Dieu, oui, et moi qui vous fais rester debout alors que vous devriez déjà être allongé.» Elle entra dans la garçonnière et alla ouvrir les volets pour donner un peu d'air. «C'est une chance que nous ayons gardé ces chambres d'amis toutes prêtes. Depuis que la situation à La Nouvelle-Orléans a commencé de se dégrader, nous avons vu passer un flot continu de gens se rendant chez des parents dans le nord de l'État. Pauvres gens, ils n'ont avec eux que ce qu'ils ont pu emporter. J'imagine que l'exode ne va qu'empirer.» Elle prit la cruche qui se trouvait sur la commode, et partit vers la porte. «Je vous fais apporter par Lucie de l'eau et de quoi manger.

— Je tombe de sommeil. A mon réveil...

— Vous me trouverez assise sous la glycine, tout de suite en sortant.» Gabrielle se mit sur la pointe des pieds et l'embrassa en nouant les bras autour de son cou. Elle se dit que, si en cet instant il avait été capable de l'emmener avec lui, elle aurait tout oublié, y compris la promesse faite à Letha de ne jamais laisser l'amour l'emporter sur le devoir.

Gabrielle regagna la maison et n'y demeura que le temps de trouver Lucie pour l'envoyer à la garçonnière avec un plateau. Celle-ci écouta ses instructions, puis demanda :

«Miss Gabrielle, c'est vrai que Véronique est revenue?

— Oui.

— C'est M. Saint-Cyr qui l'a ramenée?

— Ils ont fui La Nouvelle-Orléans juste avant que les Nordistes y entrent. Ils l'ont échappé de justesse et sont très contents d'être arrivés ici.

— M'étonnerait que Véronique soit contente d'être revenue ici, dit Lucie. Elle a goûté à la liberté.» Elle eut un petit sourire. «Mais peut-être que M. Saint-Cyr, il va la remmener.

— Et toi, peut-être devrais-tu faire ce que tu as à faire, plutôt que de perdre ton temps en bavardages.»

Gabrielle attendit que l'esclave fût revenue du bungalow, puis elle s'y rendit à son tour et s'assit sous la tonnelle pour attendre le réveil d'Alex.

Si elle parvenait à ne penser qu'aux premiers instants de l'arrivée du jeune homme, alors elle serait comme le cadran solaire du jardin, qui ne marquait que les heures radieuses de la journée. Mais elle avait beau se concentrer sur l'air qu'il avait lorsqu'elle l'avait reconnu, sur le contact de ses lèvres et la force de ses bras l'enlaçant, elle ne parvenait pas à tenir à distance des images plus sombres. Le visage furieux de sa tante. Celui, livide, d'Alex. Véronique l'implorant de garder le secret. Et elle-même défiant sa tante, revendiquant son indépendance en les termes les plus crus.

Ah, papa, je n'ai pas grand-chose d'une Cannon aujourd'hui ! pensa-t-elle. Si seulement vous étiez encore parmi nous... Mais il n'est plus là, se dit-elle, et si cette situation comporte une issue, c'est à toi de la trouver. Il doit bien y avoir un moyen de résoudre tous ces conflits. Elle se leva et se mit à arpenter la longueur de la tonnelle, ignorant les grappes mauves et blanches dont le parfum embaumait, obsédée par le problème qu'elle s'efforçait de résoudre.

Il faut d'abord que je décide de ce que je veux, se dit-elle. C'est simple : je veux qu'Alex reste ici. Bien. Est-ce possible ? Pas dans les circonstances présentes. On ne peut dire à tante Mathilde qu'il n'a fait qu'aider Tom, et tant qu'elle pensera qu'il a... séduit Véronique, il ne pourra rester ici, à moins que je ne souhaite la guerre ouverte. Très bien. S'il ne peut demeurer à Felicity, alors il faut qu'il séjourne en un lieu proche, peut-être sur une autre plantation... Non, cela ne se peut pas. Il ne tiendrait pas en place et puis les ragots iraient bon train. Non, plus vite il se fondra dans la nature, mieux ce sera.

C'est alors qu'elle trouva la solution. La saline d'Avery Island avait besoin de tous les hommes disponibles. Non seulement de bras pour exploiter la mine, mais aussi d'hommes capables d'aider le capitaine Avery à superviser les opérations. La semaine dernière encore, Adams était revenu d'y avoir emmené plusieurs esclaves et avait rapporté que le capitaine Avery manquait désespérément d'aide et qu'entre le commandement de sa compagnie de miliciens et la direction de la mine il ne savait plus où donner de la tête.

Alex pourrait y aller, se dit-elle. C'est à trente kilomètres d'ici, et c'est à mon goût trente kilomètres de trop, mais au moins pourrons-nous nous voir de temps en temps. Et dans quelque temps, quand tante Mathilde comprendra enfin qu'il n'est pas un aventurier sans foi ni loi, quand elle réalisera combien ses accusations étaient injustes, alors peut-être pourront-ils combler le fossé qui les sépare.

Même si elle est si sévère et intransigeante, je lui dois bien cela. Je ne suis pas fière d'avoir si peu réfléchi à ce que pouvait être sa vie, à ce que cela représente de tenir une maison qui ne vous appartient pas, d'élever des enfants qui ne sont pas les vôtres. Et surtout lorsque ces enfants font passer leurs aspirations avant les vôtres ! Si on considère du point de vue de tante Mathilde la manière dont il a aidé à la fuite de Véronique, Tom a agi avec une grande brutalité. Non seulement il lui a enlevé son bien, mais il l'a également privée de ce que lui rapportait le travail de Véronique. Quoi que je pense de tout ceci, tante Mathilde a quelque raison de s'indigner. Mais pour ce qui est d'Alex, là elle a tort. Déjà avant cela, elle pensait du mal de lui ; je me demande bien pourquoi elle a toujours été aussi méfiante à son égard. Elle a connu son père et semble en avoir conservé un bon souvenir. J'ai entendu dire que Louis LeGrange n'était pas lui non plus un triste sire. Mais tout cela n'est que spéculations oiseuses. Il faut que je mette quelque chose au point...

Quand Alex apparut sur le seuil du bungalow, Gabrielle avait le sentiment que son plan était pour ainsi dire parfait, et c'est avec un visage radieux qu'elle courut jusqu'à lui. « Alex, ça y est, j'ai tout arrangé ! Vous allez travailler avec le capitaine Avery. Il exploite une mine sur Avery Island. Il fournit tout le Sud en sel. »

Un rai de lumière traversait l'épais feuillage d'un sycomore, allumait des reflets de cuivre rouge dans les cheveux de Gabrielle et creusait le visage d'Alex, soulignant combien il avait changé. Comme il paraît sérieux, se dit-elle en se laissant prendre entre ses bras. Il semble plus réfléchi. La loyauté, l'attachement, l'honneur et la motivation — il était maintenant pleinement à la hauteur des critères de la jeune femme. Elle se serrait contre lui avec l'assurance que quelque difficiles que seraient les semaines à venir, elle aurait la force et le courage de les traverser.

« Je vais aller voir le capitaine Avery dès demain, dit-il. Si je peux vous emprunter un cheval.

301

— J'irais les cacher tous dans les bois, si cela pouvait vous forcer à demeurer ici, mais je sais qu'il faut laisser les choses s'apaiser avec ma tante.

— Chut, fit-il en la conduisant vers un banc. Qu'au moins cet après-midi soit à l'image d'un monde que je me suis bâti en rêve, un monde qui ne compte que deux habitants, Gabrielle, vous et moi.

— Oui, dit-elle. Oh oui ! »

Elle se prit à considérer leurs mains entrelacées. Comme il est étrange, se disait-elle, que ma main, qui m'est encore plus familière que mon visage, ait l'air si différente lorsqu'elle est dans la sienne. Elle connaissait déjà par cœur la forme de sa paume, la petite cicatrice dont elle était barrée, et les cals que lui avait valus son expérience de marin.

« Et maintenant, racontez-moi tout, dit-elle. Si vous saviez le mauvais sang que je me suis fait !

— C'était cela que je détestais le plus, dit-il, le fait de ne pouvoir vous écrire, sauf une fois — cette lettre, l'avez-vous reçue ? »

Elle glissa la main dans son encolure pour en sortir le médaillon. « Je ne m'en sépare jamais, dit-elle. Recevoir tout à coup quelque chose de vous, ce fut comme un miracle, et il me suffit de repenser à la joie que j'ai ressentie ce jour-là, pour être de nouveau heureuse.

— Le bonheur, dit-il, songeur, oui, cela doit pouvoir exister. » Il porta la main de Gabrielle à ses lèvres et l'embrassa, puis la tint contre son visage. « Au cours de ces longs mois de mer, mon bonheur était de me remémorer chaque parole que vous m'aviez dite, chaque regard que vous m'aviez adressé, chaque moment... Il n'était pas de périls que je n'eusse bravés, sachant qu'à la fin je vous reviendrais.

— Mais vous étiez sans cesse en danger...

— Non, pas la plupart du temps. Je suppose que forcer un blocus peut se comparer à n'importe quelle autre occupation comportant quelque risque. Il y a de longues périodes où la monotonie s'installe, puis tout à coup on passe à l'action, et tout se comprime — une heure est une minute, une minute passe trop vite pour qu'on puisse la subdiviser —, puis tout est terminé et on se retrouve à nouveau seul avec la mer.

« J'avais un équipage réduit. Je n'aurais pu tout faire seul. Des hommes braves, tous jusqu'au dernier, et qui mériteraient de plus riches récompenses que ce que j'ai pu leur donner.

— Est-ce qu'ils... sont encore en vie ?

— Ils l'étaient la dernière fois que je les ai vus.

— Et où était-ce ? Alex, il vous faut commencer par le commencement.

— Oui, par le commencement. » Il lui ouvrit la main et se mit à en caresser l'intérieur, les yeux perdus au loin, comme lisant dans un livre imaginaire. «Quand j'ai eu la certitude que la bataille pour La Nouvelle-Orléans allait commencer, j'ai remonté le fleuve afin d'offrir le concours de mon bateau à la flotte confédérée. » Il soupira en secouant la tête. «Il ne m'a pas fallu longtemps pour comprendre que je pourrais servir plus efficacement la Confédération en le ramenant dans le Golfe, où il courrait moins le risque d'aller par le fond.

— Nous avons appris que le fleuve aurait difficilement pu être plus mal défendu. La plus grosse canonnière toujours en chantier, Fort Jackson et Fort Phillip garnis de troupes inexpérimentées...

— C'était le chaos.

— Jamais le gouverneur Moore n'aurait dû laisser autant de soldats se porter hors de Louisiane. Une telle hémorragie en hommes a dû affaiblir nos défenses.

— Le Sud ne possède qu'un nombre donné d'hommes. Qu'on les envoie dans le nord pour tenir en respect les forces terrestres de l'Union ou qu'on les concentre dans les ports, ce nombre reste le même.

— Vous pensez donc que nous ne sommes pas assez forts pour l'emporter ?

— On ne peut pas encore se prononcer là-dessus. Mais si vous aviez vu ce que j'ai vu à l'intérieur de ces forts qui étaient destinés à défendre La Nouvelle-Orléans : les miliciens n'avaient pas de munitions, les hommes d'équipage abandonnaient leur poste à l'instant où leur bâtiment était touché. Le feu nourri et bien ajusté des canonnières fédérales a vite eu raison de notre flotte.

— Mais enfin, toute l'armée n'est pas à ce point démoralisée !

— Non, bien sûr. Mais il n'empêche que La Nouvelle-Orléans est tombée et que Baton Rouge est occupée. Le front gagne vers l'amont, et lorsque la marine de l'Union tiendra tout le cours

303

du Mississippi, c'en sera terminé de la guerre dans cette partie du Sud.

— Nous avons d'autres forts sur le fleuve...

— Oui, Fort Hudson, près d'Olympia, a la réputation d'être bien défendu, et on s'accorde pour penser que Vicksburg tiendra. » Alex passa un bras autour de Gabrielle, qui se laissa aller contre lui et le sentit pousser un profond soupir. « Quand bien même ces positions stopperaient la progression de Farragut, il restera encore à le repousser jusque dans le Golfe, si nous voulons regagner le terrain perdu. Et je crains que l'Histoire ne nous apprenne qu'il est bien plus facile de tenir une position que de reprendre celle que l'on a perdue.

— Et le *Sir Lancelot*, est-il perdu ?

— Mais comment se fait-il que vous connaissiez le nom de mon bateau ?

— Un entrefilet dans le journal, l'été dernier, à propos d'un engagement devant Charleston, le 4 juillet. J'y ai lu qu'un bateau de ce nom avait réussi à passer, et j'ai tout de suite su qu'il ne pouvait s'agir que de vous.

— Tout cela, Gabrielle, je l'ai fait, comme lors du tournoi de l'anneau, afin de me gagner l'affection et le respect de ma reine d'amour et de beauté...

— Qui est à vous pour toujours, dit Gabrielle. Oh, Alex, je rends grâce à Dieu de vous avoir épargné !

— J'ai bien failli ne pas l'être. Nous avons combattu aussi longtemps que possible, jusqu'à ce que la chaudière soit touchée. Le bateau a sauté, mais nous avions eu le temps de quitter le bord, ayant en cela plus de chance que beaucoup de pauvres types ce jour-là.

— Je me demande si Jordan était présent à cet engagement, dit Gabrielle.

— Jordan ! Qu'est-ce qui vous fait penser qu'il aurait pu s'y trouver ?

— Je l'ai vu.

— Vous avez vu Jordan ! Mais où cela ?

— En prison à Fort Jackson. En février, juste avant qu'il soit relâché. Je me trouvais à La Nouvelle-Orléans. Maître Guillot a vu dans le journal la liste des prisonniers qui allaient être échangés. C'est lui qui, sur ma demande, a arrangé cette entrevue.

— Comment était-il ? Tout cela est extraordinaire ! Il devait être avec Farragut pendant tout le temps où je me faufilais entre leurs vaisseaux.

— Je sais. Et j'ai tellement prié pour que vous ne vous trouviez pas face à face dans un combat.

— Si cela a été le cas, nous ne le saurons sans doute jamais. Ce sacré Jordan, si je m'attendais ! Et il allait bien ?

— Égal à lui-même. Très tranquille, mais aussi très heureux de me voir. Au début, nous étions un peu mal à l'aise, mais vers la fin de l'entrevue nous avions tous deux le sentiment d'être parvenus à sauver notre amitié, et qu'elle pourrait peut-être reprendre une fois la guerre terminée.

— Considérant ce à quoi j'ai pu assister à La Nouvelle-Orléans, je dirai que ce ne sont pas les batailles qui engendrent les plus vives rancunes, mais le comportement de gens des deux camps quand une violence d'un autre genre se donne libre cours dans les villes vaincues.

— Oui, on nous a rapporté des choses de ce genre.

— La populace de la ville s'est livrée à toutes sortes d'exactions. A la faveur de l'affolement qui a suivi la nouvelle que les navires de l'Union n'avaient pas été arrêtés par les forts, les pillards ont mis à sac les entrepôts et les magasins, incendiant tout ce qu'ils ne pouvaient emporter. Bien sûr, les responsables de la ville ont eux aussi allumé des incendies, brûlant le coton et les autres marchandises afin qu'ils ne tombent pas aux mains de l'ennemi. Mais tout ce pillage était le fait de gens qui profitaient des malheurs de leur ville... C'est de cet enfer que j'ai tiré Véronique.

— La pauvre, ce qui lui arrive est trop horrible ! Êtes-vous allé à son magasin ?

— Non. Je venais de m'engouffrer dans une ruelle afin de contourner un incendie, j'ai trébuché sur un pavé, me suis rattrapé au côté d'une voiture, j'ai regardé par en dessous, et c'est là que je l'ai vue.

— Oh, Alex, supposez que vous ne soyez pas passé par là !

— J'espère que j'aurais pensé à la rechercher. Il s'est trouvé que nous sommes passés devant son atelier... » Alex se tut, le regard perdu en direction du belvédère.

« Oui ?

— Il brûlait, dit-il abruptement. Des rouleaux de tissu, des vêtements à demi terminés jonchaient toute la longueur de la ruelle.

305

— Pauvre Véronique. Son atelier, sa jolie maison…

— Une chance qu'elle soit encore vivante. J'ai reconstitué toute l'histoire : il semble qu'à la fin de l'hiver la femme qui la secondait et habitait avec elle soit morte. La guerre s'est rapprochée avant qu'elle ait eu le temps de lui trouver une remplaçante. Elle a tenté de trouver Jacques pour lui demander de l'aide, mais il était depuis longtemps retourné à Olympia en compagnie de mon père. Véronique n'avait plus comme personnes de connaissance que ses clientes, clientes qui, à ce moment-là, avaient bien autre chose en tête que la couturière qui faisait leurs robes.

— Complètement seule au milieu de… Tom s'en voudrait tellement de l'avoir aidée à s'enfuir, s'il savait où cela l'a conduite.

— Il ne pouvait pas prévoir cette folie. Souvenez-vous comme elle était heureuse et comme elle réussissait bien.

— Mais pourquoi est-elle sortie au lieu de se cacher? Cela paraît insensé.

— Elle ne savait même pas que les forts étaient tombés. En raison de problèmes respiratoires, elle était restée plus d'une semaine sans bouger de chez elle. Ce jour-là, elle était sortie pour aller acheter à manger au marché. Lorsqu'elle y est arrivée, les pillards étaient déjà en train de tout dévaster, de détruire les étals et d'emporter tout ce qu'ils pouvaient. Elle a fait demi-tour pour rentrer chez elle, mais quelqu'un l'a attrapée. Beaucoup d'hommes avaient bu des boissons volées; ils avaient maintenant quelqu'un à tourmenter.

— Mon Dieu !

— Ils l'ont assez sévèrement malmenée — je ne parle pas de ce qui aurait pu lui arriver —, mais quelque chose leur a détourné l'attention, et ils l'ont laissée pour aller commettre quelque autre forfait.

— Mais enfin, n'y avait-il personne pour les arrêter? Tom serait fou de rage s'il apprenait cela !

— Les arrêter? Arrêter un asile d'aliénés? Partout, des balles de coton brûlaient, des soldats affolés se mêlaient à la foule… Si le sort ne m'avait pas fait passer par cette ruelle…,

— Jamais nous ne l'aurions revue. Quand elle racontera cela à tante Mathilde, peut-être celle-ci comprendra-t-elle qu'elle vous doit plutôt des remerciements.

— Elle n'en pensera pas moins que c'est moi qui ai installé Véronique à La Nouvelle-Orléans, et que si j'y suis allé ce jour-

306

là, c'était pour protéger celle que je considérais comme ma propriété. » Une ombre passa sur le visage d'Alex, et Gabrielle comprit que, lui aussi, entendait déjà l'injuste vindicte de tante Mathilde.

« Mais le jour viendra où elle saura la vérité. Il le faut, Alex !

— Seulement, pour l'instant, le mal est fait. J'aurais sans doute dû la conduire à Olympia, et ensuite tenter de venir jusqu'ici. Mais je n'avais qu'une seule idée en tête, Gabrielle, celle de vous retrouver au plus vite.

— Je me demande vraiment comment vous y êtes parvenus. Il y a des troupes et des bateaux nordistes partout.

— Le chaos général nous a plus facilité les choses que vous ne le pensez. Ayant toujours logé à bord de mon bateau, je n'avais aucun endroit où conduire Véronique. Aussi sommes-nous partis vers le nord jusqu'à un endroit où la traversée du fleuve m'a paru sans danger.

— Sans bateau ? Comment avez-vous fait ?

— Je reconnais en avoir tout bonnement pris un, dit Alex. J'ai trouvé une barque, je l'ai utilisée. Une fois sur l'autre rive, je l'ai laissée partir au gré du courant, en espérant qu'il la ramènerait à son point de départ.

— Et de là ?

— J'ai payé un paysan pour qu'il nous conduise au début des bayous navigables. Là, j'ai rencontré un capitaine de ma connaissance qui nous a conduits jusqu'ici.

— Dieu soit loué, Alex ! »

Elle s'offrit à son baiser, comprenant à cet instant quelle puissance était capable de renvoyer définitivement tous les démons dans leur antre. L'amour les mettait tous en fuite, l'orgueil puéril comme l'égoïsme, la solitude comme l'angoisse. Ici, dans les bras d'Alex, les combats menés contre elle-même trouvaient leur récompense.

Mais voici qu'une silhouette approchait à l'autre bout de la tonnelle. Gabrielle s'écarta d'Alex, se leva, plissant les paupières pour essayer de voir de qui il s'agissait.

« Mais c'est Lucie, dit-elle. Regardez la tête qu'elle fait. Quelque chose ne va pas. J'espère que l'état de Véronique n'a pas empiré ! »

Elle partit à la rencontre de Lucie, redoutant presque d'apprendre ce qui semblait tant préoccuper la vieille esclave. « Qu'y a-t-il ? demanda-t-elle. Qu'est-ce qui s'est passé ?

— Colette, elle a accouché », fit Lucie. Ses yeux se portèrent vers la maison, puis roulèrent de nouveau sur Gabrielle. « Mais l'enfant est mort-né, et Colette dit que c'est parce que Véronique lui a jeté un sort à la seconde où elle est arrivée ici.

— C'est ridicule ! Véronique ne croit pas à tout cela !

— Colette, elle, y croit, dit Lucie. Venez donc voir, miss Gabrielle.

— Que se passe-t-il ? demanda Alex en rejoignant les deux femmes.

— Colette a eu son bébé, mais il est mort.

— Colette ? N'est-ce pas celle qui s'était battue avec Véronique ?

— Oui, c'est bien celle-là. Voilà qu'elle l'accuse d'avoir lancé un sort à son bébé, de l'avoir tué !

— Venez voir », répéta Lucie. Elle se tourna vers les premiers baraquements des esclaves, distants de quelque deux cents mètres. Alex et Gabrielle regardèrent dans la direction qu'elle montrait et virent un attroupement qui se formait devant une des cabanes. On entendait faiblement des femmes gémir. Sous leurs yeux, une femme sortit de l'habitation, un ballot dans les bras. Elle vint au centre du groupe, et les autres se refermèrent autour d'elle, formant une troupe compacte. Alors, un des hommes leva le poing en l'air et hurla quelque chose qu'Alex et Gabrielle n'entendirent pas, mais ne comprirent que trop clairement. Se regroupant autour de cet homme, en qui Gabrielle reconnut Zeke, et prenant la direction qu'indiquait son bras tendu, la foule des esclaves s'élança vers la grande maison.

16

«Il faut aller retrouver Véronique, dit Gabrielle en entraînant Alex.

— Montez dans votre chambre, fit-il. Moi, je vais auprès d'elle.

— Ils ne vous écouteront pas.

— Et vous, est-ce qu'ils vont vous écouter ?

— Nous perdons du temps. Je vais avec vous, Alex. »

Il la prit par la main et ils partirent en courant vers la maison. Elle faisait deux enjambées quand il n'en faisait qu'une, mais parvenait néanmoins à rester à sa hauteur. La porte du bureau de la plantation lui semblait distante de plusieurs kilomètres. Elle entendait les vociférations des esclaves en train de se répandre sur la pelouse. Une silhouette se profila sur le seuil, celle d'Abigail.

«Abigail, va chercher M. Adams, dit Gabrielle. Fais vite !

— On n'a plus le temps», fit Abigail.

Se retournant, ils virent les esclaves qui convergeaient vers le perron, Zeke à leur tête. Il brandissait une lame effilée.

«Mettez-vous à l'abri», ordonna Alex. Il poussa les deux femmes à l'intérieur et claqua la porte, leur criant de la verrouiller.

Gabrielle entendit le pêne glisser dans sa gâche. Appuyée contre le bois de la porte, elle y colla l'oreille. Au début, elle n'entendit qu'une cacophonie, qui s'ordonna bientôt en une clameur rythmée : «Mort à Véronique ! Mort à Véronique !... »

Les vociférations devenaient de plus en plus fortes, au point que toute la pièce en résonna bientôt. Cela se rapprochait. La foule devait être sur Alex, sans doute maintenant adossé à cette même porte. Gabrielle tendait l'oreille pour essayer de l'entendre. « Allez-vous en ! Regagnez vos quartiers ! » hurlait-il. Mais la clameur reprenait de plus belle : « Mort à Véronique ! Mort à Véronique !... »

C'est alors que, couvrant le vacarme, s'éleva une voix de femme, une voix forte et impérieuse : « Écartez-vous de cette porte ! » Puis, plus près maintenant : « Je vous ordonne de vous écarter ! »

« Tante Mathilde ! balbutia Gabrielle. Dieu du Ciel, Abigail, c'est tante Mathilde ! »

Elle vit Abigail se signer, et, tout en manœuvrant le verrou, elle l'imita machinalement. « Il faut aller à sa rescousse, dit-elle.

— Écoutez », dit Abigail en désignant la porte.

Le silence venait de se faire. On n'entendait plus que le souffle précipité de Gabrielle.

Puis la voix de tante Mathilde s'éleva de nouveau, plus proche maintenant. « Qu'est-ce que cela signifie ? Zeke, qu'est-ce qui t'a pris ? »

Il y eut un murmure menaçant, puis à nouveau ce grand silence.

« C'est à toi, Zeke, que je m'adresse, fit tante Mathilde. Eh bien, Zeke, j'attends.

— La Véronique, elle a fait mourir le bébé de Colette.

— Jamais je n'ai entendu pareille absurdité. Zeke, dis-moi un peu comment la pauvre créature qui se trouve derrière cette porte aurait pu tuer quelqu'un. Elle est si mal en point que je ne sais même pas si elle va s'en tirer. »

Zeke marmonna quelque chose que Gabrielle n'entendit pas.

« Le vaudou ! » dit sa tante. Dans sa bouche, ce mot paraissait tout à fait ridicule et absurde. Gabrielle frissonna en se rappelant les fois où, dans leur enfance, leur tante les domptait d'un regard et d'un mot prononcé exactement de cette façon. « Le vaudou ! répéta celle-ci. Il serait peut-être bon que j'entende tes explications, Zeke. Nous sommes ici en terre chrétienne, et tu sais parfaitement que je ne tolère pas ce genre de diableries par ici. »

Il y eut un concert de commentaires, un brouhaha confus. Puis le silence revint, et tante Mathilde reprit la parole. « Tout cela est un ramassis de mensonges, Zeke, et tu le sais très bien. Véro-

310

nique ne croit pas plus que moi au vaudou, pas plus que vous tous ne devriez y croire. Le vaudou vient du diable, et tous ceux qui y sacrifient pourraient bien en pâtir grandement. C'est Colette qui joue avec le vaudou, Zeke. Je ne dis pas que son bébé est mort à cause de cela, mais je dis que tu devrais lui conseiller d'oublier tout cela, de se rappeler ses prières et de demander au Seigneur de lui pardonner tous les tracas qu'elle a pu causer. »

Gabrielle pouvait presque voir le regard de sa tante balayer le groupe massé devant elle afin de s'assurer que chacun avait bien compris la gravité de la situation. « Au lieu de vous ruer vers cette maison en brandissant des couteaux, vous auriez mieux fait de penser au baptême de cet enfant. Est-ce que quelqu'un s'en est soucié ? »

Les esclaves se mirent à danser d'un pied sur l'autre. Ils retrouvaient peu à peu l'usage de la parole, mais usaient maintenant d'un ton conciliant, et Gabrielle comprit qu'ils avaient perdu leur agressivité.

« C'est bon, reprit tante Mathilde. Je sais à quels égarements peut conduire le chagrin. Vous allez regagner vos quartiers, et nous oublierons ce qu'il vient de se passer. Quant à toi, Zeke, tu vas faire entrer dans le crâne de Colette que le vaudou n'a aucun pouvoir chez nous.

— Oui, m'ame LeGrange, fit Zeke.

— Je vous apporte une petite robe pour enterrer le bébé. Avant de l'ensevelir, je vais le baptiser. » Tante Mathilde paraissait tout à coup très lasse. Pour la première fois depuis que cette dernière était entrée en scène, Gabrielle entendit la voix d'Alex.

« Vous avez entendu Mme LeGrange, fit-il. Maintenant, dispersez-vous. »

Gabrielle alla à la fenêtre qui donnait sur la galerie, et regarda les esclaves s'éloigner. Ce n'est que lorsqu'ils eurent quitté la pelouse et atteint le haut du sentier menant à leurs quartiers, que d'un hochement de tête elle fit signe à Abigail d'ouvrir la porte. Aussitôt, elle s'élança pour tomber dans les bras de sa tante.

« Tante Mathilde ! De ma vie, jamais je n'ai eu aussi peur !

— Gabrielle ! Mais que fais-tu ici ? » Tante Mathilde regarda Alex, puis de nouveau sa nièce. « Nous verrons cela plus tard. Monsieur Saint-Cyr, nous allons transporter Véronique à l'étage. Ils sont tranquilles pour l'instant, mais rien ne dit que cela va durer.

311

— Je ferai mon possible pour vous aider, dit Alex.

— Commencez par transporter Véronique. Abigail, tu vas aller mettre des draps sur le divan de mon cabinet de toilette. C'est là que nous allons la mettre.

— Bien, m'ame LeGrange. » Abigail fit quelques pas, puis se retourna et tomba à genoux, agrippant la main de sa maîtresse. «Ce Zeke, si jamais il touche à un de vos cheveux, m'ame LeGrange, il trouvera à qui parler.

— Nous avons eu suffisamment de menaces pour aujourd'hui, Abigail. Tu ferais mieux de prier pour Zeke, pour Colette et pour leur pauvre bébé.

— Les prières, c'est pour les morts, dit Abigail en se relevant. Parfois, faut que les vivants se débrouillent par eux-mêmes. » Elle saisit à nouveau la main de sa maîtresse. «Prenez garde, m'ame LeGrange. Ce Zeke, il est violent. Là, vous l'avez calmé, mais dès qu'il sera allé retrouver Colette, elle va complètement le remonter.

— J'espère qu'un baptême et un enterrement vont leur rappeler à tous deux entre les mains de Qui repose leur âme, dit tante Mathilde. Et maintenant va, Abigail. Il n'y a pas de temps à perdre. »

Véronique se réveilla lorsque Alex la souleva. Elle regarda tante Mathilde. «Je suis désolée de vous apporter tous ces ennuis, dit-elle. Jamais… jamais je n'aurais dû m'enfuir.

— Tu auras tout le temps de réfléchir à cela pendant ta convalescence», lui dit tante Mathilde. Elle parlait d'une voix blanche, atone, comme maîtrisant parfaitement ses émotions afin de ne laisser désormais paraître aucun sentiment. «Très bien, emportez-la, monsieur Saint-Cyr. Abigail, je t'ai dit de te dépêcher. Il faut faire vite si nous voulons baptiser et inhumer ce bébé avant le coucher du soleil. » Elle se tourna vers Gabrielle, et leurs regards se rencontrèrent pour la première fois depuis les paroles blessantes tenues quelques heures plus tôt par la jeune femme. «Gabrielle, je vais avoir besoin de ton aide.

— Oui, bien sûr, ma tante. » Gabrielle se sentait comme engourdie. Les événements de la journée s'étaient succédé si rapidement qu'ils lui évoquaient une avalanche gagnant en force et en vitesse et menaçant à tout moment de l'emporter sur son passage. Avant de disparaître à l'intérieur suivi d'Abigail, Alex lui adressa un regard, et ce qu'elle y lut lui apporta le réconfort dont elle avait besoin. « Dites-moi ce que je dois faire. » Ayant pris note des instructions de sa tante, elle s'en fut, soulagée d'avoir maintenant quelque chose de tangible à quoi s'occuper.

L'heure suivante s'écoula rapidement. Jonas alla au cimetière des esclaves pour y creuser une tombe, tandis que Samson assemblait un petit cercueil de bois, y fixant soigneusement les bandes de brocart blanc que lui apporta Gabrielle.

On se réunit au salon pour le service funèbre. Zeke, suivi des autres, apporta l'enfant mort-né, déjà déposé dans son cercueil. Samantha avait lavé et habillé Colette. Mais lorsque, lui faisant un siège de leurs bras, deux esclaves la transportèrent dans la pièce, en dépit de son apparence ordonnée ce fut la jungle qui entra avec elle. Ses yeux, ternis par le chagrin, ne s'animèrent que lorsqu'ils se posèrent sur le petit cercueil installé sur une chaise. Alors son regard prit vie et parcourut la pièce, s'arrêtant sur chaque visage, comme si elle eût été une bête blessée venue traquer jusque dans leur antre les assassins de son petit.

Alex se glissa dans la pièce. Il chercha le regard de Gabrielle pour lui envoyer des messages de force et d'amour. Si tante Mathilde remarqua sa présence, elle n'en montra rien. « Nous allons commencer, Gabrielle », dit-elle en allant se placer à la tête du cercueil. Elle tenait dans une main une burette d'eau bénite et dans l'autre un linge immaculé. Elle eut un hochement de tête en direction du piano et attendit pour se mettre à prier que sa nièce fût au clavier.

« Notre Père, qui êtes aux cieux... »

Gabrielle répéta le début de la prière, imitée par Letha, puis par Jonas et Lucie. Un à un, les esclaves se mirent à prier. Seule Colette demeurait silencieuse, les lèvres obstinément serrées.

La prière terminée, tante Mathilde se versa un peu d'eau bénite dans la paume de la main gauche. « Je vais baptiser le bébé de Zeke et Colette, dit-elle en élevant la voix afin que tous entendent. Zeke, quel est le nom de cet enfant ?

— Pourquoi que vous l'aspergez d'eau, ce bébé ? intervint Colette. Ce bébé qu'a jamais vu la lumière de ce monde, ce bébé qu'a été étouffé dans mon ventre par une sorcière... une démone... » Sa voix assourdie par le chagrin n'en rendait ses paroles que plus terribles.

Gabrielle regarda le visage de sa tante et y vit fugitivement passer le dégoût qu'elle-même éprouvait. Mais lorsqu'elle parla, tante Mathilde ne trahit aucun sentiment.

« Colette, Zeke va te ramener si tu ne te sens pas la force d'assister à ce service. »

La Noire ne soutint pas longtemps ce regard impérieux ; sa violence retomba bientôt. Alors tante Mathilde trempa les doigts de sa main droite dans l'eau bénite et, se penchant en avant, lui fit un signe de croix sur le front. « Que la grâce et la paix du Christ soient sur toi », dit-elle.

« Ainsi soit-il », fit la foule alentour.

Sans quitter des yeux sa maîtresse, Colette trempa à son tour les doigts dans l'eau bénite et lentement se signa. Puis, comme si le regard de tante Mathilde était un parchemin dont elle s'inspirait, elle mouilla une nouvelle fois ses doigts pour les porter sur le front de l'enfant.

Gabrielle vit se détendre les épaules et le visage de sa tante. Les autres changèrent de position, laissèrent échapper un soupir de soulagement. Comme tante Mathilde s'avançait pour baptiser son enfant, Colette fit signe à Zeke de le lui déposer sur les genoux.

« J'ai point de nom pour lui, dit-elle. J'ai pas eu le temps... »

Tante Mathilde ouvrit son missel. « Nous sommes le 5 juin, dit-elle. C'est la Saint-Boniface. Veux-tu que je le baptise ainsi ?

— Boniface ? Jamais entendu ce nom.

— Un grand martyr », dit tante Mathilde. Puis voyant l'incompréhension de Colette, elle expliqua : « Quelqu'un qui est mort pour ce qu'il croyait. »

Pendant un instant, Colette fut en proie à un combat intérieur, et Gabrielle crut voir passer dans son regard un peu de cette violence qui irradiait de son visage lorsqu'elle était entrée. Puis Colette renversa la tête en arrière, et un grand soupir passa sur ses lèvres. « Va pour Boniface », dit-elle.

Tante Mathilde se reversa un peu d'eau bénite dans la main, y trempa les doigts et fit une croix sur la tête de l'enfant. « Je te baptise Boniface au nom du Père, du Fils et du Saint-Esprit, amen. Nous Te recommandons cet esprit, ô Seigneur. Que son âme et les âmes de tous ceux que Tu as rappelés reposent en paix. Amen.

— Amen », répondit l'assistance.

Aveuglée par les larmes, Gabrielle pouvait à peine distinguer

314

les touches de son piano, et quand ses doigts trouvèrent les premiers accords de l'hymne choisie par sa tante, ce fut comme mus par une volonté propre qu'ils coururent ensuite sur les touches et se mirent à jouer une mélodie qu'elle ne reconnut d'abord pas. Ce n'est que lorsque les esclaves commencèrent de chanter, qu'elle sut ce qu'inconsciemment elle s'était mise à jouer.

« Je contemplais le Jourdain et qu'ai-je vu, qui venait me chercher. Des anges, qui venaient me chercher pour m'emporter jusque chez moi... »

Et lorsqu'elle joignit sa voix aux autres, la mêlant à celle, plus grave, de Letha et au soprano de Lucie, elle ne put que reconnaître la grande force de sa tante. Elle a certes dit du mal d'Alex, mais je comprends maintenant que ces paroles si dures naissent de son souci de protéger ceux dont elle a la charge. Moi, Véronique, ces esclaves. Que serait-il advenu de nous aujourd'hui si elle n'avait pas été là ? Et d'ailleurs, que serions-nous devenus sans elle pendant toutes ces années ?

Levant les yeux, elle vit qu'Alex la regardait, et lui montra sa tante d'un petit mouvement de menton. Elle ne sut pas s'il comprenait le message ; elle n'était elle-même pas tout à fait certaine de ce qu'elle éprouvait. Les choses ne seraient pas aussi simples qu'elle l'avait pensé... elle et Alex d'un côté, tante Mathilde de l'autre. Je vais devoir agir avec grand discernement, ne pas céder d'un pouce en ce qui concerne mon amour pour Alex, mais ne plus jamais offenser ma tante comme je l'ai fait aujourd'hui.

« Gabrielle, je désire vous parler, à toi et à M. Saint-Cyr, dit tante Mathilde en rentrant du cimetière. Cela a été une journée épuisante, mais je préférerais que tout soit dit aujourd'hui, afin de repartir demain d'un nouveau pied. Venez me retrouver au salon, que nous éclaircissions autant que faire se peut la situation. »

Puis elle partit devant, ne montrant rien de l'immense fatigue qui devait l'accabler. Les deux jeunes gens la rejoignirent donc au salon et prirent les sièges qu'elle leur désigna. La pièce était encore pleine des émotions qui s'y étaient une heure plus tôt donné cours. Tante Mathilde s'assit en face d'eux, s'éventant posément, attendant un long moment avant de prendre la parole.

« Monsieur Saint-Cyr, j'ai appris il y a longtemps que le seul passé qu'il puisse m'être bénéfique d'explorer est le mien. Aussi ne vous demanderai-je pas comment vous en êtes venu à aider

Véronique à… s'enfuir. C'est une question qui après tout ne regarde que vous. » Tante Mathilde referma son éventail et se mit à s'en tapoter la paume de la main, comme pour scander la mesure de ce qu'elle disait. « Je ne vais donc vous entretenir que de ce qui me concerne. Je veux parler de ce que m'a coûté son absence.

— Je vous ai proposé de vous la racheter…, commença Alex, se ravisant aussitôt.

— Et moi, je ne souhaite pas m'en défaire, dit tante Mathilde. L'argent auquel je pense est le revenu que je touchais chaque fois que Véronique était engagée à l'extérieur pour des travaux de couture. Véronique m'appartenant, mon frère me reversait cet argent.

— A combien pourrait s'élever ce manque à gagner ? s'enquit Alex.

— Je ne puis vous donner de chiffre précis, monsieur Saint-Cyr. Mais il serait facile d'arriver à une estimation au vu de mes livres de comptes.

— Ne manquez pas de m'en faire part dès que possible. Je ne suis pas présentement dans la possibilité de vous dédommager, mais je vous promets, madame LeGrange, que cet argent vous sera remis. » Alex n'arrivait pas à conserver un ton posé. Gabrielle comprit qu'il n'avait jamais envisagé l'aspect pécuniaire de la disparition de Véronique.

« Je vous ferai tenir une facture, monsieur Saint-Cyr, dit tante Mathilde. Considérant les suites que j'aurais pu envisager de donner à votre action, je juge mes exigences tout à fait modérées.

— Je n'ignore pas que vous auriez pu aller en justice, dit Alex. Je… j'apprécie votre longanimité.

— Ma longanimité ? Monsieur Saint-Cyr, imaginez-vous que j'hésiterais une seule seconde s'il ne s'agissait que de vous ? C'est Gabrielle que je protège, pas vous.

— Gabrielle ? s'étonna Alex. Qu'entendez-vous par là ?

— Pensez-vous que je ne sais pas qui vous a aidé dans cette entreprise ? Jamais Véronique n'aurait pu s'enfuir seule ! Qui a été la première à parler d'affranchissement ? Qui a argué de ce qu'Olivier avait promis de libérer Véronique ? J'ai vu clair à la seconde où j'ai appris qu'elle s'était enfuie. Quant à faire de vous son complice, cela n'a pas dû être très difficile, si l'on songe à votre proposition de me la racheter.

— Je... je suis surpris de..., commença Alex.

— Vous devriez être désolé. Remerciant Dieu à genoux que le pire scandale ne se soit pas abattu sur la tête de Gabrielle. Quand je pense qu'elle s'est lancée dans une telle entreprise!... Foulant aux pieds l'éducation qu'elle a reçue, les espérances de sa famille... Et pour couronner le tout, voilà que vous ramenez Véronique ici!

— Il n'y avait pas d'autre endroit où aller, dit Alex. Sauf peut-être Olympia, mais je n'y tenais pas.

— Que n'êtes-vous restés à La Nouvelle-Orléans? Votre mère est arrivée sur les talons du général Butler. Je gage qu'une abolitionniste aussi convaincue aurait été heureuse d'offrir un foyer à Véronique.

— Comment? Ma mère?» Alex bondit de sa chaise, si agité que Gabrielle lui posa doucement la main sur le bras.

«Tante Mathilde, mais que dites-vous? Mme Saint-Cyr serait à La Nouvelle-Orléans? Comment pouvez-vous le savoir?

— La sœur de Mme Robin est arrivée hier. Elle a quitté La Nouvelle-Orléans dans la semaine qui a suivi l'arrivée de Butler. Le général et Madame sont arrivés le 1er mai, et le bateau de Mme Saint-Cyr a touché le quai quatre jours plus tard.

— Je ne le savais pas», balbutia Alex. Les quelques heures de sommeil qu'il avait prises ne l'avaient pas suffisamment reposé pour qu'il pût maîtriser les émotions qui l'agitaient en ce moment. Il se laissa retomber sur sa chaise et se prit la tête entre les mains.

«Qu'est-ce qui pourrait attirer actuellement Mme Saint-Cyr à La Nouvelle-Orléans? dit Gabrielle. Une ville sens dessus dessous...

— Une ville aux mains de son pays, dit tante Mathilde. Un commerce maritime à relancer.» Elle eut un haussement d'épaules. «De son point de vue, Julia Saint-Cyr a toutes les raisons de revenir à La Nouvelle-Orléans.

— Cependant, le décalage entre sa position et celle de ses anciennes fréquentations...

— Ma petite Gabrielle, tu t'apercevras, j'en ai peur, que Julia Saint-Cyr n'est ni la première ni la dernière à laisser la raison commerciale l'emporter sur des considérations plus humaines. Avant la fin de l'été, nombreux seront ceux, à La Nouvelle-

Orléans, qui feront affaire avec l'occupant nordiste. En temps de crise grave, le pragmatisme paraît souvent plus profitable que le sentimentalisme ou les idéaux.

— Mais alors, Alex ne peut pas retourner à La Nouvelle-Orléans. Quand bien même il n'aurait pas à craindre pour sa vie au cas où on le jugerait comme forceur de blocus, il ne pourrait se trouver dans la même ville qu'elle.

— Je croyais t'avoir entendue m'informer que M. Saint-Cyr allait demeurer ici», dit tante Mathilde.

Elle me parle comme à une étrangère, se dit Gabrielle. Cela se conçoit : à ses yeux, ma conduite est celle d'une étrangère et ne reflète en rien ce qu'elle attend de moi.

«Je... je regrette de m'être montrée aussi brutale», dit-elle.

Alex parut revenir à lui. Il leva la tête vers tante Mathilde. «Tout cela est ma faute, madame LeGrange. Il faut croire que ma soudaine apparition a provoqué comme une tornade. Tous deux, nous nous sommes laissé emporter par nos propres sentiments, sans nous soucier des autres.

— Eh bien, je suis heureuse d'apprendre qu'il vous reste quelque lucidité. Gabrielle, il m'a semblé t'entendre parler de M. Saint-Cyr comme de l'homme que tu aimes ?

— Oui.

— Penses-tu que cette imprudence que semble t'inspirer M. Saint-Cyr, soit signe de ce que cet «amour» est suffisamment mûr et suffisamment stable pour faire face aux exigences du mariage ?

— Il ne m'inspire aucune imprudence, tante Mathilde ! C'est tout le contraire !» Gabrielle comprenait dans quel piège elle et Alex s'étaient précipités. Du fait qu'ils ne voulaient pas impliquer Tom dans la fuite de Véronique, il leur fallait en endosser toute la responsabilité.

«Même si ce n'est pas ton avis, Gabrielle, je juge, moi, ta conduite imprudente.» Tante Mathilde leva la main pour énumérer sur ses doigts les fautes de sa nièce. «Primo, tu aides Véronique à s'enfuir, sachant parfaitement que je ne désirais pas me séparer d'elle. Secundo, tu n'as cessé de me mentir sur sa situation, en omettant tout bonnement de me dire tout ce que tu savais. Quand je pense à l'hypocrisie dont tu as fait preuve pendant des mois, je m'inquiète pour le salut de ton âme. Tertio, tu as engagé avec M. Saint-Cyr une correspondance qui n'était apparemment pas l'innocent échange de nouvelles dont Tom m'a dit que tu lui avais parlé. Quatrièmement...»

Avant que ne se dresse le quatrième doigt, Gabrielle avait déjà fondu en larmes, la tête appuyée sur le dossier de sa chaise.

«Madame LeGrange, intervint Alex en se levant pour venir se poster devant tante Mathilde. J'entends endosser toute la responsabilité de ces entorses manifestes à votre code.

— J'en serais ravie, monsieur Saint-Cyr, car alors cette responsabilité pèsera sur le vrai responsable.» Tante Mathilde se leva, tenant son éventail à la façon d'un sceptre. «Vous êtes un homme du monde, et Gabrielle est une jeune personne sans expérience. Certes, elle a beaucoup mûri depuis la mort de son père il y a deux ans, mais il est évident qu'en ce qui concerne les choses du cœur, elle se berce encore de contes de fées.

— Madame LeGrange, je donnerais tout ce que je puis jamais espérer posséder si je parvenais à vous convaincre de la sincérité de mon amour pour Gabrielle.»

Tante Mathilde ne dit rien de plusieurs minutes, se bornant à aller se poster devant le portrait de son frère, qui était accroché en face de celui de la mère de Gabrielle. «Monsieur Saint-Cyr, reprit-elle enfin, mon frère a joué dans ma vie un plus grand rôle que ce n'eût été le cas si mon mari avait vécu. Ses principes, la manière dont il les appliquait dans la vie de tous les jours, m'ont été comme un phare qui m'a guidée à travers bien des heures sombres.» Elle se retourna vers Alex, et Gabrielle, qui les observait, si épuisée qu'elle ne ressentait presque plus rien, vit que le regard de sa tante frappait Alex au plus profond de son âme. «Ce n'est pas à moi qu'il vous faut complaire, monsieur Saint-Cyr. C'est aux principes d'Olivier Cannon que vous devez vous conformer. Vous vous trouvez un peu tardivement confronté à des standards aussi exigeants. Je ne sais si vous en êtes ou non capable, ou seulement désireux. Mais je sais une chose : tant que j'en aurai la force, je m'opposerai à votre union avec Gabrielle, jusqu'à ce que vous ayez prouvé que vous êtes le genre d'homme auquel son père l'aurait volontiers donnée.»

Gabrielle vit rougir violemment le visage pâle d'Alex, et elle comprit quel effort de volonté il faisait pour retenir les paroles cinglantes et fières qui lui venaient aux lèvres. Lorsqu'il parla, ce fut de façon rapide et saccadée. «Madame LeGrange, je me rends demain à Avery Island pour essayer de m'y rendre utile.

319

Quoique j'aie servi la Confédération, je n'en ai encore jamais porté l'uniforme. Mais si le capitaine Avery veut bien de moi, je compte m'enrôler dans sa compagnie. Si tout cela ne semble guère dispensateur de gloire, je vais néanmoins faire de mon mieux pour me conformer aux standards que vous avez définis. »

Tante Mathilde contemplait de nouveau le portrait comme pour se conforter dans l'idée qu'elle venait d'exprimer du caractère de son frère. « La gloire, monsieur Saint-Cyr ? Je ne parle pas de gloire. Je parle de sens du devoir, de ce courage tranquille qui veille à ce que toute responsabilité soit assumée avec scrupule et diligence, de cette compassion qui fait prendre en considération toutes les conséquences de nos choix. Vous m'avez mal comprise, monsieur Saint-Cyr, si vous pensez que les Cannon recherchent la gloire. Mon frère a eu sa part de renommée, mais jamais dans aucun de ses actes il n'a cherché à se faire valoir.

— La parole me trahit quand j'en ai le plus besoin, dit Alex. Il me faudra donc m'en remettre à mes actes.

— Oui, dit tante Mathilde, il vous le faudra. » Elle tira sa montre, l'ouvrit et la referma d'un geste sec, comme pour signifier la fin de l'entrevue. « Bien, j'ai dit tout ce que j'avais à dire. Si ce n'est ceci. Gabrielle…

— Oui, ma tante. » La jeune femme était incapable de regarder Alex ou tante Mathilde. Et bien qu'elle gardât les yeux dans le vague, elle sentait posée sur elle la force paisible du regard de son père tel que le rendait le tableau, la confiance sereine avec laquelle il affrontait le monde. Je vous ai trahi, papa, et je me suis trahie moi-même. C'est là ce que tante Mathilde cherche à me faire entendre. Et bien que cela me mette la rage au cœur, bien que je ne veuille pas admettre la justesse de ce qu'elle dit, il me faut devenir maîtresse de moi-même, sinon l'amour que j'ai pour Alex ne sera jamais ni fort, ni solide, ni durable.

Elle se redressa légèrement et s'obligea à soutenir le regard de sa tante.

« Tu m'as rappelé en termes sans équivoque à qui appartient Felicity, dit celle-ci. Sache que, depuis dix-sept années que j'assume l'entière responsabilité de cette maison, j'ai toujours su que le jour viendrait où ce rôle d'intendante irait à quelqu'un d'autre, peut-être la femme de Tom, peut-être toi. Or il m'apparaît que si tu souhaites exercer le privilège de la propriété, comme tu l'as fait aujourd'hui, peut-être devrais-tu en assumer aussi les responsabilités. » Elle porta la main à sa ceinture, où était accroché le grand trousseau des clefs de la maison. « Dois-je te confier ces clefs dès aujourd'hui, Gabrielle, et avec elles les attributions qu'elles représentent ?

— Non... non, je serais complètement perdue... Non, tante Mathilde, s'il vous plaît... »

S'il restait encore à retirer quelque chose aux prétentions à la maturité de Gabrielle, la proposition de sa tante s'y employait efficacement. Le petit bagage de connaissances qu'elle possédait sur le fonctionnement de la maison semblait plus insignifiant que jamais, comparé à l'énormité des tâches de tante Mathilde, et elle se prit à regretter toutes ces heures qu'elle avait volées pour être avec Tom ou galoper à cru dans la prairie, quand elle aurait dû apprendre l'art d'entretenir chaque pouce de cette demeure et tout son contenu.

« En ce cas, Gabrielle, tu n'es pas non plus prête pour le mariage, reprit sa tante. A moins que tu ne conçoives de faire vivre ton mari au milieu d'un chaos et de voir tes enfants pousser comme herbes des champs. » Elle s'approcha et lui prit la tête entre les mains. « Gabrielle, ma petite Gabrielle, non, tu n'es pas mauvaise, mais tu es volontaire et étourdie. Les pétrins dans lesquels tu te mettais lorsque tu étais enfant n'entraînaient pas de conséquences plus sérieuses que ne l'étaient alors un bras écorché ou un genou couronné ; mais aujourd'hui, j'espère que tu le comprends, l'indiscipline et l'étourderie ont des conséquences autrement graves.

— Je le sais. Oh, tante Mathilde, je suis désolée, je n'ai pas voulu nous rendre tous aussi malheureux.

— Non, bien sûr, et je veux croire que M. Saint-Cyr n'a pas non plus agi dans ce but. Seulement, étourderie et emportement prélèvent aussi leur tribut chez les jeunes gentlemen qui pourtant connaissent un peu la vie. Il va maintenant vous falloir en payer le prix.

— Nous sommes convenus de cela, dit Alex. Si je pouvais partir ce soir pour Avery Island, je le ferais.

— Ce serait absurde, dit tante Mathilde. Non seulement vous seriez arrêté une douzaine de fois par les patrouilles, mais vous achèveriez de vous épuiser. Reposez-vous, monsieur Saint-Cyr. Demain vous prendrez un nouveau départ. » Elle embrassa sa nièce sur le front. « Gabrielle, désormais tu m'accompagneras

321

comme mon ombre jusqu'à ce que tu sois capable de tenir cette maison aussi bien que moi.

— Bien, ma tante. »

Tante Mathilde partit vers la porte et se retourna sur le seuil. «Je ne prétends pas être blanche comme neige dans tout ceci. Sans doute aurais-je dû montrer plus de rigueur à te faire t'acquitter de tâches qui te revenaient, au lieu de te laisser t'occuper de choses qui sont plutôt du ressort masculin, et te désintéresser de la sphère domestique. Mais, ayant déjà perdu un foyer, peut-être me suis-je trop attachée à celui-ci. Je ne tenais pas à ce que l'on empiète sur mon territoire. C'est aussi simple que cela. »

Comme si cet aveu dépassait ce qu'elle avait eu l'intention de dire, tante Mathilde sortit presque en courant. Les deux jeunes gens entendirent ses pas résonner dans le couloir, puis décroître dans les escaliers.

Alex vint prendre Gabrielle dans ses bras. «Ma chérie, dit-il, cette journée a été bien dure pour vous.

— Oui, et j'ai du mal à y voir clair, dit-elle avec lassitude, tout en se laissant aller contre lui.

— Je sais. Il faut aller dormir. Demain matin, je pars pour Avery Island.

— Vous prendrez Jupiter. Depuis que Tom est parti, il ne sort presque plus.

— Non, pas le cheval de Tom. Je suis superstitieux là-dessus.

— En ce cas, prenez celui que vous voudrez. Samson vous donnera un coup de main. » Elle parlait presque mécaniquement, sans réfléchir, sans vraiment entendre ce qu'elle disait. Des images se bousculaient dans sa tête : Alex courant vers elle, Véronique s'effondrant dans ses bras, les esclaves se précipitant vers la maison, tante Mathilde s'interposant, et enfin ce malheureux bébé, recevant en même temps la naissance et la mort. «Je vais monter, dit-elle. J'ai besoin de pleurer longuement. Et je voudrais être seule pour cela.

— Vous verrai-je avant de partir?

— Oui. »

Elle perçut une différence dans son baiser : n'était-il plus aussi sûr d'eux, aussi confiant en leur bonheur à venir? Il l'accompagna jusqu'au pied des marches pour la regarder monter. La dernière vision qu'elle eut de lui fut ce visage qu'il levait vers elle, empreint à la fois d'amour et de tristesse.

Ses larmes jaillirent avant même qu'elle eût atteint sa chambre. Lorsqu'elle entendit quelqu'un pleurer, elle crut d'abord que ses nerfs la trahissaient et que c'était elle-même qu'elle entendait. Puis elle réalisa que ces sanglots provenaient de l'autre côté du couloir, et que, derrière cette porte close, sa tante pleurait elle aussi.

Les pleurs font une piètre berceuse ; Gabrielle dormit, mais d'un sommeil peu réparateur. Elle se leva avant l'aube, se vêtit et alla attendre sous la glycine qu'Alex se réveille. Les grappes mauves et blanches paraissaient défraîchies dans ce demi-jour, et une odeur de feuillage en décomposition et d'humus se mêlait à leur parfum. Les deux jeunes gens n'eurent que quelques minutes à passer ensemble ; Alex ne voulut pas attendre que le petit déjeuner fût servi, disant qu'il n'avait pas de temps à perdre.

Debout sur la galerie, Gabrielle le regarda s'éloigner. Elle se disait qu'une trentaine de kilomètres n'était pas une distance infranchissable, mais elle savait qu'un espace plus grand les séparait maintenant, un espace bien plus difficile à traverser. Ce n'est pas en restant plantée ici que je le franchirai, se dit-elle. Et, tournant les talons, elle rentra pour se mettre en quête de tante Mathilde.

17

Les jours qui suivirent le départ d'Alex pour Avery Island semblèrent appartenir à un autre calendrier. Juin aurait dû être serein et paisible, calquant son humeur sur ses ciels placides. Au lieu de cela, il fut agité d'un maelström de rumeurs, cependant que commençaient d'arriver dans la région des nouvelles de l'occupation de La Nouvelle-Orléans. .

Le général Butler avait publié son premier décret sitôt son arrivée. Il y proclamait la ville sous le régime de la loi martiale et demandait à ses habitants de se désolidariser de la Confédération et de « renouveler leur allégeance » aux États-Unis. Les réunions publiques étaient proscrites ; les magasins et entreprises devaient se faire enregistrer et demeurer ouverts. Certains commerçants ayant refusé de servir des soldats yankees, Butler fit un exemple en arrêtant l'un d'entre eux et en confisquant l'ensemble de sa marchandise. Les journaux de la ville, pour avoir marqué leur opposition sur telle ou telle question, étaient un à un saisis et interdits.

Les pires rumeurs se faisaient l'écho de l'infâme décret 28, qui stipulait que « toute femme qui, par la parole, le geste ou l'attitude, insultera ou manquera de respect à un officier ou un soldat des États-Unis sera considérée et susceptible d'être traitée comme une prostituée se livrant à du racolage ».

La réaction à ce décret de ceux qui se réunirent par une chaude soirée de juin dans le salon des Robin fut semblable à celle de tous les habitants du Sud : par cette initiative outrancière, Butler confirmait leurs idées les plus noires sur l'envahisseur nordiste, et se gagnait le surnom de «la Brute».

Les habitants de La Nouvelle-Orléans se trompaient s'ils croyaient par cette insulte altérer la détermination du général nordiste. Quand John T. Monroe, maire de la ville, orchestra une virulente opposition au «Décret sur les femmes», Butler ne fit pas de demi-mesure. Il destitua le maire et le fit incarcérer à Fort Jackson pour une durée indéterminée.

Un certain nombre de citoyens parmi les plus en vue avaient déjà été arrêtés et emprisonnés soit à Fort Jackson soit sur Ship Island, sur le delta du Mississippi, et même, dans quelques cas, transportés jusque dans le Massachusetts. Personnage non dénué d'habileté, Butler agitait cependant autant la carotte que le bâton. Ainsi, il fit curer les canaux stagnants, nettoyer les rues ainsi que les égouts, longtemps négligés, par les indigents de la ville, apportant ainsi à la ville un avantage qu'on ne put lui dénier ; sous son administration, la ville devint une des plus propres et des plus saines du pays.

Avant même que Lincoln ne lève, le 12 mai, le blocus de La Nouvelle-Orléans, le marché avait rouvert et des vivres avaient commencé d'être distribués à une population affamée. Avec la suppression du blocus, la ville pouvait de nouveau commercer avec les ports du Nord, et déjà, maints citoyens se trouvaient toutes les justifications pour s'y employer activement.

«La ville est prise dans un étau», déclara M. Robin. Il eut un regard circulaire pour prendre la température des invités qui emplissaient son salon. «Pour leur défense, ses habitants ont dû s'en remettre aux forces de la Confédération. Maintenant que les soldats ont levé le camp, les civils n'ont plus qu'à supporter le poids de la défaite.» Il but une gorgée puis poursuivit : «Et cela revient à ceci : va-t-on coopérer avec l'envahisseur et se raccrocher à ce qu'on peut, de façon à repartir du bon pied lorsque cessera l'occupation de notre sol ? Ou bien va-t-on imprudemment tout envoyer promener ?

— Imprudemment ? Que faites-vous de la loyauté ? lança quelqu'un. Il n'y a pas que des biens qui soient en jeu, Robin.

— Vous en parlez à votre aise, assis bien tranquillement dans ce fauteuil, répondit le maître de maison. Mais lorsque vos biens seront menacés...

— Les Yankees n'arriveront pas jusqu'au Teche, affirma quelqu'un d'autre. Nos soldats sont en train de se regrouper à Camp Moore. Ils vont lancer une contre-attaque.

— Cela ne modifie en rien la situation des habitants de La Nouvelle-Orléans », dit M. Robin. Il regarda sa belle-sœur, assise silencieusement à côté de lui. « Nell, vous avez laissé là-bas tous vos biens. Qu'en est-il advenu ?

— Ils ont été confisqués », dit-elle. Elle parlait d'une voix égale, et son visage paraissait calme, mais le mouvement rapide de son éventail donnait une meilleure lecture de ses émotions. « Une accusation fabriquée de toutes pièces, puis une autre et une autre encore... On nous a tout pris, absolument tout.

— Et si c'était à refaire, interrogea son beau-frère, partiriez-vous en abandonnant tout, comme vous l'avez fait ? »

Elle parcourut la pièce du regard, non pour regarder les personnes présentes, mais pour considérer le lourd chandelier d'argent posé sur la cheminée, le riche brocart des rideaux, les épais tapis d'Aubusson qui recouvraient le plancher. « Non, dit-elle, si faiblement que l'assistance dut lire sa réponse sur ses lèvres. Non, je resterais et essaierais de tout préserver. »

M. Robin regarda alentour d'un air presque triomphal. « Comme vous voyez, dit-il, cela dépend des points de vue. Ce qu'une personne considérera comme de la collaboration avec l'ennemi, une autre pourra y voir une forme de guerre larvée, de guérilla passive, à la faveur de laquelle des biens que l'ennemi s'approprierait sont préservés de ces déprédations.

— Vos arguties sont d'une trop grande subtilité pour moi, Robin, dit un des invités. Si les Yankees arrivent jusqu'ici, ils vont me trouver à l'entrée de ma plantation, armé jusqu'aux dents. Et pour y pénétrer, il leur faudra me passer sur le corps.

— Je ne suis pas en train de vous conseiller le compromis, dit M. Robin. Je n'ai pas encore décidé de la conduite que j'adopterai au cas où les choses en arriveraient là. » Il saisit la main de son épouse. « Cependant, Jaime étant au front, il me revient de protéger du mieux que je peux ma femme, mes filles et mes petits-enfants. J'ai beaucoup réfléchi à toutes ces choses, et il m'apparaît de plus en plus que mon souci premier doit être la sauvegarde de ceux dont j'ai la charge.

— Il y a six mois, je vous aurais traité de lâche, dit quelqu'un, et nous nous serions battus en duel. Mais depuis qu'ils ont pendu Mumford... »

A l'évocation de ce nom, un murmure parcourut l'assemblée. Quelques semaines après sa mort le 7 juin, Mumford faisait déjà figure de martyr pour certains, de patriote insensé pour d'autres. Quoique son action, à la fin d'avril, lorsqu'il avait décroché et lacéré le drapeau des États-Unis que deux officiers fédéraux venaient de hisser devant l'hôtel de la Monnaie, eût dans un premier temps suscité l'admiration de ceux qui en avaient entendu parler, la sentence de mort prononcée contre lui et si promptement exécutée avait donné lieu à des considérations plus modérées.

Beaucoup se dirent que l'on pouvait demeurer loyal au fond de son cœur à la cause du Sud, que Mumford eût mieux fait de rester chez lui et d'ignorer la présence de ce drapeau, plutôt que d'illustrer son opposition de façon si spectaculaire que Butler avait été contraint de faire un exemple. Peu à peu, les procédés répressifs du général yankee s'étendaient aux églises et aux écoles ; banques et maisons de commerce devaient lutter pour s'assurer une existence précaire. Cependant que les habitants de la ville méprisaient pour son attitude Butler et tout ce qu'il représentait, celui-ci dressait toujours plus d'obstacles en travers de leur chemin, à tel point que la plupart n'eurent bientôt plus que le temps de s'occuper de pourvoir à leur subsistance.

Ceux qui frayaient ouvertement avec l'occupant étaient l'objet d'une haine plus virulente ; pour ceux-là, aucune insulte n'était suffisamment cinglante, aucun affront assez cruel. Ainsi, présents depuis le tout début, lorsque certains Louisianais prêchaient la modération quand d'autres prônaient la manière forte, les germes de la discorde s'enracinaient. Ceux qui, pour une raison ou pour une autre, pâtissaient de leur fidélité à la cause confédérée jugeaient sévèrement ceux dont l'attachement semblait faiblir. Des ruptures survenaient, qui allaient durer des générations, et les fissures superficielles qu'avait observées tante Mathilde le soir de l'exécution sommaire des meurtriers d'Adolphe LeBœuf continuaient de s'étendre. De gigantesques pans de civilisation s'effondraient d'un coup avec le pourrissement de ce qui en avait assuré la cohésion.

Au milieu de tout ce tumulte, Alex s'établit à Avery Island sans presque qu'on le remarque. Les rares personnes qui, se distrayant brièvement de leurs propres soucis, prirent le temps de l'interroger sur ce qu'il avait fait depuis le début de la guerre, virent leur curiosité aisément satisfaite ; le capitaine Avery, homme fort respecté dans la région, fit en effet savoir que la loyauté et les services rendus par Saint-Cyr à la cause confédérée ne souffraient pas de comparaison, et la question fut réglée.

Entre ses activités à la mine de sel et son service dans la milice, Alex n'avait guère le temps de pousser jusqu'à Felicity. Le gisement d'Avery Island fournissait la plus grande part du sel nécessaire au Sud, et prendre quelques heures de liberté pour aller voir Gabrielle n'avait d'importance que pour Alex et elle. Au fur et à mesure que s'étirait l'été, celle-ci réalisait que, quoique leur situation eût connu quelque amélioration, le fait d'être aussi proche d'Alex et de ne le voir que très rarement constituait une frustration presque aussi pénible que celle qu'elle avait ressentie à l'époque où elle n'avait aucune certitude quant à l'endroit où il se trouvait. Elle ne connaissait qu'un seul soulagement, celui de n'avoir plus à craindre pour sa vie.

Recouvrant peu à peu ses forces, Véronique venait remplacer Gabrielle dans la salle de couture, ce qui permettait à celle-ci de mieux seconder sa tante. La jeune métisse habitait maintenant la maison, dans une petite chambre du deuxième étage.

« Il ne serait guère prudent de l'envoyer du côté du quartier aux esclaves », avait dit tante Mathilde. Et de fait, à l'exception de Lucie, Letha et Abigail, Véronique se gardait de tout contact avec les esclaves, restant dans sa chambre quand elle ne travaillait pas, et prenant l'air sur la galerie lorsqu'il n'y avait personne en vue.

Quoiqu'elle parût contente de voir Gabrielle lors des courts instants qu'elles pouvaient passer ensemble, celle-ci avait le sentiment que la personne avec qui elle devisait alors n'avait que peu de rapport avec la Véronique qu'elle avait connue à La Nouvelle-Orléans. Elle a perdu sa flamme, se disait la jeune femme. On verra, au retour de Tom, s'il reste encore quelques étincelles sous ce tapis de cendres.

Elle ne disait pas « si Tom revient ». N'ayant plus à craindre pour la vie d'Alex, ses angoisses avaient maintenant Tom pour seul objet, et au fur et à mesure que les nouvelles du front devenaient de moins en moins rassurantes, elle éprouvait une difficulté croissante à seulement évoquer son nom.

Dans cet état d'esprit, la tâche la plus pénible et la plus fastidieuse constituait un dérivatif bienvenu, et plus grande en était la difficulté, plus son anxiété y trouvait de répit.

Descendant un matin, elle trouva Letha qui l'attendait avec un plein panier de poires à cuire. «M'ame LeGrange dit que c'est vous qu'il faut voir pour ces poires. Si on ne s'en occupe pas aujourd'hui, je ne veux pas être tenue responsable de leur état.

— Alors, occupons-nous en tout de suite, Letha.

— C'est que j'ai tout ce tas de viande à saler. Et M'ame LeGrange, elle est rendue chez les Robin. Ils sont venus la chercher tôt ce matin; il y a quelqu'un de malade chez eux.

— Comme si ma tante n'avait pas assez à faire ici, dit Gabrielle avec humeur. Si Mme Robin s'était occupée de former une infirmière, au lieu de s'en remettre à cette rebouteuse...» Elle se tut, enregistrant mentalement la quantité de poires que contenait le panier. «Bon, ce n'est pas ça qui va nous avancer. Letha, veux-tu demander à Jonas de porter ces poires à la cuisine? Je vais chercher la recette.»

Elle s'en fut en s'efforçant de ne rien laisser voir de son désarroi. L'expression de Letha n'avait pas changé, mais la jeune femme savait ce que celle-ci pensait de ses talents culinaires. Cela avait commencé à l'âge de cinq ans, lorsqu'elle avait voulu faire des biscuits. Elle avait oublié d'y mettre la levure, et seul son père avait consenti à manger les petits cailloux qui étaient sortis du four. Devant le dédain de Letha, elle s'était alors promis de maîtriser un jour les arts culinaires. Seulement, entre la cuisinière noire et tante Mathilde, elle n'avait guère pu que s'essayer à la confection de cakes et de tartes fort banals, et l'idée de devoir transformer ce tas de fruits en une belle rangée de conserves n'était pas sans l'intimider. Se morigénant à chaque pas, elle alla lentement prendre le livre de recettes dans le secrétaire de sa tante.

Vers le milieu de l'après-midi, elle fut saisie d'un immense découragement et le sermon le plus sévère n'y eût rien changé. Au moins un tiers des poires restait à cuire, et quoique celles dont elle avait terminé la préparation, eussent aussi belle allure que possible, elle ne se sentait ni la force ni la volonté de mener sa tâche à bien. Se laissant tomber sur un tabouret, elle s'enfouit le visage dans son tablier poissé de sirop et fondit en larmes.

Entrant en coup de vent dans la cuisine, Véronique manqua de trébucher sur elle et se rattrapa de justesse. «Gabrielle! Mais

329

qu'y a-t-il donc ? » Elle lui prit les mains. « Mais tu t'es brûlée !
Et regarde-moi ces coupures ! Pour l'amour du Ciel, mais qu'est-
ce que tu fabriques ?

— Je fais des poires au sirop », dit Gabrielle en sanglotant de
plus belle.

Véronique vit alors le monceau de fruits qu'il restait à peler.
« Le feu est en train de mourir, remarqua-t-elle. Mais je suppose
que cela n'a pas grande importance, tu ne me parais pas en état
d'emplir un bocal de plus. »

La compassion de Véronique mit un peu de baume au cœur
de Gabrielle. Ses brûlures la lançaient, ses coupures la piquaient,
et depuis l'heure du déjeuner, il lui semblait que son pauvre dos
allait se briser en deux. Elle se dit qu'elle terminerait le lendemain matin — les poires n'auraient pas le temps de trop se gâter ;
puis elle revit le regard de tante Mathilde, au salon, le soir du
retour d'Alex, et ses joues se mirent à brûler d'un feu plus intense
que celui qu'y avait mis la touffeur de la cuisine.

« Mais si, bien sûr que je vais terminer, dit-elle en se relevant.
Je voulais juste souffler une minute. Je vais avoir fini en un rien
de temps.

— Bon, alors je vais t'aider, dit Véronique. Ne discute pas,
Gabrielle. Je sais que tu gardes le silence pour protéger Tom,
et je sais ce que te coûte ce silence. T'aider à peler quelques poires est un bien modeste retour des choses.

— En ce cas, j'accepte ton aide, dit Gabrielle. Mais tu vas peut-
être le regretter. » Elle écarta les cheveux qui lui barraient le visage
et refit le nœud de son tablier. « Ah, Véronique, quand je pense
à la façon dont je me suis toujours largement servie en confitures
et fruits au sirop, sans jamais une pensée pour celle qui les avait
faits… quand je pense au nombre de fois où j'ai déchiré la dentelle de mes jupons, où je suis rentrée avec les vêtements tout crot-
tés… Si cette guerre se termine un jour, même si je n'ai plus à
faire ce genre de travail, jamais je n'oublierai combien cela peut
être pénible. Jamais !

— Tom te dirait que même une chose aussi atroce que la
guerre, tout en détruisant tout sur son passage, ouvre quelques
voies nouvelles. Sans doute certaines prises de conscience comme
celle-ci sont-elles du nombre.

— Comme je voudrais avoir de ses nouvelles ! Il est si pénible
de ne pas savoir où il est, comment il va…

— C'est vrai», dit Véronique. Elle prit un couteau et se mit à peler une poire, laissant la longue bande de peau tomber dans le seau plein d'épluchures que Gabrielle destinait aux cochons. «Tout est pénible. Penser à t'appeler miss Cannon et à te dire vous dès que Mme LeGrange est dans les parages, penser à garder les yeux au sol, ne plus marcher tête haute...

— Cela aussi, ça va prendre fin, Véronique. Quand Tom rentrera... »

Les deux jeunes femmes se regardèrent avec à l'esprit le même petit mot, tellement douloureux : si...

Au fil de l'été, tante Mathilde paraissait se mouvoir de plus en plus lentement. Mais peut-être est-ce moi qui me déplace plus vite, se disait Gabrielle. Celle-ci vaquait à ses occupations avec plus d'assurance, et avait de moins en moins besoin de conseils. Vint le jour où, ayant goûté son poulet à la purée d'okra, sa tante reposa la cuiller et dit : «Il est meilleur que le mien. »

Chacune de ces petites victoires rapprochait Gabrielle de son objectif, qui était de prouver à sa tante et de se prouver à elle-même qu'à présent cela y était, elle n'était plus une enfant. Cependant, les événements du monde extérieur faisaient paraître bien dérisoires ces petits succès. Que servait d'apprendre à tenir une grande maison, quand leur style de vie même semblait condamné ? Les rares lettres que les habitants du pays recevaient de parents ou d'amis restés à La Nouvelle-Orléans ou dans ses environs évoquaient un régime radicalement différent : le gouvernement fédéral avait saisi les plantations de ceux qui refusaient de prêter serment de fidélité à l'Union ; chaque jour les esclaves étaient plus nombreux à s'enfuir. Comme l'écrivait une certaine dame : «Tout est comme si je m'étais endormie dans une maison bien ordonnée et m'éveillais pour découvrir que ce que je prenais pour un mauvais rêve était en fait la réalité. »

Alex arriva un beau matin, annonçant qu'il avait sa journée. «Est-ce que les gens font encore des pique-niques ? demanda-t-il.

— Nous allons en faire un », décida Gabrielle. Elle alla trouver tante Mathilde, qui travaillait à sa correspondance. «Alex est ici, annonça-t-elle, et je voudrais passer la journée avec lui. Cela implique que je remette à plus tard ce que je devais faire aujourd'hui. Mais je veillerai tard ce soir et me lèverai de bonne heure demain matin... »

Tante Mathilde posa sa plume et considéra Gabrielle par-dessus ses lunettes. Elle n'avait guère évoqué Alex au cours des dernières semaines. Il ne venait que rarement à Felicity, mais lorsqu'il le faisait, ses manières étaient irréprochables ; et ce qu'on lui rapportait de sa conduite lui faisait comprendre que le respect du capitaine Avery pour Alex était fondé. Elle avait été étonnée de la facilité avec laquelle Gabrielle avait accepté son ukase ; et, profitant de l'occasion qui s'offrait de lui montrer que cette attitude disciplinée et sérieuse n'était pas infructueuse, elle accepta aussitôt de lui donner sa journée.

« Que M. Saint-Cyr descende à la cave, dit-elle. S'il est vraiment le fils d'Hector, il saura vous choisir une bonne bouteille.

— Nous avons pensé aller du côté du bayou », dit Gabrielle. Elle s'efforçait de ne pas rougir, mais la chaleur qui lui venait aux joues témoignait de la vanité de ses efforts. « Si vous souhaitez que Lucie nous accompagne...

— Je te suppose capable de te chaperonner toute seule, Gabrielle. » La petite lueur qui passa dans l'œil de sa tante alla droit au cœur de Gabrielle. Mais on dirait bien qu'elle s'adoucit, se dit-elle en allant annoncer la bonne nouvelle à Alex.

Elle n'aurait su dire à quel moment elle avait deviné qu'il était en fait venu lui dire au revoir. Elle était assise à côté de lui au sommet du tumulus indien, caressée par une brise tiède, heureuse d'être auprès de lui, ne voyant pas plus loin que cet après-midi... et l'instant d'après, elle se retrouva dans un lieu sombre et glacé, déjà habitée par l'angoisse et la solitude que son absence allait faire naître.

« Vous partez, n'est-ce pas ? dit-elle.

— Comment le savez-vous ?

— Alors, c'est vrai ! Oh, Alex ! » Elle avait résolu de se conformer à la règle la plus stricte ; cela, il l'avait senti, et quoiqu'il lui eût plusieurs fois tenu la main, la portant même une fois à ses lèvres, il ne l'avait ni enlacée ni embrassée. Mais la règle n'était rien en regard de cette déconvenue. Elle se porta vers lui, noua les bras autour de son cou et se laissa embrasser les paupières, le visage, les lèvres.

«Où partez-vous? demanda-t-elle enfin.

— On a besoin de sel à Vicksburg. Un homme est arrivé hier sur l'île, dépêché par le gouverneur Pettus. Demain, nous allons commencer de préparer un gros chargement, qui doit partir dans la semaine.

— Mais pourquoi faut-il que ce soit vous qui y alliez? Le gouverneur du Mississippi ne pourrait-il venir chercher son sel lui-même?» Elle prit conscience de son emportement et s'aperçut avec tristesse combien facilement l'adversité la faisait se conduire comme une enfant. «Pardonnez-moi. Bien sûr, si on a besoin de vous là-bas, il faut y aller.

— Je connais bien l'itinéraire, Gabrielle. Nous utiliserons des chars à bœufs jusqu'aux berges de l'Atchafalaya. Nous prendrons le bateau jusqu'à Baton Rouge, puis nous gagnerons Vicksburg.

— Combien de temps serez-vous parti?

— Au moins un mois. Peut-être plus.

— Oh non, Alex, pas plus d'un mois!

— Je ne peux rien vous promettre, Gabrielle. Je peux vous assurer de mon amour pour vous, ça oui, mais non de la date de mon retour.»

Elle se mit debout et ferma les yeux pour se laisser pénétrer par l'essence même des terres environnantes, celle de la chaleur de l'été, celle des eaux coulant vers le sud. Je me suis tenue ainsi durant tous les étés de ma vie, j'ai senti sur ma peau les rayons de ce même soleil, respiré le parfum du chèvrefeuille et de la luzerne, j'ai pêché dans le bayou et y ai même appris à nager. Et durant tout ce temps, je me dirigeais vers cette journée, cette heure, cette minute précise, où j'apprends une bonne fois pour toutes que je n'ai aucune maîtrise de ce qui compte le plus pour moi. Rouvrant les yeux, elle vit Alex qui la contemplait, et son regard acheva d'aviver sa douleur. «Si c'est cela être responsable, être adulte, dit-elle, alors je ne veux être rien de tout cela!» Elle s'agenouilla près de lui et lui prit la main. «Emmenez-moi avec vous. Je vous en supplie!

— Mon amour, vous ne parlez pas sérieusement.» Il lui posa sa main libre sur le visage, comme on fait à un enfant qui a de la fièvre. «Ma chérie, je reviendrai. Simplement, je ne peux vous dire exactement quand...

— Pourquoi ne vous accompagnerais-je pas? Je pourrais vous

333

retrouver après que le chargement aura quitté l'île. Qui est-ce que cela gênerait ?

— Vous, Gabrielle. Et moi aussi.

— Nous pourrions trouver un prêtre pour nous marier. Oh, Alex, pensez à tout ce temps que nous passerions ensemble ! Tout le trajet jusqu'à Vicksburg — elle se pencha pour l'embrasser. Ce ne serait pas un grand voyage à travers l'Europe, je vous l'accorde, mais si c'est tout ce que nous devons avoir... Alex, emmenez-moi avec vous ! Je suis si lasse de la solitude. »

D'un baiser, il lui scella les lèvres, l'empêchant de poursuivre. La Gabrielle qui, depuis qu'elle avait pris conscience de son amour pour lui, avait attendu pendant de longs mois d'avoir franchi tous les obstacles pour être enfin sienne, répondit à son baiser. La conscience qu'elle avait du monde environnant, si vive quelques instants avant, s'estompa. Il n'y avait plus que lui, Alex. Et c'était tout ce qu'elle voulait qu'il soit.

Elle le sentit tressaillir, s'écarter, la tenant à bout de bras. « Gabrielle... non... »

Deux mots seulement, mais qui disaient à la jeune femme combien elle avait été près de commettre une bêtise. « Je... je suis désolée », souffla-t-elle. Elle ne pouvait soutenir son regard, car elle y voyait ses cheveux en désordre, sa robe froissée. Elle se détourna.

« Ne sois pas désolée, mon amour, dit Alex en la prenant tendrement par les mains. Ne sois jamais désolée de m'aimer...

— Comment ai-je pu seulement penser à une chose pareille ? Je n'ai rien appris... Je suis toujours aussi étourdie, toujours aussi indisciplinée...

— Que non, dit-il en promenant ses lèvres dans sa chevelure. Tu es amoureuse. »

Lui tournant toujours le dos, elle se laissa aller contre lui. « Tante Mathilde dit que l'amour doit être fort, tranquille et sûr, mais cela n'a rien à voir avec ce que j'éprouve ! Je me sens prête à envoyer promener tous les usages, à les fouler aux pieds, pour en instituer de nouveaux. » Elle se tourna vers lui. « Est-ce là ce qu'éprouvent les amoureux ?

— C'est ce que j'éprouve, dit-il. Mais en dépit de ce que peut raconter Mme LeGrange, je n'ai pas assez d'expérience en la matière pour savoir si tout le monde en est affecté de la même façon.

334

— Au moins en avez-vous assez pour ne pas faire une folie.

— A présent que la tête ne nous tourne plus, sachez que vous repousser a été une des choses les plus difficiles qu'il m'ait été donné de faire. »

Et voilà que nous avons basculé de l'autre côté, songeait Gabrielle. La journée a connu son point culminant. Pendant l'heure qu'il nous reste, nous allons marcher sur des œufs, conscients des dangers qui nous guettent. Elle embrassa Alex sur la joue, puis se dirigea vers l'arbre où était accroché leur panier. « Moi, j'ai faim. Pas vous ? dit-elle. Pendant que vous allez chercher le vin qui rafraîchit dans le bayou, je vais mettre le couvert. »

De retour à la maison, elle lui demanda de l'attendre le temps de monter dans sa chambre. « J'ai quelque chose à vous donner, dit-elle. Quelque chose qui vous appartient. »

Elle alla prendre les lettres qu'elle lui avait écrites et les plaça dans une boîte à gants. Revenue au salon, elle lui remit le carton et le regarda en soulever le couvercle.

« Je les ai écrites au cours de ces horribles mois pendant lesquels tout ce que je savais de vous était que vous jouiez à cache-cache avec la flotte fédérale. J'avais projeté de vous les remettre bien avant. Mais quand je les ai relues, juste après votre retour, j'ai réalisé combien celle qui a écrit cela était meilleure que celle que je suis aujourd'hui. Elle restait d'humeur égale et ne faisait pas des histoires pour la moindre peccadille, et jamais, jamais elle n'aurait... Non, il ne faut pas que je pleure, il ne le faut pas...

— Je vais emporter ces lettres avec moi, dit Alex. Je vais les lire et précieusement les conserver. Mais la jeune personne dont vous faites la description est celle que j'ai devant moi et qui est bien trop sévère pour elle-même. Et qui ferait mieux d'arrêter, sinon il va me falloir l'aimer plus encore pour lui prouver combien elle m'est chère. »

Alors, la voix lui manqua, et le reste de ce qu'ils avaient à se dire le fut avec des baisers mêlés de larmes. Elle lui fit un bout de conduite, l'accompagnant jusqu'aux limites de Felicity pour ensuite le regarder s'éloigner dans le crépuscule. Puis elle fit lentement le chemin inverse, entendant dans chaque pas de Brandy une nouvelle barrière qui tombait entre eux.

Une feuille jaunie glissait lentement dans l'air automnal. Elle

335

toucha la joue de Gabrielle et, emportée par la brise capricieuse, remonta brusquement vers le ciel. La jeune femme tendit le bras, mais la feuille tournoya un moment hors de portée avant de reprendre sa chute oblique.

On était à la fin de septembre, et la première perturbation était enfin arrivée, mettant provisoirement un terme à la canicule et redonnant courage aux habitants de la région. Au cours des dernières semaines d'août et de la première moitié de septembre, alors que chaque matin apportait une nouvelle journée de chaleur étouffante et moite, le temps était devenu le bouc émissaire auquel on imputait la dureté de l'existence. «Jamais je n'ai vu un été pareil, disait tante Mathilde tout en mesurant en compagnie de Letha les denrées qui serviraient à la confection des repas du jour. Rien d'étonnant à ce que nous soyons tous sans courage et sans force; le simple fait de respirer m'épuise complètement.

— Ça, il fait chaud», renchérissait Letha. Un peu plus tard, elles attribuaient à la chaleur les troubles qui agitaient le quartier aux esclaves, les rixes qui éclataient entre les hommes, les incessantes querelles qui opposaient leurs compagnes. Les enfants souffraient d'une nouvelle vague de fièvres ainsi que de problèmes digestifs, et tante Mathilde et Gabrielle durent ajouter le rôle d'infirmière à la liste déjà longue de leurs tâches quotidiennes.

Après un bref répit, la chaleur revint en force. Gabrielle se confinait à la maison du fait de l'impossibilité pure et simple de mettre un pied dehors. Au petit matin, la terre encore chaude émettait des lambeaux de vapeur, qui formaient un ciel métallique, filtre aveuglant des rayons brûlants du soleil. Les autorités avaient lancé un appel pour trouver des vêtements d'hiver. En fin de journée, s'étant acquittée de ses autres tâches, Gabrielle montait retrouver Véronique dans la salle de couture; elles y faisaient à partir de vieux manteaux, de pantalons ayant appartenu à Olivier Cannon, des gilets et des guêtres que les soldats porteraient pendant l'hiver sous leurs uniformes en loques. Ces tissus épais et rêches, posés sur leurs genoux, leur donnaient plus chaud que jamais, si bien qu'il leur fallait fréquemment poser leur aiguille pour se tamponner le front et s'essuyer les mains.

Cette chaleur presque tangible coupait les habitantes de la maison les unes des autres; chacune se retranchait sur son périmètre, éventant l'air environnant, s'efforçant de maintenir autour d'elle une petite sphère de fraîcheur. Cet isolement présentait pour

336

Gabrielle un avantage supplémentaire ; dernièrement, sa tante avait paru désireuse de parler d'Alex Saint-Cyr, et la jeune femme n'arrivait pas à s'y résoudre.

Elle a pris une décision, et nous nous y sommes soumis, se disait-elle. Elle peut bien maintenant se radoucir, envisager une autre solution, cela n'a aucune importance. Il fait trop chaud, je suis trop fatiguée, et nous sommes de toute manière tous trop perturbés pour imaginer que tout pourrait redevenir comme avant. Elle se sentait complètement détachée des êtres et des choses qui l'entouraient. Et lorsque des familles voisines venaient en visite, ou lorsque elle et tante Mathilde faisaient l'effort d'une tournée de visites, la jeune femme demeurait sourde à toute conversation, comme ignorante de la langue qui se parlait, et peu désireuse de l'apprendre.

Elle observait semblable apathie chez les autres. Les conversations débutaient énergiquement puis se faisaient languissantes. Des sujets naguère considérés comme parfaitement naturels paraissaient maintenant porteurs de dangereux sous-entendus, en sorte que la question la plus anodine sur la situation d'un fils ou d'un parent pouvait entraîner un silence pesant ou une réaction émotive.

Les gens paraissaient soucieux de garder le secret sur toutes sortes de choses ; ainsi, on ne faisait plus aussi facilement qu'autrefois état de ses opinions politiques. Il arrivait de temps en temps qu'une famille disparût de la région, emportant discrètement sous des cieux plus tranquilles le peu de biens et d'esclaves qu'elle pouvait raisonnablement prendre avec elle, et abandonnant tout le reste sur place. Seuls de tout petits propriétaires choisissaient cette solution ; ceux qui possédaient des centaines d'hectares étaient, à la veille d'une récolte exceptionnelle, plus attachés que jamais à leur terre. Seul le sucre de ceux qui avaient fait allégeance à l'Union serait accepté et vendu à La Nouvelle-Orléans, mais cette condition n'inquiétait guère les planteurs de Louisiane. En effet, même en prenant en compte les honoraires consentis aux courtiers qui se chargeraient de transporter et de vendre la récolte, les bénéfices demeureraient suffisamment substantiels pour que même les plus pusillanimes prissent le risque de cette fraude.

Du fait qu'elle était sourde à toute conversation d'affaires, évoluant au milieu d'un brouillard opaque qui la fermait à tout ce qui n'était pas apostrophe directe, Gabrielle ignorait ce que tante

Mathilde et Adams projetaient de faire du sucre de Felicity après que la canne aurait été moissonnée et broyée au moulin. Elle avait perdu tout intérêt pour l'avancement de la récolte, et les rangs de cannes bleu-vert qui s'étiraient jusqu'à l'horizon ne lui inspiraient plus l'enthousiasme de naguère. Comme si elle était en train de se vider lentement mais inexorablement de tout ce à quoi elle avait jadis attaché de l'importance, elle attendait, impuissante et résignée, ce vide final qu'elle savait inéluctable.

Mais voilà qu'un beau matin elle sortit sur la galerie pour sentir sur ses joues la caresse d'une brise roborative. Le vent lui rafraîchissait la nuque, lui rabattait des mèches de cheveux sur le visage. Bien que la température crût considérablement en milieu de journée, elle retomba en fin d'après-midi, et Gabrielle monta se coucher ce soir-là en sachant que le léger accès d'énergie qui l'habitait se répéterait, et qu'avant longtemps elle aurait oublié cette léthargie à laquelle concouraient chaleur et dépression, et reprendrait courage et espoir.

La feuille morte termina sa chute. Gabrielle se mit à marcher d'un pas rapide, scrutant la pénombre crépusculaire pour apercevoir les tombes blanches qui luisaient faiblement derrière l'écran des basses branches alourdies de mousses. Comme elle l'avait fait de temps en temps au cours de l'été, elle avait l'intention de passer un moment sur la tombe de son père. Elle y apportait le poids de sa solitude et confiait au marbre froid tout ce qu'elle n'avait pu dire à quelqu'un. Au cours de ces heures passées parmi les sépultures de ses ancêtres, elle avait découvert combien était forte la présence des morts ; il lui semblait que son père, mais aussi sa mère, venaient la retrouver là, et elle en repartait chaque fois rassérénée et revigorée.

Ce jour-là, de nouvelles craintes l'assaillaient. Revenant la veille de New Iberia, Adams avait rapporté la nouvelle du sac de Baton Rouge par les soldats de l'Union. Et quand tante Mathilde avait objecté qu'assurément les troupes nordistes devaient être plus disciplinées que cela et que même les officiers de l'Union devaient adhérer aux lois de la guerre qui exigent que l'on épargne les civils et leurs biens, Adams avait dit en secouant la tête : « Il ne s'agissait pas de troupes régulières, madame LeGrange. Du moins pas en ce qui concerne les pires méfaits qui ont été commis. Le Butler, il a libéré du pénitencier deux cents forçats et les a obligés à s'enrôler dans l'armée. Ces gens-là se sont défoulés sur la ville

« — comme si elle n'avait pas été suffisamment bombardée et incendiée. Paraît qu'ils lacéraient les tableaux, répandaient partout de la mélasse, qu'ils brisaient les miroirs et la porcelaine. Et bien sûr ils sont partis en faisant main basse sur toute l'argenterie et tous les bijoux qu'ils ont pu trouver.

— Dieu du Ciel ! Et personne ne s'est interposé ?

— Autant essayer de stopper une tornade. Le pire, c'est que les nôtres tenaient bon. Même avec un armement meilleur et plus abondant, les Yankees n'étaient pas de taille face à nos gars. Si les machines de l'*Arkansas* n'avaient pas connu des avaries à répétition, si on n'avait pas pour finir été obligé de l'évacuer, d'y mettre le feu et de l'envoyer au fil du courant...

— Si, si, toujours des si ! s'était exclamée tante Mathilde. N'empêche qu'il a fallu l'abandonner et que cela a apparemment mis un terme à tout espoir de sauver cette pauvre ville de Baton Rouge. Quand je pense à ceux de mes amis qui y vivent... Quelle jolie ville, qu'il y fait bon vivre...

— Plus maintenant. Il n'y a plus un arbre, au moins un tiers des bâtiments a brûlé.

— Et tout cela au nom de la liberté et de l'union ! » Tante Mathilde avait regardé autour d'elle, arrêtant son regard sur chaque meuble, chaque peinture. « Quel genre d'homme serait capable de lacérer un de ces portraits ? Ou de répandre de la mélasse sur ces brocarts ?

— Un homme en colère, avait aussitôt répondu Adams. Un homme qui se dit que s'il lui faut mener une existence misérable et risquer sa peau, personne n'a le droit d'être mieux loti que lui.

— Pour la première fois, je suis heureuse que mon frère nous ait quittés avant de voir se réaliser ses pires craintes. Et de se rendre compte qu'il n'aurait pu empêcher ces abominations. »

Serrant les lèvres, tante Mathilde s'était remise à son ouvrage. Adams s'en était allé, laissant derrière lui de funestes images qui hantaient toujours l'esprit de Gabrielle.

Elle hâta le pas, impatiente de sentir se refermer autour d'elle la quiétude du petit cimetière. Elle se pencha pour éviter une branche basse, fit encore quelques pas et ouvrit le portillon. Le grincement des gonds, le bruit du loquet qu'elle refermait, fit sursauter deux colombes qui picoraient l'herbe poussiéreuse. Apeurées, elles prirent leur essor dans un grand froufrou d'ailes. Gabrielle sursauta également, puis repartit en direction du banc qui flanquait la tombe de son père.

C'est alors qu'elle vit qu'un homme y était assis, de dos, tête baissée. « Papa ! » eut-elle le temps de s'exclamer avant que la peur ne la saisisse. Elle tourna les talons et s'enfuit vers le portillon, main tendue en avant pour l'ouvrir plus vite.

« Gabrielle ? » Cette voix, sourde, hésitante, n'appartenait à personne de sa connaissance. Une voix rauque et voilée, comme si l'émission de ces trois syllabes lui eût coûté un effort considérable. « Gabrielle ? » entendit-elle à nouveau.

Elle perçut cette fois une intonation connue. Elle s'arrêta, la main sur le portillon mangé de rouille, demeurant parfaitement immobile, tandis que dans son dos un bruissement de feuilles lui apprenait que l'homme se dirigeait vers elle. Elle attendit de sentir sa main se poser sur son épaule, puis se retourna, les yeux pleins de larmes, pour se jeter dans ses bras. « Tom ! Oh, Tom ! »

Elle fermait les yeux, mais ses mains lui disaient les changements qui s'étaient opérés sur le visage de son frère. Elle sentait la saillie de ses pommettes, mesurait son harassement au renfoncement de ses orbites. Elle rouvrit les yeux et le prit par les épaules. Celle de gauche lui parut étrange, épaisse, matelassée, mais privée de bras. La manche était soigneusement repliée et épinglée sur un bandage qui ne cherchait pas à se dissimuler. Elle le regarda de nouveau dans les yeux. « Dans ta lettre, tu parlais d'une blessure mineure…

— Ce n'est pas à l'époque que je l'ai perdu, dit-il. Mais il y a quelques semaines, à Baton Rouge.

— A Baton Rouge… nous te croyions toujours en Virginie… » Elle respira profondément afin de se calmer un peu, puis prit la main de Tom entre les siennes. « Peu importe. Tu es rentré et plus jamais tu ne seras obligé de quitter Felicity. » Il est si pâle, se dit-elle, il semble complètement épuisé. Il faut que j'aille avertir tante Mathilde et que je demande à Jonas de m'aider à le ramener à la maison…

« Viens t'asseoir, Gabrielle, dit Tom en l'entraînant vers le banc. Je suis d'abord venu ici… tu comprends, je ne savais pas comment cela allait à la maison, si vous étiez tous bien portants… » Il eut un regard vers la sépulture de leurs parents. « Mais il n'y avait pas de nouvelle tombe, et j'ai su qu'au moins je vous trouverais tous là.

— Oh, Tom ! » fit Gabrielle. Elle avait refoulé ses premières larmes lorsqu'elle avait découvert la manche vide de son frère, mais à présent elle était incapable de les endiguer. Elle attira sa tête contre son épaule et se mit à lui caresser doucement les cheveux tout en regardant les larmes lui couler sur la joue. « Tout est si horrible, tu ne trouves pas ? Une guerre atroce, épouvantable, et qui, d'après Alex, est en train de se rapprocher très vite...

— Alex ! Il est ici ? demanda Tom en se redressant pour la regarder.

— Pas en ce moment. Mais il est venu, et il va revenir. Il est en route pour Vicksburg avec du sel de la mine d'Avery Island. » Elle vit de l'incompréhension dans ses yeux et sentit une nouvelle fois un abîme s'ouvrir entre eux. Tout ce qu'il avait traversé depuis leur dernière rencontre, tout ce qui avait changé dans sa vie à elle et dans celle de la région, tout cela ne pouvait se mettre entre eux. Mais, de même que le puissant Mississippi charriait du limon jusqu'à son embouchure pour y faire apparaître de nouvelles terres, de même les événements survenus pendant leur séparation avaient constitué en chacun d'eux des territoires inconnus de l'autre, dont maintes régions où nul ne serait invité à pénétrer et où peu s'aventureraient volontairement.

« J'ai été longtemps parti, dit Tom.

— Oui », fit Gabrielle. Elle lui retourna la main pour en suivre les lignes. « Tu te souviens, Tom, de cette vieille femme qui nous a dit la bonne aventure ? Cette ligne signifiait que tu vivrais longtemps et que tu mourrais dans ton lit.

— J'ai bien failli la faire mentir, fit-il avec une note amère.

— Tout cela n'est que superstitions. Tout comme le vaudou... » Ce mot fit affluer dans l'esprit de Gabrielle quantité de visions funestes, et elle se rapprocha en frissonnant de son frère. « Véronique est revenue, dit-elle. C'est Alex qui l'a ramenée.

— Véronique ! » Tom s'écarta de sa sœur pour la regarder droit dans les yeux. « Alex l'a ramenée ? » Il se passa la main sur les yeux. « Écoute, Gabe, cela fait beaucoup de choses à la fois. J'ai voyagé en chariot pendant des jours, j'ai fait les derniers kilomètres à pied...

— Tu es complètement épuisé, dit Gabrielle en se levant vivement. Ne bouge pas d'ici, je vais chercher Jonas. Il va venir t'aider, et en un rien de temps tu vas te retrouver dans ton lit.

— Oui, fit Tom. Dormir, si seulement je pouvais dormir un peu... »

Tout en s'élançant sur le sentier, elle lança un coup d'œil en arrière. Tom était toujours assis, si immobile qu'un écureuil lui faisait pendant sur l'autre bout du banc. On croirait qu'il appartient déjà à ce paisible endroit, se dit-elle. Comme s'il s'y sentait chez lui.

18

Tom reprit si rapidement ses habitudes que Gabrielle, lui portant son petit déjeuner dans le belvédère un matin du début d'octobre, eut quelque peine à se rappeler avec exactitude le jour de son retour ; puis la date, le 5 octobre, la frappa, et elle réalisa que cela faisait deux mois jour pour jour qu'il avait été blessé, et deux semaines qu'il était rentré.

Le docteur Delahaye, appelé par tante Mathilde, avait conclu son examen en disant que Tom avait eu vraiment de la chance. « Il est tombé sur un bon chirurgien, tout au moins quelqu'un qui a su empêcher l'infection. Pour tous ces pauvres types, la perte d'un bras n'est pas ce qu'il y a de pire ; le risque est que la plaie s'infecte, que la gangrène s'y mette, et rares alors sont ceux qui en réchappent. »

On finit par prendre l'habitude d'entendre répéter cette opinion du docteur Delahaye ; pour des familles dont le fils ou l'époux ne rentrerait pas ou avait déjà regagné ses foyers plus mutilé que Tom Cannon, un bras, surtout le bras gauche, semblait un prix modique à payer ; et Tom, avec une sensibilité encore avivée, relevait dans les congratulations des voisins en visite un mélange d'envie et de bienveillance, et se retranchait derrière un mutisme quelque peu hostile.

« J'aurais peut-être dû rester sur le terrain pour que ce canon nordiste m'emporte aussi la jambe, avait-il dit à sa sœur lorsque

Mme Robin et Dorothea eurent pris congé, peu de jours après son retour. Qu'elles m'en veuillent de la mort de Paul Levert est une chose qui me dépasse. Mais il est clair qu'elles m'en veulent.

— Voyons, Tom, où vas-tu chercher cela ? Il ne faut pas penser des choses pareilles...

— Je ne le pense pas, je le ressens. » Il avait mangé le laitage que lui avait servi Letha, puis avait léché les traces de lait qui lui bordaient les lèvres. « Je sais bien que je ne suis pas d'un abord très facile, mais c'est encore au-dessus de mes forces. D'ici là, je préfère ne plus avoir de visites.

— Nous n'en avons guère, de toute façon », avait dit Gabrielle.

Elle se tenait présentement sur le seuil du belvédère, goûtant la stimulante fraîcheur de cette matinée d'octobre. L'attitude de son frère la surprenait et lui était un peu douloureuse. Elle avait pensé qu'une fois rétabli il redeviendrait son compagnon. Une semaine à peine après son retour, il avait recommencé de monter Jupiter. Mais le jour où Gabrielle avait manifesté le désir de l'accompagner, il avait trouvé un prétexte pour s'en aller seul. Il ne semblait pas non plus souhaiter sa compagnie durant les heures qu'elle passait à coudre ou tricoter ; elle aurait pourtant pu transporter son ouvrage dans sa chambre, dans le belvédère ou en tout autre endroit où il passait ses journées. On le voyait à table, mais il s'y montrait peu loquace ; il annonçait parfois qu'il venait de redécouvrir un de ses auteurs préférés et projetait d'en relire les œuvres complètes, mais il mangeait le plus souvent en silence, s'excusant dès que les usages le permettaient, pour regagner immédiatement sa chambre.

·Tante Mathilde paraissait intimidée par son neveu et incertaine de la manière dont elle devait le prendre. Elle se retranchait elle aussi derrière une attitude toute formelle, qui n'était pas sans rappeler celle qu'elle adoptait dans ses rapports avec Adams ; assistant à une conversation entre eux, jamais on n'eût deviné qu'ils étaient parents, encore moins qu'ils avaient passé des années sous le même toit.

Adams avait demandé à Tom de l'aider le temps de la récolte, lui suggérant de surveiller la moisson tandis que lui s'occuperait du broyage. Ne témoignant apparemment pas plus d'intérêt pour cela que pour toute autre chose, Tom avait néanmoins accepté. A présent, chaque matin après le petit déjeuner, il disparaissait pour la journée, déjeunant dans les champs et ne rentrant que lorsque les esclaves ne voyaient plus assez clair pour travailler.

La veille, on avait terminé d'acheminer la récolte jusqu'au moulin. Aujourd'hui, Tom pourrait paresser un peu. Gabrielle avait abondamment répété dans sa tête la façon dont elle allait lui proposer d'aller passer la journée au bord du bayou ; cependant, la vue de son visage fermé lui ôta tout courage, et elle repartit vers la maison sans avoir prononcé une seule parole.

Elle se figea sur place lorsqu'il l'appela. Comme la fois où il l'avait hélée dans le cimetière, sa voix était celle d'un inconnu. Si elle n'avait pas su qui l'appelait, elle eût pensé à un vieillard irascible. Elle se retourna et vit son frère sous un jour nouveau, s'étonnant de n'avoir pas réalisé plus tôt l'importance des changements qui s'étaient opérés en lui.

De profondes rides encadraient sa bouche, et les muscles de son cou semblaient des filins tendus sous sa peau. Son visage, taché de marques plus pâles, là où la peau avait guéri des brûlures de poudre, présentait un teint coloré, mais en dépit de ce signe de bonne santé un examen plus attentif montrait que cette complexion était le résultat de longues heures de marche forcée sous le soleil, et qu'à vingt-deux ans Tom était aussi buriné qu'un homme deux fois plus âgé qui eût passé la plus grande partie de sa vie sur un gaillard d'avant ou à bêcher des hectares de prairie.

« Oui ? fit-elle.

— Je ne fais pas exprès de mettre ta patience à rude épreuve, dit-il.

— Ma patience n'a rien à voir là-dedans, lança-t-elle. Je t'aime, Tom. Et je supporte mal d'être coupée de toi, comme si je n'avais plus ta confiance, comme si tu ne pouvais plus me confier tes souvenirs... ta souffrance. »

Mais son regard semblait la traverser, et elle comprit qu'il n'avait pas entendu un seul mot de ce qu'elle venait de dire. Elle se retourna pour suivre son regard et vit un chariot s'arrêter devant le perron de la maison. Une femme en descendit, puis elle y prit un petit ballot qu'elle se mit sous le bras, tandis que le conducteur faisait faire demi-tour à son attelage et repartait dans l'allée.

Gabrielle se retourna vers Tom, et la lumière qui lui baignait maintenant le visage, lui fit l'effet d'un dard de métal rougi au feu lui transperçant le cœur.

« C'est Véronique », dit-elle, incapable de demeurer silencieuse face à ce regard.

Tom ne l'entendait toujours pas. Il se mit à avancer lentement en direction de l'endroit où se tenait Véronique. Si Gabrielle ne s'était pas écartée, il eût buté contre elle, tant il semblait attiré comme par un aimant.

Je ne vais pas les épier, se dit-elle en entrant sous le belvédère. Elle prit le plateau de Tom, le serrant à s'en faire blanchir les articulations, et compta jusqu'à cent aussi lentement que possible. Puis elle se retourna vivement pour regarder l'emplacement où les deux jeunes gens s'étaient retrouvés. Mais, comme elle s'y attendait, l'endroit était désert. Tout était immobile à l'exception des mousses qui se balançaient mollement ; tout n'était que silence hors le roucoulement, quelque part, d'une colombe.

Pendant le dîner ce soir-là, Tom paraissait aussi impassible et retranché en lui-même que d'habitude. Mais Gabrielle remarqua bientôt le pouls de son cou, pulsation régulière par où passait et s'échappait toute la tension contenue de son corps. Ses pensées semblaient toujours aussi éloignées de la table familiale, mais Gabrielle comprit ce soir-là quel était leur objet. Aussi, lorsqu'enfin il prit la parole, au terme d'un commentaire de tante Mathilde sur la qualité de la récolte de sucre, ne fut-elle pas surprise par ce qu'il déclara.

« Ma tante, Véronique m'a dit que vous imputiez sa fuite à Gabrielle. » Il posa sa fourchette et regarda tante Mathilde. « Gabrielle n'a rien à voir dans tout cela. Je ne lui ai même jamais dit où se trouvait Véronique. Elle l'a découvert toute seule. » Il marqua un silence, puis, n'obtenant pas de réponse, il poursuivit : « C'est moi qui ai tout organisé. Quant au rôle joué par Saint-Cyr... lorsqu'il a vu que je commençais à désespérer...

— A désespérer ! La liberté de Véronique avait-elle donc tant d'importance pour toi, Tom, que tu me prennes mon bien et me prives ainsi du revenu que... »

Tom abattit son poing sur la table. « Votre bien ? Je vous interdis d'utiliser ce mot à propos de Véronique !

— Tom... aurais-tu perdu la raison ? dit tante Mathilde. Véronique est une esclave, elle m'appartient. Tu me la voles, tu complotes contre moi, et tu ne vois rien de mal à cela ?

346

« — Légalement, c'est une faute, dit Tom, plus calmement. Moralement, ce n'en est pas une. »

Tante Mathilde lança un regard à Gabrielle, puis se tourna à nouveau vers son neveu. « Autant te dire le fond de ma pensée, Tom. Non que j'en attende grand-chose, note bien. Mais je vais le dire quand même. Ce que je perçois dans ta voix me donne à penser que tu envisages de commettre une très grande faute morale, et cela m'attriste plus encore que ton premier forfait.

— Vous voulez dire que vous craignez que je ne sois amoureux de Véronique ? » demanda Tom. Sa voix provenait de quelque repli sombre de son être, de ce lieu où il enfouissait sa douleur. Gabrielle sentit un frisson lui parcourir l'échine, et lorsqu'elle regarda sa tante, elle vit que celle-ci, quoiqu'elle se fût attendue à ce coup, avait été durement frappée.

« Tom, fais bien attention, répondit Mme LeGrange. Il est des paroles qui, une fois dites, s'animent d'une vie propre. Non seulement on ne peut les effacer, mais il arrive qu'elles finissent par nous gouverner.

— Si vous voulez dire qu'une fois que j'aurai annoncé haut et fort que j'aime Véronique, je me sentirai obligé de m'y conformer, ne vous mettez pas martel en tête pour cela, ma tante. Il y a trop longtemps que je l'aime, et d'un amour trop sincère pour que mes sentiments puissent s'altérer, sinon pour se renforcer encore. »

Tante Mathilde avait blêmi au point que son visage était presque de la blancheur de son col empesé. « Et que projettes-tu de faire, Tom ? demanda-t-elle.

— Ce que font la plupart des gens qui s'aiment. Je vais l'épouser.

— Tu ne peux faire cela, fit tante Mathilde. La loi... » Mais la voix lui manqua, et elle fixa son neveu comme s'il eût été le bourreau et que la hache fût sur le point de s'abattre.

« La loi ! Mais il n'y a plus de loi, ma tante. L'Union justifie ses expropriations en affirmant qu'elles sont bénéfiques à ceux qui sont loyaux à sa cause ; ceux qui lui résistent justifient leur conduite en arguant de ce qu'on n'a pas à respecter un gouvernement coercitif.

— Il est une loi, dit tante Mathilde. Une loi qui dépasse tout ce que peut édicter une législature. Tu ne peux épouser une femme d'une autre race, Tom. Et rien de ce que tu dis ou éprouves n'y changera quelque chose.

— Possible », dit Tom. Il se leva, glissant sa serviette dans le rond d'argent. Les yeux de Gabrielle se posèrent sur ce rond de serviette, et elle se rappela le temps où elle et son frère s'en servaient comme de cerceaux à travers lesquels ils faisaient bondir les animaux de leur cirque, ou en guise de roues pour leurs charrettes miniatures. « Mais par mon exemple, je peux la changer.

— Tu ferais cela au nom des Cannon ? Tu ne craindrais pas de le salir ? »

Le regard qu'il posa alors sur sa tante était de ceux que Gabrielle espérait ne plus jamais lui revoir. Ce regard signifiait que rien ne pourrait l'empêcher de faire ce qu'il avait décidé, quelque somme de souffrances et de destruction qu'il pût s'ensuivre.

« Le salir ? Parce que quelque part dans les veines de Véronique coule un peu de ce qu'on appelle du ''sang noir'' ? » Il contourna la table pour venir se camper auprès de tante Mathilde. « Dites-moi, ma tante, si elle se coupe et que du sang s'écoule de la blessure, ce sang-là va-t-il se diviser en deux filets, l'un blanc et l'autre noir ?

— C'est là un argument spécieux, Tom.

— Elle est plus blanche que la plupart des Acadiens ! Le teint plus pâle, les traits plus fins. Seulement, parce que leur hâle a une autre origine, on les accepte et pas elle. Expliquez-m'en la raison si vous le pouvez.

— On ne peut parler raisonnablement avec qui raisonne avec son cœur, dit tante Mathilde. Je n'ai pas eu l'éducation que ta sœur et toi avez reçue, Tom, mais il y a des choses que je sais, voilà tout. » Elle se leva à son tour, prenant appui sur le dossier de sa chaise. « Et il y a autre chose que je sais. Ton initiative a déjà eu des conséquences graves. J'ai reproché à Gabrielle et à M. Saint-Cyr une chose à laquelle elle n'a pas pris part, et à laquelle il a apparemment été amené par amitié et peut-être aussi parce qu'il s'inquiétait de ton manque de discernement dans l'action. Quand je pense aux choses que je lui ai dites !

— Ne rejetez pas sur moi la responsabilité de vos soupçons. Dès le début, vous avez prêté de mauvaises intentions à Alex. Quand il vous a proposé de l'acheter, vous lui avez dit des choses révoltantes.

— Que tu n'as pas oubliées, dit tante Mathilde. Ni, j'imagine, pardonnées. »

Elle soupira en considérant tour à tour ses deux neveux. « Enfin, toute chose a une fin, reprit-elle. Cela fait plusieurs mois que je me dis que mon rôle ici touche à sa fin. Gabrielle est devenue très capable, et à présent que tu es rentré, Tom, il vaut peut-être mieux que les propriétaires en titre assument l'entière responsabilité de cette demeure.

— Tante Mathilde, je vous en prie, intervint Gabrielle, ne prenez pas une décision prématurée. Nous sommes tous trop perturbés...

— Cette décision, on l'a prise pour moi. Il ne m'est pas possible de conserver une position d'autorité dans une maison où l'on ignore ce qui me tient le plus à cœur. » Tante Mathilde porta la main à sa ceinture pour en détacher son trousseau de clefs. « Tiens, Gabrielle », dit-elle en le remettant à sa nièce. Puis elle s'écarta de sa chaise, grande femme très droite, et porta une nouvelle fois la main à sa ceinture. « Tu sais, je me sens déjà soulagée d'un grand poids. Imagine, pour la première fois depuis bien des années, demain je vais pouvoir paresser au lit. » Puis elle tourna les talons et sortit avant qu'aucun des deux jeunes gens ne fût suffisamment revenu de sa surprise pour lui souhaiter une bonne nuit.

« Eh bien », fit Tom. Il s'approcha de l'endroit où était assise sa sœur. Sans détacher les yeux du trousseau de clefs qu'elle tenait à la main, il lui tapota l'épaule, puis prit place sur la chaise voisine. « Tu sais, Gabrielle, il n'était pas dans mon intention de te faire tomber le ciel sur la tête. Je ne m'attendais pas à ce que tante Mathilde fasse une chose pareille.

— Et que voulais-tu qu'elle fasse ? » dit Gabrielle. Jamais elle n'avait jugé son frère irréfléchi ni inconséquent. Mais annoncer ainsi sans ménagements à tante Mathilde que non seulement il aimait Véronique mais avait de plus l'intention de l'épouser, cela au mépris des lois et de ce que pensait sa tante... Et dire qu'Alex et moi avons endossé la culpabilité de ce qu'il a fait, et n'avons jamais rien laissé transpirer !

« Toi aussi, tu es fâchée, n'est-ce pas, Gabrielle ?

— Fâchée ? Mon pauvre Tom... » Elle secoua la tête. Elle regrettait tout à coup qu'Alex eût ramené Véronique. « Tu arrives ici, tu scandalises tante Mathilde... Ne me regarde pas comme ça, Tom. Bien sûr qu'elle est scandalisée.

— Et toi, Gabe, tu l'es aussi?

— Tu t'en soucies vraiment?» Gabrielle regretta aussitôt sa repartie. «Pardonne-moi, je sais bien que tu te soucies de moi et que tu te soucies de tante Mathilde. Pour être tout à fait honnête, je dois admettre que je comprends qu'à côté de tes sentiments pour Véronique ce que tante Mathilde et moi pouvons ressentir puisse t'être de peu d'importance, car c'est aussi ce que j'éprouve avec Alex.

— Oui, mais toi, tu as fait ce que tante Mathilde te demandait. Pourquoi ne pas m'avoir dit qu'elle te reprochait la fuite de Véronique? Depuis que Véronique m'a annoncé ça, je n'en suis pas revenu; comment as-tu pu me le cacher pendant toutes ces semaines?

— Mais enfin, Tom, as-tu seulement passé une heure en ma compagnie? interrogea doucement Gabrielle. Je pouvais comprendre que tu ne fasses pas attention à moi dans les jours qui ont suivi ton retour... Mais tu m'as tellement manqué!»

Alors, pour la première fois depuis qu'il était rentré à la maison, Tom la prit comme il le faisait jadis. Il l'entoura de son bras unique et la serra contre sa poitrine, où elle se mit à pleurer doucement. Lorsqu'elle eut terminé, il pencha la tête et l'embrassa dans les cheveux. «Je ne peux changer mes sentiments pour elle, Gabe.

— Je sais. Seulement, comment pourrais-tu l'épouser? Tu ne trouveras pas un prêtre pour célébrer ce mariage, personne ne te fournira de certificat... Ce n'est pas uniquement le fait qu'elle a du sang noir. Elle est toujours esclave, Tom.

— Oui, je sais.» Il se leva et gagna la fenêtre qui donnait sur la pelouse de derrière la maison. Il caressait le moignon que dissimulait sa manche soigneusement repliée et épinglée. «Je suis idiot. Tout ce que tante Mathilde a à faire pour me contrecarrer est de la maintenir dans son état d'esclave. Et après la façon dont je me suis conduit ce soir, c'est exactement ce qu'elle va faire.

— Est-ce que... est-ce que ça fait mal? demanda Gabrielle en regardant sa manche vide.

— Pas ce qui reste. C'est là où il n'y a plus rien que ça me lance.» Il vint l'embrasser. «Ne t'inquiète pas pour ça. Ou bien cela cessera, ou bien je m'y habituerai.

— Je ne sais que te dire pour Véronique. Cela semble sans espoir, mon pauvre Tom.»

Son visage s'éclaira d'une ombre de sourire. «Ce sont les causes que je préfère. Bon, je vais me coucher. Je dois voir Adams de bonne heure demain matin. Il faut que nous trouvions le moyen de vendre notre sucre sans passer par l'occupant, et le temps presse.

— Je vais me lever tôt, moi aussi», dit Gabrielle en faisant tinter ses clefs.

Elle veilla encore un peu, seule, avant de monter se coucher. Les clefs étaient posées devant elle sur la table, et chacune d'elles lui rappelait une des tâches qui désormais lui incomberaient. Il y avait celle de l'armoire à linge, celle de la réserve, la petite clef dorée de la cave à vin, celle, en bronze, de la boîte à thé... Elle se leva en soupirant et ramassa le trousseau. Par ce geste, elle sentit peser sur elle le poids dont sa tante venait de se soulager.

Le lendemain matin, tante Mathilde ne descendit pas pour le petit déjeuner. Gabrielle monta la voir et la trouva encore couchée. «J'avais oublié combien il est délicieux de paresser au lit, tout en sachant que les autres sont déjà levés et que la journée va commencer sans que j'aie à m'en soucier. Je ne m'étais pas permis cela depuis l'enfance.

— Vous devriez le faire plus souvent, lui dit sa nièce. Je repasserai vous voir un peu plus tard. Vous le savez mieux que quiconque, j'ai une foule de choses à faire.»

Elle ne vit pas Tom avant la fin de l'après-midi; il resta enfermé avec Adams la majeure partie de la matinée, déjeuna seul, puis disparut. Au crépuscule, Gabrielle alla s'asseoir avec un livre sous le belvédère; ces brefs moments de répit se feraient rares à l'approche de la moisson, aussi en profitait-elle avidement. Elle entendit un bruit de sabots et aperçut Tom qui montait Jupiter dans la prairie s'étendant entre la pelouse et le quartier aux esclaves. Il atteignit l'autre bout du pré, puis revint au galop vers l'allée. Juste comme il allait sortir du champ de vision de Gabrielle, il arrêta sa monture, tirant si violemment sur les rênes que la tête de l'étalon se renversa presque en arrière et que le cavalier fut projeté sur l'encolure.

Que se passe-t-il encore? se demanda Gabrielle, se levant à demi pour regarder dans la même direction que son frère. Alors apparut un autre cavalier, qui galopait à bride abattue. Gabrielle ne distinguait pas son visage. Tom descendit de cheval et courut vers le nouvel arrivant. Celui-ci fit de même, et les deux hommes se tombèrent bientôt dans les bras.

« Alex, souffla Gabrielle. Le Ciel soit loué, c'est Alex ! » Laissant choir son livre, elle jaillit du belvédère et s'élança sur le sentier menant vers la prairie. Des herbes sèches fouettaient ses jupes, ses pieds agiles arrachaient les viornes entremêlées qui tapissaient le sol. Elle courait comme le vent, le souffle trop court pour pouvoir crier le nom d'Alex.

Les deux hommes se tenaient encore embrassés. Ce n'est que lorsque Gabrielle se trouva à quelques mètres qu'Alex la vit. Le chagrin de son expression en fut aussitôt effacé, et il tendit un bras vers elle. Tout en parcourant les derniers mètres, et comme le bras d'Alex lui enserrait les épaules, c'était elle qui avait le sentiment de revenir d'un long voyage et de rentrer enfin à la maison.

Pas plus que lui, elle ne put parler, mais leurs yeux s'en chargeaient. Et lorsque Tom tourna la tête et la vit, son regard refléta à son tour ce qu'ils éprouvaient. Être ici, vivants, ensemble, avait finalement plus d'importance que toute autre considération. Le monde et tout ce qu'il recélait ne pouvait être plus vaste que l'étendue de leur amour, la guerre et ses dangers plus forte que leur confiance réciproque. Maintenant qu'Alex est ici, se dit Gabrielle, il ne manque plus rien à Tom. Et à moi non plus, il ne me manque plus rien.

Alors ce fut un déferlement de questions et d'explications enchevêtrées, ponctuées de l'exclamation répétée de Tom à l'adresse de son ami : « Je n'arrive pas à y croire ! »

« Il va falloir que nous commencions depuis le début, dit Alex. Mais avant toute chose, il faut que je panse mon cheval. Pauvre vieux, je lui ai fait couvrir la distance entre Avery Island et Felicity comme s'il s'agissait d'un grand prix.

— Tom, accompagne-le aux écuries, dit Gabrielle. Moi, je vais m'occuper de préparer un repas. » Elle avisa les fontes dont était chargé le cheval d'Alex. « Vous ne repartez pas tout de suite, j'espère ?

— Je vais rester quelques jours. Avery a jugé que j'avais besoin de prendre un peu le large. Et, croyez-moi, je n'ai pas discuté.

— Je suis content de te voir, Alex, dit Tom. Pour des raisons évidentes plus une autre. J'ai appris seulement hier que toute la responsabilité de la fuite de Véronique était retombée sur toi. J'ai été si furieux contre tante Mathilde que je lui ai dit toutes sortes de choses que, bien que je les pense, j'aurais dû garder pour moi.

— Ta tante est une femme extraordinaire, dit Alex. Je l'admire à plus d'un titre, mais j'admets que lorsqu'elle a une idée en tête, il n'est pas possible de l'en faire démordre.

— Enfin bref, j'ai tout gâché, dit Tom. Je lui ai dit que j'aimais Véronique et que je projetais de l'épouser.

— Bon sang, Tom !

— Je l'aime vraiment. Ça, vous le savez tous les deux.

— Oui, fit Alex.

— Et je désire vraiment l'épouser. Seulement, bien sûr je connais aussi bien que tante Mathilde les obstacles qui s'y opposent. Ah, si j'avais réfléchi avant de parler... Mais je ne l'ai pas fait, et maintenant je ne suis pas tranquille.

— A cause de quoi ? demanda Gabrielle.

— Adams m'a dit que tante Mathilde lui a fait remettre un billet hier soir, dans lequel elle lui demandait de voir s'il pourrait trouver un acheteur pour une esclave.

— Quoi ? fit Alex.

— Oh, non..., geignit Gabrielle.

— Vous ne voyez pas ? C'est pour elle le seul moyen vraiment sûr de contrecarrer mes plans. » Tom se plaqua la main sur les yeux, comme pour chasser une vision qu'il ne pouvait supporter. « Je ne cesse de me dire qu'en réfléchissant un tant soit peu calmement à tout ça, je trouverai une solution.

— Je verse toujours de l'argent à Mme LeGrange pour la dédommager des pertes qu'elle a subies avec la fuite de Véronique, dit Alex. Sinon, j'aurais pu lui proposer de la lui acheter.

— Quel que soit ton prix, dit amèrement Tom, tante Mathilde refuserait de te la vendre. Non, si elle vend effectivement Véronique, ce sera à quelqu'un qui vit loin d'ici, ou qui l'emmènera très loin. Je ne peux pas la laisser faire ça ! Non, c'est impossible !

— Ne t'en fais pas, dit Alex. Mme LeGrange n'ira peut-être pas plus loin que ce billet à Adams. Tu sais comme elle a dû être bouleversée. Sans doute à la lumière du jour se sera-t-elle ravisée.

— Tante Mathilde ? Tu ne la connais pas. Non, il va falloir éloigner Véronique. Mais, ce coup-ci, je pars avec elle. »

Pendant un instant, Gabrielle eut la sensation que le monde environnant, la portion de ciel que le crépuscule n'avait pas encore teintée, le vert sombre des chênes bordant la prairie, les herbes légèrement agitées par la brise se mettaient à tournoyer autour d'elle. Elle eut un vertige et s'agrippa au bras d'Alex afin de rester debout. Elle prit une profonde inspiration, et le monde retrouva son aplomb. «Tom, non...

— Il le faut.

— Réfléchis un peu, mon vieux, fit Alex. Où pourrais-tu aller ?

— J'y ai réfléchi. Depuis qu'Adams m'a parlé de ce que lui demandait tante Mathilde. Et j'ai un plan infaillible. »

Il paraît si calme, se dit Gabrielle. Visiblement, sa décision est prise, et personne ne le fera changer d'avis.

«Eh bien, de quoi s'agit-il? demanda Alex.

— Je ne sais pas si je dois vous mettre dans la confidence. Si vous n'en savez rien, tante Mathilde ne pourra pas vous accuser d'avoir été de mèche avec moi.

— Ça, il y a beau temps qu'elle l'a fait, dit Alex. Et même si j'ai cru discerner chez elle quelques signes de radoucissement à mon endroit, je fais passer ton amitié avant toute considération à l'égard de ta tante. » Il regarda Gabrielle, et fut apparemment rassuré par ce qu'il lut sur son visage. «Je suis heureux que vous ne me trouviez pas brutal, Gabrielle. Mais s'il était besoin de me convaincre que notre monde appartient au passé et que nous devons faire notre possible pour en construire un nouveau, ce que j'ai vu et entendu au cours de mon voyage y suffirait amplement. Ce n'étaient que plantations à l'abandon, récoltes non moissonnées ; les routes étaient noires de gens qui venaient d'abandonner tous leurs biens et fuyaient les dévastations que connaît la partie occupée de l'État. » Il se tut tout à coup, laissant son regard errer sur la prairie. «J'ai profité du voyage de retour pour passer voir mon père, ajouta-t-il.

— Comment va-t-il? interrogea Gabrielle.

— Toujours le même bon vivant. Il ne lit plus les journaux, il interdit à son entourage de parler de la guerre. Bref, il fait comme si elle n'existait pas. Quand j'ai tenté de lui expliquer qu'il se trouvait à cinq kilomètres de Port Hudson, et que si les Yankees poursuivent leur effort pour s'assurer la maîtrise du fleuve, il y aurait certainement une bataille là-bas, il s'est levé et a quitté la pièce.

— C'est tout à fait surprenant, commenta Gabrielle.

— Pas tant que cela, en fait. Jacques est toujours auprès de lui. Et ce Jacques a plus de tête que dix hommes comme mon père. Il a déjà transféré en France autant de l'argent paternel que possible et il mène campagne pour convaincre mon père de s'y rendre.

— En France ? Abandonner tout bonnement sa plantation ?

— Il n'est pas tellement attaché à Olympia. Tant qu'il est en mesure de vivre confortablement, peu lui importe où il se trouve. Or Jacques m'a assuré qu'il serait en mesure de vivre tout à fait largement à Paris.

— Reste le problème de réussir à quitter le pays, dit Tom. Jacques a-t-il là aussi une solution ? »

Alex fixait le sol à ses pieds, tapotant machinalement une motte du talon de sa botte. Il releva la tête, et Gabrielle put voir passer dans son regard une ombre douloureuse. « Il semble que ma mère lui ait offert de le transporter sur un de ses bâtiments, dit-il. En échange d'Olympia et de la maison de La Nouvelle-Orléans.

— Mais les deux sont en partie à toi ! fit Tom. Du moins le seront-elles. Même ta mère ne peut ignorer ce que stipule le code Napoléon.

— Ce n'est pas dans son intention. Seule la part qui ne doit pas me revenir serait à elle. Ce qui ferait de nous des copropriétaires, perspective qui ne me sourit pas plus qu'à elle.

— Mais est-ce que votre père va accepter ? demanda Gabrielle.

— Pourquoi pas ? De son point de vue, que l'un ou l'autre de mes parents possède l'autre part de nos biens en Louisiane ne devrait pas avoir d'importance pour moi, puisque tout me reviendra à leur mort. D'ici là, m'assure-t-il, l'armement maternel sera de nouveau florissant — qu'ils aient été ou non loyaux à l'Union il n'y a pas si longtemps, les gens se battent, semble-t-il, pour faire affaire avec elle. Mon père voit mon refus de me réconcilier avec elle comme un luxe que je ne peux me permettre. Enfin, pour achever de témoigner de sa bonne volonté, il dit que je peux partir pour Paris avec lui. Il pense que Jacques n'aurait aucune peine à me faire faire là-bas quelques opérations juteuses. Ensuite, quand la guerre aura pris fin et que La Nouvelle-Orléans sera redevenue elle-même, eh bien, j'aurais belle de rentrer si le cœur m'en dit ! »

Durant tout le cours de ce monologue, Alex avait parlé d'une voix égale, presque atone, comme si tout ceci concernait une personne étrangère et n'avait pas vraiment d'intérêt. Mais sa voix se brisa sur cette dernière phrase, et il regarda Tom et Gabrielle d'un air si consterné, que celle-ci noua ses bras autour de lui, lui murmurant à l'oreille des paroles tendres et réconfortantes.

«Au moins, si elle est à ta mère, les Yankees ne toucheront pas à Olympia, dit Tom. Après avoir vu la manière dont Baton Rouge a été dévastée, je me dis que ce n'est pas un détail négligeable. Un jour, la plantation te reviendra, Alex, et elle sera toujours en état.

— Le jour où ma mère a quitté le pays et où mon père s'est retiré à Olympia, j'ai décidé de ne plus être un otage de la propriété. Ils peuvent bien en faire ce qu'ils veulent, tant qu'ils me laissent tranquille. Je me moque de ce qu'il peut advenir d'Olympia. Tout ce que je désire se trouve ici.» Alex tendit la main à Tom. «Aimer Gabrielle et t'avoir pour ami.

— Oui, dit Tom, et c'est pourquoi... mais peu importe. Il commence à faire nuit, nous ferions mieux de rentrer. A tout de suite, Gabrielle, nous allons mettre les chevaux à l'écurie.»

Tout en regagnant la maison, Gabrielle repensait à ce qu'avait dit tante Mathilde à Adams, le lendemain du meurtre par les deux esclaves du cousin de Harold LeBœuf. Une fissure s'était ouverte à la surface de la civilisation; des démons en surgissaient. Cette fissure s'est élargie, se dit-elle. C'est maintenant une crevasse. Et même s'il n'en sort plus aucun démon, même s'ils sont tous en train de parcourir la surface de la terre, cette crevasse est par elle-même dangereuse car elle s'ouvre un peu plus chaque jour, et elle sera bientôt suffisamment béante pour tous nous engloutir.

Tante Mathilde ne descendit pas dîner, ce qui ne surprit pas sa nièce. Elle n'a pas envie de se trouver face à face avec Tom, et pour être tout à fait honnête, je m'en réjouis car nous allons ainsi être libres de parler de tous ces problèmes auxquels nous nous heurtons et qui paraissent insolubles.

Sortant de sa chambre pour gagner la salle à manger, Gabrielle entendit son frère qui descendait du second étage. Elle ne lui demanda pas, cependant, lorsqu'ils se rencontrèrent dans le couloir, s'il était allé voir Véronique. Depuis qu'elle était au courant, elle ne s'était pas permis de porter un jugement sur l'attachement de Tom; il était son frère, et la personne qu'elle aimait le plus au monde, Alex Saint-Cyr mis à part. Elle comprenait cependant la réaction de leur tante. Si elle persiste dans son intention de vendre Véronique, se dit-elle, ce qui, plus j'y réfléchis, me paraît pour elle la chose la plus logique, et si Tom s'enfuit avec elle, que fera alors tante Mathilde ?

Elle jeta un regard oblique à son frère dans l'espoir d'y voir un indice susceptible d'expliquer pourquoi il était prêt à risquer pour cet amour tout ce qu'il considérait auparavant comme important. Bien sûr, il a toujours eu de l'affection pour elle. Quand elle est arrivée ici, elle était si petite et nous amusait tant ! Cette façon qu'elle avait de toujours le serrer de près et de prendre sa défense contre quiconque lui faisait la moindre remarque... Gabrielle s'immobilisa tout à coup, le pied en suspens au-dessus de la marche suivante.

« Qu'y a-t-il ? interrogea son frère, s'arrêtant également.

— Rien. Je viens d'avoir un frisson. »

Elle savait maintenant pourquoi Tom était amoureux de Véronique, et la raison en était plus impérieuse que sa beauté, plus puissante que son charme. Au cours de leurs jeux enfantins, le frère et la sœur étaient toujours les preux chevaliers, et Véronique la jouvencelle en grand péril. Celle-ci ne savait pas grimper aux arbres comme Gabrielle, ni se battre à l'épée avec Tom. Combien de fois ce dernier avait-il vaincu sa sœur pour porter secours à Véronique ? Combien de couronnes de trèfle et de lierre celle-ci avait-elle tressées pour lui en ceindre le front ? Cela n'était que des jeux, des jeux d'enfants, mais dont le schéma avait encore cours.

Comme cela est étrange, pensa-t-elle en précédant son frère dans la salle à manger. Pendant toutes ces années, je n'ai cessé de me dire que je n'arriverais pas à me détacher de toute cette vision romanesque, que je ne cessais de rêver à l'univers du roi Arthur, alors que Tom en était encore plus imprégné que moi.

Ils prirent place chacun à un bout de la table, tandis qu'Alex s'asseyait entre eux. Le bonheur irradiait de son visage. « Je sais bien que nous traversons des heures difficiles, dit-il, mais j'ai la conviction que nous allons nous en sortir.

— Oui, dit Tom, quoi qu'il arrive. »

Comme s'ils fussent tacitement convenus de ne pas évoquer les problèmes auxquels ils étaient confrontés, ils commencèrent le dîner en évoquant les jours heureux. Et pour la première fois

357

depuis très longtemps, des rires firent de cette salle à manger un endroit heureux et lumineux.

Lorsque le café eut été servi, Alex prit un visage sérieux et se tourna vers Tom. « Ne m'en parle pas si tu n'en as pas envie. Mais j'aimerais savoir ce qui t'est arrivé.

— C'est vrai, dit Tom, il faudrait peut-être que j'en parle un peu. » Il fixait sa main, occupée à tourner son café. « Je n'en ai parlé à personne, sauf à Véronique.

— Si cela t'ennuie, ne te force surtout pas, dit Alex.

— Non, non, j'en ai envie. » Se calant contre son dossier, Tom laissa passer un moment, comme cherchant par où commencer. « J'ai servi en Virginie sous les ordres de Beauregard. Quand il est parti pour aller organiser la défense du cours supérieur du Mississippi en aval de Memphis, je n'ai pas laissé passer l'occasion de l'accompagner. J'étais déjà presque remis d'une blessure sans gravité, et lorsque nous sommes arrivés sur place, j'étais complètement rétabli. » Il jeta un coup d'œil à sa manche vide, et Gabrielle s'aperçut qu'elle ne savait même pas quelle avait été cette première blessure. « Ensuite, ça a été la chute de Fort Pillow et la prise de Memphis. Le plus gros des troupes est resté à Vicksburg, et moi j'ai été envoyé à Camp Moore. Fin juillet, quatre mille d'entre nous ont quitté Vicksburg en train — le 27, je crois —, pour se joindre aux forces qui se préparaient à frapper les Yankees à Baton Rouge. »

Tom se tut, et, le silence se prolongeant, Gabrielle finit par se pencher vers lui pour le regarder gravement dans les yeux. « Rien ne t'oblige à poursuivre, Tom.

— Si, si, j'y tiens. Mais il me faut atténuer la violence de ces images, la force de ces hurlements... »

Il se saisit d'un couteau et se mit à tracer des traits sur la nappe. « Tu te souviens, Gabe, de mes lettres de Camp Moore ? Celles que je t'ai envoyées il y a un peu plus d'un an, lorsque j'y ai été affecté pour la première fois ? Eh bien, ce n'était plus le même endroit lorsque j'y ai remis les pieds. Nous y sommes arrivés dans la soirée du 28. Ensuite, nous avons dû attendre que l'*Arkansas* repousse les canonnières yankees qui se trouvaient devant Baton Rouge. Nous n'avions rien pour nous abriter. Il pleuvait sans cesse et il faisait une chaleur étouffante ; en l'espace de quelques jours, près de mille hommes ont contracté des fièvres et la dysenterie. Avant même de nous mettre en marche, nous avons rempli tout un cimetière. »

La pointe du couteau appuyait plus fortement sur le tissu de la nappe, y marquant une série de petites croix, puis traçant une longue ligne droite. «Enfin, notre chef, le général Breckenridge, a appris que l'*Arkansas* descendait le fleuve, et nous nous sommes mis en route. » Le couteau s'immobilisa, parut hésiter, puis reprit sa progression, traçant maintenant deux lignes parallèles. «Cela nous a pris deux jours. Un tiers peut-être des hommes étaient sans chaussures ; nous marchions sur du sable si brûlant qu'au bout d'une heure leurs pieds se couvrirent d'ampoules. Rares étaient ceux qui portaient un uniforme complet. Nous avions tout notre paquetage, mais pas d'eau. Je suis incapable de vous décrire cette chaleur, la soif qui nous tenaillait. Certains buvaient de l'eau croupie et, bien sûr, étaient pris de coliques. Je dirais qu'en arrivant en vue de Baton Rouge, Breckenridge n'avait plus avec lui que deux mille six cents hommes. »

Tom se tut pour prendre son gobelet d'eau et le vider d'un trait, comme si le souvenir de cette marche suffisait à lui redonner soif. «Je peux vous garantir une chose : même si certains avaient tout de squelettes, même si la plupart ressemblaient à des vagabonds, tous les fusils rutilaient, leur mécanisme huilé et graissé. »

Je ne peux en entendre plus, se dit Gabrielle. Je croyais insupportable d'ignorer ce qu'il a souffert, mais le savoir est pire encore. Elle bougea sur sa chaise, comme pour se lever, mais Alex posa la main sur la sienne.

«Continue, Tom, dit-il. Nous t'écoutons. »

Gabrielle referma les doigts sur la main d'Alex, la serrant si fortement qu'elle sentit sa chevalière lui marquer la chair. «Oui, dit-elle, continue.

— Nous avons marché toute la nuit, reprit Tom. A l'aube, le brouillard qui montait du sol bouchait à ce point la visibilité que nous avions beaucoup de peine à voir ce qui se trouvait en avant de nous. Quand la fusillade a éclaté, la brume empêchait la fumée de s'élever, ce qui n'a rien arrangé. » Tom parlait maintenant si lentement qu'il semblait qu'il y eût un temps de silence entre chacun de ses mots. Se rappelant la léthargie que lui avait value sa propre crise de dépression, Gabrielle pouvait presque palper l'épaisse brume grisâtre qui baignait l'âme de son frère, formant un écran à travers lequel il ne pouvait voir le soleil.

« De quelle compagnie faisais-tu partie ? demanda Alex.

— De la batterie du capitaine Olivier Semmes », dit Tom. Son couteau suivait maintenant une course imprévisible, traçant un dédale confus de lignes qui tournaient court et se chevauchaient. « Vous savez, nous n'avions pas de plan de bataille. Dans un tel engagement, c'est impossible. Nous étions tous à bout de forces. Vers les dix heures du matin, la soif était devenue notre pire ennemi. Déjà, de chaque côté, des hommes avaient rompu le combat et s'étaient enfuis. Le colonel Henry Allen est tombé, grièvement blessé, et je crois bien que cela a été le début de la fin. Les hommes l'aimaient tellement... Ils se tenaient autour de lui, en larmes, et beaucoup jetaient même leurs armes.

— Et tout cela se passait à l'intérieur même de la ville ? demanda Gabrielle en essayant d'imaginer Baton Rouge, cette paisible cité aux rues bordées de trois rangées d'arbres, envahie par des soldats et emplie de décombres.

— Dans toute la ville, répondit Tom. De nombreux habitants s'étaient aménagé des abris contre les bombardements. Ils s'y sont regroupés dès les premiers tirs d'artillerie. D'autres quittaient la ville, fuyant vers le sud... » Il se tut, fixant longuement son couteau, puis levant les yeux vers Alex et Gabrielle. « Vous installiez un mortier dans un jardin. La porte de la maison derrière vous était grande ouverte, des fleurs magnifiques vous environnaient. Des odeurs de brûlé arrivaient des maisons dont les occupants étaient partis si précipitamment qu'ils n'avaient pas pris le temps de retirer les casseroles du feu.

— C'est horrible, fit Gabrielle, tout simplement horrible.

— Les Yankees n'étaient pas en meilleur état que nous. Nous sommes arrivés à les repousser jusqu'au fleuve. Et bien que leurs canonnières ne cessassent de faire pleuvoir sur la ville obus et mitraille, leurs troupes n'ont pas réussi à remonter la pente de la berge.

— Mais alors, nous avons gagné », fit Gabrielle.

La bouche de Tom se tordit. Il jeta le coup d'œil le plus fugace à son épaule gauche. « Pour ça, oui, nous avons gagné. Nous avons tenu la ville jusqu'à ce qu'arrive la nouvelle que finalement l'*Arkansas* ne viendrait pas. Breckenridge avait ramené les hommes du côté des faubourgs, là où il y avait de l'eau dans des citernes. A quelques-uns, nous sommes retournés en ville pour détruire tout le matériel abandonné par les Yankees. Si nous avions eu des chariots, nous l'aurions emporté avec nous. Les choses étant ce qu'elles étaient, nous y avons mis le feu.

— Mais... à quel moment as-tu été touché ? demanda Gabrielle.

— Cela n'a pas été pendant les combats. Un obus était tombé sur le dépôt de vivres d'un des cantonnements nordistes. Pour une raison ou pour une autre, il n'avait pas explosé. Nous ne l'avons pas vu. Quand j'ai mis le feu à la tente, la chaleur l'a fait exploser. » A nouveau ce rictus, qui changeait le frère de Gabrielle en un sombre inconnu. « Ce n'est pas, n'est-ce pas, une façon très héroïque de perdre un bras ? Détruire des vivres, quand tant de gens en manquaient...

— Tais-toi, ne dis pas cela », fit Gabrielle en allant jusqu'à lui pour prendre sa tête entre ses mains et la presser contre sa poitrine.

Elle le sentit tressaillir en exhalant un long soupir. « Tout ça est tellement inutile, dit-il. Des hommes meurent à Baton Rouge, tandis qu'à cent cinquante kilomètres de là des milliers d'autres ont déjà prêté serment de loyauté et vaquent à leurs affaires comme si la guerre n'existait même pas.

— Moi, c'est le pillage qui me dépasse, dit Alex. Quand je suis arrivé à Vicksburg et qu'on m'a dit que les Yankees avaient mis Baton Rouge à sac avant de lever le camp... N'y a-t-il plus aucune discipline ? Aucun sens de l'honneur ?

— Il ne s'agissait pas là de troupes régulières, dit Tom. Butler a fait relâcher les forçats et les a enrôlés. Le pillage, c'est eux.

— C'est là que je ne te suis pas, Tom. Tout général qui commande à de tels hommes est responsable de leurs actions plus encore qu'il ne répond de celles des hommes qu'il a lui-même formés. Et que dire de ces Noirs que les Yankees utilisent ? A Vicksburg, Williams en a fait trimer des milliers à la construction de ce canal tout à fait inutile ; il leur a promis la liberté et ensuite, lorsque à la fin juillet lui et Farragut ont abandonné Vicksburg pour redescendre le fleuve, il les a plantés là, sur la rive, et ces malheureux n'étaient pas plus libres qu'avant.

— Libres, ils le seront bientôt, dit Tom.

— Tu veux parler de la Proclamation ?

— Oui. La nouvelle a éclaté juste avant que je parte pour revenir ici. Cela a causé pas mal de consternation. Les gens chez qui je logeais ont une plantation de canne à sucre en dessous de Baton Rouge ; lorsque je les ai quittés, un bon tiers de leurs esclaves avaient déjà mis les voiles.

— De quoi êtes-vous en train de parler ? demanda Gabrielle. Qu'est-ce que cette Proclamation ?

— Vous ne savez pas que Lincoln émancipe les esclaves ? dit Alex.

— Ma foi, non...

— Cela prend effet vers la fin de septembre, dit Tom. Évidemment, cela fait des mois qu'il travaille là-dessus. Et je crois savoir que ses premiers projets ont rencontré pas mal d'opposition ; ils prévoyaient d'émanciper les esclaves graduellement, avec plein dédommagement de leurs propriétaires. Il était également prévu que les Noirs nouvellement libérés allassent fonder des communautés au Libéria ou en Amérique latine. Mais ce n'est pas ce qui a finalement été retenu.

— Qu'est-ce qui a été prévu, en ce cas ? » demanda Gabrielle.

Alex eut un rire amer. «Que les esclaves se trouvant en territoire ennemi étaient libres. Comme tu l'as entendu, ceux qui se trouvent en territoire tenu par l'Union sont bien traités, eux.

— Ils ne sont pas émancipés ?

— Eh non. N'est-ce pas grotesque ? Cela vise en fait à stopper la ruée des Noirs vers les lignes nordistes et à les maintenir sur les plantations, là où on voudrait les voir rester. Eh oui, voilà que même le général Butler réalise la valeur de ces hectares de coton et de canne à sucre. Les plantations gérées par l'armée fédérale ont ouvert les yeux de bon nombre d'officiers sur la nature particulière de notre système agricole. En fait, bon nombre de planteurs ont été persuadés de prêter serment de loyauté, puis de garder leurs esclaves.

— Cependant, ils se battent pour libérer les esclaves, dit Gabrielle. Comment se fait-il que Lincoln n'émancipe pas ceux qui se trouvent derrière les lignes nordistes ?

— Comprenne qui pourra, dit Tom. Moi, je ne saisis pas. Je n'essaie même pas. » Il se leva, frottant son moignon d'un geste qui lui était devenu habituel. «Moi, j'emmène Véronique loin d'ici pour tout recommencer à zéro.

— C'est vraiment ton intention ? demanda Alex.

— Absolument », dit Tom.

Alex se leva pour s'approcher de Gabrielle. Il lui prit la main et la regarda dans les yeux. «Partons avec eux, Gabrielle. Nous n'avons plus rien à faire ici. Les Yankees vont arriver. Felicity sera détruite. Partons pendant que c'est encore possible.

« — Mais où comptes-tu aller, Tom ? demanda Gabrielle.

— Au Texas. De toute façon, je dois m'y rendre ; Adams et moi avons décidé de transporter le sucre au Mexique par voie de terre. Bien que Maximilien n'ait qu'une faible emprise sur ce territoire revendiqué par Napoléon III, des troupes françaises sont stationnées près de la frontière et des navires français sont mouillés à Galveston. Il sera possible d'y vendre la récolte.

— Cela ne semble pas une mince expédition, dit Alex. Seul, c'est infaisable.

— J'emmène avec moi Jonas et Samson. Là-bas, s'ils le souhaitent, ils pourront travailler pour moi. Pas comme esclaves, évidemment — Seigneur, j'espère oublier un jour le sens de ce mot ! Non, je les paierai comme je paierais n'importe quel employé.

— Et Véronique va partir avec toi, dit Gabrielle.

— Dès que le sucre sera vendu, j'enverrai de l'argent à tante Mathilde. Si j'estimais qu'elle est dans son bon droit, je ne me dresserais pas contre elle. Mais tel n'est pas le cas, c'est aussi simple que ça.

— Plus j'y réfléchis, plus ton idée me plaît, dit Alex. Claire comme elle l'est, Véronique passera pour être d'ascendance espagnole.

— Oui, et nous n'aurons aucun problème pour nous marier. Mais dis-moi, Gabrielle, tu n'as pas répondu à la question d'Alex. Es-tu du voyage ?

— Je... je ne sais pas. Abandonner Felicity comme cela... et puis il y a tante Mathilde. Comment pourrais-je l'abandonner ? »

Tom lui posa la main sur l'épaule. « Gabrielle, je n'ai pas l'impression que tu comprennes bien la situation. Déjà, des foules de gens fuient vers le nord devant l'avance des soldats de l'Union. C'est la guerre, Gabrielle. Une guerre qui fait rage partout, jusque dans les maisons des civils. Quand ils arriveront ici — et après ce à quoi j'ai pu assister, je suis certain qu'ils arriveront jusqu'ici —, tu ne pourras te soustraire à la guerre et à ses conséquences.

— Il n'empêche que je dois penser à tante Mathilde. Je sais bien que vous êtes fâchés, et je ne suis pas moi-même dans les meilleurs termes avec elle. Je peux comprendre ce qui l'a poussée à dire et faire ce que tu sais, mais elle s'est mise entre Alex et moi, et cela je ne peux l'oublier. » Gabrielle leva la main pour empêcher son frère de prendre la parole. « Laisse-moi finir, Tom.

363

Dans son testament, papa nous a chargés de nous occuper d'elle. Et je ne ferai pas autre chose que ce qu'il m'a demandé de faire.

— Question d'interprétation, Gabe. Tu estimes que pour son entretien il te faut demeurer ici et t'en occuper personnellement. Moi pas. Elle aura de l'argent — elle a de l'argent, puisque Alex la dédommage. Elle a des amis ; la famille de son mari vit toujours sur le bayou Lafourche. Elle n'a pas besoin que je me sacrifie plus longtemps pour elle. Et, crois-moi, telle n'est pas mon intention.

— Elle t'a toujours été tellement attachée, Tom. Si tu savais comme elle a prié pour toi...

— De cela, je l'ai remerciée. Je sais, Gabe, que tu dois me trouver bien dur. Mais tante Mathilde a eu sa chance. A moi de saisir la mienne.

— N'y a-t-il pas d'autre solution, Tom ? Tante Mathilde ne m'a pas laissée saisir la mienne aussi tôt que je l'aurais voulu — si elle ne s'y était pas opposée, Alex et moi nous serions mariés en juin. Mais ce n'est que partie remise ; en mars, j'aurai vingt et un ans, et elle n'aura plus aucun pouvoir sur moi.

— Elle n'a aucun pouvoir sur toi, sinon celui que tu lui accordes. » Tom embrassa sa sœur sur la joue. « Enfin, tu as encore un peu de temps pour y réfléchir, Gabrielle. Je ne pars que dans deux ou trois jours. Tu peux encore changer d'avis. »

Il leur souhaita une bonne nuit et les laissa seuls. Gabrielle se leva pour aller attiser le feu. Alex s'approcha par-derrière et la prit dans ses bras. « Maintenant que je propose de vous enlever, c'est vous qui refusez, dit-il. De tout le trajet jusqu'à Vicksburg et retour, je n'ai cessé de me dire quel idiot j'avais été de dire non. Voici qu'à présent c'est vous qui êtes raisonnable.

— Je... je ne dis pas que je ne vais pas y réfléchir, dit-elle. Mais il y a tant d'obstacles. Alex, il vous faudrait déserter de la milice ! Vous deviendriez un traître... comment commencer une nouvelle vie à partir de cela ?

— Des hommes quittent chaque jour l'armée, Gabrielle. Surtout quand les combats se déroulent non loin de chez eux. Ils s'en vont pour ne plus revenir, tout simplement. Je ne suis pas dans l'armée régulière ; quelle différence cela fait-il ? Si vous vouliez vraiment m'épouser, vous le feriez. Tout ceci prouve que vous n'en avez pas envie.

— Alex, ne dites pas cela. Vous savez parfaitement que ce n'est pas vrai !

— Eh bien alors, acceptez de partir avec moi.

— C'est que, pour moi, ce n'est pas aussi simple. Vous, Alex, vous avez tout perdu, vous n'avez plus rien à perdre...

— Si ce n'est vous.

— Vous ne me perdrez pas !

— Je n'en suis pas si sûr.

— Nous pouvons nous marier en mars ! Restez ici, et si les Yankees détruisent Felicity, nous la rebâtirons.

— Vous ne comprenez vraiment pas, n'est-ce pas ? A vous entendre, on croirait que les soldats vont briser quelques menus bibelots, voler quelques poulets, faire passer leurs chevaux à travers les cultures et puis s'en aller. Gabrielle, Gabrielle, comment pouvez-vous vous aveugler à ce point ?

— Je suis triste de voir que vous me trouvez tellement puérile, simplement parce que je ne veux pas abandonner tout ce qui compte pour moi. » Elle vit, trop tard, la douleur qui se peignait sur le visage d'Alex. «Je ne veux pas dire que je tiens à Felicity plus qu'à vous », s'empressa-t-elle d'ajouter.

Mais il partait déjà vers la porte.

«Alex... », fit-elle en s'élançant à sa suite. Mais il ne s'arrêta pas ni ne tourna seulement la tête.

19

Le lendemain matin, ni Alex ni Tom n'apparurent au petit déjeuner. Gabrielle ne s'y attarda pas et monta voir sa tante avant de commencer sa journée.

«Tu vas prendre une tasse de café avec moi, dit tante Mathilde. Tiens, tu as une tasse là-bas. Bien, assieds-toi et dis-moi comment va M. Saint-Cyr. Hier soir, je vous entendais rire pendant le dîner. Cela m'a fait du bien d'entendre à nouveau de la vie dans cette maison.

— Euh, il va bien, dit Gabrielle. Bien sûr, Tom et lui étaient ravis de se retrouver...» Elle ne voyait pas ce qu'elle aurait pu ajouter sur Alex sans éclater aussitôt en sanglots. Cherchant un autre sujet de conversation, elle saisit le premier qui lui passa par la tête.

«Parlez-moi de la vie au Texas, ma tante. Vous n'en avez jamais beaucoup parlé. Était-ce très dur?»

Tante Mathilde haussa les sourcils et regarda Gabrielle par-dessus ses lunettes. «D'où te vient une question pareille? Il est rare que je repense moi-même au Texas...» Elle laissa ses mains retomber sur les draps, et son regard se fit rêveur. «Non, ce n'est pas vrai, j'y pense tout le temps. J'ai été plus heureuse, là-bas avec Louis, que je ne l'avais été, et que je ne l'ai jamais été depuis.

— Cela a dû être terrible quand il est mort, dit Gabrielle. Pas étonnant que vous ayez abandonné le ranch...

— Oh, j'y serais bien restée. Tierradolorosa, c'est ainsi que nous l'avions baptisé.

— Quel beau nom. Tierradolorosa... et, cette terre, qu'est-elle devenue ?

— Je l'ai perdue, dit tante Mathilde.

— Comment cela ? Je croyais que vous l'aviez achetée avec votre part de ce que vos parents vous avaient laissé, à vous et à papa... Excusez-moi, cela ne me regarde pas.

— Tout cela remonte à si loin. C'est un souvenir encore douloureux, mais la souffrance en est ancienne, presque familière. » Tante Mathilde se resservit en café, puis tendit la cafetière à sa nièce, qui secoua la tête. « Vrai ? Bon alors, comment ai-je perdu le ranch ? » Elle soupira, et son regard se porta vers la photographie de son mari, posée sur la commode à l'autre bout de la chambre. « Vois-tu, Gabrielle, Louis était un homme plein d'intrépidité. Lorsqu'il croyait à quelque chose, il y croyait de tout son cœur et de toutes ses forces. Et très optimiste avec ça. Il n'y avait pas à lui faire entendre qu'un projet dans lequel il s'embarquait risquait peut-être de capoter.

— Pas étonnant, ma tante, que vous ayez été amoureuse d'un tel homme !

— Oui, je l'aimais. Trop peut-être. Vois-tu, Gabrielle, jamais je ne m'étais attendue à épouser quelqu'un comme Louis LeGrange. Je n'étais pas jolie, et j'étais incapable de faire la coquette comme les filles de mon âge. J'étais un peu trop terre à terre, trop directe ; ma mère imputait cela à ma grand-mère maternelle, qui était allemande, elle disait que j'avais hérité de sa gravité excessive.

— Cependant, mon oncle Louis a perçu en vous des choses qui échappaient aux autres.

— Il faut croire. N'imagine pas que je n'entendais pas ce qu'il se disait autour de moi, qu'il m'avait épousée pour mon argent. Sa famille avait de la terre, mais rien comparé à la nôtre.

— Ça, ma tante, il faut toujours que les gens disent des choses déplaisantes, même si elles n'ont rien de vrai.

— Avec l'âge, Gabrielle, tu réaliseras combien ce que disent les gens, vrai ou faux, importe peu. » Tante Mathilde leva la main pour considérer l'anneau d'or qui brillait à son doigt. « Je préférais recevoir cette alliance de la part de Louis LeGrange qu'une pleine malle de diamants de la part d'un autre. »

Mais alors, aurait voulu dire Gabrielle, si vous étiez à ce point amoureuse, pourquoi avez-vous essayé de nous séparer, Alex et moi ? C'est parce qu'elle ne voit pas Alex avec les mêmes yeux que son Louis. A moins que ce ne soit le contraire, et qu'étant si ulcérée d'avoir perdu son mari, elle ne veuille pas que je sois heureuse, un peu comme si elle voulait que nous portions tous un peu de sa douleur.

« Et étant ce qu'il était, disait tante Mathilde, Louis a évidemment emprunté de l'argent sur le ranch et payé de sa poche pour lever lui-même une compagnie. »

Gabrielle s'aperçut qu'elle avait perdu le fil du récit. « Vous voulez dire qu'il a équipé une compagnie dans le but de participer à la guerre ? dit-elle.

— Oui, et il y a mis jusqu'au dernier *cent* qu'il a pu emprunter. Et pendant ce temps-là, je le suppliais, je me lamentais, bref je faisais tout mon possible pour le faire se raviser, mais c'était comme de parler à un mur. Il disait que le Mexique serait vaincu et qu'alors il serait en mesure de rembourser ses dettes. » La douleur déforma le temps d'un instant les traits de tante Mathilde. « Effectivement, le Mexique a fini par perdre la guerre. Mais Louis était mort depuis longtemps, et le ranch ne m'appartenait plus.

— Mon Dieu !

— Je ne savais comment supporter tout cela... Louis disparu... le ranch perdu... si Olivier n'avait pas été là pour m'offrir un havre, je ne sais pas ce que j'aurais fait.

— Dire que je n'apprends qu'aujourd'hui tout ce que vous avez traversé, dit Gabrielle. Tout ça est si triste, ma tante...

— Que tu fusses au courant n'aurait rien changé. Vois-tu, Gabrielle, ce chapitre de ma vie s'est refermé lorsque j'ai repassé la frontière du Texas. Je n'en ai rapporté que très peu de souvenirs... »

Gabrielle pensa aussitôt à Abigail. Et à Véronique. Involontairement, son regard se porta vers la porte restée ouverte. On pouvait entendre, venant de l'autre bout du couloir, le bruit de la machine à coudre, ronronnement ténu de la roue mue par la pédale.

« Tante Mathilde, commença Gabrielle, incapable de terminer la question qui lui brûlait la langue.

— Oui ?

368

« — Rien. J'allais vous demander quelque chose à propos du dîner. Mais, non, je sais ce dont j'ai besoin.

— Je ne me sens aucune énergie, ce matin, dit tante Mathilde. Je crois que je vais rester au lit.

— Il va falloir que nous demandions au docteur Delahaye de venir vous examiner.

— Ma foi non, je me sens parfaitement bien. Un peu paresseuse, voilà tout. »

Gabrielle prit congé de sa tante, se disant, tout en redescendant les escaliers, que celle-ci n'avait de sa vie été paresseuse. Sa lassitude est le résultat de tout ce qui arrive ici en ce moment, se dit-elle. Son aveu d'avoir traité injustement Alex, l'amour de Tom pour Véronique, le fait d'avoir effectué la passation des pouvoirs et de n'avoir tout à coup plus rien à faire. Gabrielle secoua la tête, comme pour en chasser ses propres problèmes afin de se mieux concentrer sur celui d'empêcher de quelque façon le projet de Tom.

Peu m'importe qu'il aime Véronique, peu m'importe s'ils se marient. En revanche, qu'il s'enfuie… Je sais qu'il pense n'avoir pas d'autre choix. Cependant, il doit exister une autre solution, il le faut. Elle s'immobilisa, redressant la tête comme si elle eût entendu qu'on l'appelait. Non, je fais erreur… Il ne s'enfuit pas, il va de l'avant.

Elle s'assit sur une marche, se laissant pénétrer par cette nouvelle idée. Mais bien sûr, ici la page est tournée, voilà ce qu'il pense. Le fait que les Yankees ne sont pas encore ici n'y change rien pour lui. Il pense qu'une période est révolue. De son perchoir, elle se mit à considérer le grand vestibule. Chaque chaise, chaque guéridon, chaque tableau témoignaient du passé de la famille. Ce fauteuil avait été apporté d'Irlande en 1798 par le premier Cannon. Ce miroir au cadre doré à la feuille avait été apporté de France en 1789 par les grands-parents de sa mère. Elle se leva pour dévaler la dernière volée de marches et aller se poster à la porte du salon. Il est possible que je n'arrive pas à préserver tout cela, se dit-elle. Mais tant que je ne pourrai pas m'en détacher, il faudra bien que je reste ici.

Elle se mit à penser à Alex, à son expression de la veille, à l'instant où il était parti. Lui aussi estimait qu'il n'y avait plus rien à faire ici, et c'est pourquoi il ne comprenait pas qu'elle ne voulût pas partir. Peut-être allait-elle le perdre, et cependant il n'était

369

pas question pour elle de se raviser. Lorsque je commencerai une nouvelle vie, se dit-elle, je ne tiens pas à ce que traînent derrière moi des vestiges et des lambeaux de l'ancienne. J'aimerais que tout soit terminé ici, j'aimerais me sentir prête à partir. Mais tel n'est pas le cas. Et si cela implique de perdre Alex... je l'aurais perdu de toute façon, car ce je ne sais quoi qui me rattache à la vie d'avant serait venu tôt ou tard se mettre entre nous. Cela a été le cas hier soir, et peut-être est-ce mieux ainsi.

Transie de désespoir, elle envisageait ce que sa décision entraînerait. Bizarrement, quoiqu'elle souffrît au plus profond de son cœur, elle était certaine de bien agir.

C'est au cimetière qu'à la tombée de la nuit Alex vint la retrouver. Elle était venue passer une heure de quiétude sur la tombe de ses parents. Il s'assit près d'elle et lui prit la main. « Je pensais m'être débarrassé de mes mauvaises habitudes d'antan, dit-il. Survient un nouveau test, et je le rate lamentablement.

— Je vous aime, Alex, dit-elle. Et je souhaite plus que tout vous épouser. Seulement, je ne suis pas encore prête à partir. Quelque chose qui me dépasse me retient ici, comme s'il me fallait dévider ce fil jusqu'à la fin avant de commencer un nouvel écheveau.

— Oui, j'ai fini par le comprendre, dit-il en lui embrassant le dos de la main. Tom et moi avons parlé fort tard hier soir. Voici ce que nous pensons devoir faire : il faut qu'il aille annoncer à Mme LeGrange que d'une façon ou d'une autre il est bien décidé à emmener Véronique avec lui.

— Alex !

— Cela va peut-être lui forcer la main, si elle compte vraiment la vendre. Mais nous projetons de partir dès après-demain pour le Mexique ; il lui serait difficile de conclure la vente d'ici là.

— Alors vous partez...

— Mais je vais revenir. C'est là l'autre chose que nous — que j'ai décidée. Même s'il emmène Jonas et Samson, il n'est pas question que je laisse Tom faire ce voyage seul. Mais comme vous n'êtes pas encore prête à partir, je reviendrai. » Il lui prit l'autre main et se pencha vers elle. « Nous allons nous aussi aller trouver Mme LeGrange pour lui dire que nous voulons nous marier dès mon retour. Cela devrait être vers la fin du mois de novembre ; vous pouvez donc faire des préparatifs de mariage pour, disons le 20, avec la pleine assurance que je serai là.

— Mais, et si elle dit non ? Elle est toujours légalement ma tutrice...

— A vous de ne pas la laisser refuser, Gabrielle. » Il porta les mains de sa bien-aimée à ses lèvres et lui embrassa les doigts un à un. « Depuis hier, j'ai beaucoup réfléchi sur votre tante et je pense que lorsqu'elle vous jugera capable de prendre vos propres décisions, capable de répondre à toutes ses objections avec la tranquille assurance d'avoir fait le bon choix, elle sera heureuse d'abdiquer sa responsabilité à votre endroit.

— Je l'espère. Ah, Alex, l'idée de parler d'une chose aussi intime, aussi merveilleuse avec tante Mathilde n'a rien pour me plaire. D'ailleurs, j'aurais horreur d'en parler avec quiconque ! » Elle se leva et ouvrit grands les bras. « Je voudrais me sentir comme je me sentais lorsque je sautais sur le dos de Brandy pour galoper et galoper jusqu'à ce que toutes les idées noires aient été balayées par le vent de la course ! »

Alex se leva à son tour et, placé derrière elle, lui glissa les bras autour de la taille. « Des idées noires, vous en avez eu votre lot ces derniers temps. Mais, c'est promis, nous nous marions dès mon retour. Et la première chose à laquelle je m'emploierai sera de balayer de votre jolie tête toutes ces horribles choses. »

Ils demeurèrent un moment immobiles et silencieux. Puis il prit la main gauche de Gabrielle et glissa une bague à son doigt, un anneau d'or, enchâssé d'une émeraude entourée de perles. Elle en croyait à peine ses yeux. « Alex, elle est magnifique... mais où l'avez-vous trouvée ? De ma vie je n'ai vu une aussi jolie bague !

— Je l'ai achetée à Vicksburg. Je l'ai vue et j'ai aussitôt pensé à vos yeux... »

Comme si cette bague eût possédé les pouvoirs de quelque très ancienne amulette, Gabrielle eut tout à coup la certitude que dès qu'elle parlerait à sa tante, les obstacles tomberaient, laissant la voie libre à leur mariage.

« Je suis contente que vous me l'ayez offerte ici, dit-elle, près de la tombe de mes parents.

— Je n'y avais pas pensé, dit-il. Sans doute un cimetière est-il un drôle d'endroit pour se fiancer.

— Non, c'est exactement l'endroit qui convient. Ici, je me sens toujours si proche d'eux, chaque décision que j'ai prise ici s'est avérée bonne. Un peu comme si leur esprit planait au-dessus de moi, m'empêchant de me fourvoyer. » Elle s'enveloppa dans les pans de son manteau. « Rentrons à la maison, dit-elle. Il faut annoncer la nouvelle à tante Mathilde. »

Ils trouvèrent Tom et Véronique au chevet de tante Mathilde. Toute question eût été superflue ; à leur visage, on comprenait que tous trois avaient fait la paix. Et quand Tom se leva, la peine et l'angoisse avaient enfin quitté son regard, et Gabrielle sut ce qu'il allait dire. « Tout est bien. Tante Mathilde comprend.

— En ce cas, ma tante, peut-être allez-vous également comprendre notre souhait, dit Gabrielle en s'approchant. Alex et moi désirons nous marier dès son retour du Mexique. Nous y avons pleinement réfléchi et ne voyons pas d'obstacles à cela.

— Ni moi non plus », dit tante Mathilde. Elle prit la main de sa nièce et vit la bague. « L'émeraude pour l'espérance, les perles pour la constance, et de l'or pour l'éternité. Ma foi, Gabrielle, toi et Tom avez été très patients avec moi. » Voyant le regard qu'échangeaient le frère et la sœur, elle se mit à sourire. « Mais si. Mon attitude n'avait plus de raison d'être. Je me croyais capable de vous empêcher de faire des erreurs, ou plutôt de vous empêcher de faire des choses que je jugeais mauvaises.

— Vous ne faisiez que nous guider, comme vous l'avez fait pendant si longtemps, dit Gabrielle.

— Seulement ce n'était plus de mise. Mais je ne voulais pas l'admettre... » Elle prit le portrait de son mari, maintenant posé sur la table de chevet. « Pendant toutes ces années, je n'ai cessé de me reprocher de n'avoir pas su empêcher Louis d'hypothéquer notre terre pour la satisfaction de son orgueil. Oh, si, c'est bien par orgueil qu'il a accompli un acte aussi magnifique, par orgueil et aussi par ressentiment contre moi.

— Ma tante, intervint Gabrielle, ne nous dites rien que vous pourriez ensuite regretter.

— Il faut que j'en parle. J'ai besoin de me soulager de ce poids. » Tante Mathilde regardait le portrait. Devant ce jeune visage empreint d'une mâle beauté, Gabrielle se dit combien il avait dû être pénible pour sa tante de vieillir seule avec des souvenirs qui lui inspiraient toujours la peine la plus vive. Et moi qui croyais qu'elle avait été si heureuse, là-bas au Texas...

Comme lisant les pensées de sa nièce, tante Mathilde reprit : « Les deux premières années furent les plus heureuses de ma vie. Le ranch prospérait, j'étais jeune et amoureuse. Mais ce bonheur m'a comme engourdie ! Je suis devenue insouciante, j'ai cessé de mener un combat de tous les jours contre une faiblesse de caractère, faite de manque d'assurance et de jalousie, qui empoisonnait depuis toujours mon existence. Et ces deux défauts ont pris le pas sur moi à la première occasion.

— Êtes-vous bien certaine de vouloir remuer tout cela ? demanda Gabrielle en prenant la main de sa tante. Tout ça appartient au passé...

— Non, ma chère, c'est là que tu fais erreur. Le poison qui fermentait alors a débordé sur le temps présent, il est venu infecter ta vie, celle de Tom, ainsi que celle de Véronique et de M. Saint-Cyr. Le Seigneur m'a depuis longtemps pardonné. Il me reste à me pardonner à moi-même. »

Gabrielle demeurait immobile, maintenant. Elle tendit l'autre bras et sentit la main chaude d'Alex se refermer sur la sienne.

« Ce n'est pas une bien longue histoire, disait tante Mathilde. Elle concerne la mère de Véronique, une femme du nom de Consuela, d'ascendance en grande partie espagnole avec une grand-mère de race noire. »

Tous entendirent Véronique prendre une brusque inspiration et se retournèrent avec ensemble pour la regarder. La métisse fixait tante Mathilde comme si chaque parole était uniquement à elle adressée. « Oui, Véronique, reprit la vieille femme, j'ai toujours su qui était ta mère. Si j'ai prétendu le contraire, c'est pour des raisons dont j'ai honte encore maintenant.

« Consuela eut un enfant du contremaître du ranch sur lequel elle était employée comme cuisinière. Cet enfant n'est autre que Véronique.

— Employée ? fit Tom. Elle n'était donc pas esclave ? »

Tante Mathilde porta le portrait de son mari contre son sein, comme elle l'eût fait d'un bouclier. « Non, dit-elle en soutenant le regard de son neveu. Non, elle ne l'était pas.

— Mais alors, s'écria Tom, Véronique ne l'est pas non plus !

— En effet.

— Mais alors, pendant toutes ces années, vous nous avez menti ? » Tom se leva et voulut s'élancer vers le lit, mais Véronique le retint par le bras.

« Tom, laisse-la poursuivre, dit-elle.

— Lorsque je suis arrivée ici, je ne voulais pas dire à mon frère ce qui était arrivé, aussi l'ai-je laissé croire que Véronique et Abigail étaient mes esclaves.

— Que s'est-il passé au Texas ? demanda Gabrielle.

— Le contremaître en question a refusé d'épouser Consuela. Il est parti s'employer sur un ranch éloigné. Consuela avait d'autres ambitions que de rester cuisinière et d'élever seule son enfant. Elle a fait des pieds et des mains pour se faire employer chez nous. » Tante Mathilde se laissa aller en arrière et ferma les paupières. Pendant un moment, seules la sève qui chuintait dans l'âtre et une branche de pin tapotant la vitre perturbèrent le silence de la chambre. Puis tante Mathilde rouvrit les yeux et se rassit, s'armant de courage pour mener son récit à son terme.

« J'avais idée qu'elle lorgnait du côté de notre chef pisteur. Mais lorsque j'écoutais ma jalousie, je me persuadais que c'était après mon Louis qu'elle en avait. Elle était tellement jolie, elle riait et chantait tout le temps. Cela m'était insupportable. Et j'ai dit à Louis qu'il fallait la mettre dehors. » La main de tante Mathilde se serra sur le portrait de son mari ; elle ne le quittait pas des yeux. « Je n'aurais pu choisir pire moment pour une dispute. Nous étions déjà à cran parce qu'il voulait lever une compagnie pour participer à la guerre contre les Mexicains. Il était las de la routine de la vie du ranch, il ne tenait plus en place… » Elle secoua la tête, comme si elle essayait encore de dire non à un homme bouillant et emporté. « Je lui ai dit toutes ces horribles choses que, du fait de son manque d'assurance, une femme laide peut déverser sur un époux au physique avantageux. Jusqu'à ce jour funeste, jamais je ne m'étais crue capable de penser de telles choses. Encore moins de les dire à l'homme que j'aimais plus que quiconque sur cette terre. »

Une bûche se rompit en plusieurs morceaux dans un déluge d'étincelles. Du coin de l'œil, Gabrielle vit Véronique se pelotonner contre l'épaule de Tom.

« Après cela, qui aurait pu lui jeter la pierre pour ce qu'il a fait ? Il est parti sans ajouter un mot, il a emprunté l'argent, il a levé une compagnie et il est allé mourir à la guerre. » Tante Mathilde ne put se retenir plus longtemps. Elle se laissa aller contre ses oreillers et fondit en larmes.

« Tom, souffla Gabrielle, approche. »

Il regarda sa sœur d'un air interrogateur, mais obtempéra.

«Prends-lui la main», dit Gabrielle en donnant l'exemple. Elle attendit que Tom avance lentement la main et la referme sur celle de sa tante. Puis, se penchant au-dessus du lit, elle dit : «Tout va bien à présent, tante Mathilde. Il ne faut plus vous tourmenter. Tout va s'arranger.

— Pendant toutes ces années, j'ai menti à Véronique, dit tante Mathilde en se pressant un mouchoir sur les yeux. Mais c'est que j'étais tellement inquiète de ce qu'il adviendrait d'elle...

— Je ne vois toujours pas comment vous en avez eu la garde, dit Gabrielle.

— Quand est arrivée la nouvelle de la mort de Louis, je suis devenue comme folle. Incapable d'assumer ma responsabilité dans sa mort, j'ai tout reporté sur Consuela. Je suis allée la trouver dans son logement et lui ai fait les pires menaces. Peu après, elle est partie à mon insu, en abandonnant Véronique. Ensuite — tout s'est passé si vite —, le ranch a été saisi, et je suis venue chez Olivier, le seul endroit qu'il me restait.

— Et vous avez laissé Véronique grandir avec nous, dit Tom. Parce qu'elle n'était pas une esclave.

— Je ne cessais de penser qu'il me fallait réparer les torts que j'avais faits. Mais chaque initiative que je prenais débouchait sur une impasse. Et quand j'ai compris à quoi aboutissait le fait de vous avoir laissés être pendant toutes ces années si proches les uns des autres... quand j'ai vu, Tom, que tu étais sur le point de tomber amoureux d'elle... cela ajouté à la mort d'Olivier... je me suis retrouvée plongée dans un dilemme tel que je ne voyais plus aucune issue.»

Véronique vint se poster près de Tom et posa la main sur son bras comme si ce contact allait lui donner un peu de force. «Madame LeGrange, est-ce que je ressemble à ma mère?»

Le regard de tante Mathilde, marqué d'effroi et de peur, rencontra celui de la métisse. «Pendant longtemps je ne m'en suis pas aperçue. Mais lorsque tu t'es mise à grandir... Oui, oui, tu lui ressembles.»

Véronique émit un soupir, comme si elle venait d'obtenir enfin la réponse à une question suprême. «Ainsi, à travers moi, vous vous vengiez d'elle.»

Tante Mathilde fixait Véronique, son regard parcourant chaque trait du visage de la jeune femme. Tous pouvaient voir sur la figure de la vieille femme le combat que se livraient vérité et mensonge, et tous virent le moment où celle-là l'emporta. «Oui, c'est vrai... je le comprends maintenant, c'est ce à quoi je m'employais.

— Mais vous n'en éprouvez plus le désir, n'est-ce pas? demanda Véronique.

— Non, c'est fini.

— J'en suis heureuse, dit Véronique en approchant encore du lit. Jamais je n'aurais imaginé qu'un jour je vous dirais cela, madame LeGrange. Sachez que je ne vous en veux pas. Je comprends ce qui vous y a poussé et je vous pardonne.»

Les traits de tante Mathilde eurent une dernière crispation douloureuse, puis elle sourit en prenant la main de Véronique. «Tu vas bientôt faire partie de la famille, dit-elle. Appelle-moi donc tante Mathilde.»

Deux jours plus tard, Tom, Alex et Véronique, suivis de deux charrois chargés de sucre et conduits par Samson et Jonas, partirent pour le Texas et la frontière mexicaine. Ils se mirent en route à travers les brumes du petit jour, passant sous des arbres qui retenaient encore la nuit sous leurs ramures. Debout sur la galerie, frissonnant au petit matin, Gabrielle regarda le convoi disparaître au bout de l'allée. Puis, posant les lèvres sur la bague qu'il lui avait donnée, caressant le médaillon qu'elle portait au cou, sans plus le dissimuler désormais, elle regagna l'intérieur afin de se préparer pour le jour où Alex reviendrait, cette fois pour en faire sa femme.

L'ambiance a complètement changé, se dit-elle en traversant le vestibule. Les feux brûlent avec plus d'éclat, les mets les plus simples ont meilleur goût. Les spectres de la dissimulation et du doute ont été chassés par le grand balai de la vérité. Tous étaient toutefois convenus d'un mensonge : on allait laisser entendre aux esclaves que le vrai propriétaire de Véronique avait fini par faire valoir ses droits, et que celle-ci était partie se mettre à son service.

«C'est vrai, en un sens, avait déclaré la jeune métisse en souriant à Tom. Puisque ma vie t'appartient comme si tu en étais propriétaire — plus même, car je t'en fais librement offrande.

— Je la reçois avec une reconnaissance infinie, avait répondu Tom. Comme je serai content d'être loin d'ici, en un lieu où

376

nous pourrons nous bâtir une existence telle que nous la rêvons. »

A présent, les voici partis réaliser leur rêve, se disait Gabrielle. Avec une partie de l'argent que rapporterait la vente du sucre, Tom comptait acheter de la terre et une maison suffisamment spacieuse pour Alex, Gabrielle et tante Mathilde, pour le cas où ceux-ci souhaiteraient venir y vivre. « Avec ce qui restera, j'achèterai de l'or, avait-il dit. Cela ajouté à l'argenterie et aux bijoux de Felicity que j'emporte avec moi devrait permettre de parer à toute éventualité. »

Tom et Alex avaient accompagné Adams jusqu'à l'endroit où il avait caché les objets de valeur. Ils avaient chargé les coffrets à bijoux et les mallettes d'argenterie sous les sacs de sucre. « Tu vois, Gabe, avait fait Tom la veille de son départ, j'emporte au Texas des morceaux de Felicity ; comme cela, si tu te décides à venir, tu trouveras là-bas de vieux amis qui t'attendent. »

Elle n'avait rien répondu, se disant que par cela il lui signifiait autre chose : il croyait à ses funestes prédictions, il croyait qu'elle ne pourrait demeurer encore très longtemps à Felicity. Lorsque Alex reviendrait ce serait, certes, pour l'épouser, mais elle s'attendait à ce qu'ensuite il cherche à la persuader de partir.

Est-ce que j'accepterai ? se demanda-t-elle. Elle alla au salon et ouvrit le couvercle du piano. Il y avait des semaines qu'elle n'avait joué ; elle ne se souvenait pas de la dernière fois où cela lui était arrivé. Elle s'assit et laissa ses doigts courir sur les touches, finissant par jouer la chanson préférée de son père. « *Crois-m'en, si ces charmes jeunes et tendres, Qu'aujourd'hui je contemple si amoureusement, Devaient changer demain et s'évanouir entre mes bras, Comme fleurs se dessèchent, Mon cœur resterait près de toi. S'il le faut, ta joliesse peut bien se faner ; Alors autour de la chère ruine, mon amour toujours verdoyant s'enlacera.* »

Elle cessa de chanter, quoique continuant de jouer la mélodie. Durant tant d'années après qu'elle fut morte, son père avait conservé bien vivace dans son cœur l'amour qu'il portait à sa femme. Il avait gardé d'elle un souvenir heureux, alors que celui que tante Mathilde avait de son mari était empreint d'amertume. Son père avait continué de vivre, alors que la vie de sa tante s'était comme figée dans le passé.

Pourquoi me raccrocher aux jours anciens, quand tout me dit que la page doit être tournée ? Ces souvenirs, même s'ils sont heureux, ne vont-ils pas m'empêcher d'aller de l'avant ? Ne risquent-ils pas de constituer pour moi le même piège que les souvenirs malheureux de tante Mathilde ? Les mains en suspens au-dessus des touches, aveugle et sourde à tout ce qui l'entourait, elle se concentrait sur cette pensée. Il n'y a nulle lâcheté à vénérer le passé, comme mon père le faisait. C'est en revanche une lâcheté de s'y raccrocher. Elle se leva, referma le piano et alla se poster devant le portrait de son père. Face à ce visage tranquille et confiant, elle se sentait assez forte pour affronter ses craintes. Il lui fallut un moment pour laisser émerger la dernière et la plus forte de ses angoisses, mais elle parvint à y faire face sous le regard lumineux d'Olivier Cannon.

Je n'ai cessé d'espérer que quelque chose surviendrait qui ferait que je n'aurais pas à sauter le pas, dit-elle à l'image de son père. A présent je sais que ce qui importe n'est pas de savoir si je dois vraiment le faire, mais de savoir que, s'il le faut, je serai capable de le faire. Quelque chose entra alors en elle, quelque chose qu'elle n'avait encore jamais éprouvé. Elle se sentait tout à coup pleine de confiance en elle.

Lorsqu'elle quitta le salon pour aller conférer avec sa tante des préparatifs du mariage, elle se sentait pleine d'un bonheur si nouveau, si inattendu qu'il lui semblait avoir été créé pour elle seule. Tante Mathilde vit instantanément les changements survenus chez sa nièce ; en lui disant toute la vérité, se dit-elle, j'ai sectionné les liens ultimes qui la rattachaient à son enfance.

« Nous avons du pain sur la planche, dit-elle. J'ai commencé de dresser la liste des invités. Letha est partie à la recherche de la recette de ce délicieux gâteau dont ta grand-mère s'était fait une spécialité. » Elle eut un sourire un peu triste. « Ce coup-ci, pas de voyage de lune de miel en Europe, comme celui que firent tes parents. Mais nous trouverons bien dans les environs un endroit où vous pourrez passer quelque temps ensemble.

— Il y a si longtemps que j'attends d'être heureuse, répondit Gabrielle. Mais je crois avoir appris, aujourd'hui, combien on a tort de penser qu'il faut attendre. Le bonheur est là, tout autour de nous, à portée de main. Et pour le trouver, il nous suffit de croire à sa présence. »

20

Limpide et froide matinée que celle du 29 novembre. Lorsque Gabrielle se réveilla, le feu de cheminée, maintenant réduit à quelques braises noyées de cendres, ne faisait plus naître de fastueux reflets roses et or sur les plis ivoire de la robe de satin pendue non loin de là. La jeune fille demeura une minute encore immobile, avec à l'esprit la pensée qui l'avait bercée la veille : cette matinée est la dernière de ma vie sous le nom de Gabrielle Cannon. Quand je me réveillerai demain, je serai Mme Alex Saint-Cyr.

Incapable de rester plus longtemps au lit, elle rejeta ses couvertures et tendit la main vers le cordon de la sonnette. Lucie apparut presque immédiatement, portant un plateau avec du café fumant, et arborant un sourire qui témoignait de ce qu'elle appréciait elle aussi cette restauration temporaire de l'ancien régime, de cette époque à laquelle, au lieu de travailler à l'étable ou au champ, elle se consacrait à Gabrielle et à sa garde-robe.

« Vous et M. Alex allez avoir un temps magnifique pour vous marier, dit la vieille esclave. C'est comme si le Seigneur vous faisait un cadeau.

— Oui, c'est un cadeau qu'Il nous fait », dit Gabrielle.

Elle se glissa dans le peignoir que Lucie lui tendait, et prit son bol de café. Du regard, elle fit le tour de la chambre, notant avec satisfaction l'achèvement de ses préparatifs en vue de la cérémonie et du voyage qui suivrait.

La robe de sa mère n'avait pas nécessité d'importantes retouches, et le peu qu'on avait dû y faire l'avait été facilement. Abigail avait lavé le voile de dentelle jaunie, le rinçant dans du jus de citron avant de le faire sécher au grand soleil jusqu'à ce qu'il eût recouvré la teinte ivoire d'antan. Même les escarpins de satin étaient à sa taille, avec leurs boucles ornées de semence de perles. En la découvrant vêtue comme sa mère l'avait été tant d'années plus tôt, tante Mathilde avait serré Gabrielle dans ses bras, pleurant un peu, mais souriant à travers ses larmes et lui assurant que ses parents la voyaient de là-haut et lui souhaitaient tout le bonheur qu'ils avaient connu.

Même la nouvelle des escarmouches ayant opposé les canonnières nordistes à la canonnière confédérée *Cotton*, à cinquante kilomètres à l'est de Felicity au cours de la première semaine de novembre, n'avait pu ternir la joie des préparatifs. Et lorsque le *Cotton* eut repoussé ses attaquants, lorsque les troupes yankees marchant à la mi-novembre sur la mine de sel d'Avery Island eurent été tenues en échec, et lorsqu'il apparut que les retranchements disposés par les Confédérés en travers du bayou Teche tenaient bon, les loyalistes de la région reprirent courage.

Les semaines qui précédèrent le retour d'Alex ne parurent pas à Gabrielle aussi longues qu'elle l'avait craint. La liste tenue par tante Mathilde des choses à faire ne cessait de s'allonger. Cela évoquait à Gabrielle l'ouvrage de Pénélope ; la nuit, quand toute la maisonnée était endormie, sa tante devait défaire un peu de ce qui s'était fait dans la journée, et l'ajouter aux tâches du lendemain.

Mais vint le jour où tout fut prêt. Privée de l'argenterie familiale, tante Mathilde avait prévu d'utiliser des bols à punch et des écuelles de bois, se procurant chez les voisins tout ce qui lui faisait défaut. En dépit des restrictions, elle était parvenue à mettre sur pied une réception qui, si on ne pouvait la comparer aux fastes d'antan, ne ferait tout au moins, comme elle aimait à le répéter, pas honte à la tradition d'hospitalité des Cannon.

Dans un élan d'énergie qui la faisait s'activer comme naguère, elle avait fait, à partir d'une cape et d'une robe à elle, un costume de voyage pour sa nièce. Lorsque les jeunes mariés partiraient en voyage de noces à Chretien Point, plantation de leur bon ami Hypolite Chretien située de l'autre côté de Vermilionville, Gabrielle disposerait ainsi d'un costume de chasse vert, avec chemisier et jupon en crêpe de Chine écru. Dorothea Robin avait fourni un chapeau du même vert que le costume, et Gabrielle l'avait agrémenté de plumes de faisan, souvenirs d'une partie de chasse avec son frère.

Seule la pensée que Tom serait absent à son mariage venait assombrir un peu ces jours heureux. Il fut prévu que, lors de la cérémonie, M. Robin jouerait le rôle du père de la mariée et la donnerait au marié. Felice Robin serait demoiselle d'honneur.

Mettant la dernière main à sa toilette, Gabrielle entendait arriver les voitures. Un joyeux brouhaha emplissait le rez-de-chaussée au fur et à mesure de l'arrivée des invités ; leurs rires, la rumeur des conversations s'élevaient comme une bouffée d'air chaud, allégeant l'atmosphère et balayant toutes les peurs et toutes les angoisses. Lorsqu'ils s'en iraient au terme des festivités, peut-être tous ces gens retrouveraient-ils tous leurs soucis, mais pour l'instant ils rivalisaient de foi, d'espoir et d'amour, affirmant par leurs manières et leur courtoisie les grands principes sur lesquels se fondait leur existence.

Chacun des hôtes de Felicity savait que les Yankees tenaient toute la région de Lafourche et que les armées confédérées étaient sur tous les fronts contraintes à la défensive, après que le Nord eut émoussé leurs prétentions premières d'une invasion éclair. Chacun savait que ce long prélude à leur propre implication dans le conflit approchait de plus en plus de son terme. Et les escarmouches entre le *Cotton* et les canonnières fédérales, entre les soldats confédérés et yankees à Avery Island, étaient comme les premières crues de printemps qui se haussent au-dessus des levées ; d'abord mince filet d'eau, elles se font bientôt torrent, et, grossissant toujours, finissent par tout emporter sur leur passage.

L'isolement de la vie rurale leur avait donné une force différente de celle de leurs frères des villes. Ils savaient ne pouvoir compter que sur eux-mêmes et sur leurs propres ressources pour survivre à tout revers ; au fil des épidémies, des inondations, des sécheresses et des ouragans, ils avaient pris leur propre mesure, se forgeant un réseau d'entraide qui puisait sa force dans la bonne volonté permanente de ses membres à se porter au secours des autres.

Ceux de Felicity n'avaient aujourd'hui besoin que de joie et de rires, et peut-être la joie et les rires faisaient-ils défaut à ces invités qui avaient perdu des fils, des frères, des époux ou des pères sur les champs de bataille du Sud. Et cependant, se penchant par-dessus la balustrade, Gabrielle ne vit pas un seul visage triste ou inquiet. Certains observateurs auraient pu voir dans cette gaieté un masque insensé, plutôt inefficace contre les épreuves et les chagrins ; d'aucuns auraient en revanche pu y voir, comme c'était le cas de Gabrielle, non pas un masque, mais une cuirasse, faite dans le même esprit que les paroles de saint Jean brodées sur un canevas accroché au mur de sa chambre. Ce message, maintes fois lu au cours de la journée lorsque son regard se posait dessus, avait pénétré le cœur de Gabrielle pour rejoindre les autres formules et maximes qu'elle y chérissait. « L'amour parfait chasse la peur. » La teinte du fil à broder avait passé, mais non point le crédit qu'elle accordait à cette phrase, car si certaines paroles perdent de leur force à être trop répétées, Gabrielle avait appris que ce n'était pas le cas de celle-là.

Ce jour-là, elle et Alex étaient protégés par cette cuirasse qu'apporte l'amour avec lui ; pour les hôtes de Felicity, ces deux jeunes gens représentaient le triomphe de tout ce qui est bon en l'homme sur ce qu'il porte en lui de mauvais. Un pas de plus était fait dans l'inconnu, sans que l'on exigeât la moindre assurance d'arriver à bon port. Ce mariage pouvait durer un mois, un an, dix ans. Alex pouvait être fauché par la première balle yankee tirée sur la milice du Teche. Comme nombre de femmes, ici, Gabrielle pouvait lui survivre et mettre au monde un enfant sans père. La force qui emplissait la maison venait non pas d'une ignorance des périls futurs, mais de la certitude que la vie est toujours pleine de dangers, et que ceux qui attendent de pouvoir s'avancer sans risque meurent sans avoir même commencé de réaliser un seul de leurs rêves. Aussi, quand on porterait le premier toast, quand tous les invités lèveraient haut leurs verres pour boire au bonheur du jeune couple et lui souhaiter longue vie, ce serait également pour boire à une vision plus vaste où chaque personne présente avait sa part.

Mais pour lors, voici que Felice Robin sortait de la foule pour s'élancer dans les escaliers, tenant dans une main un bouquet de camélias blancs et dans l'autre un bouquet de camélias rose foncé. « Le père DeBlanc est arrivé, dit-elle. Nous sommes presque prêts à commencer. » Elle suivit Gabrielle dans le couloir et jusqu'à sa chambre, où Lucie l'attendait pour lui épingler son voile. « Vous êtes splendide, Gabrielle ! Est-ce que vous vous sentez très heureuse ? »

La porte s'ouvrit dans leur dos. Tante Mathilde apparut dans une robe de soie grise, sortie quelques années plus tôt d'une maison de couture parisienne. Elle l'avait remise à neuf, et même si le style en était démodé, cette robe lui allait bien.

«Serait-il possible de dire un mot à Gabrielle en particulier? demanda-t-elle. J'ai un petit cadeau pour elle.

— Bien sûr, madame LeGrange, fit Felice en se dirigeant vers la porte, suivie de Lucie.

— Gabrielle, j'ai eu quelque difficulté à te choisir un présent, dit tante Mathilde. Tu as déjà tous les bijoux de ta mère, et les miens te reviendront également.

— Mais je n'attends pas de cadeau», commença Gabrielle.

Sa tante lui coupa la parole : «Ce que j'ai pour toi n'est pas un cadeau au sens habituel du terme. En fait, cela peut paraître un singulier présent à faire à une jeune mariée.» Elle tira de la poche de sa jupe un long et mince coffret et le tendit un peu gauchement à Gabrielle. Voyant celle-ci hésiter, elle ajouta : «Allez, petite, ouvre-le.»

Gabrielle dénoua le cordon de soie, souleva le couvercle. Sur une garniture de velours noir reposait un couteau à manche d'or incrusté d'émeraudes et de perles. La fine lame luisait à la lumière, son tranchant aigu étincelait comme s'il eût été fait de minuscules diamants.

«Tante Mathilde, je...

— Tu es plutôt interdite, évidemment. Quand tu auras entendu l'histoire de ce stylet, tu seras mieux à même de l'apprécier.

— Il est magnifique, mais il paraît tellement redoutable !

— Il a été fait pour cela. Il a toujours été dans la famille. Le premier Cannon à qui il a appartenu l'aurait pris à un Espagnol à l'époque de l'Invincible Armada. Toujours est-il que je t'ai noté les noms de tous ceux à qui il a appartenu ; la liste se trouve sous le velours. A la mort de notre père, Olivier a tenu à ce que je le prenne, bien que normalement ce soit toujours l'aîné des garçons qui en hérite. Il disait que cela s'accorderait avec les paysages du Texas.» Tante Mathilde contempla un moment le poignard, puis regarda de nouveau sa nièce. «Puisque Olivier a interrompu la tradition, je n'ai pas de scrupule à te le donner à toi plutôt qu'à Tom.» Elle se pencha pour embrasser sa nièce. «Voilà, fais-en l'usage qu'il te plaira, Gabrielle. Il est bien utile pour ouvrir les lettres et n'a pas son pareil lorsqu'il s'agit de désosser un quartier de viande.

— Je vais le conserver précieusement, ma tante. D'autant plus qu'il me vient de vous. »

Gabrielle noua les bras autour du cou de sa tante et l'embrassa tendrement, souhaitant qu'un peu du bonheur dont elle était inondée fleurît dans le cœur de la vieille femme. Tout en rangeant le stylet, elle se prit à penser à cet autre présent que lui avait fait sans en avoir conscience tante Mathilde : la leçon sur le danger qu'il y a à ne pas savoir se détacher des malheurs du passé. Si j'arrive à me souvenir de cela, se dit-elle, et à ne jamais me mettre en situation de le réapprendre à mon propre détriment, alors je n'ai plus besoin que quiconque m'offre quoi que ce soit.

M. Robin l'attendait en haut des marches. Elle lui donna le bras et, ensemble, ils descendirent l'escalier, passèrent entre les deux rangs que formaient les invités et gagnèrent le salon, où un autel avait été dressé. Le père DeBlanc s'y trouvait en compagnie d'Alex. Alors, Gabrielle n'eut plus d'yeux que pour ce dernier. Elle savait que le père DeBlanc parlait, car elle voyait ses lèvres bouger. Mais la seule voix qu'elle entendît vraiment fut celle d'Alex, et, l'imitant, elle prononça le vœu qui allait la faire sienne.

L'officiant leur toucha la tête pour les bénir, puis Alex prit la main de Gabrielle et posa l'alliance sur chacun de ses trois premiers doigts, répétant à chaque fois la formule du vœu, pour enfin la lui glisser à l'annulaire de la main gauche. « Par cet anneau, je t'épouse, dit-il. Au nom du Père, du Fils et du Saint-Esprit, amen. »

Le regard de Gabrielle se porta sur l'alliance. C'était à peine si elle distinguait les entrelacs de lianes et de feuilles dont elle était gravée. Il faut que j'essaie de retenir cet instant, se disait-elle, que je fixe dans ma mémoire ce que j'éprouve et tout ce qui m'entoure. Mais voici que les gens se pressaient autour d'eux, serrant la main d'Alex, embrassant la jeune mariée sur les joues ; et force lui fut de laisser s'envoler cet instant précieux et fugace, submergée par un flot d'impressions qui arrivaient en rangs serrés.

C'était une succession de souhaits de bonheur et de congratulations. Des mains l'agrippaient, une mer de visages s'encadraient dans son champ de vision. Des dames qui se rappelaient sa mère venaient lui dire combien elle lui ressemblait. Des hommes qui vénéraient le souvenir de son père l'embrassaient et lui disaient combien il eût été heureux d'être là. Letha allait et venait au milieu des gens, donnant des instructions à Jonas, Lucie et Abigail. Des odeurs flottaient de vin chaud et de jambon. Il y eut de la musique, le bruissement des pieds glissant sur le parquet. Puis elle sentit les mains de Lucie en train de lui ôter sa robe de mariée, de lui passer sa nouvelle robe de voyage. Le chapeau, les gants... Un dernier coup d'œil dans sa malle, une ultime embrassade de sa tante...

Elle se retrouva enfin à bord de la voiture, emmitouflée dans une grande pièce de fourrure. Alex empoigna les rênes et les fit légèrement claquer sur la croupe des deux chevaux de l'attelage. Debout sur la galerie, les gens les saluaient en agitant le bras. Les grilles de Felicity se refermèrent sur leur passage ; devant eux, s'étirait une route déserte.

« Nous n'avons pas pris congé trop tard, dit Alex. Nous devrions arriver à Chretien Point bien avant la tombée de la nuit. »

Un tel bonheur emplissait Gabrielle, qu'elle se disait que si cette journée et la nuit à venir étaient tout ce qui leur était accordé, ce serait déjà suffisant. Tu sais maintenant ce qu'est le vrai bonheur, se dit-elle en touchant son alliance à travers le gant ; il ne t'abandonnera jamais tout à fait, et jamais plus tu ne pourras être vraiment malheureuse.

La route, très dure après un été aussi sec, permettait de filer à belle allure. Le paysage défilait de chaque côté dans l'air limpide. Le feuillage jaune et rouge tranchait sur le bleu intense du ciel. Aussi loin que portât le regard, les chaumes de canne à sucre faisaient un tapis brun grisâtre.

Gabrielle remonta bientôt son col pour se protéger du vent de la course.

« Un peu froid ? s'enquit Alex en cherchant sa main sous la fourrure.

— C'est juste le vent, dit-elle. Maintenant j'ai bien chaud. »

Même à travers l'épaisseur de leurs deux gants, il lui semblait sentir la main d'Alex palpiter dans la sienne, comme si leur nouvel état modifiait la manière dont ils se touchaient. Un cavalier solitaire venait en sens inverse, les regardant sans curiosité. Nous nous sommes mariés aujourd'hui, aurait-elle voulu lui crier. Il n'y a pas trois heures... L'inconnu fut bientôt derrière eux, et elle se retourna pour le regarder.

« N'est-il pas étrange, dit-elle, que quelque chose d'aussi important puisse avoir lieu et que tant de gens l'ignorent ou s'en soucient si peu ?

— Selon vous, tout le monde devrait savoir, à seulement nous regarder, que nous nous lançons dans une merveilleuse aventure.

— Je sais que c'est idiot. Mais il me semble que le rayonnement dont je sais que nous sommes entourés devrait n'échapper à personne.

— A Dieu ne plaise, fit Alex en riant. Sinon nous ne serions jamais tranquilles. Et la dernière chose que j'espère avoir cette semaine, c'est bien de la compagnie. »

La manière dont sa voix s'était altérée sur les derniers mots, cet accent subitement un peu voilé n'avaient pas échappé à Gabrielle. Elle leva les yeux vers ses yeux, certaine de ce qu'elle allait y voir. C'était toujours cet éclat, cette énergie, que, depuis le début, elle avait toujours vus dans son regard. Elle avait tout d'abord pris cela pour l'expression d'un tempérament bouillant, mais elle savait à présent que la source en était plus profonde et plus forte. L'essence même d'Alex se trouvait dans cet éclat ; toutes les émotions qu'il avait des années durant réprimées au contact d'une mère rigide et inflexible, d'un père complaisant et irresponsable, brûlaient au plus profond de lui d'un feu régulier, prêtes à remonter à la surface dès que la bonne clef serait actionnée.

Je détiens cette clef, se dit Gabrielle, et la dernière de ses inquiétudes l'abandonna. Si Alex allait la guider dans les mystères de l'amour, elle serait, elle, le bon esprit qui lui permettrait de sortir des ténèbres pour émerger à la lumière. Ensemble, ils allaient être plus forts, et il ne serait d'obstacles qu'ils ne pourraient surmonter, de défis qu'ils ne pourraient relever.

« Moi aussi, dit-elle doucement, je ne veux voir personne que toi. »

Lorsqu'ils arrivèrent à Chretien Point, leurs hôtes avaient anticipé leur désir. Mme Chretien les accueillit, leur transmettant les regrets de son mari, qui convoyait sa récolte de coton jusqu'à l'embarcadère sur la Red River, et ne serait de retour que vers la fin de leur séjour. « Les enfants sont partis dans toutes les directions, dit-elle en réponse à une question de Gabrielle. Les garçons sont à la guerre, bien sûr. Les filles sont en visite chez des amies.

— Vous êtes vraiment très gentille de nous recevoir, dit Gabrielle.

386

— Ne dites pas de bêtises, mon enfant. C'est pour nous un plaisir. Je vous ai fait préparer la chambre nord-ouest ; c'est celle dont raffolent toujours nos invités car on peut y contempler de superbes couchers de soleil. Ici, c'est la prairie, et la vue porte à des kilomètres et des kilomètres.

— Vous avez une maison magnifique, dit Alex en précédant les deux femmes dans les escaliers.

— C'est mon mari qui l'a construite en 31. Cela a toujours été une maison heureuse, et votre présence le prouve.

— Nous allons faire comme si la guerre n'existait pas, dit Gabrielle. Seulement le temps d'une semaine.

— Oh, ma chère, si seulement cela pouvait être vrai ! » dit Mme Chretien, et d'embrasser la jeune mariée sur les deux joues.

Puis elle les précéda pour ouvrir une haute porte, et s'effaça afin qu'ils pussent entrer dans leur chambre.

Un grand feu brûlait dans la cheminée, dont l'habillage de marbre noir reflétait les flammes. Quoique la porte-fenêtre fût fermée, les rideaux n'étaient pas tirés, et ils purent voir que la chambre donnait sur une galerie. Au-delà, c'étaient les champs de coton ; çà et là, de petits flocons blancs avaient échappé à la récolte. Plus loin s'étendait le paysage que leur avait vanté Mme Chretien.

« Cette chambre est délicieuse, dit Gabrielle. Nous y serons très bien. » Elle alla jusqu'à une chaise placée entre deux fenêtres, et se mit à dénouer son chapeau, comme si le fait de se trouver ici en compagnie d'Alex était la chose la plus naturelle au monde.

« Bon, eh bien, je vous laisse vous installer, dit Mme Chretien. Je gage que le voyage vous a un peu fatigués. Bess va vous monter du café. Je vous prie de m'excuser, mais je ne dînerai pas avec vous. Oui, je ne suis debout que de quelques jours ; j'ai été un peu souffrante et ai dû garder le lit pendant une petite semaine. Je vais donc dîner dans ma chambre. Bien sûr, vous pouvez prendre votre repas où bon vous semblera ; vous n'aurez qu'à en instruire Bess, elle s'occupera de tout. »

Cependant que Mme Chretien parlait, Gabrielle avait peu à peu pris conscience de ce qui l'entourait, de cette chambre, du lit, et de cette porte qui bientôt allait se refermer et l'enfermer avec cet homme. Elle sentit son cœur se mettre à battre plus fort, et baissa la tête de sorte que ni Mme Chretien ni Alex ne vissent le rose qui lui montait tout à coup aux joues. Alex lui tournait le dos, prêtant attention à ce que disait Mme Chretien ; ce dos était celui de quelqu'un qu'elle ne connaissait pas, qu'elle n'avait jamais vu, et qu'elle n'aimait certainement pas assez pour l'épouser.

Saisie de panique, elle ouvrit la bouche pour parler. Cependant, avant qu'elle ait pu émettre un seul son, Mme Chretien vint à elle et l'embrassa sur les deux joues. Puis, ayant chaleureusement serré la main d'Alex, elle sortit et referma la porte.

« Attendez… » fit Gabrielle en direction des solides panneaux de chêne.

Alex fit un pas vers la porte.

« Voulez-vous que je la rappelle ? Est-ce qu'il vous manque quelque chose ?

— Oui, euh… non. » Parfaitement immobile, Gabrielle le regarda se détourner de la porte pour venir vers elle.

« Ne voulez-vous pas vous défaire de ce manteau ? Peut-être avez-vous toujours froid ?

— Oui… non. Tenez, le voici », dit-elle en dégrafant le fermoir. Alex le lui ôta des épaules. Un coup léger fut porté contre la porte. « C'est Bess, entendit-on. Je vous apporte votre café.

— Voilà », fit Alex. Il adressa un sourire à Gabrielle, puis alla ouvrir la porte en grand, afin que passe sans encombre le vaste plateau de la femme de chambre.

« Mme Chretien, elle a pensé que vous aviez peut-être faim. Elle dit qu'à leur mariage la plupart des gens oublient de se nourrir.

— Mme Chretien est une femme de bon sens, dit Alex en considérant le plateau. Tu la remercieras pour sa prévenance.

— Oui, m'sieur. Je vais le faire. » Bess s'en fut à reculons avec force sourires et courbettes, jusqu'à ce que la porte se referme sur elle, les laissant de nouveau seuls.

« Voilà qui est copieux », dit Alex en désignant le plateau. Du fromage et du jambon en tranches occupaient une grande assiette. A côté, il y avait une corbeille pleine de petits pains et de biscuits. Trois pots de confitures voisinaient avec une bouteille de vin, une cafetière et un plat de patates douces. « Avec toutes ces provisions, nous pourrions rester plusieurs jours enfermés.

— En effet, dit Gabrielle.

— Si je plaçais les patates douces et le café sur ce trépied près de la cheminée, ils resteraient chauds », dit Alex. Il joignit le geste à la parole, puis revint au plateau et leva la bouteille de vin pour la mirer.

«Un très beau rouge, dit-il. Mais il faudrait d'abord la laisser respirer. Je vais l'ouvrir et la mettre de côté pour un moment, qu'en pensez-vous?

— Ce... c'est une bonne idée», fit Gabrielle.

Elle était comme sous hypnose. Les émotions de la journée, l'exaltation des jours précédents, le long trajet dans l'air vif, et maintenant cette pièce bien chaude, tout cela concourait à l'assoupir; elle se sentait enfermée dans quelque chose de très doux, de très feutré et de très plein, qui tenait toute autre chose à distance, très loin de cette chambre.

Alex reposa la bouteille débouchée sur le plateau, puis il s'approcha de sa femme.

«Voyez-vous autre chose à faire?

— Euh... non.

— Si ce n'est ceci, dit-il en l'embrassant au front. Et encore ceci.» Il l'embrassa sur la joue. «Et ceci... et ceci... et cela», continuait-il en lui embrassant l'autre joue, puis le cou, puis les lèvres.

Alex était maintenant le centre de cette enveloppe douce et feutrée, hermétique, où elle avait l'impression d'être enfermée. Elle se sentait de plus en plus glisser vers ce centre jusqu'à bientôt se confondre avec lui, s'éloignant toujours plus d'un monde régi par la raison et la pensée. Elle n'était plus que sensations, celles que lui imprimaient les doigts, les mains, les lèvres d'Alex.

«Oh, mon amour, souffla-t-elle dans le creux de son cou, je suis si heureuse de vous avoir épousé.»

Il n'y eut pas de réponse, mais point n'en était besoin. Une nouvelle fois, l'instant présent s'isolait de tout ce qui l'avait précédé, de tout ce qui lui succéderait. Les riches effluves du café se mêlaient à l'odeur propre et pénétrante de la peau d'Alex; elle n'aurait pu faire la différence entre le crêpe de Chine doux et frais de son corsage et les doigts doux et frais d'Alex. Elle sentait leurs deux vies s'unir, se confondre, devenir une.

Plus tard, alors que les ultimes roseurs du crépuscule viraient au violet, puis au gris pour enfin devenir aussi sombres que le reste du ciel, elle se pelotonna contre lui et, sirotant le vin qu'il venait de lui verser, elle se dit que ce qu'ils avaient maintenant leur appartenait pour toujours, et que, quoiqu'elle n'en eût rien su, chaque jour de sa vie l'avait préparée pour le bonheur de devenir Mme Alex Saint-Cyr.

21

Gabrielle regagna Felicity avec la ferme résolution de faire du premier Noël qu'elle et Alex passeraient en tant que mari et femme un événement aussi mémorable que possible, en dépit de la certitude que le ralentissement de l'activité amené par l'hiver sur les champs de bataille n'était qu'un répit auquel le printemps mettrait un terme. Et si, tout en décorant la maison de branches de sapin et de houx, tout en supervisant l'installation de l'arbre de Noël, elle avait le sentiment d'organiser un rituel d'adieux, elle ne se laissait pas abattre. Je vais vivre au jour le jour, se disait-elle chaque matin, et me réjouir qu'Alex soit auprès de moi ; je ne demande rien d'autre.

Bien sûr, l'absence de Tom était durement ressentie, et lorsqu'une lettre arriva, à la veille de Noël, Gabrielle en prit connaissance avec une joie croissante. « Ils sont arrivés sans encombre. Ils ont trouvé de la terre, près de San Antonio. Tom dit qu'une rivière y passe, qu'il y a des collines et une plaine fertile... Et ils se sont mariés ! Dans une petite église datant des premières missions... » Elle tendit la lettre à Alex en se disant que ces bonnes nouvelles venaient couronner la fête de Noël.

Ainsi, lorsque des familles des plantations voisines et de New Iberia vinrent passer le Jour de l'An à Felicity, elles y trouvèrent une jeune maîtresse de maison heureuse recevant ses invités au

390

côté de son mari. Et plusieurs personnes lui dirent combien elle leur rappelait sa mère.

La conversation fut d'abord dominée par des commentaires sur la saison mondaine à La Nouvelle-Orléans. «Des opéras! lança une dame, scandalisée. Des pièces de théâtre et des bals! Comment peuvent-ils prendre du bon temps quand leur ville est aux mains de l'ennemi?

— Le général Nathaniel Banks, qui a remplacé Butler, semble quelqu'un de plus conciliant, dit un autre invité. Après tout, si l'on considère le nombre de gens — soixante et un mille au dernier recensement — qui ont prêté serment de loyauté et recouvré leur pleine citoyenneté, on peut supposer qu'ils ont le sentiment de n'avoir rien à regretter.

— Rien à regretter? fit M. Robin, s'adressant à toute l'assemblée. Je serais porté à croire que, comme nous tous, les gens de La Nouvelle-Orléans sont pleins de regrets, à la fois ceux qui ont prêté serment et ceux qui ne le feront pas.

— Voulez-vous dire, monsieur, que nous avons eu tort de faire sécession? s'écria un homme. Je ne tolérerai pas de tels propos, même venant d'un ami comme vous.

— Tort... raison... le contour des choses s'est tellement estompé, tout est devenu si flou qu'on ne s'y retrouve guère, dit M. Robin. Je suis toujours convaincu que nous avions le droit de quitter l'Union... Et cependant l'Histoire nous enseigne qu'il est des droits si antagonistes que lorsqu'ils entrent en conflit, les tenants des deux bords en sortent vaincus.

— Je ne vous comprends pas, fit quelqu'un. Si l'on posait la question aux Yankees, ils répondraient qu'ils sont en train de gagner. Et au train où vont les choses, c'est probablement ce qui va arriver. Et cependant vous dites qu'ils vont perdre?

— Nous allons tous perdre. A la différence des conflits dirigés contre un ennemi extérieur, les guerres civiles accusent les plus infimes divisions d'une société, et les élargissent au point qu'elles ne se referment pas avant plusieurs générations.» M. Robin prit sa femme par la taille et l'attira contre lui. «Je ne suis pas assez jeune pour attendre que les plaies occasionnées par cette guerre se cicatrisent. C'est pourquoi j'ai vendu ma plantation. Dans quelques semaines, je compte emmener les miens loin d'ici.»

Cette révélation fit sensation. Aussitôt les questions fusèrent de toute part. «Nous n'avons pas pris cette décision à la légère, expliqua l'intéressé. Mais si je tiens à sauver un peu de ce que ma famille a mis des décennies à bâtir, il me faut faire la part du feu et partir.

— Mais où comptez-vous aller ? demanda Gabrielle à Dorothea. Ce que vous nous manquerez !

— Nous partons au Texas, dit Dorothea. Je ne sais pas exactement où... Bien sûr, papa le sait, lui. Pour être franche Gabrielle, sans mon Paul, peu m'importe où je vais.

— Tom est au Texas, dit Gabrielle. Nous avons eu une lettre de lui, juste avant Noël. Il a acheté des terres près de San Antonio. Il dit que c'est très joli là-bas.

— Peut-être », dit Dorothea. Elle caressa la joue de son amie. « Profitez de la vie pendant que vous le pouvez. »

Puis quelqu'un s'avança pour parler à Dorothea. Gabrielle s'écarta un peu, allant se poster dans l'embrasure d'une porte-fenêtre d'où elle se mit à considérer la scène qui s'offrait à elle. Les toilettes des femmes luisaient toujours aussi somptueusement à la flamme des bougies, le grand bol de lait de poule, posé non loin de là sur une desserte, fleurait toujours aussi bon l'alcool et la muscade, les salles de réception retentissaient toujours de rires et de conversations animées. Et cependant, de même que les rameaux accrochés à la rampe de l'escalier avaient commencé de jaunir, la jeune femme pressentait comme un souffle glacé qui allait faire se faner ses souvenirs de ces jours de fête, leur faire perdre toute réalité, jusqu'au jour où semblable gaieté, semblable frivolité ne lui paraîtrait plus que l'écho lointain d'un passé révolu.

Elle alla retrouver Alex et le prit par la main pour l'entraîner dans l'autre salon, où les musiciens avaient commencé de jouer. « Demandez-leur de jouer *Alors, tu te souviendras de moi*, dit-elle, voyant aussitôt une lueur naître dans les yeux de son mari.

— C'est sur cet air que nous avons dansé ensemble pour la première fois, dit-il.

— Oui. Un air sur lequel, depuis, je n'ai dansé avec personne d'autre. »

Alex alla s'entretenir avec le violoniste, puis revint vers Gabrielle et lui ouvrit ses bras. Elle vint s'y loger, et ils se mirent à valser sur le parquet ciré, faisant signe à d'autres couples de les rejoindre.

Passant devant un grand miroir, Gabrielle y vit leur reflet tournoyant ; pendant un moment, elle ne distingua, de l'arrière-plan, que le brocart des tentures et l'étincelante applique de cristal posée sur le mur. Puis un autre couple s'avança ; la jeune femme portait une robe de satin bleu pâle, mais son cavalier était en uniforme gris de l'armée confédérée, avec un sabre au côté.

La guerre est partout présente, pensa Gabrielle, fermant les yeux et se laissant guider par Alex. Les Robin s'en éloignent, moi je ferme les yeux... Mais elle approche, on ne peut ni l'arrêter, ni l'éviter...

Elle entendit un son étrange, dont la source lui parut proche. Elle rouvrit les paupières pour regarder autour d'elle. Elle l'entendit à nouveau. C'était une plainte sourde, étranglée. « Alex, vous entendez ?

— Oui. » Ils cessèrent de danser pour se diriger vers un fauteuil installé dans l'embrasure d'une fenêtre et orienté vers l'extérieur. Alex en fit le tour et, brusquement, s'agenouilla avec une expression inquiète. « C'est votre tante, dit-il. Elle s'est évanouie. Rattrapez le docteur Delahaye. Il vient de prendre congé, il devrait être encore dans la cour. »

Gabrielle eut l'impression qu'il lui fallait une éternité pour atteindre la porte, puis il lui sembla que sa voix n'avait plus de force. Elle longea la galerie en courant et dévala les marches du perron en criant au médecin de s'arrêter, de revenir. Delahaye finit par l'entendre. Il fit faire demi-tour à son cheval, mit pied à terre et suivit la jeune femme jusqu'à l'endroit où était tante Mathilde.

Il lui prit le pouls tout en collant l'oreille contre sa poitrine. « Montez-la dans sa chambre, dit-il à Alex. Appelez Abigail. Qu'elle la déshabille.

— Mais que se passe-t-il, docteur ? interrogea Gabrielle. Elle paraissait tout à fait bien ce matin...

— Mme LeGrange a depuis quelque temps des problèmes cardiaques, dit le médecin. Elle m'a fait promettre de ne pas vous en parler. » Il eut un regard pour Alex, qui déjà emportait tante Mathilde dans ses bras.

« Mais est-ce qu'elle va se remettre ? demandait Gabrielle. Il n'est pas possible qu'elle soit vraiment souffrante ! »

Le médecin, qui avait déjà parcouru la moitié de la pièce, s'immobilisa, puis revint vers la jeune femme et lui prit la main. « Ma chère enfant, voici déjà pas mal de temps que son cœur a

393

des défaillances, et rien de ce que j'ai pu lui faire n'y a remédié. Cela pourrait n'être qu'une attaque parmi d'autres, ou bien cela pourrait être la dernière. Il faut vous y préparer, Gabrielle. Il serait absurde de ne pas l'envisager. »

Puis il s'éloigna, se frayant un passage à travers les gens venus aux nouvelles, laissant à la jeune femme le soin de répondre du mieux qu'elle pourrait à leurs questions.

Mais elle coupa court : « Excusez-moi, il faut que je monte voir ma tante. Excusez-moi… » Elle s'élança dans l'escalier. Toutes les craintes et les angoisses qu'elle avait tenues à distance à force de chants de Noël et de guirlandes dans le sapin affluaient d'un coup en elle ; elle agrippait fermement la rampe, se voulant forte. C'est alors qu'elle entendit Alex l'appeler et le vit en haut des marches.

« N'aie pas peur, mon amour, dit-il. Je suis auprès de toi. »

Ces paroles la firent se sentir étrangement légère, lui rendirent aussitôt toute sa sérénité. Inquiète pour ma tante, j'avais complètement oublié que je suis mariée maintenant, et que, quoi qu'il arrive, je n'aurai pas à l'affronter seule.

Alex ne la quitta pas un seul instant de tout le reste de la journée. Ils veillèrent toute la nuit au chevet de tante Mathilde. Quoique celle-ci eût momentanément repris conscience et prononcé leurs noms, elle avait ensuite glissé dans un profond sommeil, en lequel le médecin ne vit pas forcément un signe de rémission.

« La voir dans cet état me fait horreur, dit Gabrielle en considérant la forme immobile de sa tante et en écoutant le sifflement de sa respiration difficile. Si seulement il y avait quelque chose à faire…

— Une chose que vous pourriez faire, ce serait d'aller prendre un peu de repos, dit Alex. Cela ne servirait à rien de vous rendre malade vous aussi. » Il prit sa femme par la taille et l'entraîna vers la porte. « Je vais demander à Abigail de venir la veiller. Depuis que sa maîtresse est souffrante, elle campe pratiquement de l'autre côté de la porte. »

De fait, ils trouvèrent l'esclave en train de somnoler debout contre le mur du couloir. « Tu vas aller au chevet de Mme LeGrange, dit Alex. Moi, je vais mettre Mme Saint-Cyr au lit.

— Allez-y, miss Gabrielle. Je vais veiller sur m'ame LeGrange. » Abigail tapota la main de la jeune femme. « Je ne manquerai pas d'aller vous chercher s'il y a besoin. »

Elle entra dans la chambre, et on l'entendit bientôt chanter d'une voix sourde, comme elle l'eût fait pour bercer un enfant.

Terrassée par le chagrin et la fatigue, Gabrielle se laissa tomber dans un fauteuil.

«Elle va mourir, n'est-ce pas?

— Nous ne pouvons nous prononcer, dit Alex en s'agenouillant près d'elle pour la prendre dans ses bras.

— Mais elle a l'air bien bas...

— Elle est très malade, Gabrielle.

— N'est-ce pas étrange? Des hommes meurent par milliers dans d'horribles batailles, et cependant cette vie-ci nous paraît la seule qui soit menacée.

— C'est que nous nous raccrochons à ce qui reste compréhensible, Gabrielle. Une mort, cela ne nous dépasse pas; alors que des milliers en un seul jour... — il secoua la tête — Je me dis parfois, malgré tout, que cette guerre a prélevé un tribut encore plus exorbitant que cette tuerie massive, tribut qui n'est pas aussi tangible, et par conséquent souvent ignoré. »

Elle avait perçu la solennité de sa voix, elle vit la profonde tristesse qui marquait ses traits. Se plaçant de sorte à pouvoir prendre sa tête contre son sein, elle se mit à lui caresser les cheveux et se pencha pour embrasser une larme qui lui roulait sur la joue.

«De quoi s'agit-il, mon amour?

— De l'innocence, dit-il en levant son visage vers elle. Non pas seulement l'innocence des jeunes, dont l'enfance a été gâchée et saccagée, mais celle de gens comme Tom, qui est contraint de se faire violence pour se conformer aux principes que son père lui a appris à respecter.

— Mais, je suis bien certaine qu'il est resté le même sous ses cicatrices! Il est toujours ce garçon très droit au côté duquel j'ai grandi...

— Bien sûr, la droiture et l'honneur sont toujours de ses valeurs, dit Alex. Pas plus que vous, Tom Cannon ne s'abaisserait à faire quelque chose de déshonorant. Mais il a vu trop d'hommes adapter leurs valeurs à la situation. Il a vu trop de gens brader leur honneur contre un avantage douteux, trop de causes trahies...

— Mais vous avez été dans le même cas que lui!

— Oui, mais je n'étais pas dans l'état d'innocence où se trouvait Tom. J'étais défendu par une cuirasse de cynisme, par ma méfiance fondamentale face à la nature humaine...»

Gabrielle lui posa les doigts sur les lèvres. «Chut. Ne parlez pas ainsi, mon amour. Il y a longtemps que vous n'êtes plus cynique.»

Le visage d'Alex se modifia, illuminé soudain d'un éclat plus fort que celui de la lampe tremblotante qui éclairait la chambre. «De cela aussi je dois vous rendre grâce, ma chérie. En même temps que le droit de partager votre vie, c'est peut-être là le cadeau le plus précieux que vous m'ayez fait. Tandis que d'autres plongeaient dans les ténèbres, j'ai, moi, débouché à la lumière.»

Elle se blottit entre ses bras et les sentit se refermer tendrement autour d'elle. L'amour parfait chasse bien la peur, se dit-elle en levant son visage vers lui. Non que je me fasse moins de souci pour tante Mathilde ou pour notre avenir, mais tout cela est, à la minute présente, secondaire par rapport à ce que j'éprouve.

Tante Mathilde se remit dans le courant de la nuit, et lorsqu'aux alentours de midi Gabrielle se rendit à son chevet, elle la trouva adossée à ses oreillers, les cheveux fraîchement coiffés et ramenés sous une ruche de mousseline.

«Abigail est aux anges quand je suis trop faible pour l'empêcher de me gâter, dit-elle. J'ignore où elle est allée pêcher cette coiffe, mais je lui ai dit qu'avec cela je ne déparerais pas la vitrine d'un confiseur.

— Letha n'est pas en reste, dit Gabrielle. Pour le déjeuner, elle vous a préparé une île flottante et nous a à tous défendu de venir rôder autour.

— Je n'ai pas la force de protester.» Tante Mathilde tendit la main à sa nièce pour l'attirer plus près du lit. «Tu sais, Gabrielle, cela me fait chaud au cœur de savoir la plantation en de si bonnes mains. Je ne t'ai jamais dit combien je suis fière de toi. Vois-tu, j'ai ce défaut. Je ne dis pas suffisamment aux gens qui m'entourent le bien que je pense d'eux, alors que je ne leur ménage généralement pas les reproches.

— Pendant toutes ces années où vous vous êtes occupée de moi, ma tante, ce sont surtout de bons conseils que j'ai reçus de vous.»

Tante Mathilde eut un sourire et caressa la main de Gabrielle. «C'est possible. Mais vois-tu, il m'a été assez mortifiant de m'apercevoir combien certaines personnes peuvent être meilleures que moi.» Elle se laissa aller contre ses oreillers, fermant un

396

bref instant les paupières. Le pâle soleil hivernal, le bleu vif du ciel qu'encadraient les rideaux à demi tirés, le feu qui ronflait dans la cheminée, tout ceci formait un calme et paisible cocon, et Gabrielle se dit que nul démon n'oserait jamais se risquer dans un tel endroit.

« Véronique, par exemple, dit sa tante en rouvrant les yeux. Je ne m'étais pas rendu compte à quel point elle avait peu de rancune... après tout le mal que j'ai pu lui faire. Mais juste avant leur départ, elle est venue me dire que de toutes les cruelles leçons qu'elle avait reçues, la plus dure était celle qui lui avait appris à surmonter sa colère et son ressentiment. "Si je m'étais laissée aller à ma fureur lorsque j'ai appris que je n'avais jamais été esclave, j'aurais, au bout du compte, bien plus souffert, car je me serais laissé dominer par la rancune, comme cela a été votre cas", voilà ce qu'elle m'a dit. » Tante Mathilde étreignit la main de sa nièce. « Si tu savais, Gabrielle, combien j'ai été touchée par la justesse de ces paroles... Elles me donnent pour longtemps matière à réfléchir et à prier.

— Mais vous avez été guidée par d'autres principes, ma tante. La loyauté, le sens du devoir... l'amour.

— Ça oui, c'est vrai. Seulement, pendant tout ce temps, je n'ai pas cessé de me battre contre mon vieil ennemi ! » Tante Mathilde tourna son regard vers la fenêtre et la belle lumière de cette journée d'hiver. « Et voilà que j'ai fini par le terrasser. Je dois à présent concentrer mes efforts sur le tout dernier — encore que, de plus en plus, je tende à le considérer comme un ami.

— Ma tante, vous vous sentez déjà mieux... Très bientôt, vous serez sur pied. »

Le regard plein d'amour, tante Mathilde parvint à proférer un ultime mensonge. « Bien sûr, petite, que je vais m'en remettre. Et maintenant, je vais me reposer un peu. »

Son état continua de s'améliorer, et lorsqu'on apprit, vers la fin de la semaine, qu'une offensive yankee lancée le Jour de l'An sur Galveston, au Texas, avait été sévèrement repoussée, tout le monde reprit espoir. Peut-être la nouvelle année allait-elle apporter un renversement favorable du cours de la guerre. Et même si l'on n'ignorait pas que les Nordistes tenaient maintenant deux importants cours d'eau, l'Atchafalaya et la Red River, le peu d'activité guerrière des derniers mois tendait à endormir l'inquiétude des gens de la région. C'est pourquoi, lorsqu'à la mi-janvier, la redoutable canonnière confédérée, le *Cotton*, qui empêchait l'ennemi de progresser sur le Teche, fut défaite lors d'une furieuse offensive, incendiée et sabordée par son équipage, le coup n'en fut que plus dur pour le moral d'une population qui s'était laissé persuader de l'impossibilité d'un tel désastre.

« C'est comme lorsqu'on débouche une bouteille », dit Alex en déroulant sur la table de la bibliothèque une carte de l'État. Il plaça un encrier sur Brashear City et une boîte de cire à cacheter au niveau d'Indian Bend. « Si jamais les troupes nordistes qui campent à Brashear City remontent l'Atchafalaya et font la jonction avec leurs autres forces ici, à Indian Bend, elles vont chasser les nôtres d'Opelousas et de Butte-à-la-Rose, tout comme on fait sauter un bouchon. Ce qui signifie que l'issue du premier affrontement pourrait fort bien décider de ce que sera la suite de la campagne.

— A n'en pas douter, la capitale de l'État se trouvant maintenant à Opelousas, il doit y avoir sur place une importante concentration de forces, dit Adams. De plus, nous avons l'avantage de connaître le terrain. Beaucoup de ces hommes sont de la région ; ce sont leurs propres terres qu'ils vont défendre.

— Ce serait effectivement un avantage, si la médaille n'avait pas son revers, dit Alex. L'autre jour, à New Iberia, les gens parlaient des craintes du général Taylor : du fait que tant de civils fuient la région du Teche, il est à redouter que des soldats dont la famille s'en va ne désertent pour la suivre.

— Mais alors, que faire ? » demanda Gabrielle. Sans le vouloir, elle eut un regard vers la bibliothèque, dont les rayonnages montaient jusqu'au plafond. Elle était si habituée à ces étagements de livres qu'elle prenait rarement le temps de considérer que chacun de ces volumes était une mine de renseignements, de beauté ou de sagesse, et qu'il avait été imprimé et relié avec le plus grand soin afin que son contenu traverse les âges.

« Se battre, répondit Alex. Ou... partir pendant qu'il en est encore temps.

— Tante Mathilde est encore intransportable, dit Gabrielle. Et il n'est pas question de la laisser ici.

— Non, bien sûr », fit Alex. Il eut un dernier regard à la carte, puis en ôta encrier et cire à cacheter, et la roula. « Eh bien, nous allons faire de notre mieux. » Il alla prendre Gabrielle par l'épaule.

«Seulement, si nous choisissons de nous battre, il me faudra rejoindre une unité. Vous quitter... »

Il regardait ailleurs, comme pour qu'elle ne vît pas le fond de sa pensée. Elle lui prit la tête entre les mains et l'orienta de sorte à le regarder droit dans les yeux. Elle y lut un tel chagrin, une telle douleur qu'elle comprit aussitôt ce qui le déchirait. Tout l'amour qu'il lui portait ne saurait sauver cette demeure, ces objets chers ; tout l'amour du monde eût été incapable d'endiguer le raz de marée qui menaçait, et cela il ne pouvait le supporter.

Ses bras étaient un ultime rempart que Gabrielle sentait autour d'elle. Puis il y avait cette pièce, et ensuite les murs épais de la maison. Dehors, c'étaient les pelouses et les champs qui s'étendaient à perte de vue. Au-delà, il y avait le bayou, ultime rideau défensif. Puis elle eut l'impression que le bayou se dissolvait, que les pelouses et les champs rétrécissaient. Les murs de brique s'écroulaient, les livres tombaient pêle-mêle de leurs étagères. Tout rempart avait disparu, toute ligne défensive s'était évanouie. Ne restaient autour d'elle que les bras d'Alex. Rien que ses bras et son amour.

Gabrielle n'aurait su dire à quel moment elle avait compris qu'en dépit de l'apparente amélioration de son état, tante Mathilde allait bientôt mourir. Mais vint un après-midi où, assise au chevet de sa tante, regardant la lueur du feu danser sur ses traits pâles, elle sut avec une inébranlable certitude que les jours de celle qui lui avait servi de mère étaient comptés. Comme si elle avait conscience des pensées de sa nièce, tante Mathilde ouvrit les yeux et lui sourit. «Chante-moi quelque chose, petite. Une de ces vieilles chansons que ton père et moi chantions au temps de notre jeunesse. »

Sur le point d'entrer dans la chambre, Alex s'immobilisa dans le couloir pour écouter la belle voix de Gabrielle, réalisant lui aussi, les larmes aux yeux, le changement qui venait de survenir de l'autre côté de la porte. Il serrait les poings, saisi tout à coup d'une si forte colère à l'encontre de ses propres parents qu'il n'eût répondu de rien si l'un d'eux était subitement apparu devant lui. Il était déjà suffisamment déplorable qu'ils eussent méprisé la paix, la joie et la quiétude que dispense un foyer où l'amour pour les autres est plus fort que le culte de soi. Mais le fait que, sans la volonté égoïste de sa mère et la faiblesse tout aussi égoïste de son père, il aurait eu les moyens de soustraire Gabrielle à l'inéluctable dévastation qui s'annonçait, lui paraissait le prix le plus douloureux qu'il ait eu jusqu'alors à payer.

Si pour ce faire il nous avait fallu traverser l'océan à bord d'un de nos navires, se disait-il amèrement, seule une infime part de la fortune que contrôle ma mère aurait suffi pour transporter Gabrielle et tout ce qu'elle aime en lieu sûr. Tout en écoutant chanter la jeune femme, il ne cessait de se répéter qu'il n'avait pas suffisamment de ressources pour assurer sa protection, et que s'il s'était marié sans fortune, il lui revenait maintenant de se battre pour ce qu'il restait à sa femme, tout en sachant fort bien que ses efforts seraient loin d'être suffisants.

Il ne se faisait aucune illusion sur ce qui se passerait à l'arrivée des Yankees. Le fait que certaines propriétés fussent réquisitionnées pour l'affouragement et investies par les troupes de l'Union contre un reçu honorable au terme des hostilités paraissait un dangereux sésame offert à ceux des soldats qui étaient les moins instruits des règles de la guerre. A voir ainsi leurs officiers s'approprier légalement des chevaux, des mules ou toute autre bête, l'homme du rang, et plus particulièrement celui qui traînait les pieds en fin de convoi, ne se gênait pas pour «libérer» tout ce qui le tentait. Et cela, Alex le savait, pouvant aller d'une paire de poulets destinés à améliorer l'ordinaire, aux bijoux d'une dame ou au corps de la jeune esclave qui la servait.

Incapable de maîtriser sa fureur, Alex tournait les talons pour s'en aller, peu désireux que Gabrielle le voie dans un tel état d'agitation. C'est alors qu'elle entonna une autre chanson, une berceuse qu'à Olympia sa nourrice noire lui fredonnait jadis pour l'endormir. Il comprit alors les origines de sa colère et à quelle source elle s'alimentait. Il percevait dans la voix de Gabrielle cette innocence particulière, cette confiance qu'elle portait si profondément enracinées en elle, et qui inondaient de lumière toutes les choses et tous les êtres qu'elle approchait.

Face au pillage et à la destruction, même la force de caractère de la jeune femme ne saurait préserver cette innocence. Le danger est une chose, l'horreur en est une autre ; Alex se souvenait d'une des relations de sa mère, une femme dont le visage affichait les expressions qui convenaient à une conversation superficielle, mais dont le regard semblait provenir de quelque enfer intérieur. « Elle a vu son mari se faire tuer de façon particulièrement atroce », lui avait dit sa mère lorsqu'il l'avait interrogée au sujet de cette femme. Elle ne lui avait rien dit de plus, mais cela avait suffi. Alex ignorait quel était le seuil d'endurance de Gabrielle, et le fait de ne pouvoir la conduire en lieu sûr tant que tante Mathilde vivrait, le mettait au supplice. La guerre ne respecte rien, se dit-il, pas même la légitime sollicitude qu'on doit témoigner aux mourants. Je n'ai plus espoir qu'elle se remette ; mon unique espérance désormais est que, puisqu'elle se meurt, la fin survienne rapidement. Sinon sa mort arrivera trop tard pour que nous puissions encore partir.

Ils vécurent une sorte de parenthèse, une période pendant laquelle il leur sembla que leur horizon, que le monde entier se bornait à la maison, aux murs qui la délimitaient, et, chaque jour un peu plus, à la chambre de tante Mathilde.

« Elle sait qu'elle va mourir, disait Gabrielle. On dirait qu'elle a dressé une liste des choses qu'elle a à nous dire et qu'elle les passe une à une en revue. »

Le docteur Delahaye ne pouvait que constater le déclin régulier de sa patiente ; il lui faisait prendre des stimulants qui amenaient une amélioration momentanée, mais chaque fois qu'il venait en visite, il confiait à Gabrielle et Alex que la fin ne serait plus longue à venir et qu'ils devaient se préparer à ce qu'elle survienne à tout moment.

« Je ne sais pas ce qui est pire, dit Gabrielle un après-midi de la fin de février qu'ils se promenaient dans le bois de chênes. Mon père a été emporté si rapidement que j'en ai été frappée de stupeur et n'ai quasiment pas souffert sur le moment. Mais là, j'ai l'impression d'être déjà en deuil, et cependant nous ne nous sommes pas encore fait nos adieux.

— Vous pleurez la vie que vous avez vécue ensemble, dit Alex. Mon amour, je regrette qu'il vous faille supporter ce chagrin en plus de tout ce qu'il vous faut affronter.

— Elle n'arrête pas de me faire des cadeaux. Ce matin, elle m'a donné ses ciseaux à broder, ces adorables petits ciseaux en or que son père lui a rapportés de Londres lorsqu'elle avait douze ans. Je... j'essaie de l'en dissuader, mais elle s'agite et me dit qu'elle doit mettre ses affaires en ordre. » Gabrielle se tut quelques secondes, puis se tourna vers Alex. « Ce matin, elle m'a demandé des nouvelles de la guerre. Je pensais que, peut-être, elle en avait tout oublié; elle vit tellement dans le passé.

— Qu'a-t-elle dit?

— Elle m'a demandé combien de temps il restait avant l'arrivée des Yankees. Je lui ai répondu que... que je n'en savais rien.

— M'est avis qu'ils ne tarderont plus, maintenant. Les nouvelles en provenance de New Iberia ne varient guère : c'est toujours la même succession d'avancées et de reculs autour de Brashear City. Mais le général Mouton comme le général Sibley s'attendent à une offensive de grande envergure dès que le temps se remettra et que les routes ne seront plus aussi impraticables. Une question de semaines...

— En ce cas, ma décision est prise, dit Gabrielle en regardant la maison qui se profilait entre les arbres.

— Quelle décision, Gabrielle?

— Celle de partir d'ici. Vous vous souvenez de ma première réaction : il m'était impossible d'abandonner Felicity pour aller au Texas; j'aurais laissé ici trop de moi-même.

— Et qu'en est-il aujourd'hui? demanda Alex en l'attirant contre lui.

— Je sais maintenant que même si je quitte Felicity, je ne la perdrai pas, à moins que je ne le veuille.

— Comment cela?

— Eh bien, lorsque j'entends ma tante parler des gens qu'elle a connus, des endroits où elle a vécu dans sa jeunesse, je perçois dans son regard et dans le ton de sa voix combien elle y est toujours attachée, combien elle en est proche. Tout est encore là, en elle, comme si elle n'avait pas vraiment perdu toutes ces choses et tous ces êtres chers. » Gabrielle déposa un baiser dans la paume de la main d'Alex. « Et jusqu'à l'oncle Louis, qu'elle a retrouvé, depuis qu'elle est en paix avec Véronique. C'est ce que je veux dire quand je parle de ne pas perdre Felicity si je ne le veux pas. Tante Mathilde a choisi d'oublier son mari lorsqu'elle a compris que son souvenir lui causait une peine insupportable. Felicity signifie trop de choses pour moi pour que je cesse jamais d'en chérir le souvenir, même si, dans les premiers temps, il me sera très dur d'en être partie.

— Ma courageuse petite femme », dit Alex, ému. Il demeura quelque temps silencieux, puis, très vite, comme s'il devait se hâter de le dire avant que le courage lui manque : «Gabrielle, il va

402

désormais falloir que je reprenne contact avec la milice locale.

.— Ce qui signifie ? demanda-t-elle, le regard déjà assombri par l'angoisse.

— Je serai absent au moins quelques nuits par semaine. Et si la situation se dégrade comme nous le redoutons...

— Il vous faudra partir. » Gabrielle se jeta dans ses bras, incapable de refouler ses larmes, qui désormais paraissaient toujours affleurer la surface.

« C'est ma faute si nous sommes encore ici, dit-elle. Si je vous avais écouté à l'automne dernier, nous serions en sécurité au Texas.

— Chut, dit Alex, même si ce que disait Gabrielle réfléchissait ses propres pensées. Qui donc me répète toujours qu'il ne faut pas ressasser les erreurs passées ? Si, à l'époque, j'avais présenté les choses différemment, si nous n'avions pas été accaparés par une foule d'autres soucis... Mais on ne peut revenir en arrière. Contentons-nous d'agir au mieux de nos possibilités.

— Si mon entêtement vous coûtait la... » Elle ne put achever sa phrase. Seigneur, je Vous en prie, pria-t-elle mentalement, je Vous en conjure, ne me prenez pas Alex. C'est alors qu'elle entendit la voix de son père et revit son visage aimant. On ne marchande pas avec Dieu, Gabrielle. Prie-Le, aie confiance en Lui, et assume ton rôle jusqu'au bout ; c'est ainsi qu'il faut vivre. « Cela va aller, dit-elle en relevant la tête. Quoi qu'il arrive, Alex, je ferai face. »

Débouchant du sentier, ils se retrouvèrent devant la façade enténébrée de la maison. Une petite lueur filtrant de la fenêtre de l'office, une autre venant de la chambre de tante Mathilde, étaient comme un appel à eux adressé. Ils avaient presque atteint le perron quand une lumière tremblotante apparut entre les lames de la porte d'entrée. La lueur dansait, falote, erratique, comme ces feux follets des marécages, la nuit. Gabrielle eut une plainte angoissée.

Puis la porte s'ouvrit, et Abigail s'encadra sur le seuil. Elle tenait une lampe dont la lueur creusait sa balafre livide. « Mme LeGrange vous demande, dit-elle. Elle dit de vous dépêcher, elle n'a pas beaucoup de temps. »

Ils se précipitèrent à l'intérieur, gravirent les marches quatre à quatre, s'arrêtant devant la porte de la chambre le temps de reprendre haleine.

«Quel jour sommes-nous? demanda tante Mathilde lorsqu'ils furent debout près de son lit.

— Le 24 février, dit Alex.

— Toujours l'hiver. Je pensais pouvoir tenir jusqu'au printemps, mais je suis tellement lasse...

— Allons donc, fit Gabrielle. Dites plutôt que vous aimez vous faire dorloter.

— C'est vrai, et tu m'as bien dorlotée, Gabrielle. Bizarrement... ces dernières semaines ont été parmi les plus heureuses de mon existence.

— Chut, tante Mathilde. Il faut vous reposer.»

Mais la vieille femme avait déjà replongé dans un profond sommeil. Après avoir réarrangé le dessus-de-lit et remis du bois dans le feu, Gabrielle remonta la mèche de la lampe et ferma hermétiquement les rideaux. Puis, flanquée d'Alex, elle s'assit au chevet de sa tante.

La malade ne se réveilla plus; au cours de la nuit, son sommeil se changea en coma, et quoiqu'elle vécût encore trois semaines, elle resta inerte et silencieuse, comme si son âme eût déjà pris son essor vers une autre sphère, laissant là une enveloppe promise à l'inhumation.

Les flammes des grands cierges disposés à la tête et au pied du cercueil de tante Mathilde vacillèrent lorsque Gabrielle ouvrit la porte et entra au salon. Fermée de tout l'hiver, cette pièce sentait la mort; l'air glacé n'y était parfumé que par les fleurs séchées et le vétiver qu'y avait disposés Abigail lorsqu'elle avait préparé l'endroit pour les funérailles. Et il y faisait sombre, si sombre, même à midi. La veille, le temps avait changé, et une nouvelle tempête était arrivée du nord, martelant les vitres d'un déluge d'eau, enveloppant la maison et la campagne d'un linceul grisâtre.

Les esclaves avaient à peine terminé de creuser la tombe à l'arrivée de la pluie. Gabrielle entendit Adams dire à Alex qu'ils l'avaient recouverte d'une toile goudronnée, mais la jeune femme se doutait que la bâche, chargée d'eau, allait s'enfoncer dans le trou, et que la tombe, privée de protection, serait bientôt devenue un cloaque.

Quelqu'un se tenait près du cercueil, mince et sombre silhouette que Gabrielle reconnut aussitôt. Il s'agissait d'Abigail, qui, depuis

404

qu'elle avait perdu connaissance, n'avait quitté le chevet de tante Mathilde que pour de courtes périodes, et par la suite s'était chargée de la toilette mortuaire. La longue cicatrice qui lui barrait la joue, paraissait plus sombre que d'ordinaire, comme lissée par l'ombre que projetaient les cierges. Son regard était rivé au visage de sa défunte maîtresse et ne s'en détacha pas lorsque Gabrielle vint se poster à ses côtés.

La jeune femme eut soudain l'impression de voir, inscrite sur les traits de la Noire, l'histoire de deux vies. Orpheline de neuf ans arrivée à la plantation des Cannon avec un groupe d'esclaves plus âgés, Abigail avait été attachée à la petite Mathilde dès la naissance de celle-ci. La vie de tante Mathilde avait été la vie d'Abigail ; nul autre amour, nul autre attachement n'étaient venus la distraire de cette dévotion de tous les instants. A présent, Gabrielle pouvait presque sentir le lien qui les unissait encore, comme si la Noire avait l'assurance que tante Mathilde serait toujours auprès d'elle.

Mais le chagrin d'Abigail lui parut si intime qu'elle tourna bientôt les talons et gagna la fenêtre donnant sur la galerie. Si nous perdons Felicity, se dit-elle en regardant la pluie tomber, je perdrai toutes ces pièces dans lesquelles je vois toujours papa et tante Mathilde. Il ne me sera plus possible d'aller m'asseoir dans le grand fauteuil de son bureau et de fermer les yeux pour humer l'odeur de ses cigares et de son eau de Cologne. Je ne pourrai plus m'imaginer qu'il va bientôt arriver, me taquiner comme il faisait toujours, et, par sa seule présence, rendre les choses plus douces.

Et tante Mathilde... Un sourire perça à travers ses larmes lorsqu'elle se remémora sa tante sillonnant impatiemment le vestibule, vaquant fébrilement à ses besognes, admonestant ses neveu et nièce pour quelque faute vénielle. Si jamais elle hante quelqu'un, quel fantôme affairé elle fera... Gabrielle réalisa que l'harassement et le chagrin l'avaient amenée au bord de la dépression nerveuse, et qu'il lui fallait prendre un peu de repos si elle voulait pouvoir supporter jusqu'à la fin l'épreuve des funérailles.

Elle monta se coucher, mais ne parvint pas à trouver le sommeil. Le bruit de la pluie sur le toit ne la berçait plus comme naguère, et le grand silence qui pesait sur la maison ne prédisposait pas au repos. Ce n'était pas là le silence de la quiétude, mais ce terrible silence de l'œil du cyclone, lorsque celui-ci tourne sur lui-même et accumule des forces en vue d'une attaque encore plus destructrice. Ses paupières étaient agitées de tressaillements, les muscles de ses jambes semblaient tendus comme des câbles. Lorsque la porte s'ouvrit et que quelqu'un prononça son nom, elle sursauta et émit un cri bref, comme sous l'effet d'une gifle.

«Gabrielle, mon amour, qu'avez-vous?» s'inquiéta Alex. Il referma derrière lui et s'approcha rapidement du lit pour étreindre les mains de sa femme et les frictionner vigoureusement. «Vous êtes toute glacée. Et totalement épuisée...

— Il faudrait seulement que je me repose. Mais je n'y arrive pas. J'ai beau fermer les yeux, je ne trouve pas le sommeil. Mes paupières se rouvrent d'elles-mêmes, et mes jambes me font mal...»

Il s'allongea sur le lit, tout contre elle, et se mit à lui caresser le dos. «Détendez-vous, ma chérie. Détendez-vous... Vous venez de passer deux nuits blanches, et si on ajoute à cela toute la fatigue de ces dernières semaines...

— Alex, rien ne nous empêche plus de partir, n'est-ce pas? Prenons avec nous tout ce que nous pouvons emporter, et partons pour ce ranch au Texas. Le printemps est bientôt là. Nous y arriverons à temps pour faire un jardin... des lupins bleus, c'est ce qui pousse là-bas, il me semble?»

Elle parlait sans suite comme une enfant fourbue, glissant dans un demi-sommeil, geignant, puis paraissant se calmer un peu, pour se réveiller à nouveau...

Cependant, Alex, qui la serrait contre lui et la caressait doucement, se demandait comment il allait lui annoncer que les routes menant au Texas étaient bloquées, que la guerre ne cessait de se rapprocher de l'arène du Teche, et que son unité de miliciens constituait un élément capital des défenses confédérées. Partir maintenant eût été, en plus d'un déshonneur, une trahison.

22

Le surlendemain de l'enterrement de tante Mathilde, Alex, désormais incorporé au 28ᵉ régiment de volontaires louisianais, partit pour Fort Bisland, à quelque cinquante kilomètres de Felicity sur la route de Brashear City. Le regardant s'éloigner, Gabrielle se disait que le dernier espoir de demeurer à Felicity chevauchait à ses côtés. Le temps s'était éclairci, mais l'atmosphère semblait avoir conservé le caractère pesant des dernières semaines ; les intérieurs obscurs de la grande demeure paraissaient insensibles au vent de mars. Dans les jours qui suivirent le départ d'Alex, Gabrielle y errait comme si elle eût maintenant fait des préparatifs pour les funérailles de la maison même.

Une saucière ou un bol à la main, pas même consciente de la présence de Letha, elle considérait un instant l'objet qu'elle tenait, puis le mettait de côté ou, le plus souvent, allait le replacer dans le buffet. Ou encore, elle parcourait plusieurs livres à la fois, les feuilletant rapidement, s'attardant sur les inscriptions figurant en page de garde, replaçant assez vite ces volumes sur les rayonnages de la bibliothèque, même si, de temps à autre, elle en emportait un dans sa chambre.

« Je vais vous aider à préparer les caisses, lui dit Letha. M. Adams, il ira cacher quelque part ce que vous voulez conserver.

— C'est qu'il y a tant de choses, Letha, dit Gabrielle avec un

407

mouvement de la main qui semblait englober toutes les pièces de la maison et tous les objets beaux et coûteux qu'elle contenait. Comment veux-tu que je fasse un choix ?

— J'en sais rien, mon idée est que vous devriez quand même sauver quelques objets. Tout le monde dit que ces hommes, quand ils passent quelque part, ils ne laissent rien en un seul morceau. Tenez, ce petit service à thé qui vous vient de votre maman, je pense que vous devriez ne pas le laisser, miss Gabrielle. »

Avec l'aide de Letha, Gabrielle finit par placer quelques articles dans de solides caisses de bois : le service à thé en porcelaine de Limoges, jadis rapporté de Paris, le linge de table en dentelle de Belgique, avec ses deux douzaines de serviettes, qui avait appartenu à sa grand-mère, les portraits de ses parents, soigneusement rangés dans une caisse spécialement assemblée par Adams. Il lui était maintenant plus facile de sélectionner ces livres auxquels elle était si attachée que les perdre eût été perdre un peu de son âme : les *Fables* d'Esope, volume que lui avait offert son père et qui portait presque à chaque page une note de sa main. Le livre de maison, recueil de recettes de cuisine et de remèdes à toutes sortes de maux, où figuraient également des dates de naissance et diverses notations généalogiques ; lorsqu'elle était venue vivre à Felicity, tante Mathilde avait continué de tenir, à la suite d'Honorée Cannon, la chronique de la famille. Gabrielle mit bien sûr en caisse les livres qu'Alex lui avait offerts, les œuvres complètes de Dickens, *Madame Bovary*, ainsi qu'un roman de son cher Walter Scott, sans oublier le missel de sa mère qu'elle avait reçu le jour de sa première communion. Lorsque les caisses eurent été refermées, elle demanda à Adams de les emporter dans une cabane où s'abritait autrefois son frère lorsqu'il allait chasser au plus profond des bois.

Les jours passant, elle s'aperçut qu'elle pouvait déambuler dans la maison avec le sentiment croissant d'y être étrangère. Son attachement avait totalement disparu.

Adams arriva un matin avec une mauvaise nouvelle : le magasin avait été fracturé dans la nuit, et au moins la moitié des vivres qui y étaient entreposés avaient disparu.

« Nos gens, monsieur Adams ? interrogea Gabrielle.

— Probablement. Ils savent que les troupes de l'Union ne sont

408

pas loin, et ils sont au courant pour la Proclamation. Ils savent qu'ils sont libres.

— En ce cas, peut-être devrions-nous leur conseiller de s'en aller. » Elle quitta lentement son siège. « Vous allez les rassembler pour leur communiquer tout ce que nous savons de la situation. A eux de décider de ce qu'ils vont faire.

— Vous tenez vraiment à augmenter le nombre des nègres qui rôdent dans la nature ? fit Adams. Réfléchissez, madame Saint-Cyr. Sans aucun moyen de subsistance, ils vont se mettre à chaparder. Nous avons suffisamment d'embêtements comme ça, pas la peine de s'en créer de nouveaux.

— Mais alors, que faire ? On ne peut fermer les yeux et laisser les choses aller de mal en pis !

— Je n'en ai pas la moindre idée.

— Rassemblez-les. J'ai quelque chose à leur dire.

— Madame Saint-Cyr, à votre place j'y réfléchirais à deux fois. » Adams vit toutefois à l'expression de sa patronne qu'elle ne changerait pas d'avis. « Entendu, je m'en vais les réunir. »

Gabrielle se passa un châle autour des épaules et suivit son contremaître jusqu'à la galerie de derrière, où elle attendit les esclaves. Il n'en restait plus que cent soixante environ ; depuis le début des hostilités, certains s'étaient enfuis, certains avaient été désignés pour aller travailler à Avery Island, et d'autres pour aider à l'érection de fortifications autour du Teche. Les fièvres et diverses maladies en avaient emporté beaucoup, particulièrement parmi les plus âgés, et on ne comptait que fort peu de naissances.

Letha, suivie de près par Abigail, vint précipitamment rejoindre sa jeune maîtresse. « Miss Gabrielle, ça n'est pas à vous de faire ça. Laissez M. Adams s'adresser à ces gens-là.

— Non, Letha. Ici, je suis la seule Cannon. C'est à moi qu'il incombe de faire cela. »

Les esclaves arrivèrent en traînant les pieds, l'air mauvais. Gabrielle s'avança, levant la main pour réclamer le silence, quoique le groupe n'eût pas proféré un son. « Je voudrais vous dire à tous que je sais ce qu'il se passe en ce moment. Les Nordistes sont en train de se rassembler non loin de Fort Bisland. Une bataille va avoir lieu très bientôt, et même si nous n'en connaissons pas l'issue à l'avance, il est probable que l'Union l'emportera. Elle a plus d'hommes, plus de canons... » Elle se tut à la pensée de ce soldat de Fort Bisland qui était cher à son cœur.

Il y eut quelques vociférations, qui retombèrent dès que Gabrielle reprit la parole. «Si les Nordistes l'emportent à Fort Bisland, ils ne tarderont pas à arriver jusqu'ici. Il paraît que leur consigne est de gagner la Red River, or cette plantation se trouve en plein sur leur route. Je ne saurais vous dire comment vous serez traités mais, vous le savez, vous êtes des hommes libres à présent, et je pense que si vous allez au-devant d'eux, ils vous prendront sous leur protection. »

Comme si la foule avait plus qu'assez attendu, et que les paroles de Gabrielle eussent fini par atteindre la mèche de mise à feu, les Noirs explosèrent en plaintes et récriminations.

«Retournez à l'intérieur, conseilla Adams. Je me charge d'eux.

— Pas question, fit Gabrielle. J'entends mener cela jusqu'au bout. » Quittant l'abri de la galerie, elle descendit sur la pelouse, se campant à moins de trois mètres du premier rang des Noirs. Ceux-ci se calmèrent peu à peu, dansant d'un pied sur l'autre, se dévisageant les uns les autres, ne regardant jamais directement la jeune femme.

«Bon alors, voilà comment je vois les choses. Vous avez le choix. Ou bien vous partez maintenant — et à ceux qui choisiront de partir, on fournira des vivres et tout ce qui pourra leur être utile pour commencer une nouvelle vie —, ou bien vous restez. Si vous partez, je n'ai pas la moindre idée de ce qui vous attend. Si vous restez, je suis disposée à diviser la plantation en parcelles que vous pourrez cultiver à votre guise.

— Madame Saint-Cyr ! souffla Adams.

— Je sais ce que je fais», dit Gabrielle. Puis, élevant à nouveau la voix : «Vous avez le reste de la matinée pour vous décider. Nous nous réunirons de nouveau à midi et prendrons les mesures qui s'imposeront. » Elle s'adressa à Adams : «Allons au bureau. Nous avons du pain sur la planche.

— Ah bien, ça alors ! » fit Adams, au comble de la stupéfaction.

Dans leur dos, on réalisait peu à peu, avec des murmures d'excitation, la portée de ce que venait de proposer Gabrielle. La jeune femme referma la porte et prit place en face du fauteuil d'Adams.

«Je sais que vous me croyez folle, monsieur Adams. Avant de dire quoi que ce soit, écoutez-moi jusqu'au bout.

— Entendu, fit Adams. Mais je crois savoir ce que vous avez en tête.

410

— Je n'en doute pas. Il est tout à fait exclu que nous plantions de la canne à sucre en ce moment — je n'ai pas de quoi payer la main-d'œuvre, et une armée entière va venir piétiner les champs. Mais pourquoi laisserait-on cette terre retourner à la friche, quand elle pourrait donner de la nourriture ? Et peut-être — mais ce n'est qu'une possibilité — ne tombera-t-elle pas aux mains des Yankees, si d'anciens esclaves en tirent leur subsistance.

— Mais est-ce que vous allez la leur *donner*, madame Saint-Cyr ? Deux mille hectares de la meilleure terre de la région...

— Non, nous rédigerons des baux à long terme. J'ignore si cela aura en définitive beaucoup d'importance, mais c'est le seul moyen que j'aie trouvé pour tenter d'épargner cet endroit.

— Ça pourrait marcher », dit Adams. Il sortit une liste de noms et se mit à la parcourir du doigt. « Je vois à peu près lesquels seraient les plus à même de réussir. Je vais aller leur parler, histoire de voir si je pourrais les convaincre de rester. » Il se leva sans cesser de regarder sa patronne. « Et les autres... est-ce que vous allez les laisser mettre votre maison à sac ? Emporter toutes ces belles choses au diable Vauvert ?

— Cela n'a plus aucune importance, dit Gabrielle. Je compte garder l'indispensable, le temps que je vais encore passer ici. Le reste, ils peuvent l'emporter, il est à eux. »

Elle se leva à son tour, souriant pour la première fois de la journée. « Pour tout vous dire, monsieur Adams, je ne suis pas tout à fait mécontente à l'idée que des soldats en maraude pourraient faire irruption ici et s'apercevoir qu'ils arrivent trop tard.

— Par Dieu, si ce n'est pas parler comme votre père ! Vous pouvez compter sur moi, madame Saint-Cyr. Je ne déserterai pas, quoi qu'il arrive.

— Je compte sur vous, monsieur Adams, dit-elle. Avec mon mari absent... » Mais la tension accumulée au cours de la matinée se manifesta. Gabrielle ne put évoquer Alex sans qu'aussitôt des larmes lui viennent. Comprenant qu'elle ne pourrait conserver beaucoup plus longtemps sa belle contenance, Adams la laissa.

A midi, tout se passa plus en douceur que Gabrielle ne l'avait imaginé. A l'exception de quelques-uns qui n'avaient pu se décider, la plupart des Noirs savaient s'ils comptaient partir ou rester. La décision d'Abigail ne laissa pas de surprendre Gabrielle. « Je m'en vais. Je vais retourner là où M. Cannon m'a achetée, histoire de voir si je pourrais retrouver des gens de ma famille.

411

« — Tu es vraiment décidée, Abigail ? s'inquiéta la jeune femme. Les routes ne sont pas sûres...

— Je ne vais pas voyager seule. Maintenant que m'ame Mathilde est plus là, je n'ai plus envie de rester par ici. »

Letha était catégorique. Jamais elle ne partirait. « Tant qu'il me restera un souffle, je resterai ici avec toi, petite. » Lucie allait elle aussi rester, mais elle ne travaillerait plus dans la maison ; son homme avait choisi de cultiver la terre à son compte, et il avait besoin de son concours.

Les heures passèrent. Gabrielle, le dos douloureux, interrogea un à un ses anciens esclaves. Lorsque le dernier fut sorti et la porte refermée, elle se tourna vers Adams. « Ce soir, monsieur Adams, je vais ouvrir une des meilleures bouteilles de mon père. Venez dîner avec moi. J'ignore si le bordeaux accompagne harmonieusement les patates douces et les galettes de maïs, mais il faut un début à tout. »

Ce soir-là, alors qu'ils dégustaient leur vin à petites gorgées, au milieu de la grande maison silencieuse, Adams dit : « Je crois bien que ce qu'il y a de pire, c'est cette attente. Vous savez, dans mon jeune temps, j'ai travaillé dans l'Ouest, à la Wells-Fargo. Les gens parlaient souvent des attaques des Indiens, et tous disaient la même chose, à savoir que le pire, c'était l'attente, juste avant. » Il se tut en voyant la tête de Gabrielle. « Faites excuse, m'ame. C'est ce vin qui me délie la langue.

— Non, monsieur Adams, vous avez raison. Cette attente est ce qu'il y a de plus terrible. Plus rien à faire, et pas moyen de savoir ce qu'il se passe.

— J'ai lâché les chiens, madame Saint-Cyr. Et j'ai transporté mes affaires dans le bureau. A partir de maintenant, c'est là que je vais dormir. »

Adams ayant pris congé, Gabrielle verrouilla la porte et monta se coucher. Mais elle ne put trouver le sommeil. Quand l'aube commença de poindre, elle s'installa dans son fauteuil à bascule, près de la fenêtre, et s'absorba dans la contemplation du ciel. Elle vit s'y inscrire toute la palette d'avril, les roses, les ivoires et les mauves, qui faisaient comme des rubans sur les nuages. Elle observa un faucon qui se laissait porter vers les hauteurs par une colonne d'air chaud. Comme il a de la chance, se disait-elle. Il lui suffit d'étendre les ailes pour survoler ce monde de désolation, voler plus vite que la misère, plus haut que la souffrance.

Puis ses pensées la portèrent vers Alex. Alex, qui se trouvait à une cinquantaine de kilomètres à vol d'oiseau, mais lui paraissait aussi éloigné que s'il se fût trouvé de l'autre côté de la terre.

Que se passera-t-il quand les Yankees attaqueront ? Elle s'efforçait d'imaginer l'air tiède parcouru d'éclats de métal, déchiré par le sifflement des obus. Lorsqu'une balle atteignait un homme, cela produisait-il le même son mat que quand elle perforait l'épaisse fourrure d'un cerf ? L'homme émettait-il le même grognement surpris, ses yeux se voilaient-ils aussi vite, ses jambes se dérobaient-elles sous lui aussi subitement ? Elle vit Alex avec un filet de sang s'écoulant de la bouche, et des yeux vides tournés vers le ciel. Elle eut beau fermer les paupières, enfouir son visage dans ses bras, ces images continuaient de se presser dans sa tête. Rien n'aurait pu les chasser, sinon deux bras autour de ses épaules, une certaine voix dans son oreille.

Tenaillée par l'angoisse et la douleur, elle comprit quelque chose qu'elle n'avait jusqu'alors jamais réalisé. Si elle perdait Alex, cette perte serait infiniment plus dure que toutes celles auxquelles elle avait eu à faire face, car il lui faudrait alors pleurer celui qui l'avait aidée à les supporter.

C'était ce matin-là que le nouveau régime entrait en vigueur. Déjà, les houes des nouveaux agriculteurs étincelaient dans les champs ; les derniers de ceux qui avaient choisi de partir passaient les portes de Felicity, chargés de trésors qu'ils avaient pris un peu partout dans la maison.

« J'ai besoin de prendre l'air, dit Gabrielle à Letha. Je crois que je vais aller aux pissenlits. Une salade fraîche sera la bienvenue.

— Emmenez donc ce Caleb avec vous, dit Letha. Cela fait un moment que je l'ai dans les jambes ; sa maman est partie labourer et elle n'en veut pas avec elle.

— Allez, viens, Caleb, dit Gabrielle. Tu vas m'aider à la cueillette. »

Caleb trottinait à ses côtés, fouettant les hautes herbes de ses maigres jambes noires. « Avec quoi que vous allez les cueillir, miss Gabrielle ? interrogea-t-il.

— Pas besoin de bêche, dit Gabrielle. J'ai apporté un couteau. Tiens, regarde. »

413

Elle montra la dague espagnole au garçonnet, qui aussitôt ouvrit de grands yeux.

« J'avais jamais vu de couteau comme celui-là. Comment que ça s'appelle ?

— C'est une dague. Ma tante m'a dit que son premier propriétaire s'en servait pour tuer des gens. Mais elle est beaucoup plus pacifique à présent.

— N'empêche qu'elle pourrait encore tuer quelqu'un, dit Caleb en s'éloignant à distance respectueuse, sans cesser de fixer le couteau. Faites attention, miss Gabrielle. Vous pourriez vous trancher la main comme de rien.

— Tout ce que je compte trancher, dit Gabrielle en s'accroupissant près d'un beau spécimen, ce sont des racines de pissenlit. » Elle glissa la lame sous les feuilles et récolta son premier pied de pissenlit. « Garnis l'intérieur de ton chapeau avec ces grandes feuilles, là-bas, dit-elle à Caleb. Nous allons y mettre notre récolte. »

S'engageant pieds nus à travers les hautes herbes, le garçon alla se poster sous l'arbre indiqué par Gabrielle, et se mit à en cueillir des feuilles qu'il laissait tomber dans son chapeau. Assise sur ses talons, la jeune femme le regardait faire, appréciant ce moment de quiétude. C'est alors qu'un cri déchira le silence. Caleb se retourna, yeux écarquillés, bouche béante. Il cria de nouveau et se laissa tomber à terre. Son cri perdait de sa puissance, devenait une longue plainte de plus en plus faible.

Avant le second cri de Caleb, Gabrielle s'était élancée. « Qu'est-ce qu'il y a ? Qu'est-ce qui ne va pas ? »

C'est alors qu'elle vit un gros serpent se couler entre les herbes. Elle regarda Caleb, dont le regard semblait rivé au sol. Non, c'était sa jambe qu'il fixait, épouvanté. Il la tenait toute raide, sur le côté, comme pour s'en éloigner autant que possible. Au centre de son mollet, Gabrielle aperçut deux petites marques, d'où s'écoulait lentement un peu de sang.

« Je vais mourir, miss Gabrielle, gémissait l'enfant. Ce sale serpent, il m'a mordu avant même que je le voie. Il est poison, miss Gabrielle. Je vais mourir.

— Tu ne vas rien faire du tout », dit Gabrielle. Elle réfléchissait à ce qu'il fallait faire. On n'avait pas le temps d'aller chercher Adams. Elle avisa la dague, toujours à son poing. Dieu merci, elle coupe bien, se dit-elle tout en posant la main sur la tête du garçon.

414

«Caleb, il faut que je fasse ressortir le venin. Il va falloir que tu m'aides.

— Comment que vous allez faire ça, miss Gabrielle? Vous avez une formule magique?

— Pas de formule magique, non.» Elle s'arma de courage, sachant que si le garçon se débattait, cela accélérerait encore la circulation de son sang et hâterait par conséquent l'effet du venin. «Je vais faire une incision juste au-dessus de la morsure, Caleb. Puis je vais essayer de faire ressortir le poison.»

Il s'écarta vivement et gagna en rampant l'abri des branches basses de l'arbre. «J'ai peur, miss Gabrielle. Je veux pas que vous me coupiez la jambe!

— Mais enfin, Caleb, je ne vais pas te la couper!» Elle se mit à le poursuivre à quatre pattes, la dague toujours au poing. Le garçonnet recula jusqu'à s'adosser au tronc de l'arbre. A voir son visage terrifié, Gabrielle comprit qu'il ne fallait pas compter sur sa coopération.

Elle s'immobilisa, emprisonnant son regard dans le sien, s'efforçant de réfléchir à une solution. C'est alors qu'elle se souvint d'une chose que lui avait apprise son frère.

«Caleb, fit-elle. Regarde par là. Il n'y a pas quelqu'un qui approche?»

Caleb tourna la tête dans la direction opposée. Gabrielle jaillit. Du tranchant de la main, elle le frappa à la nuque. Le garçonnet s'affaissa, face contre terre. Elle le retourna et colla l'oreille contre sa poitrine. Le pouls lent mais puissant la rassura et, marmonnant une prière rapide, elle ôta sa ceinture d'étoffe pour la nouer serrée autour de la cuisse de Caleb, juste en dessous de l'articulation de la hanche. Puis, serrant les dents, elle pratiqua deux profondes incisions au-dessus de la morsure et y appliqua la bouche pour aspirer le sang mêlé de venin.

Elle sentit Caleb bouger. Elle cracha une dernière fois, desserra le garrot et aida le garçon à s'asseoir. «Comment te sens-tu?» demanda-t-elle.

Il regardait autour de lui, éberlué. «J'ai fait un somme?

— Oui, un petit somme.

— C'est bien ce que je pensais, dit-il avant de porter l'attention sur sa jambe poissée de sang. C'est un serpent qui a fait ça?

— En partie, dit Gabrielle. Le reste, c'est moi.» Elle le vit prendre à nouveau peur et le serra contre elle. « Sois sans crainte, Caleb. C'est fini. Tu es hors de danger. »

Il se pelotonna contre elle, bientôt rassuré par ses paroles apaisantes. Puissent nos ennemis être aussi promptement mis en déroute, songea-t-elle. Puis elle regarda la dague, qui reposait dans l'herbe. C'est son premier sang — non, pas le sien, le mien.

La journée s'avançait, mais après les émotions de la matinée Gabrielle avait du mal à se concentrer sur ses diverses occupations. Elle ne cessait d'aller à la fenêtre pour regarder dans la direction de Fort Bisland en s'efforçant d'imaginer ce qu'il pouvait bien s'y passer. Une fois, elle crut bien apercevoir quelque chose qui flottait au-dessus de la cime des arbres, quelque chose de noir et blanc, comme un pavillon de sémaphore ; une autre fois, ce fut de la fumée noire qui semblait monter des confins du bayou, et elle frémit en imaginant des embarcations incendiées.

C'est alors qu'elle entendit un cheval remonter l'allée. Sortant sur la galerie, elle eut la surprise de voir Harold LeBœuf.

Harold avait regagné ses foyers depuis un peu plus d'une semaine ; il avait été blessé au mollet lors d'une patrouille du côté de Brashear City, et il avait fallu l'amputer. Lorsqu'il mit pied à terre et s'avança vers elle, Gabrielle vit qu'il se déplaçait presque aussi rapidement qu'avant. Il faudrait bien plus qu'une jambe de bois pour ralentir Harold, se dit-elle en descendant à sa rencontre.

« Je viens voir si vous voudriez aller à Fort Bisland avec moi, dit-il.

— A Fort Bisland ? Mais comment cela serait-il possible ?

— A bord du ballon. Il se trouve toujours dans notre grange, et je sais le diriger. Je compte y aller demain. Je sais que Saint-Cyr est là-bas, et je me suis dit que... eh bien, que vous voudriez peut-être m'accompagner.

— Oh oui, Harold ! Ça, oui !

— Parfait. J'avais pensé l'apporter ici. Décoller du tumulus indien...

— En ce cas, passez la nuit ici. » Impulsivement, Gabrielle se pencha en avant pour lui déposer un baiser sur la joue. « Merci, Harold. Grand merci...

— Je n'aurais proposé cela à aucune autre, Gabrielle. Bon,

je m'en vais chercher le ballon. Je vais prendre le chariot.

— Est-ce que je peux faire quelque chose ? »

Harold se retourna pour la regarder. « Peut-être vous armer de courage. Ce qui nous attend là-bas, c'est la guerre. »

Une étroite bande dorée marquait l'horizon là où le soleil allait apparaître. Gabrielle se rapprocha du feu et tendit les mains vers sa chaleur. Ici, au sommet du tumulus, le vent transperçait ses vêtements et lui glaçait la nuque.

« Nous allons nous élever avec le soleil », dit Harold. La veille, il avait passé la fin de l'après-midi à installer le ballon et ses apparaux au sommet du monticule. Gabrielle ne discernait pour l'instant que la nacelle, qui se profilait sur les premières lueurs de l'aube.

« Il faudrait que je commence à le remplir », dit Harold. Il accrocha une lanterne à une branche non loin du ballon et fit signe à Gabrielle. « Je vais mettre en marche la machine à hydrogène. Vous, vous vous occupez du ballon. »

La jeune femme alla ouvrir la bouche de l'immense enveloppe, dont le tissu léger était mouillé de rosée. Un sifflement régulier monta de la machine, et Harold dirigea le flux d'hydrogène vers l'intérieur du ballon. Au début, Gabrielle ne perçut aucun changement, mais, au bout de quelque temps, le tissu se mit à se soulever, à prendre une forme rebondie. Bientôt il lui échappa pour s'élever à l'aplomb de la nacelle.

A l'instant où le ballon se dressait haut et clair, le soleil apparut pour l'illuminer de l'or d'un premier rayon. L'argent des signes du zodiaque, dont était frappée l'enveloppe, se mit à scintiller comme étoiles matutines, et une colombe éberluée émit un cri en découvrant cet étrange objet en travers de sa route.

« Prête ? fit Harold.

— Prête. »

Gabrielle escalada les échelons, tandis qu'Harold maintenait la nacelle. Lorsqu'elle fut à l'intérieur, il l'imita prestement, puis replia l'échelle de corde.

« Pauvre cousin Adolphe, dit-il. Maman avait toujours dit qu'il se briserait le cou. Il se l'est fait trancher.

— Taisez-vous, dit Gabrielle. Je ne veux plus penser à cela. »

Harold se pencha à l'extérieur pour détacher les cordes reliant

417

le ballon aux piquets qu'il avait enfoncés dans le sol. Pendant quelques secondes, l'aérostat parut ne pas devoir bouger, comme s'il eût été assujetti à un crochet céleste. Puis, après une embardée, il commença de s'élever lentement, entraînant sous lui ses amarres.

Gabrielle regarda d'abord la terre qui semblait tomber en chute libre. Le jour s'insinuait entre les brumes de la nuit, teintant de vert la forme sombre des arbres, révélant sentiers et clôtures. Puis la jeune femme considéra l'espace environnant. Au levant, le ciel était jaune pâle et barré d'une ligne rose, plus sombre. Au-dessus, il était d'un bleu limpide, étincelant, où s'attardait encore, comme ancré par l'étoile du matin, un fin croissant de lune d'un blanc intense.

«C'est tellement beau!» souffla-t-elle. Le ballon fut bientôt suffisamment haut pour que l'on pût distinguer la totalité de Felicity et les plantations environnantes. Le bayou Teche scintillait sur l'horizon oriental. La route reliant New Iberia à Jeanerette était un ruban qui serpentait à travers la campagne. Les rayons du soleil allumaient d'argent les plus petites mares, les plus humbles ruisseaux. Les lambeaux de brume allaient se réfugier sous les arbres et se dissipaient entre leurs branches. Dans les pâtures, les veaux se pressaient contre leur mère, et des oiseaux picoraient à leurs pieds.

Ils entendirent des cris et, se penchant, aperçurent de minuscules silhouettes massées à l'avant d'une barque de pêche; elles agitaient les bras, montraient le ballon. Harold se mit à rire en renversant la tête en arrière.

«Vous parlez d'un spectacle pour eux! Ils doivent se demander s'ils ne sont pas toujours en train de rêver!

— Je me croyais invisible, dit Gabrielle. Comme si je m'étais fondue dans l'espace.

— Ça non, nous sommes bien visibles. Tenez, larguez donc ce sac de sable, que nous prenions de l'altitude.»

A l'aide d'un grand couteau, Gabrielle trancha une des cordes qui reliaient le ballast à la nacelle. Soudain allégé, le ballon prit rapidement de la hauteur, faisant reculer l'horizon au point que furent bientôt visibles les arbres, les toits et clochetons de New Iberia, et les méandres que faisait le bayou du côté d'Indian Village et d'Irish Bend.

«On se croirait devant une de ces cartes d'autrefois, dit

Gabrielle, où chaque point de repère était figuré par son symbole...

— Regardez comme ils sont joliment massés sur la presqu'île d'Irish Bend», dit Harold.

La jeune femme fixa son attention sur la bande de terre verte et brune qu'en un méandre très accusé le bayou Teche baignait sur trois côtés. Un étroit rideau de bois barrait le bas de la boucle. Depuis le bras méridional du bayou jusqu'aux marécages occupant le centre de la presqu'île s'étendaient des champs de canne à sucre. On reconnaissait à sa teinte jaune la canne de l'année passée qui n'avait pas été récoltée, et à sa couleur vert tendre, celle qui avait été semée au printemps. Sur le bayou, à hauteur des bois, était mouillée une canonnière, dont le canon faisait feu à intervalles réguliers. Entre canne et bayou, et jusqu'à l'endroit où le terrain s'évasait à l'ouvert du méandre, on apercevait des alignements d'hommes en uniforme bleu.

«Mais où sont les nôtres? dit Gabrielle.

— Regardez du côté des bois et des jonchères, dit Harold en tendant le doigt. C'est de là que proviennent les coups de feu.»

De cette hauteur, ils distinguaient la fumée des fusils, mais n'entendaient rien, sinon, de temps en temps, le sifflement particulier des obus tirés par la canonnière. Des hommes en bleu jaillissaient des fossés et des sillons pour s'élancer vers les bois et tomber sous le feu nourri des fusils confédérés. Sur les arrières, un drapeau jaune marquait un hôpital de campagne. Des hommes portant des civières faisaient la navette entre les tentes et le champ de bataille.

«Regardez là-bas, lança Harold. Un groupe des nôtres en train de ramper dans la joncheraie. Vous les voyez? Ils préparent quelque chose...» Agrippé au rebord de la nacelle, Harold LeBœuf se penchait à l'extérieur pour scruter le champ de bataille. «Bon sang, je voudrais être avec eux. Être aussi près de l'action et ne pas avoir de fusil sous la main...»

Les soldats sudistes jaillirent du couvert des joncs, tirant salve après salve sur les premiers rangs yankees. «C'est dans ces moments-là que ces fusils à canon lisse montrent ce qu'ils valent, dit Harold. C'est comme de tirer quatre balles quand les Yankees n'en tirent qu'une.»

Intriguée par cette énigme, Gabrielle se détourna de la scène pour regarder le jeune homme. «Que voulez-vous dire?

419

— Chaque cartouche comprend une balle et trois chevrotines. Ainsi, chaque coup en vaut quatre. Oh, regardez ! » Harold la saisit par la manche et se pencha tellement à l'extérieur que la nacelle se mit à osciller. « Ils se lancent à l'attaque ! Regardez comme ils déboulent ! »

Des hommes en uniforme gris sortaient des bois, sautaient les clôtures pour charger les lignes de l'Union. Malgré l'altitude, Gabrielle put voir les premiers rangs bleus chanceler, puis se ressaisir et commencer de retourner le feu des Sudistes. Des officiers à cheval se portèrent en première ligne pour tenter de rallier leurs hommes ; mais, en quelques minutes, tous les chevaux furent abattus, et les bêtes mortes ou agonisantes servirent de retranchements aux combattants.

« Ramenez-moi à la maison, dit Gabrielle. J'en ai assez vu.

— Voyons, Gabrielle, nous ne savons même pas qui va gagner. »

Elle dévisagea son compagnon. « Mais ce n'est pas un divertissement, Harold. Ce n'est pas un spectacle qu'on regarde comme ça, pour s'amuser.

— Certes non ! Tout cela est bien réel, c'est l'Histoire en train de se faire ! Là en bas, ce sont nos destinées qui se jouent, Gabrielle. Ne voulez-vous pas rester et savoir ce qu'il va advenir de nous ? »

Gabrielle secoua la tête et se laissa glisser au fond de la nacelle, s'adossant à la paroi d'osier. Alex est là, quelque part, se dit-elle. Peut-être blessé, mort peut-être.

Elle renversa la tête. A travers l'entrelacs des suspentes reliant la nacelle au ballon, elle vit le bleu du ciel. Le soleil était haut à présent ; il devait être dix heures environ. Elle se demanda avec lassitude quand Harold en aurait assez.

« Pas avant que tout soit terminé », dit-il, comme lisant dans ses pensées. Et la matinée s'étira. De temps en temps, Gabrielle se levait pour regarder par-dessus bord. La scène était toujours la même ; seul variait le tracé des premières lignes. Des hommes en gris, des hommes en bleu, qui couraient, faisaient feu, tombaient. Des hommes se regroupaient en un point, puis se séparaient pour courir dans différentes directions et former de nouveaux regroupements. Sur le bayou, la canonnière ne cessait pas de tirer.

Le ballon flottait silencieusement, ne se déplaçant que sur une aire réduite. Harold montra à Gabrielle comment actionner le gouvernail pour garder l'aérostat au même endroit. De la sorte, libéré du souci de la manœuvre, il put porter toute son attention sur la bataille. Elle vit qu'il avait un carnet, où il griffonnait des notes et traçait des croquis marquant les positions des unités fédérales et rebelles. Il agissait, se dit-elle, comme si toute cette boucherie se déroulait à sa seule intention.

« Comment pouvez-vous faire cela ? finit-elle par dire en désignant ses notes.

— Comment peut-on écrire sur une bataille ? dit-il. Mais cela s'est toujours fait, Gabrielle. Les écrits abondent sur les héros grecs et les preux du Moyen Age. Semblables récits ont baigné votre enfance.

— Il s'agissait de poèmes, objecta Gabrielle, d'histoires transmises de génération en génération...

— Il faut bien que quelqu'un commence par les écrire. Quelqu'un qui en a été le témoin, qui a vu mourir les héros, et qui a estimé nécessaire une relation de ces faits d'armes et de ces glorieux sacrifices. Cela afin qu'on puisse plus tard en célébrer la mémoire.

— En célébrer la mémoire ! » Elle baissa les yeux vers le champ de bataille. L'action paraissait avoir un peu retombé ; il y avait moins de mouvement, moins de détonations. On apercevait encore des soldats ; ils n'étaient donc pas tous morts. « En célébrer la mémoire ? répéta-t-elle. C'est cela que vous comptez faire ? »

Harold se mit à rougir, se départant tout à coup de l'air bravache dont il était coutumier. « Il faut que quelqu'un consigne tout ceci, Gabrielle. Que quelqu'un l'écrive et le chante... relève ces moments infimes où la vie d'un homme s'achève, afin qu'ils comptent pour quelque chose. Ne le voyez-vous pas, Gabrielle ? »

Traversée d'une douleur intense, la jeune femme se força à regarder de nouveau vers le sol. Si elle avait pu voir les âmes de ceux qui venaient de mourir là, l'espace en eût été rempli. Des garçons qui n'avaient pas vingt ans, dont les joues n'avaient pas encore connu le rasoir. Des hommes qui avaient survécu à toutes les batailles pour venir succomber ici, conscients de ce que la chance est une compagne inconstante, de ce qu'à chaque attaque les dés étaient relancés. Des hommes qui croyaient en une cause et, de ce fait, étaient peut-être morts l'âme plus légère. Des hommes qui s'étaient battus parce qu'on les y avait forcés, et étaient tombés la rage au cœur. Des hommes que le hasard avait fait naître de tel ou tel côté d'une ligne fictive, qui n'avaient jamais eu de près ou de loin le moindre pouvoir politique, et qui avaient considéré leur conscription comme un détour de plus sur une route qui paraissait n'avoir pas de destination.

«Oui, je comprends», finit par dire Gabrielle. Elle posa la main sur celle du jeune homme, se sentant tout à coup avec lui une affinité inattendue.

Harold se pencha pour lui embrasser la main, puis la lui tint serrée. «J'espère que Saint-Cyr s'en est tiré, dit-il. Vous êtes une femme courageuse, Gabrielle. »

Des âmes montaient autour d'eux. L'air regorgeait de vie, de plaintes et de sanglots. «Pas vraiment, dit-elle. C'est une apparence... si j'ai l'air de faire front, c'est tout simplement parce que je ne sais pas quoi faire d'autre. » Elle sentit ses lèvres sourire, consciente de ce que son visage démentait ce sourire. «S'il... s'il est sain et sauf, ce ne sera pas de mon fait. Et s'il est mort, il n'y a rien que je puisse faire. »

Harold lui étreignit la main, puis se pencha vers le champ de bataille. «On dirait que cela se termine, en bas.

— Est-ce que... est-ce que nous avons gagné ? »

Elle regarda elle aussi. De chaque côté, c'était la même désolation. Le terrain était jonché de corps inanimés, de paquetages et d'armes abandonnés. Les Bleus rassemblaient les survivants, les Rebelles se repliaient vers Jeanerette...

«Allez savoir», dit Harold. Il contourna la jeune femme et s'affaira aux manœuvres pour mettre le cap sur Felicity.

23

Après des semaines d'isolement, alors même qu'il semblait qu'aucune nouvelle du monde extérieur n'arriverait plus jusqu'à Felicity, un torrent de rumeurs et d'informations parcellaires s'abattit tout à coup sur la plantation. Les Rebelles avaient échappé au piège yankee ; Taylor et ses hommes étaient parvenus à se replier. Les Yankees étaient lancés à leur poursuite. Mais en fait, ils ne poursuivaient personne, se bornant à remonter le pays, par Franklin et Jeanerette, avec toujours la Red River pour objectif. Les pertes qu'ils avaient subies les avaient sérieusement affaiblis. Des renforts leur arrivaient depuis Berwick Bay.

Aussitôt après cet afflux de nouvelles contradictoires, on assista à un exode massif. Dès les premiers jours d'avril, lorsqu'il était devenu évident qu'une bataille aurait lieu sur le bayou Teche en dessous de New Iberia, ceux qui pouvaient partir l'avaient fait, et la route s'était remplie de chevaux, de mules et de chariots. Par familles entières, des civils fuyaient vers le centre et le nord de la Louisiane, emportant ce qu'ils pouvaient avec eux, abandonnant le reste.

A présent, on voyait aussi passer des soldats. Ce furent d'abord des unités rebelles marchant sur Vermilionville afin de s'y regrouper pour défendre l'accès à Alexandria et à la Red River. La pelouse se remplissait tout à coup d'un fort contingent d'hommes en nage et poussiéreux, qui avaient besoin d'eau pour eux-mêmes et pour leurs chevaux, qui avaient besoin de manger et de prendre un peu de repos à l'ombre des grands chênes. Gabrielle allait de l'un à l'autre, leur donnant des bols de café et de quoi se restaurer, changeant les pansements des blessés qui prenaient encore part à l'action, écoutant le récit des incessantes escarmouches auxquelles ils s'exposaient, car ils menaient un combat d'arrière-garde destiné à ralentir la progression de l'ennemi.

« Ils sont beaucoup plus nombreux que nous, expliqua un lieutenant, assis un après-midi sur la galerie en compagnie de la jeune femme. Ils bénéficient d'un apport régulier en hommes, en vivres et en matériel, qui leur arrive de Berwick Bay. Nous remontons vers Alexandria pour rejoindre des troupes venues du Texas et de Shreveport et reprendre le combat. » Il se tut pour regarder la maison, puis Gabrielle. « Je regrette de ne pouvoir vous laisser quelque protection. Lors d'une guerre normale, l'armée régulière requiert l'affouragement prévu par les textes. Mais des soldats aussi indisciplinés que ces Yankees vont faire main basse sur tout ce qui sera à leur goût et saccager le reste par pure malveillance.

— Je ne crois pas que ce soit toujours ce qui les pousse à agir ainsi, dit Gabrielle, contemplant elle aussi la façade de la maison, puis le vert printanier de la pelouse. Si j'avais été de tous les combats, si j'avais vu tomber mes camarades, si j'avais moi-même échappé de peu à la mort, il me semble que face à ce paysage, à ces habitations tranquilles et ces champs fertiles, j'aurais le sentiment d'avoir franchi les bornes de la raison, de vivre dans un monde tout droit sorti de mon harassement et de mon désespoir… » Elle s'éloigna un peu du lieutenant, cherchant les mots qui convenaient. « Ou bien je traverserais ce monde comme un rêve, remarquant à peine ce que je vois, ou bien peut-être me sentirais-je l'envie de le détruire, de le rendre aussi laid que ma propre réalité… » Elle se tut, se raccrochant à la rampe de la galerie, attendant que, dans son dos, le silence se rompît.

« Selon moi, madame, dit doucement le lieutenant, les hommes qui brisent le mobilier et détruisent les maisons sont certes harassés et démoralisés. Mais s'ils commettent de tels actes de vandalisme, c'est parce qu'ils sont menés par des officiers inexpérimentés, qui eux-mêmes n'ont pas la force de caractère nécessaire à la conduite de leurs hommes.

— C'est là la raison militaire, dit-elle en se retournant. Je ne suis pas certaine que ce soit la raison humaine. » Puis, rassemblant son courage, elle posa au jeune officier la question qu'elle posait à chaque Confédéré qui passait les portes de Felicity. « Connaissez-vous mon mari, le capitaine Alex Saint-Cyr ? Il était à Irish Bend avec Taylor, il fait partie du Vingt-Huitième Volontaires louisianais.

— Non, madame, désolé, je ne le connais pas. Ne perdez pas espoir. Ça a été une telle bagarre, là-bas. Il va falloir un moment avant que soient dressés les effectifs.

— Oh, ça non. Je ne perds surtout pas espoir. »

Tout en prononçant ce dernier mot, Gabrielle se mit à se demander ce qu'il signifiait. Jadis, l'espoir était un heureux sentiment d'attente, basé sur la certitude qu'allait survenir un événement positif. Elle espérait que son père penserait à lui rapporter de La Nouvelle-Orléans une poupée française, elle espérait que la robe que lui confectionnait Véronique serait la réplique exacte de telle gravure de mode. Quelle folie de penser que ce petit frisson d'impatience, ce délicieux tressaillement préludant à l'exaucement pût mériter le nom d'espoir !

L'espoir, elle l'avait découvert, se parait de plus sombres couleurs, présentait un visage plus austère. L'espoir se devait d'être tenace et de se raccrocher à son objet, quels que fussent les arguments contraires avancés par la raison. Il rattrapait encore et toujours la jeune femme lorsqu'elle allait sombrer dans les abysses du désespoir, et la redéposait, rompue et près de renoncer, sur le bord du gouffre.

« Je vous souhaite bonne chance, madame », dit le lieutenant en remettant son chapeau. Il battit le rappel de ses hommes, et la petite troupe disparut dans un nuage de poussière. Lorsque celle-ci retomba, la route était déserte.

Arriva ensuite, sans ordre, une patrouille de fantassins confédérés, qui s'annonça comme la dernière. Ils burent debout et repassèrent les portes tout en mastiquant le pain de maïs et le jambon que venait de leur donner Gabrielle. Ils reprirent la route, repartant dans la même direction que tous ceux qui les avaient précédés.

« On dirait qu'ils ont un rendez-vous, dit Gabrielle en les suivant des yeux. Confédérés comme Nordistes, tous se dirigent vers Alexandria. » Elle se tourna vers Adams. « Est-ce que cela rime à quelque chose ?

« — Taylor essaie de se joindre à des troupes fraîches, dit le contremaître. Et il voudrait bien attirer Wietzel et le couper de ses arrières. Espérons qu'ils seront trot pressés pour nous inquiéter. »

On se mit à attendre l'arrivée des Yankees.

Vers le milieu de l'après-midi, assise sur la galerie du premier étage, Gabrielle vit un cavalier solitaire, portant la redingote bleue du Nord, quitter la route pour se diriger au petit trot vers la maison. Son cœur s'arrêta, et elle crut un instant qu'il n'allait pas recommencer de battre et qu'elle serait enfin délivrée. Mais, après une légère hésitation, il se remit à palpiter régulièrement.

« Letha, appela-t-elle, va prévenir M. Adams. »

Letha passa la tête par la fenêtre, les yeux blancs de peur. « Il est allé au bayou, miss Gabrielle. Il a dit qu'il allait prendre du poisson pour le souper.

— En ce cas, je descends seule.

— Non, miss Gabrielle. Je viens avec vous. »

Gabrielle se courba en deux pour regagner l'intérieur de la maison. Elle et Letha gagnèrent le couloir et descendirent les marches sur la pointe des pieds. Arrivées au bas de l'escalier, elles distinguèrent à travers les lames de la porte d'entrée une silhouette bleue. Puis elles entendirent l'intrus actionner le lourd heurtoir de bronze.

« Letha, il *frappe*, souffla Gabrielle.

— Faut croire qu'il y en a qu'ont des manières, dit la Noire. Bougez pas. »

Elle alla déverrouiller la porte, l'ouvrit, se figeant si brusquement que Gabrielle crut bien s'évanouir.

« Ah ben, ça alors, c'est M. Scott », dit Letha. Elle se retourna vers la jeune femme. « Miss Gabrielle, c'est M. Scott !

— Jordan... fit celle-ci en s'élançant. Oh, Jordan ! »

Il lui prit les mains et se mit à la dévisager d'un air inquiet. Puis Gabrielle vit qu'il remarquait le dénuement du vestibule et des pièces voisines. « Mon Dieu, qu'est-il arrivé ? souffla-t-il. Les soldats sont déjà passés par ici ?

— Non, dit Gabrielle. J'ai tout donné. Aux esclaves, quand ils sont partis. Mais cela n'a aucune importance, Jordan. Dites-moi plutôt comment vous avez fait pour arriver jusqu'ici.

— Je commande une canonnière, dit-il.

— Alors vous étiez à Fort Bisland. Oh, Jordan, avez-vous vu Alex ?

426

— C'est pour cela que je suis venu. Attendez, Gabrielle. Là, asseyez-vous. » Il la fit asseoir sur une chaise et se posta à côté d'elle, sans cesser de lui tenir la main. « Il a été fait prisonnier. Pour l'instant, il se trouve à Franklin, mais il va prochainement être transféré à La Nouvelle-Orléans pour y passer en cour martiale.

— Mon Dieu !

— Il va être jugé comme forceur de blocus. Et je crains que le fait qu'il est maintenant revêtu d'un uniforme ne lui soit pas d'un grand secours.

— Oh, Jordan, n'y a-t-il rien que vous puissiez faire ? fit-elle en lui agrippant le bras. Nous sommes mariés depuis bientôt six mois. Je n'ai pas cessé d'être folle d'inquiétude. Jordan, aidez-moi, je vous en conjure !

— Alex ne m'avait pas dit cela, fit Jordan en cessant de regarder Gabrielle pour fixer l'endroit, près de la porte, où, une minute plus tôt, il l'avait vue pour la première fois. En fait, il m'a laissé entendre qu'il n'avait été en contact avec aucun d'entre vous. Il cherchait à ne pas vous mêler à tout cela, Gabrielle.

— Me mêler à tout ça ? Comme si cela me souciait ! Je ferais n'importe quoi pour le sauver. N'importe quoi !

— Vous pensez ce que vous dites ? » Jordan eut un regard en direction de Letha. « J'aimerais vous parler en particulier.

— Allons dehors. Letha, pourquoi n'essaierais-tu pas de nous trouver quelque chose à manger ? Tu nous apporteras cela au belvédère. C'est encore l'endroit qui a le moins changé ici. »

Ils ne dirent plus rien jusqu'à ce qu'ils fussent assis sur le banc, contemplant l'écran de verdure que faisaient les plantes grimpantes, et les premières roses épanouies. « Il est difficile de penser à la guerre dans un tel endroit, dit Jordan. Vous dites avoir donné toutes vos affaires. Sans doute était-ce là une initiative judicieuse. Au moins, est-ce vous qui en avez pris la décision...

— Que puis-je faire pour Alex ? l'interrompit Gabrielle.

— Je peux le faire sortir du camp, dit-il. Mais il m'est impossible de l'accompagner plus loin. Si vous pouviez vous arranger pour que quelqu'un vienne le chercher... Seulement, Tom n'est pas ici, je crois ? Alex m'a dit qu'il...

— Non, en effet. Et je ne peux demander à Adams de risquer sa vie. De quoi a-t-on besoin ? Peut-être Harold pourra-t-il m'aider...

— D'une petite embarcation, dit Jordan. Seigneur, je suis en train de trahir mon camp… Remarquez, il a souvent été démontré dans la famille Scott que les liens du sang y étaient plutôt lâches. Je n'arriverai peut-être pas à redresser les torts faits par ma tante, mais au moins ne les aggraverai-je pas.

— Une petite embarcation… Une plate traditionnelle ferait l'affaire. Les Confédérés y mettent deux hommes, je suppose que cela conviendra pour un homme et une femme !

— Une femme ? Gabrielle, vous n'allez pas !…

— Oh, que si ! » Gabrielle se leva et tendit les mains. Ces mains sont aussi solides que les vôtres, Jordan, et les muscles de mes bras tout aussi durs. Je sais ramer, cela fait des années que je m'exerce, et je connais chaque recoin de ce bayou entre ici et Franklin. Dites-moi où je dois aller le chercher, et j'y serai.

— Et si vous vous faisiez prendre ? » Jordan se leva à son tour, fixant sur elle un regard indéfinissable. « Là, je ne pourrais vous être d'aucun secours, ni à l'un ni à l'autre.

— Nous n'en attendrions aucun, dit Gabrielle. Tant que nous sommes ensemble… Ah, Jordan, j'ai vécu dans une telle angoisse ! »

Elle se laissa aller aux larmes qu'elle refoulait depuis qu'il avait passé la porte, et elle accepta le réconfort des bras du jeune homme en se disant que si cette guerre leur avait à tous terriblement coûté, l'amitié qu'elle partageait avec lui, avait survécu.

« Je ne devrais pas vous laisser tenter cette folie », dit-il lorsque les sanglots de Gabrielle s'espacèrent. Il vit la lueur qui passait dans les yeux de son amie, et se mit à rire. « Oui, je sais. Personne ne pourrait vous faire renoncer. Et de toute façon, il n'y a pas d'autre solution. Impliquer quelqu'un d'autre là-dedans, surtout si ce quelqu'un a lui-même été soldat… Les conséquences n'en seraient que plus sévères en cas d'échec.

— Cela réussira, dit Gabrielle dans un sursaut d'énergie qui semblait monter du sol sous ses pieds. Il le faut.

— Seulement il ne pourra se réfugier ici.

— Nous ne resterons pas ici. » Elle saisit la main de Jordan et le regarda droit dans les yeux, se rappelant la première fois où elle avait croisé ce regard clair et droit. « Jordan, à vous, je peux confier notre destination. Nous allons rejoindre Tom et Véronique du côté de San Antonio. Mon frère a acheté de la terre là-bas. Jonas et Samson y sont également.

— Ce sera un voyage long et périlleux. » Jordan eut de nouveau cette expression qu'elle n'avait su définir. Elle savait maintenant de quoi elle était faite : de respect, d'admiration, et d'une profonde affection qui l'accompagnerait au cours de cet épuisant voyage.

«Avec Alex, ce ne sera rien du tout. Mais il me faut d'abord aller le récupérer...

— Mettons l'opération au point », dit Jordan. Il traça une carte grossière dans la poussière du sol et montra à Gabrielle l'endroit où Alex l'attendrait.

«Reste à fixer le jour et l'heure, dit-il. Il ne faut pas tarder, Gabrielle.

— Demain matin, est-ce assez tôt ?

— Demain ! Êtes-vous en mesure de partir aussi vite ?

— Pourquoi pas ? Plus rien ne me rattache ici. » C'était pure vérité, elle le savait. Les liens qui l'attachaient naguère à ces lieux s'étaient distendus ; elle était désormais sans attaches. Les choses qui pouvaient lui rappeler la vie d'autrefois se trouvaient dans la cabane au fond des bois ; on les chargerait dans le chariot. Quant au reste, les rares meubles et objets que les esclaves n'avaient pas emportés, que les Yankees se servent !

Letha arriva avec un plateau, grommelant quelque chose au sujet de la pauvreté du repas qu'elle leur servait. «Letha, il y a une foule de choses à faire aujourd'hui, dit Gabrielle. Emballe tes affaires et va m'attendre dans ma chambre. Et pas un mot à qui que ce soit, tu m'as bien entendue ?

— Pour sûr, miss Gabrielle. » La vieille Noire parut sur le point d'ajouter quelque chose. Cependant, devant le regard impérieux que lui lança Gabrielle, elle reprit son plateau et s'en fut.

«Est-ce que vous comptez l'emmener avec vous au Texas ? demanda Jordan. Elle risque de vous ralentir, non ?

— Mais non. De toute façon, même si c'était le cas, je ne peux m'en séparer. Letha est mon ultime lien avec la vie d'avant. Elle m'a tenue dans ses bras lorsque je portais encore des langes, elle m'a appris à marcher. Je peux quitter cette maison, je peux quitter cette terre, mais je ne peux abandonner Letha.

— Il faut que je regagne le camp », dit-il. Il lui prit la main. «Je... nous ne nous reverrons pas...

— Cette guerre prendra fin un jour, dit-elle. Ce jour-là...

— Je retournerai à Boston, dit Jordan.

429

— Pas à La Nouvelle-Orléans ?

— Non, c'est une page qui est tournée. » Jordan contemplait la grande demeure, qui semblait paisiblement sommeiller dans la douce lumière de cet après-midi d'avril, ses intérieurs ravagés, masqués par sa vaste et belle façade. « Écrivez-moi à Boston, Gabrielle, à l'Armement Scott. On me fera suivre le courrier. Je serai heureux de savoir comment cela se passe pour vous... pour vous tous.

— Je n'y manquerai pas », dit-elle. Elle se leva à son tour et le raccompagna jusqu'à son cheval. « Peut-être viendrez-vous nous voir au Texas ? Il paraît que c'est un endroit merveilleux.

— Vous ne reviendrez pas par ici ? Quand la guerre sera finie, j'entends.

— Je ne sais pas. Mais, quittant Felicity de cette manière, j'ai moi aussi le sentiment qu'une page est tournée. »

Elle le regarda monter en selle et s'éloigner dans l'allée. Au moment de passer les grilles, il se retourna une dernière fois pour agiter son chapeau, puis il s'en recoiffa, donna un léger coup de cravache à sa monture et s'engagea sur la route.

Aussitôt, Gabrielle regagna la maison en courant, claqua la porte et poussa le verrou. Elle appela Letha. « Envoie Caleb me chercher M. Adams. J'ai besoin de le voir tout de suite. Fais vite. »

Puis elle monta au grenier pour chercher cette malle à déguisements grâce à laquelle elle et Tom ne voyaient pas passer les après-midi pluvieux de leur enfance. Elle avait tôt fait de résoudre le problème le plus délicat, celui de faire passer Alex inaperçu pendant le long trajet jusqu'à la frontière de l'État. Je vais me servir du fond de teint jaune. Celui dont nous nous servions pour nous grimer en Chinois, se dit-elle en se frayant un chemin jusqu'à la malle. En cas de contrôle, je dirai qu'il a la fièvre jaune, qu'il est très contagieux. Cela coupera court à toute curiosité intempestive ; les Yankees craignent la fièvre jaune depuis qu'ils ont mis les pieds à La Nouvelle-Orléans ; il y en a même qui font tout pour obtenir une autre affectation.

Elle allait prendre Brandy, évidemment. Tom avait emmené Jupiter avec lui au Texas, mais il y avait Vanille, la compagne d'écurie de Brandy. A elles deux, elles feraient un excellent attelage pour le chariot. On les maculerait de boue pour leur donner l'air plus décrépit.

Tout en redescendant pour s'entretenir avec Adams, elle

comprit qu'elle était en train de lâcher la bride à son imagination, qu'afin de se ménager quelque optimisme elle se faisait un jeu d'une entreprise aussi risquée. Mais si cela fonctionne, peu m'importe. Et, lorsqu'elle eut fait part de ses intentions à Adams, elle fit litière de ses objections, tant elle était certaine que son plan ne pouvait que réussir.

« Je ne vais pas perdre plus de temps à discuter, madame Saint-Cyr. Depuis la mort de votre père, j'ai eu l'occasion de voir ce dont vous êtes capable quand vous avez quelque chose en tête. Je ne serais pas étonné que vous réussissiez.

— Vous allez emmener Letha, le chariot et les chevaux à la cabane, dit Gabrielle. Vous lui tiendrez compagnie jusqu'à ce que j'arrive avec mon mari... » Sa gorge se serra sur ce dernier mot, et elle ne fut pas sans remarquer la fugace lueur de compassion qui passait dans le regard d'Adams. « Je vous proposerais bien de venir avec nous, mais je pense que deux femmes et un malade attireront moins l'attention...

— Ne vous en faites pas pour moi. Pour tout vous dire, madame Saint-Cyr, cela va me libérer. Jamais je ne vous aurais quittée... mais, voyez-vous, j'ai bougrement envie de me joindre aux Texas Rangers qui sont venus nous donner un coup de main. Je vais y retrouver des camarades du temps de mon passage à la Wells-Fargo. Je compte bien envoyer quelques Yankees *ad patres* avant de mordre la poussière.

— Je vous souhaite bonne chance, dit Gabrielle, le regard embué. Je ne sais pas ce que j'aurais fait sans vous, monsieur Adams...

— Ah, parlez pas de ça. Votre père, il a toujours été régulier avec moi. Et vous de même, madame Saint-Cyr. Vous êtes une Cannon jusqu'au bout des ongles.

— Si jamais vous passez du côté de San Antonio, ne manquez pas de nous faire signe.

— Je vais vous dire. Si je m'en tire, il se pourrait que je vienne faire un tour par ici, histoire de voir ce que sera devenue Felicity. Je vous le ferai savoir. » Il leva un œil vers le soleil. « Il est temps que j'aille atteler. Votre Letha, elle est au courant ?

— Je ne vais pas lui dire que je pars chercher Alex. Elle se jetterait en travers de la porte et ne me laisserait jamais sortir. » Adams eut un petit sourire. « Je vais juste lui dire que nous partons avant l'arrivée des Yankees. Elle va vous suivre, ne vous en faites pas.

431

« — Pour ce qui est de la plate, vous savez où il y en a une ?

— Il y en a une près de l'embarcadère. Elle descendait il y a deux ou trois jours au fil du courant. J'ai demandé à Caleb de me l'attraper. Ç'aurait été dommage de la laisser passer.

— Merveilleux, fit Adams. Cela nous évite de perdre du temps pour en dénicher une. »

Plus tard, lorsque vint le moment de se mettre en route, Gabrielle fut étonnée de voir combien il lui était facile de s'en aller. Quelques instants auparavant, elle se trouvait encore dans le bureau de son père, humant le parfum des livres et de la fumée de cigare. Et voici qu'elle se retrouvait dehors, après avoir refermé une dernière fois la porte d'entrée. Comme c'est facile, se dit-elle en s'engageant dans le sentier menant au jardin. La terre ne s'ouvre pas sous mes pas, aucune clameur céleste ne s'abat sur ma tête. Rien d'autre qu'une douce brise nocturne et, là-haut, cette lune blême et tranquille.

Traversant le bois de chênes pour gagner les champs, elle réfléchissait à ce qui l'attendait. Il lui faudrait une petite heure pour atteindre le bayou, puis plusieurs heures d'aviron pour gagner l'endroit où devait l'attendre Alex. Sa vive exaltation lui faisait oublier la fatigue, mais la rendait extrêmement nerveuse, et le moindre bruit lui faisait sauter le cœur. Des campagnols déguerpissaient à son approche. Une fois, une chouette fondant sur sa proie lui effleura la joue du bout de l'aile.

Elle aperçut enfin le reflet de la lune sur les eaux du bayou. Elle allongea le pas et atteignit bientôt la berge. Elle dévala le talus, manquant plusieurs fois de perdre pied sur la vase glissante, et monta à bord de la barque. Un gros aviron était posé sur le fond de l'embarcation, lourd et rugueux entre ses mains. S'en servant comme d'une perche, elle s'écarta de la berge afin de gagner le lit du cours d'eau.

Le courant était contraire, et elle fit plusieurs faux départs avant de trouver le rythme qui convenait pour propulser la plate avec régularité. Elle entendit un bruit d'éclaboussement et vit une longue forme sombre et squameuse passer le long du bord. Elle se sentit tout à coup plus seule qu'elle ne l'avait jamais été. Elle desserra sa prise, et l'aviron manqua de lui échapper ; elle le rattrapa de justesse et recouvra son calme.

Elle leva les yeux vers le ciel et vit la Grande Ourse. Comme si les astres étaient doués de la parole et pouvaient lui rappeler toutes ces nuits passées avec Tom et leur père à reconnaître les constellations au point qu'elles étaient bientôt devenues de vieilles connaissances veillant sur elle jusqu'à l'aube, elle sentit son courage lui revenir. J'en suis capable, se promit-elle. Et je vais réussir.

Il arriva qu'elle entendît des voix à quelque distance vers l'avant. Elle gagna la rive et se jeta à plat ventre au fond de la barque jusqu'à ce que le silence revienne. Elle n'avait aucune idée de la distance parcourue, et fut presque saisie de panique lorsqu'elle vit se profiler deux grands pins dont les troncs formaient un X. C'était le repère dont lui avait parlé Jordan ; Alex devait se cacher à proximité.

Battant l'eau, certaine que ce vacarme allait alerter toutes les sentinelles à des kilomètres à la ronde, Gabrielle dirigea l'embarcation vers la berge, poussant un soupir de soulagement lorsque sa perche improvisée donna sur le fond vaseux. Scrutant les taillis épais, elle se mit à appeler doucement : «Alex ! Alex, vous êtes là ? »

Pendant un long moment, elle n'entendit rien. Même le bayou semblait devenu plus silencieux. C'est alors qu'une forme émergea des ténèbres et se dirigea vers elle à quatre pattes.

« Gabrielle ? »

La jeune femme se mordit la langue pour réprimer un cri de joie. « C'est moi », souffla-t-elle.

Il se laissa glisser le long de la rive et embarqua, s'accroupissant aussitôt sur le plancher. « Gabrielle... C'est à peine croyable... quand Jordan m'a dit que...

— Moi aussi, j'ai du mal à y croire. Mais taisons-nous. Allongez-vous au fond, le temps que je regagne le plus fort du courant. »

Celui-ci était favorable à présent. Orientant l'étrave vers l'aval, Gabrielle sentit l'accélération qu'il imprimait à l'embarcation. Alex tendit le bras pour lui saisir la main. « J'ai bien cru ne jamais vous revoir », murmura-t-il. Il sentit les larmes de sa femme tomber sur lui, douces et chaudes. Après tant de journées d'angoisse et de nuits solitaires, abandonnée au désespoir, à l'ignorance où elle était de ce qu'il était advenu de lui, voici qu'elle le retrouvait. Les ampoules de ses mains ne la faisaient pas souffrir, non plus que les muscles de son dos. S'il lui avait fallu parcourir une distance deux fois plus grande, avec un aviron deux fois plus

433

pesant, elle l'aurait fait. Alex était auprès d'elle, et ils ne se quitteraient plus.

Ils passèrent toute la journée dans la cabane, attendant la nuit pour se mettre en route. Après les avoir accueillis avec de grandes démonstrations de joie, Letha les avait laissés seuls. « Je ne m'éloigne pas, avait-elle dit à Gabrielle. J'ai vu qu'il y avait des mûres. Je vais nous en cueillir. »

La méchante paillasse leur fut la plus douce des couches. « Il suffit à notre bonheur que nous soyons ensemble, dit Alex en lui caressant le visage comme s'il eût encore du mal à croire qu'il la tenait entre ses bras.

— N'oublions pas les amis, dit Gabrielle. Sans Jordan... et sans Adams... » Elle émit un long soupir, songeant à la chance qui était la leur.

« Oui, Jordan m'a rendu à nouveau fier d'être un Scott. Je lui revaudrai cela un de ces jours. Encore que je ne voie pas ce qui pourrait équivaloir...

— Je ne crois pas qu'il doive en être ainsi, dit-elle en se serrant contre lui. Je ne pense pas que l'on fasse le décompte des services rendus. Je crois que le plus souvent nous transmettons le bienfait à quelqu'un d'autre. Tu as secouru Véronique, Jordan nous a aidés, et ainsi de suite. Oui, c'est cela, une chaîne de confiance réciproque, une succession de bienfaits, qui forme un cercle et finit par nous revenir.

— Eh bien, j'espère que tu vivras toujours au milieu d'un tel cercle, dit Alex. J'entends que tu ne connaisses plus ni la souffrance ni la peur ni aucune de toutes ces horreurs.

— Comment cela se pourrait-il ? dit-elle en lui embrassant la main. Puisque je t'ai. »

Lorsque Letha se glissa dans la cabane et risqua un œil par une des fentes de la paroi, elle vit qu'ils dormaient dans les bras l'un de l'autre, front contre front, paisibles et souriants.

« On dirait deux petits enfants, dit-elle en essuyant une larme. Miss Honorée, au moment de votre mort, je vous ai promis de veiller sur cette petite. Ne vous en faites pas, la promesse tient toujours. »

Ils se mirent en route sitôt la tombée de la nuit. Le visage jauni et ridé, Alex était étendu au fond du chariot, enveloppé dans une couverture, dont il pourrait, au besoin, se recouvrir la tête.

« **Vous** êtes assez laid pour faire peur à qui que ce soit, commenta Gabrielle en contemplant son œuvre. Surtout, si on nous **arrête, n'**oubliez pas de trembler comme un possédé. Il faut qu'on croie que vous êtes en train de mourir de la fièvre jaune, et qu'on nous laisse passer notre chemin. »

Letha prit place dans un coin du chariot, les jupes recouvrant une des caisses. On couvrit les autres à l'aide de sacs de jute et de vêtements éparpillés. Gabrielle monta sur le siège du conducteur, empoigna les rênes et, d'un claquement de langue, fit partir Brandy et Vanille pour les guider précautionneusement sur la piste malaisée qui partait à travers les bois.

Ils voyagèrent jusqu'aux environs de minuit. Leur itinéraire, par des chemins charretiers sinuant à travers prairies et champs moissonnés, les avait ralentis, mais au moins n'avaient-ils rencontré âme qui vive. Parfois, une lumière scintillait dans le lointain ; alors on faisait halte le temps de s'assurer que cette lueur provenait d'une habitation, et non d'une lanterne se balançant au bout du bras d'un soldat yankee. Alex monta la garde tandis que Gabrielle dormait à côté de Letha sur la couchette aménagée dans le chariot. La jeune femme, contrairement à son attente, parvint à dormir ; elle s'éveilla au petit jour, courbatue et la nuque douloureuse.

« C'est la partie la plus délicate qui nous attend maintenant, dit-elle lorsqu'ils reprirent leur marche cahotante au terme d'un repas frugal. Ce chemin va se terminer et nous allons devoir rejoindre la grand-route.

— Serait-il préférable d'attendre la nuit ? interrogea Alex depuis l'arrière du chariot.

— Non, je pense que nous attirerons moins l'attention en voyageant de jour. La route est pleine de réfugiés, un chariot de plus ne fera pas grande différence.

— Où sommes-nous ? demanda-t-il.

— Au-delà de New Iberia. Il y a quelques minutes, nous avons dépassé une borne indiquant Dulcito.

— Et une fois sur la grand-route ?

— Nous allons la suivre un moment, puis nous obliquerons vers l'ouest. Ensuite... eh bien, nous traverserons la prairie en droite ligne jusqu'aux rives de la Sabine.

— J'aimerais participer un peu plus ! dit-il. Rester étendu là, pendant que vous prenez tous les risques...

— C'est que moi, ma tête n'est pas mise à prix », dit Gabrielle.

Le silence retomba. On n'entendit plus que le grincement des harnais, le crissement des roues et les bruits feutrés d'une matinée de printemps. Gabrielle s'engagea sur la grand-route après en avoir longuement inspecté les abords. La chaussée était déserte. Plus loin, toutefois, s'élevait une longue colonne de fumée.

« De la fumée ? murmura Alex.

— Oui, mais je ne vois pas d'où elle provient. » Au sortir d'une courbe, Alex entendit Letha et Gabrielle émettre un hoquet de surprise.

« C'est une maison qui brûle, dit Gabrielle. Couvrez-vous la tête, Alex. Et pas un mot. »

Les flammes faisaient des rideaux ardents aux hautes fenêtres de la maison incendiée, les chevrons du toit s'arquaient vers le ciel avant de s'effondrer dans la fournaise.

Un homme y lançait des seaux d'eau que sa femme allait remplir à la pompe. Non loin de là se tenaient trois enfants, serrés les uns contre les autres, la mine grave, les traits tirés.

Gabrielle s'obligea à regarder droit devant et força l'allure. Elle entendit Letha prier dans son dos et l'imita silencieusement : « Sainte Marie, pleine de grâce... »

A présent, comme si la maison incendiée eût marqué l'accès à un nouveau paysage, les abords de la route étaient jonchés de débris de toute nature. Des vêtements féminins étaient pris dans les clôtures, accrochés dans les taillis. C'était de la porcelaine brisée, des miroirs fracassés, tout un bric-à-brac dont les pillards s'étaient chargés pour s'en débarrasser au bout de quelques kilomètres. Un cheval à bascule, une poupée...

« Seigneur, je n'ai jamais rien vu de tel, souffla Letha.

— Je suis contente d'avoir vidé Felicity, dit Gabrielle. La maison n'est plus qu'une sorte de pierre tombale de notre vie là-bas ; s'ils l'incendient, ils ne feront qu'allumer un bûcher funéraire. »

Le spectacle de cette dévastation l'emplissait plus que toute autre chose de courage. Ces témoignages de ce qui attendait les habitants du Teche, la confortaient dans son opinion que ce départ était la chose la plus raisonnable.

Il ne leur restait plus que deux kilomètres à parcourir sur la grand-route avant de s'engager sur une voie plus sûre, quand ils aperçurent un petit parti de soldats yankees qui marchaient à leur rencontre dans un nuage de poussière.

« Voici venir des soldats, dit Gabrielle d'une voix égale. Alex, couvrez-vous et mettez-vous à trembler. Letha, je ne veux pas entendre un seul mot sortir de ta bouche ! » Se retournant, elle vit la tête que faisait la vieille Noire. « Ils ne nous feront aucun mal, je te le promets.

— J'aurais dû emporter mon rouleau à pâtisserie, dit Letha. Au moins, je pourrais me défendre...

— Chut ! Ils approchent. »

Gabrielle identifia un sergent, suivi de quatre conscrits. Pendant un moment, elle put croire qu'ils allaient passer sans s'arrêter. Mais, arrivé à hauteur du chariot, le gradé leva le bras. « Halte ! » fit-il à l'adresse de ses hommes. Il vint jusqu'au chariot. « Vous aussi. »

Gabrielle arrêta ses chevaux et attendit.

« Où allez-vous, miss ? s'enquit le sergent.

— Chez mon oncle, près de Youngsville. Mon père était contremaître sur une plantation pas loin d'ici. Mais il est mort hier soir de la fièvre jaune. Mon frère, là derrière, l'a attrapée lui aussi. Il est mourant, ou tout comme.

— La fièvre jaune ! s'écria un des soldats. Hé, sergent, tirons-nous.

— Un petit instant », fit le gradé. Il posa la main sur la croupe de Brandy. « Si tu devais choisir un de ceux-là ça serait lequel ?

— Vous savez, elles ne valent pas grand-chose, se hâta de dire Gabrielle. Si mon père les avait, c'est uniquement parce qu'elles sont inmontables.

— Cette alezane me fait l'effet d'être plutôt facile. » Le sergent alla ouvrir la bouche de Brandy. « Elle m'a l'air en bonne santé. » Il leva les bras pour déboucler le harnais. « Bien sûr, je vais vous faire un reçu », fit-il en adressant un clin d'œil à ses hommes.

Vive comme l'éclair, Gabrielle sauta du chariot et tira sa dague de sa ceinture. Elle en pointa la lame vers le cœur de sa jument.

« Espèce de petite garce ! » l'attrapant par le poignet, le sergent l'envoya rouler dans les hautes herbes qui bordaient la chaussée.

Il s'apprêtait une nouvelle fois à déharnacher Brandy, quand une voix lança : « Arrêtez ! Arrêtez, c'est un ordre ! »

Lentement, il se retourna, tandis que Gabrielle se relevait, la dague au poing. Un officier yankee montant un cheval noir venait de s'immobiliser à côté du chariot, revolver au poing. « Eh bien, sergent, que se passe-t-il ici ?

— Elle a voulu tuer ce cheval », répondit l'autre.

L'officier mit pied à terre et s'approcha de Gabrielle. Ôtant sa casquette, il désigna Brandy. «Cette bête vous appartient?

— Oui», dit Gabrielle. Elle sentit quelque chose couler sur son menton et y porta la main pour voir que c'était du sang. Elle se lécha la lèvre à l'endroit où elle se l'était mordue.

«Et vous aimez mieux la voir morte plutôt que réquisitionnée?

— C'est moi qui l'ai élevée», dit Gabrielle en guise d'explication.

L'officier se tourna vers le sergent. «En route, dit-il. Et que cela ne se reproduise plus, Anders.

— Oui, mon capitaine.» Le sergent alla se placer à la tête de ses hommes et, d'une voix furieuse, lança un ordre. Pour reprendre la parole, le capitaine attendit que la petite troupe se fut éloignée.

«J'admire votre courage, miss, mais non votre sens de la mesure.

— Je n'ai pas pu m'en empêcher, dit Gabrielle. Cela a été plus fort que moi.

— Et d'ailleurs, que faites-vous dans le secteur?» L'officier alla regarder à l'intérieur du chariot. «Et lui, que lui est-il arrivé?» Il tendit le bras pour soulever un coin de la couverture.

«Il a la fièvre jaune», dit Gabrielle.

Le Yankee s'écarta précipitamment, laissant retomber la couverture. «La fièvre jaune! Mais vous devriez être en quarantaine!

— J'essaie d'aller retrouver des parents. Notre père est mort hier. Il était contremaître sur une plantation, un peu plus loin sur la route.»

L'officier prit les mains de la jeune femme pour en inspecter les paumes. Il y vit des cals et des ampoules. Puis il leva les yeux vers son visage marqué par la fatigue. «Et vous allez loin comme cela?

— De l'autre côté de Youngsville.»

Le Yankee parut hésiter, puis il secoua la tête. «C'est bon, allez-y. Mais si j'étais vous, je quitterais la grand-route.

— C'est ce que je compte faire», dit Gabrielle.

Elle remonta sur le siège du conducteur et empoigna les guides, adoptant inconsciemment un maintien plein de dignité, dos bien droit et tête haute.

L'officier remonta en selle et fit marcher son cheval à hauteur du chariot. «Combien de temps avant que vous bifurquiez? demanda-t-il.

— Un peu plus d'un kilomètre.

— Je vais vous escorter.

— Je vous remercie, monsieur», dit Gabrielle en penchant la tête pour dissimuler ses larmes.

L'officier yankee alla chevaucher à plusieurs mètres en avant. Sa redingote était une tache bleue et floue pour les yeux fatigués de la jeune femme. Le flux d'adrénaline qui lui avait permis de traverser ces instants éprouvants l'avait complètement épuisée. Je ne pourrais supporter un nouvel incident de cette sorte, se dit-elle. Pourvu que le plus dur soit passé.

On atteignit enfin l'étroite trouée entre les cannes en herbe, qui marquait le début du chemin de traverse. Gabrielle guida prudemment le chariot pour franchir un fossé peu profond et s'engager sur la piste pleine de fondrières. L'officier la regardait faire.

«J'ai une sœur qui a exactement les mêmes cheveux et les mêmes yeux que vous, dit-il. Ce n'est pas courant par ici.

— Non, en effet», dit Gabrielle. Elle tourna la tête vers lui et le salua.

L'homme lui sourit. «Bonne chance», dit-il. Puis il fit tourner son cheval et s'éloigna, passant du trot au petit galop et disparaissant bientôt dans un nuage de poussière.

Deux jours ayant passé sans que l'on croise un seul Yankee, Alex se débarrassa de son maquillage et se mit à mener le chariot lorsque son tour venait. On traversait maintenant une région que la guerre n'avait pas encore touchée. Les seuls signes rappelant la triste réalité, étaient ces voyageurs qui, comme eux, étaient partis de chez eux pour fonder quelque part un nouveau foyer.

Plus on approchait de la frontière du Texas, plus le moral s'améliorait. Et jusqu'à Letha, qui finit enfin par croire qu'elle reverrait effectivement Tom. Les trois compagnons parlaient de leur nouveau pays et de la maison que Tom aurait construite. «Tu vas voir, Letha, disait Gabrielle. Nous allons nous sentir comme chez nous.»

Les légendes dans lesquelles elle avait été bercée concernant ses ancêtres, occupaient le fond de ses pensées; telles des banderoles claquant au vent, elles parlaient d'épreuves surmontées et

439

de la pérennité de l'amour. Ses mains, calleuses et griffées, avaient convaincu un capitaine yankee qu'elle n'avait rien d'une femme dorlotée, qu'elle était capable d'effectuer les tâches les plus pénibles. Elle les contemplait, les voyant pour ce qu'elles étaient : des outils avec lesquels construire, les instruments qui leur permettraient de réaliser leurs rêves.

Soudain, Alex lui saisit le bras. « La Sabine ! s'écria-t-il. Ça y est, nous y sommes ! »

Gabrielle se leva pour contempler la large rivière, dont les eaux brunes glissaient lentement entre des berges plantées d'arbres. Le soleil s'y réfléchissait en myriades de points lumineux. Une brise légère vint agiter les feuilles et soulever la chevelure de la jeune femme. Un lapin bondit de son terrier. Là-haut, dans le ciel, un oiseau planait.

« On dirait bien le matin d'un monde nouveau, dit Gabrielle. Un monde créé à notre intention. Et nous avons toute la vie devant nous...

— Et voilà le gué », dit Alex.

Lorsque le chariot remonta sur l'autre berge, de l'eau ruisselant des roues et de la robe des chevaux, il tira de la poche de sa chemise un petit sac de toile. « C'est pour toi, dit-il en le tendant à Gabrielle.

— Qu'est-ce que c'est ? »

En réponse, il dénoua le cordon qui fermait le sac et lui versa dans la paume de la main un peu de terre noire.

« Elle vient de Felicity, dit-il. J'ai pensé que cela te ferait plaisir, en guise de promesse et d'espoir. »

De la terre de Felicity, un souvenir de ses champs. De la maison qui se dressait naguère au-dessus d'eux, massive, rassurante. Comme si ces particules de terre, tièdes et poudreuses dans sa main, eussent été un aimant agissant sur son cœur, Gabrielle sentit celui-ci s'orienter, s'inscrire dans une boucle temporelle, un ruban sinueux, toujours dévidé. Le sang de tous ses ancêtres coulait dans ses veines. Tous leurs espoirs et tous leurs rêves, échafaudés puis anéantis et, par elle et Alex, à nouveau échafaudés. Un flux continu d'amour et d'accomplissement qui aboutissait ici.

Elle prit la main d'Alex dans la sienne et sentit la terre se mouler entre leurs paumes. Alors, ensemble, ils prirent pied sur le sol du Texas.

Cet ouvrage a été réalisé sur
Système Cameron
par la SOCIÉTÉ NOUVELLE FIRMIN-DIDOT
Mesnil-sur-l'Estrée
pour le compte des Presses de la Renaissance
le 10 octobre 1988

Imprimé en France
Dépôt légal : octobre 1988
N° d'impression : 10475